THÉSÉE
ET L'IMAGINAIRE
ATHÉNIEN

Du même auteur

Les chœurs de jeunes filles en Grèce archaïque.
I : Morphologie, fonction religieuse et sociale,
II : Alcman
Edizioni dell'Ateneo, Rome, 1977

Alcman. Introduction, texte critique, témoignages,
traduction et commentaire
Edizioni dell'Ateneo, Rome, 1983

Le récit en Grèce ancienne.
Enonciations et représentations de poètes
Méridiens-Klincksieck, Paris, 1986

Editeur de :

Rito e poesia corale in Grecia
Guida storica e critica
Laterza, Rome - Bari, 1977

L'amore in Grecia
Laterza, Rome - Bari, 1983

Métamorphoses du mythe en Grèce antique
Labor & Fides, Genève, 1988

Cet ouvrage a été publié avec le soutien du Fonds des publications
de l'Université de Lausanne, de la Société Académique Vaudoise
et de la Fondation Irène Nada Andrée Chuard-Schmid.
Le début de cette recherche a bénéficié de l'appui du Fonds national suisse
de la recherche scientifique (requête n° 1.104-0.80).

CLAUDE CALAME

THÉSÉE ET L'IMAGINAIRE ATHÉNIEN

Légende et culte en Grèce antique

Préface de Pierre Vidal-Naquet

Sciences humaines

EDITIONS PAYOT LAUSANNE

Cet ouvrage a profité
de la lecture attentive et critique
de David Bouvier et de Martin Steinrück.

Couverture :
Conception : Studio Palmerini, Morges
Illustration : Coupe attique à figures rouges,
New York Metrop. Mus. 53.11.4 (*ARV*^{2} 406,7)

© Editions Payot Lausanne
ISBN 2-601-03080-1
Imprimé en France

Pour Alexandre, παῖδα,
et Carlo, ἔφηβον

PRÉFACE

Au soir de sa vie, en 1946, André Gide, écrivain aujourd'hui un peu oublié mais dont l'influence libératrice fut, pendant la première moitié du siècle, immense, écrivit – à la première personne – un *Thésée*, apologie d'un hédonisme pleinement accompli. Le livre se terminait par cette simple phrase : « J'ai vécu. » Apologie des « nourritures terrestres », apologie du désir. Evoquant sa jeunesse, Thésée-Gide écrivait : « Vers tout ce que Pan, Zeus ou Thétis me présentait de charmant, je bandais. » Ce dernier mot avait été écrit pour choquer, et il choqua.

Gide avait coutume de dire : « Je ne suis qu'un enfant qui s'amuse doublé d'un pasteur protestant qui l'ennuie. » *Thésée* est l'autobiographie d'un enfant qui s'est beaucoup amusé. Mais le pasteur protestant n'en fait pas moins son apparition. Il s'appelle Œdipe l'aveugle, ici exilé de Thèbes pour avoir été l'amant de sa mère et le meurtrier de son père. Œdipe fait de nécessité vertu. Sa cécité lui a ouvert d'immenses horizons spirituels qu'il résume d'un mot : « O obscurité, ma lumière… » Thésée rejette catégoriquement cette spiritualité contrainte.

La rencontre entre le roi d'Athènes et le roi de Thèbes n'est naturellement pas un « événement historique », mais l'entrevue entre Thésée et Œdipe n'est pas l'invention de l'écrivain français. Dans son ultime tragédie, écrite peu avant sa mort en 406 av. J.-C., *Œdipe à Colone*, Sophocle a mis face à face les deux personnages. Exilé, errant, criminel malgré lui, Œdipe vient demander à Thésée un lieu à Athènes pour mourir, et veiller une

fois mort sur la cité de Pallas et de l'olivier. Le roi qui l'accueille
et lui donne effectivement asile est un modèle de vertu civique :
roi-hoplite qui récuse les ruses de guerre qu'emploie Créon tyran
de Thèbes pour récupérer Œdipe, roi-citoyen et même − oserai-
je dire − roi-ecclésia, fonctionnant comme une instance d'appel
par rapport au déme de Colone qui accueille Œdipe ; il ne fait
rien sans en référer à ses concitoyens dont il exprime la volonté
générale.

Cette figure n'est pas l'invention de Sophocle ; une quinzaine
d'années auparavant elle était au cœur d'une tragédie d'Euripide,
les *Suppliantes*, et Claude Calame ne manque pas de nous le rappeler. Mais on peut remonter plus haut. Si Thésée peut faire figure
de roi-hoplite, n'est-ce pas aussi parce que, à la bataille de Marathon, la bataille hoplitique modèle, « beaucoup de combattants
crurent voir le spectre de Thésée en armes *(en hóplois)* s'élançait à
leur tête contre les barbares »[1]. Ce détail est peut-être inventé,
encore qu'il soit apparu fort tôt dans la grande peinture. Mais la
figure de Thésée est nettement définie quand Phidias l'installe à
Delphes sur la base de Marathon une quinzaine d'années après la
grande victoire, et quand, à la même époque, Cimon fils de Miltiade, vainqueur de Marathon, retrouve à Scyros ses cendres et
leur attribue une place centrale sur l'agora d'Athènes. Au
IVe siècle les orateurs reviendront inlassablement sur le personnage de Thésée, responsable du synécisme qui fit des multiples
Athènes une seule cité − déjà Thucydide sait cela − père d'une
constitution à la fois démocratique et modérée, image un peu
pâle, conventionnelle, mais d'une orthodoxie civique à toute
épreuve.

Dans la pièce de Sophocle, un détail, un seul, jure avec cette
représentation solennelle. Au roi exilé de Thèbes, le roi d'Athènes
déclare : « Je n'oublie pas que moi-même j'ai grandi aussi dans
l'exil, étranger, comme toi, et que j'ai plus qu'un autre risqué ma
vie en maints combats sur une terre étrangère. » A la vérité il
s'agit là d'un faux parallèle, car, à lire Plutarque, et l'ensemble de
la documentation immense qu'a rassemblée Claude Calame, des
deux hommes, c'est Œdipe qui est le roi légitime et citoyen. Fils
d'un Thébain et d'une Thébaine, époux dûment unis, il a certes
grandi dans l'exil à Corinthe, mais personne n'a plus le droit que
lui à l'héritage de Laïos et au trône de Thèbes.

Le cas de Thésée est entièrement différent ; « doublement

bâtard », comme l'écrit Calame, il a été conçu comme en passant par Egée roi d'Athènes, un roi peu sûr de ses droits que menacent les « cruels Pallantides », comme dira Racine, avec une jeune fille poussée dans son lit par son père. Tous les exploits par lesquels il se rapproche peu à peu du centre d'Athènes et du pouvoir politique relèvent, comme le montre Claude Calame, non du face à face de l'hoplite mais des ruses de l'éphèbe, et cette même ambiguïté caractérise ses exploits en Crète ou la manière dont il agrandit le territoire athénien. Et que dire de la façon dont il recueille l'héritage de son père ?

Il se montre, si je puis dire, encore moins orthodoxe dans sa vie sexuelle. « Charmant, jeune, traînant tous les cœurs après soi », selon Racine ; mais aussi héros d'une chanson paillarde, fort populaire il y a un demi-siècle, Thésée choquait à vrai dire la moralité de Plutarque : « Il court cependant sur les amours de Thésée d'autres récits qui n'ont pas été mis à la scène et qui n'ont ni des commencements honnêtes ni des fins heureuses. [2] » La seule union légitime qu'il contracta, avec Phèdre, eut les suites « tragiques » que l'on connaît, et il avait déjà cinquante ans, selon Hellanicos, contemporain de Thucydide, lorsqu'il enleva l'enfant Hélène [3].

Tous les détails s'inscrivent dans cet ensemble. Comme le montre bien Claude Calame, spatialement, Thésée est lié à un type très particulier de terres, les *skirá*, terres non cultivables, terres de calcaire et de maquis caractéristiques des zones-frontières, lieux où règne Athéna Sciras mais aussi le brigand Sciron. Salamine, anciennement Scira, est un de ces lieux. Et Thésée mourra à Scyros, chez les Dolopes qui ne sont pas de vrais Grecs, mais des *mixéllēnes* ou encore *mixobárbaroi*[4].

En bref, le paradoxe est tel que Plutarque, confrontant au début de ses *Vies Parallèles* le fondateur de Rome et le héros athénien conclut que « tout semble prouver que Thésée vint au monde contre la volonté des dieux »[5]. Assurément Thésée n'aurait pas été admis à Athènes, ni comme éphèbe, ni comme citoyen !

C'est à vrai dire un sort qui est celui des héros qui, depuis qu'il y a des héros, c'est-à-dire depuis l'origine même de la cité, ne sont reçus par elle que dans et par la mort.

Le cas de Thésée est à vrai dire exemplaire et Claude Calame a eu parfaitement raison de lui consacrer ce livre qui s'efforce de poser tous les problèmes que soulève l'étude d'un mythe héroïque, quand il s'inscrit dans un imaginaire politique, et dans une pra-

tique rituelle. Ce n'est pas une entreprise facile, car tous les mots
ont ici besoin d'être définis, et je ne puis qu'inviter le lecteur à lire
de près le chapitre I de ce livre, lecture ardue certes, mais enrichis-
sante, parce que nourrie non seulement de tout ce que les
modernes ont écrit sur le mythe, mais d'une expérience ethnographique de terrain, un terrain beaucoup plus lointain que ne l'était
la Crète pour le jeune Thésée, puisqu'il s'agit de la Nouvelle
Guinée. Reste que les mots ont eux-mêmes leur histoire.

Depuis deux siècles au moins les historiens des religions sont à
la recherche d'un mythe pur, d'un royaume de la « fable » que
l'on pourrait opposer à l'univers des faits et de la raison. Depuis
un siècle au moins ils débattent entre eux pour savoir quels rapports (priorité, simultanéité…) existent entre le mythe et le rite, la
logique narrative et la logique de l'action, comme le dit Calame.
Or le temps des mythes ne cesse de reculer, non seulement parce
que l'histoire a conquis de nouvelles provinces, non seulement
parce que le mythe, si « sauvage » soit-il, relève, comme le montre
Lévi-Strauss, d'une raison et d'une logique, mais parce que dans
le cas de la Grèce, on s'aperçoit rapidement que la « critique du
mythe » est aussi d'ancienne que le mythe lui-même, et que les
mots mêmes par lesquels nous tentons de penser, par exemple, la
relation entre le mythe et le rite, dérivent d'analyses mises en
œuvre − on est parfois tenté de dire depuis Homère − par les
Grecs[6]. La *Vie de Thésée* de Plutarque, dont l'objectif est notamment de rendre compte de l'« origine » d'un certain nombre de
fêtes athéniennes que Claude Calame analyse avec soin, est à cet
égard exemplaire. Elle choisit, et éventuellement rejette ce qui est
« manifestement un mythe et une fabrication »[7]. Décidément,
comme le montre Calame, le mythe se constitue dans et par la
mythographie. La mythographie, ce ne sont pas seulement des
textes, mais aussi des images. Les imagiers athéniens « éphébi-
sent » au Vᵉ siècle Thésée − montre Calame − comme pour
mettre l'accent sur des aspects de sa légende qui ne prennent tout
leur sens qu'à Athènes.

Car c'est bien un mythe *athénien*, un mythe *politique* qu'étudie
en dernière analyse Claude Calame et le chapitre VI a intéressé au
plus haut degré l'historien que je suis, même si les notes de ce livre
montrent que nous ne somme pas toujours d'accord. Au VIIᵉ siècle,
notre premier témoin direct, Sappho, n'a rien à nous dire sur
Athènes, et il en sera encore de même, plus d'un siècle plus tard,

des dithyrambes de Bacchylide. Mais dès la fin du vɪᵉ siècle, céramistes et poètes, et plus encore peut-être praticiens et théoriciens de la politique s'emparent du personnage, le manipulent à leur gré. Clisthène n'en fait pas un éponyme d'une de ses dix tribus, mais d'autres feront en sorte qu'il symbolise non une tribu mais Athènes tout entière. Les Tragiques le projettent sur la scène et son nom est « lu » dans une pièce perdue d'Euripide par un personnage qui ne sait pas lire[8]. Etrange cheminement pour ce chasseur de bêtes fauves et de brigands, brigand lui-même, étrange cheminement qui dure encore. Le livre de Calame le prouve à lui tout seul.

Pierre Vɪᴅᴀʟ-Nᴀǫᴜᴇᴛ

NOTES

[1] Plut. *Thes.* 35, 8.

[2] *Ibid.* 29, 1.

[3] *Ibid.* 31, 1.

[4] A ces personnages Denise Fourgous a consacré depuis plusieurs années toute une série d'études.

[5] Plut. *Rom.* 35, 7.

[6] Voir les travaux de L. Brisson, *Platon, les mots et les mythes*, Paris (Maspero) 1982, et de M. Detienne, *L'invention de la mythologie*, Paris (Gallimard) 1981.

[7] Plut., *Thes.* 28, 1.

[8] Cf. J. Svenbro, *Phrasikleia. Anthropologie de la lecture en Grèce ancienne*, Paris (La Découverte) 1988, p. 205 ss.

Chapitre I
CRÉATIONS SYMBOLIQUES

1. Entre « mythe » et « rite »

De la glorieuse épopée de Thésée, qui ne connaît pas l'affrontement avec le monstre taurin au sein des détours du mystérieux labyrinthe de Cnossos ? et qui pourrait ignorer la passion suscitée par le jeune héros athénien auprès de la fille de Minos qui la lui signifia par le don du fil salvateur ? Le retour de Thésée en sa patrie athénienne n'a pourtant rien de très fastueux ; la surprise est grande de voir le héros, après la liquidation du père, accomplir une série de gestes qui, bien qu'adressés aux dieux, n'ont absolument pas bénéficié de la célébrité des hauts faits réalisés en Crète. Toutefois, dès l'époque classique, en particulier à Athènes, une abondante littérature du *di'hóti*, du « pourquoi », s'ingénie à mettre en relation les prestigieuses actions légendaires dont le héros est le protagoniste avec d'étranges pratiques cultuelles ; elle les dit réitérées chaque année à la suite des gestes fondateurs accomplis par le grand Thésée [1].

Car dès le début de la période classique, Athènes est devenue la cité de Thésée, l'Attique la *khthốn Thēsēís*, et les Athéniens les Théséides [2]. C'est donc à un moment historique précis, dans un lieu donné et dans des circonstances politiques et culturelles à déterminer que la tradition indigène elle-même inscrit ce que nous appelons communément le « rite » dans la ligne d'un récit que nous désignons volontiers du nom de « mythe ». Dans cette mise en perspective singulière, historiquement et culturellement marquée, les actions constitutives du rite apparaissent, dans leur répétition, comme la conséquence du déroulement de l'action narrée dans le récit mythologique.

Cette opération de logique narrative, qui remonte à plus de deux millénaires, a suffisamment frappé quelques anthropologues de la fin du siècle dernier pour servir de fondement à une théorie qui a marqué de manière déterminante la réflexion anthropologique de toute la première partie du xxe siècle [3]. A partir de concepts dont on croyait trouver l'esquisse chez les Grecs anciens, on a promu le mythe et le rite au rang de catégories de la pensée « primitive », alors qu'ils ne correspondaient et qu'ils ne correspondront jamais qu'à des outils de la pensée ethnologique. Présupposant pour ces catégories une diffusion universelle, on a alors tenté − en s'inspirant à nouveau du modèle hellène − de rendre compte des manifestations de l'une à l'aide de celles de l'autre. Le point de vue génétique et historique adopté en cette fin de xixe siècle pour l'explication invitait à de telles mises en relation causales. Les Grecs ont toujours montré un goût marqué pour la mise en rapport explicative par association étymologisante ; on en a, à la fin du siècle dernier, repris les effets pour les insérer dans la perspective de motivation évolutionniste alors de rigueur.

Si, par effet de miroir, l'étude présente fera forcément un retour critique sur la théorie moderne, son objectif est très différent. On aimerait en effet, à propos de la légende de Thésée, se concentrer sur le phénomène grec et tenter d'apporter une réponse, dans cette mesure, aux questions suivantes : pourquoi cette nécessité, dans des conditions historiques à préciser, de faire d'un récit légendaire l'*aítion* d'une série d'actes cutuels ? quand et pourquoi cette opération si singulière de mise en discours tendant à inscrire la pratique cultuelle dans la causalité de l'intrigue de la narration mythologique ? qu'est-ce qui fait la spécificité de chacun de ces ordres de la manifestation culturelle et qu'est-ce qui a permis leur mise en perspective mutuelle ? De là la division de cette étude en trois parties, après ce premier chapitre d'élucidation anthropologique : l'une consacrée à l'aspect syntaxique de cette mise en perspective (chapitres ii et iii), un autre à ses conséquences d'ordre sémantique (chapitres iv et v), une dernière aux circonstances d'ordre social et politique dont elle porte la trace et dans laquelle elle s'inscrit (chapitre vi).

Les nombreux malentendus auxquels ont conduit une utilisation trop normative des concepts de « rite » et de « mythe » autant que le point de vue d'analyse du récit et des manifestations culturelles en général adopté ici requièrent donc quelques réflexions préalables. Tout d'abord pour affirmer bien haut que « mythe » et « rite » sont bien des catégories conceptuelles issues du travail de définition taxinomique propre à la pensée anthropologique moderne. Le caractère relatif de ce découpage retire à ces catégories aussi bien toute idéalité d'ordre platonicien que toute chance de trouver dans d'autres cultures d'exacts correspondants ; ni le rite, ni le mythe ne sont ni des genres, ni des réalités pourvues d'un en-soi[4]. Les circonstances dans lesquelles sont nées les concepts modernes de « rite » et de « mythe » font songer à la seconde partie du phénomène décrit par M. Sahlins à propos de la divinisation du capitaine Cook. Certes, la distance historique empêche le parcours de l'aller et la réalité moderne ne peut pas faire irruption dans le monde indigène hellène pour le modifier tout en s'y intégrant. Par contre un phénomène spécifiquement grec a été susceptible de déterminer la pensée moderne, de même que Cook, divinisé par les Hawaïens, a été en retour héroïsé par les Anglais[5] ! Mais s'il est sans doute impossible de sortir du cercle herméneutique dans lequel nous enferme le relativisme des cultures, la mise en perspective du rite par rapport au mythe fournit au moins un bon exemple de leur communicabilité et de leur interaction.

Nous voici donc dans une situation caractérisée de porte-à-faux : condamnés à utiliser des catégories relatives à notre culture pour examiner des phénomènes propres à une civilisation différente, mais dont se réclament ces catégories mêmes[6]. De là le double parcours historique et relativisant proposé dans ce texte introductif. Il s'agit dans un premier temps de décrire et de situer historiquement, dans ses différentes versions, la théorie moderne du mythe/rite (§ 2.1.) ; on pourra dans un second temps se pencher sur les concepts qui, dans la culture hellène, ont pu inspirer la mise en relation moderne (§ 2.3.). Mais l'examen critique des catégories sous lesquelles on essaie d'appréhender les termes de la relation n'enlève rien ni à la réalité, ni à l'existence, ni à la richesse de ces manifestations pensées en Occident comme « mythologiques » ou « rituelles ». On peut dès lors tenter de se libérer du carcan imposé par l'orthodoxie d'une nomenclature en adoptant

un point de vue plus englobant ; en se demandant par exemple si
« mythes » et « rites », résultats de deux découpages très relatifs
au sein des manifestations de culture, n'entrent pas dans cette
classe beaucoup plus générale des pratiques signifiantes à partir
d'un monde déjà informé en visions significatives. Socialement
déterminées, et dans cette mesure toujours dépendantes d'un processus d'énonciation particulier, ces manifestations apparaissent
volontiers comme des reformulations à partir des pratiques constitutives de la vie en société et des représentations que chaque communauté culturelle possède du monde environnant (§ 3.). C'est
dire qu'en Grèce en tout cas, ce processus, qu'on appellera ici
symbolique, est également à l'origine des représentations figurées,
iconographiques ou plastiques, et des manifestations littéraires.

L'interrogation englobante sur le processus de production symbolique devrait confirmer le caractère forcément flou de nos
concepts de « mythe » et de « rite » ; mais il permettra en contrepartie de proposer une approche des manifestations que nous clas-
sons dans ces catégories (§ 4.). On tentera ainsi de substituer à une
définition classificatoire conduisant à l'aporie une démarche qui
rende compte aussi bien de la logique singulière que des relations
réciproques des manifestations symboliques de l'Antiquité, indépendamment de toute classification en genre.

Pourquoi dès lors ne point jeter à la corbeille de la non-perti-
nence les concepts de mythe et de rite ? Si on en poursuit l'emploi
paradoxal dans cette étude, c'est par pure commodité langagière
et opératoire, en toute conscience de leur valeur européocentrique
et érudite.

Sous le chapeau « mythe » on placera désormais − sans se faire
d'illusions sur l'imprécision d'une telle définition − des récits,
successions d'actions, dont acteurs et temps se situent dans le
supra- ou l'infra-humain, tandis que leur espace correspond de
préférence à des lieux géographiquement identifiés dans la communauté concernée[7]. Avec des contours aussi peu distinctifs, le
mythe ne saurait être considéré comme un genre narratif ; si ce
n'est peut-être au moment où les circonstances de son énonciation
se modifient ! C'est en effet essentiellement quand disparaît le
crédit accordé à leur vraisemblance que ces récits semblent devenir
des mythes, avec la nuance de fiction impliquée par le sens courant et moderne du terme. Dans le même mouvement, on verra le

rite réduit au statut de manifestation folklorique. L'inconsistance de la mythologie tient ainsi moins à la qualité intrinsèque des récits qu'on a voulu inclure dans la catégorie du mythe qu'elle ne dépend de l'attitude fiduciaire adoptée à leur égard par celui qui les énonce. D'un côté une énonciation marquée par le croire qui fait de ces récits des énoncés et des actes symboliques et efficaces, de l'autre une réception distante de lecteurs qui en fait des objets d'étude érudite tout en en rejetant l'intrigue du côté de la fiction. Le mythe se constitue donc en définitive dans la mythographie [8]. Quant à l'éventuelle fonction de justification du mythe à l'égard de certaines institutions sociales, elle est à prendre − si on l'admet − moins dans le sens d'un reflet fondateur que dans celui d'une spéculation sur ces institutions à partir de thèmes focalisateurs. Mais n'anticipons pas.

A l'instar du mythe, le rite se présente dans sa définition occidentale comme une séquence d'actions ; séquence dramatisée et somatique plutôt que narrative et textuelle. L'anthropologie anglo-saxonne récente aimerait distinguer ces actes symboliques des actes techniques et pratiques en montrant que les premiers disent davantage qu'ils n'effectuent ; ainsi doués de parole, les rites nous entretiendraient essentiellement du statut social de leurs acteurs [9]. Dépendant sans doute de ces schèmes générateurs acquis, de ces « habitus » décrits par Bourdieu, les séquences de comportements réglés que nous plaçons volontiers sous le terme de rite tendent surtout à imprimer, par la manipulation d'objets empruntés à l'environnement naturel et culturel de la société concernée, la marque efficace de leur exécution ; et cela en se focalisant, par l'action gestuelle et dramatisée, sur les problèmes de fond auxquels elle est régulièrement ou occasionnellement confrontée [10]. Dans cette mesure, l'« énonciation » des manifestations considérées comme rituelles semble impliquer de ses acteurs, notamment par l'intermédiaire de la confiance placée dans son efficacité, une participation émotive particulière. Elles rejoignent dans cette mesure les manifestations symboliques langagières que seraient les mythes, rejetées comme elles dans le folklore par la lecture distante de l'Occidental.

Et pour bien affirmer les contours incertains et relatifs de ces catégories, on fera désormais alterner dans leur désignation le rite avec la pratique cultuelle et le mythe avec la légende, en présupposant dès lors l'usage des guillemets.

2. Quand dire ce serait commenter le faire

Le texte de Plutarque et ceux de quelques autres amateurs hellènes de récits anciens tissent donc entre le récit de l'expédition crétoise de Thésée et une série de cultes essentiellement athéniens un réseau de relations serré. Ces liens ont depuis fort longtemps frappé les anthropologues et certains d'entre eux ont précisément tenté de fonder, par le biais de cet intérêt antiquaire des Grecs pour leur propre tradition religieuse, une définition des catégories de mythe et de rite ! Faire une histoire exhaustive de ces nombreux essais classificatoires dépasserait les limites qui viennent d'être assignées à cette étude ; mais au seuil d'une analyse qui vise à appréhender les modes de signification respectifs de certaines manifestations de la pratique religieuse et sociale des Grecs, un aperçu historique des principales étapes connues dans la recherche anthropologique par le problème qui s'est cristallisé sous la forme « mythe et rite » devrait au moins nous prévenir d'une série d'idées reçues.

2.1. Un peu d'histoire

Parmi les innombrables essais de mise en rapport de certains récits avec les pratiques cultuelles auxquelles ils semblent se référer, le choix est donc nécessaire ; l'accent portera ici essentiellement sur les travaux des historiens de la religion antique. Celle-ci a d'ailleurs toujours occupé dans la recherche en anthropologie une place ambiguë ; servant de paradigme privilégié ou provoquant au contraire des attitudes de crainte. Frazer intègre largement la mythologie grecque dans son entreprise comparative où elle occupe une place de choix alors que Lévi-Strauss préfère l'exclure au nom de la complexité et de la différence. Ce mouvement de pendule n'a cependant pas empêché la religion grecque d'être constamment révélatrice des concepts de l'anthropologie.

Au début de ce siècle, J. Harrison reprenait des catégories hel-

lènes — on verra plus loin dans quel contexte elles sont nées —
pour montrer la dépendance dans laquelle elle situe le mythe par
rapport au rite. D'abord le *drômenon*, l'action, ensuite le *legómenon*, ce qui est dit sur l'action ; le mythe est donc la contrepartie parlée du rite, un rite centré sur la consécration des étapes
marquant la croissance et la dégénérescence de la végétation[11].

Avant même l'intervention de toute divinité, il y a donc, dans
cette perspective, le *drômenon*, l'acte rituel ; un acte qui se distingue des autres actions dans la mesure où il reproduit ou il anticipe quelque chose ; la représentation, par l'intermédiaire de la
mímēsis, constitue l'essence même de l'acte rituel. Quant à ce
besoin de reproduire, de représenter, il est expliqué psychologi-
quement par un désir qui ne trouve pas de satisfaction immédiate.
Le mythe naît alors du rite dont il représente l'intrigue ; et il se
distingue du conte et du récit historique par « la sanction collec-
tive et solennelle » qu'il implique.

Dans cette valeur secondaire attribuée au mythe résonne un
écho d'origine plus ancienne : à la fin du siècle précédent,
W. Robertson Smith, cité par Harrison, avait en effet décrié, dans
la ligne tracée par E. B. Tylor ou F. M. Müller, le caractère arbitraire et fantasque de la mythologie ; le mythe n'était alors qu'un
épiphénomène, balbutiement apparu à la suite du rituel et restant
dans sa dépendance. En dépit d'une perspective plus positive,
Frazer a lui aussi tenté de montrer dans quelle mesure la mythologie est tributaire du cycle des saisons et de la vie humaine ainsi
que des rites qui s'y inscrivent[12]. Cet écho ne meurt pas avec les
ouvrages de Harrison ; on en perçoit le murmure aussi bien dans
les études portant sur l'Antiquité (notamment sémitique) que dans
la réflexion anthropologique inspirée de la psychanalyse. D'un
côté, le mythe apparaît comme la narration idéalisée de l'action
réalisée dans le rite (qui correspond, dans le cas sémitique, à l'institution de la royauté divine comprise comme « modèle rituel ») ;
de l'autre, il devient l'expression langagière de rites sacrificatoires
uniformément réductibles au même événement analytique : le
meurtre du père par le fils[13].

Et périodiquement ce même écho réapparaît pour ponctuer des
recherches plus récentes. On pense aux études teintées d'évolu-
tionnisme de S. E. Hyman et de Lord Raglan. Le premier,
entraîné par l'admiration qu'il éprouve à l'égard de Harrison et
des représentants de l'Ecole anthropologique de Cambridge, tente

de reconduire les archétypes de la mytho-psychologie jungienne à une origine rituelle : même si le temps a pu effacer leur lien de filiation, pas de légende qui ne soit née du rite, pas même de production littéraire qui n'ait à l'origine un rapport d'essence avec le rite. Quant au second, marqué sans doute par son statut privilégié dans la hiérarchie sociale anglo-saxonne, il accentue le rigorisme de la théorie : non seulement tout mythe s'est nécessairement nourri à la source d'une action rituelle, mais les rites eux-mêmes sont réductibles à un seul acte sanglant, le sacrifice du roi divin ou de son substitut ; seule une victime royale mérite sans doute les honneurs de cet acte primordial et fondateur, relatif à l'accession à un pouvoir unique [14] ! En France, et en particulier dans le domaine de l'étude de la religion hellène, le rite est souvent considéré comme la « réalité » sous-jacente au récit de type mythologique. Dans ce genre d'analyse, un rite fondateur assure le rôle d'explication vis-à-vis de la narration : ordalies de légitimation, rites de probation royale et autres épreuves nuptiales pour la légende d'Œdipe, rites propres aux peuples nomades ou pastoraux pour les aventures d'Ulysse. Plus récemment encore, l'historicisme évolutionniste qui sous-tend les remarquables recherches de W. Burkert sur cette même religion grecque ne peut renoncer à la primauté du rite ; si, sous l'influence des recherches inspirées de la sémio-linguistique, le mythe et le rite sont associés et considérés tous deux comme moyens de communication, il n'en reste pas moins que l'action, avec son origine biologique, acquiert chez Burkert un statut de fondement : historiquement, le rite est considéré comme plus ancien que la légende [15].

Du côté anglo-saxon, la théorie ritualiste a connu un nombre considérable de variations. Par acquis de conscience, on y attachera encore deux noms, accompagnés de deux formules. F. Boas : « *The uniformity of many such rituals over large areas and the diversity of mythological explanations show clearly that the ritual itself is the stimulus for the formulation of the myth* » ; E. R. Leach : « *Myth is a charter for ritual performance* ». Mais l'éclectisme de Leach induit l'anthropologue de Cambridge à nuancer cette dernière définition et à la fin de l'article dont elle est tirée, mythe et rite deviennent deux aspects du même phénomène symbolique [16].

La complémentarité de ces deux aspects a d'abord été reconnue par Malinowski. Tout en niant le fonctionnement symbolique des phénomènes décrits, le célèbre ethnologue des Trobriandais voit dans le rite la contrepartie du récit, tous deux visant à « renforcer la tradition » en la référant à une réalité d'ordre supérieur [17]. La thèse de la réciprocité est reprise, en ce qui concerne l'Antiquité, par H. J. Rose et finalement acceptée, en dépit de l'assertion de la primauté biologique du rite, par Burkert [18]. Mais l'affirmation la plus forte de la vanité du débat sur l'origine rituelle du mythe (ou vice versa) a été produite par C. Kluckhohn qui préfère laisser les Grecs pour tirer les éléments de sa démonstration des sociétés indiennes d'Amérique [19].

Certes, la négation du caractère secondaire ou au contraire primaire du mythe à l'égard du rite ne signifie pas que l'on se mette à assimiler ces deux phénomènes sociaux. Le mythe continue à se référer à la parole et le rite à l'objet et à l'acte. Et il en sera encore ainsi chez Lévi-Strauss qui, tout en démontrant le caractère dialectique de la relation existant entre mythe et rite, affirme la nature langagière du mythe qui relève du plan du concept, alors que le rituel se manifeste sur le plan de l'action. Treize ans après cette affirmation, le rite, domaine de manipulation des instruments et des gestes, est devenu un « paralangage » tandis que le mythe, utilisation particulière de la langue, acquiert le statut de « métalangage ». Et dans le fameux « *finale* » de l'*Homme nu*, la question de la relation du mythe et du rite continue à s'articuler autour de la question du langage : gestes et objets rituels apparaissent comme les substituts, sur le mode de la condensation, de la parole mythique. Quant à la fonction attribuée à cette substitution, elle sera aussi l'objet d'un développement ultérieur [20].

2.2. La fonction explicative

L'évacuation du problème de l'origine du mythe et du rite a en tout cas permis de reposer avec davantage de sérénité deux questions essentielles : d'une part celle de leur fonction, d'autre part celle de leur fonctionnement. Kluckhohn indique à cet égard deux directions fondamentales pour la recherche. Quant à la seconde question, il invite l'anthropologue à voir dans le mythe aussi bien que dans le rite des processus d'ordre symbolique. On constatera à

l'occasion du développement suivant que, par le biais de la perspective sémiotique, légende et pratique cultuelle peuvent en effet
être considérés comme les manifestations spécifiques d'un seul
processus, le processus même qui est à l'origine de la production
de la culture. Mais esquissons d'abord les données du premier
problème, celui de la fonction respective de ces deux manifestations culturelles que nous comprenons comme mythe et comme
rite. Saisis par Kluckhohn dans une perspective psychanalytique,
mythe et rite semblent relever des mécanismes de défense de
l'*ego* ; projections d'instincts hostiles ou sublimations de l'agressivité, ils représenteraient pour l'individu, au moins au sein de la
société navaho, une réserve de « *adjustive responses* ». Mythe et
rite deviennent alors respectivement une rationalisation et une
dramatisation des besoins fondamentaux de la société, besoins
définis aussi bien par la physiologie de l'homme et par ses pulsions
sexuelles que par l'économie et les structures sociales. Mythe et
rite donneraient ainsi une solution symbolique aux conflits engendrés, de manière spécifique à chaque culture, par ces besoins[21].
On reconnaît naturellement dans ce rôle catalyseur des besoins de
la communauté attribué au mythe et au rite un développement de
la conception fonctionnaliste de Malinowski ; un Malinowski qui
s'inscrit pourtant en faux contre toute conception symbolique du
mythe et qui refuse d'accorder au récit légendaire une fonction
explicative. La nuance est d'ailleurs difficile à saisir ; si Malinowski se défend de considérer le mythe comme une sorte de
« science primitive », à la manière de A. Lang, il n'en assume pas
moins pour lui la fonction de justifier la validité des instructions
sociales[22]. Le mythe n'explique pas le rite, mais il en établit en
quelque sorte le modèle, en constituant par conséquent une référence à valeur idéale. De même justifie-t-il codes de conduite,
croyances et coutumes : le mythe devient ainsi « charte sociologique » !
  Mais la limite entre « explication » et « justification » est fragile et les historiens de la religion antique ne s'y sont pas trompés.
De M. P. Nilsson à J. Fontenrose et G. S. Kirk, on a maintenant
largement reconnu que les « mythes » grecs ne peuvent être
appréhendés comme des textes rituels et qu'ils possèdent une
signification autonome ; on a ainsi creusé la fosse du *legómenon*
plagiat langagier du *drómenon*[23]. En Grèce au moins, sans parler
des lacunes de la tradition, actes rituels et légendes entretiennent

des rapports complexes qui peuvent aller du parallélisme à relever entre la pratique classique du sacrifice et le partage des viandes opéré par Prométhée dans l'acte de fondation de ce sacrifice jusqu'à l'indépendance complète : les récits légendaires que constituent les différents épisodes des voyages d'Ulysse ne sont explicitement attachés à aucun rite. Toutefois, l'anthropologue de l'Antiquité est à même de constituer en une classe les récits qui, en Grèce, assument à l'égard de certains cultes une fonction précise : ce sont les mythes de fondation, les légendes dites « étiologiques ». Sans que la relation ne se pose en termes de primauté de l'un sur l'autre, le récit assume alors vis-à-vis de la pratique cultuelle une valeur à la fois justificative et explicative [24]. Bien que relevant de ce domaine si délicat et mouvant des rapports entre acte et parole, cette affirmation est d'autant moins contestable qu'elle repose sur une relation établie et en partie conceptualisée par les Grecs eux-mêmes ; reste à savoir dans quelles conditions historiques. Inter-rogeons donc nos informateurs indigènes, même si leurs réponses, par-delà la distance temporelle, sont médiatisées par des mises en discours textuelles !

2.3. *Legómenon* et *drṓmenon*

Si l'on s'en tient pour commencer aux termes de la relation employés de manière emblématique par Harrison, ce n'est guère qu'au début de notre ère que le *drṓmenon* fait son entrée dans le champ lexical de la désignation de ce que nous considérons consti-tuer un rite. Non pas que le verbe *drân* ne connaisse pas plus tôt un sens voisin. Mais si l'on excepte quelques inscriptions où il semble désigner l'action cultuelle, la littérature classique en limite l'usage à la dénotation de l'action dramatique. C'est dans cette acception que, lié au concept de *mímēsis*, il se situe au centre de la réflexion d'Aristote sur l'essence de la tragédie et de la comédie [25]. Il faut donc attendre Plutarque, puis Pausanias, avec leur intérêt d'antiquaires, pour voir le *drṓmenon* coïncider avec notre concept de l'acte de culte. Mais assorti d'une limitation essentielle : Plutarque confine en effet l'usage de *drân* et de *drṓmenon* à la description des rites des mystères destinés à Déméter ou à celle des célébrations en l'honneur de Dionysos. Quant à Pausanias, le *drṓmenon* est chez lui toujours attaché à la désignation des rites

initiatiques et mystiques, du type de ceux organisés en l'honneur
de Déméter ou de Dionysos[26].

Or c'est précisément dans ce cadre restreint de la qualification
du rite mystique que Pausanias mentionne les *legómena* qui viennent se superposer aux *drómena* de l'initiation : « dits » assumant, à l'occasion des mystères, la forme de chants. Harrison ne
nous cache d'ailleurs nullement qu'elle a tiré les termes représentatifs de sa théorie de ces passages du Périègète[27]. Si la source
d'inspiration de la distinguée anthropologue de Cambridge est
tardive, la notion de « dit » explicatif d'une cérémonie religieuse
est quant à elle beaucoup plus ancienne. A notre lecture moderne,
elle se manifeste pour la première fois chez Hérodote. Rappelons
par exemple ce récit narré par les prêtres d'Egypte que, par respect
religieux, l'enquêteur d'Halicarnasse préfère ne pas rapporter ; ce
récit, il le présente néanmoins comme expliquant pourquoi *(di'hó
ti)* les Egyptiens ne sacrifient des porcs qu'à « Dionysos ». Il
attribue également une valeur explicative *(hóteo heíneka)* au
hieròs lógos, égyptien toujours, qui rend compte de la fête nocturne des lampes ardentes[28].

En Grèce ancienne donc, la relation entre pratique cultuelle et
récit légendaire se présente sous les espèces d'un lien de causalité
qui n'est pas conceptualisé par un terme technique et spécialisé.
Elle est de plus établie de manière tout à fait occasionnelle. Probablement inspiré par le titre d'une œuvre célèbre de Callimaque, le
concept d'*aítion* comme mythe rendant compte d'un rite est sans
aucun doute une invention moderne[29].

Indépendamment de toute désignation du processus par un
terme propre, la mise en relation causale de certains rites avec des
mythes destinés à les justifier s'inscrit ainsi en Grèce dans la
réflexion sur les pratiques cultuelles que l'on voit naître au
moment même où, avec le développement du commerce et de la
colonisation, les Grecs se trouvent confrontés avec les coutumes
différentes des peuples qui les entourent. Cette réflexion, dont on
peut trouver les premières traces déjà dans l'*Odyssée*, atteint un
premier sommet à l'époque où Hérodote mène son enquête au
pays des Egyptiens. Elle va connaître un long développement jusqu'au moment où, par le travail du temps et par la distance critique que permet une civilisation de plus en plus dépendante de
l'écrit, ce sera au tour des coutumes grecques elles-mêmes de sembler insolites à ceux qui les observent : Hécatée et Hérodote se

font les ethnographes des cultures voisines avant que Plutarque et Pausanias ne deviennent les anthropologues curieux de leur propre civilisation.

2.4. Mythes et rites grecs comme récits

Or, abstraction faite des représentations figurées sur vases – encore à peine déchiffrées en ce qui concerne l'iconographie du culte –, toute notre connaissance du rituel grec dépend de ces sources écrites et tardives. C'est dire qu'elle dépend de la mise en forme et de la visée singulière qu'impliquent l'orientation de ces textes et l'intérêt de leurs auteurs. L'anthropologue de la Grèce ancienne doit d'emblée abandonner les illusions de l'objectivité garantie par l'observation directe... Mais sans doute l'élaboration conceptuelle que représentent, par rapport au matériel « brut » dont dispose l'ethnographe, les descriptions grecques des pratiques cultuelles n'est-elle digne ni de mépris, ni de rejet, même si leurs auteurs n'ont eux-mêmes souvent plus eu la possibilité d'être les témoins oculaires de la « réalité » dont ils rendent compte.

L'expérience d'une brève enquête s'inspirant de l'ethnographie et menée en Papouasie-Nouvelle-Guinée à l'occasion du travail présenté ici est à cet égard éclairante. Chez les Iatmul du Sépik aussi bien qu'auprès des Kuma de la haute vallée du Wahgi, le déroulement d'une cérémonie et le récit dans lequel nous reconnaîtrions quant à nous un mythe sont tous deux appréhendés, en pidgin mélanésien, comme *stori*. Les lexèmes correspondant à cet unique mot emprunté à l'anglais sont évidemment plus nombreux dans les langues indigènes concernées, qui reflètent pour chaque tribu une taxinomie spécifique [30]. Même en pidgin, le rite, quand il est assorti d'une performance dansée, est désigné par le terme plus particulier de *singsing*. Mais quand il s'agit d'en dire le déroulement, sa description est conceptualisée comme « récit » : dès qu'on le met en discours, le *singsing* devient *stori*. Sans doute est-ce sa compréhension comme action qui vaut à la description mélanésienne du rite d'être située sur le même plan sémantique que le récit légendaire [31]. Mais ce syncrétisme entre action et dire n'est pas propre au domaine mélanésien !

De même en Grèce antique, la relation causale qu'implique la « mise en aïtion » de la légende par rapport au rite est établie dans un cadre narratif ; elle s'opère par l'intermédiaire d'une mise en discours englobant dans le texte récit mythique et pratique cultuelle. Comme en Papouasie, tout événement, qu'il soit d'ordre mythique ou rituel, devient en quelque sorte *stori* ; il s'inscrit dès lors dans une logique de l'action et dans une logique narrative. De là, dans l'étude qui suit, la partition, en dépit de son caractère artificiel, entre une analyse syntaxique et une analyse sémantique. Comme on l'a dit, il s'y ajoutera une étude d'ordre pragmatique puisqu'il s'agit aussi de déterminer dans quelles conditions il a été possible de mettre en relation, par la narration, la manifestation langagière que représente le mythe et la manifestation essentiellement gestuelle, somatique et proxémique que constitue le rite, cela aussi bien du point de vue de la logique de l'action que des valeurs spécifiques investies dans ces deux ordres de la construction culturelle. La « mise en discours » du mythe et du rite nous renvoie en effet à leurs circonstances d'énonciation.

Mais, au préalable, puisqu'ils sont tous deux « narrativisés » dans les textes qui nous en livrent le témoignage, on se demandera comment distinguer dans nos sources les énoncés qui relèvent de la narration de la légende de ceux qui font partie de la description de pratiques rituelles. Il est de bonne méthode de relever d'emblée les critères d'ordre linguistique que nous offrent pour cette délimitation les textes mêmes ; on y consacrera une étude plus détaillée au terme de l'analyse syntaxique du récit de Thésée. En effet, d'une part le texte de Plutarque est ponctué d'indicateurs de relations d'ordre causal tels que *hóthen*, « de là (le fait que...) », ou *génesthai*, ' (cet usage) provient de... ' ; d'autre part, et surtout, les énoncés composant la narration légendaire se caractérisent par des marqueurs linguistiques tels que l'aoriste, des adverbes indiquant un cadre spatial éloigné de celui du narrateur et un sujet pourvu de l'identité que confère un nom propre (par exemple *Thésée*) ; en revanche, à la description du rite sont réservés le présent, le déictique temporel *nûn* et le sujet anonyme correspondant à l'utilisation du passif dit « impersonnel ». L'articulation entre mythe et rite se traduit donc sur le plan discursif par une véritable procédure de « débrayage/embrayage » d'ordre énoncif, pour reprendre la terminologie inaugurée par Jakobson et précisée par Greimas[32].

Mais avant de revenir à la forme discursive assumée en Grèce par mythes et rites ainsi qu'à l'approche qu'ils requièrent et sans nous laisser impressionner par le flou régnant dans l'Antiquité aussi bien qu'à l'époque moderne dans la définition sémantique de ces catégories, la qualité de manifestations de la culture qu'assument ces pratiques nous invite à nous interroger non plus sur leur définition, mais sur leur fonctionnement général, précisément dans le cadre des élaborations et des productions d'ordre culturel. En abandonnant un instant le point de vue critique pour adopter une perspective résolument anthropologique et donc culturellement marquée, il s'agit de se demander dans quel processus plus général s'inscrivent production mythologique et pratique rituelle, abstraction faite des différences de manifestation qui les distinguent. Ces réflexions devraient en retour permettre de mieux comprendre les mécanismes de la relation établie par les Grecs entre légende et pratique cultuelle.

3. Le processus symbolique

Indépendamment donc de cette relation, indépendamment aussi du lien établi par les modernes entre mythe et rite, sans affirmer que l'un « dit » ce que l'autre « agit », sans voir non plus dans l'un l'origine de l'autre, on admettra qu'ils sont tous deux des manifestations distinctes du même processus d'élaboration intellectuelle : construction et manipulation d'objets conceptuels par le moyen de la langue et de la narration dans un cas, travail conceptuel par l'intermédiaire du corps et des objets du monde naturel ou culturel dans l'autre. Ces procédés de construction et de manipulation s'inscrivent dans le phénomène que l'anthropologie sociale définit de manière générale comme celui du symbolisme.

3.1. Quelques suggestions théoriques

Loin de moi la prétention de faire une synthèse des théories anthropologiques du symbole pour en tirer une conception propre. Mais les réflexions suscitées par la brève enquête d'inspiration ethnographique déjà mentionnée me poussent − et le lecteur voudra bien m'accorder cet écart énonciatif ! – à abandonner la distance critique induite par le « nous/on » impersonnel employé jusqu'ici pour faire assumer à un « je » de narrateur plus engagé personnellement les propositions qui suivent. Il s'agit donc simplement, à cette occasion singulière, de tester quelques affirmations récentes pour tenter de comprendre le processus qui est peut-être à l'origine des produits culturels – récits et pratiques rituelles – faisant l'objet de la présente étude. Le choix des théories sur le symbolisme évoquées ici constitue un point de départ, un angle d'attaque ; il ne correspond pas à une pétition de principe sur le fonctionnement réel des phénomènes envisagés.

L'anthropologie structurale en premier lieu : avec l'idée fondamentale que le récit mythique est là pour autre chose, que l'enchaînement des séquences narratives qui le constituent est une manière d'exprimer un système dans lequel des catégories d'ordre sémantique s'articulent en une série d'oppositions binaires. Le discours mythique, dans cette perspective, dit davantage que son signifié premier ; ce signifié est en effet lui-même le signifiant d'un signifié plus profond. Le mythe peut donc être considéré comme un métalangage ou, pour reprendre le concept de Hjelmslev, comme une « sémiotique connotative ». Voilà donc jeté, par l'intermédiaire de l'anthropologie structurale, l'un des fondements de la conception sémiotique du phénomène symbolique : un système symbolique est un langage qui, au moyen de son signifié immédiat, renvoie à un signifié second[33]. Dans une traduction en termes saussuriens, cela signifie que le rapport entre le symbole (compris implicitement comme unité d'un signifiant et de son signifié premier) et son signifié est motivé alors que dans le signe linguistique, le rapport entre signifiant et signifié serait arbitraire[34]. A l'idée du caractère indirect du signifié comme trait distinctif du phénomène symbolique s'ajouterait donc le principe de la motivation de ce même signifié : le signifié second du symbole participerait toujours du signifié (premier) de son signifiant. Ce processus analogique par ressemblance ou contiguïté, qui est le propre de phénomènes tels que ceux de la métaphore ou de la métonymie, n'a pas dû attendre la constitution de la sémiotique pour être décrit : sa conceptualisation date d'Aristote[35] !

Du côté anglo-saxon, les travaux de Turner ont focalisé l'attention sur la polysémie du symbole et sur la reformulation sémantique qu'il engage à partir des données de l'expérience propre à chaque culture. Les opérations logiques mises en lumière par Lévi-Strauss seraient en quelque sorte matérialisées dans les symboles mythiques et rituels au travers d'une utilisation particulière du « référent » que représentent l'organisation sociale de la culture concernée et le monde naturel qui en constitue le contexte écologique. De là une polarisation des signifiés du symbole autour des faits sociaux et moraux d'une part, autour des faits d'ordre physiologiques de l'autre. De là la double fonction du symbolisme mythique et rituel qui constitue autant une série de « classifications cognitives » qu'un moyen « conatif » de dominer des émotions violentes [36].

On aura remarqué qu'avec Turner, on en vient à appliquer à la manifestation non verbale qu'est le rite des concepts forgés dans le cadre de l'étude de la langue et de l'une de ses réalisations en parole, le récit mythologique. Faut-il dès lors, comme nous y invitent Lotman et certains membres de l'Ecole de Tartu, considérer toute manifestation de culture comme un texte ? Ces différents textes seraient structurés comme des systèmes sémiotiques et, plus précisément, comme des systèmes modelants secondaires puisqu'ils permettent de construire des modèles du monde à partir du système sémiotique primaire qu'est le langage [37].

Mais, dans le cadre même de l'approche sémiotique, il faut écouter la mise en garde de Todorov à l'égard de l'application à tous les processus symboliques des concepts propres à l'étude de la langue. En se limitant au domaine du symbolisme linguistique, Todorov reprend l'idée augustinienne du caractère indirect (transposé) du sens du symbole par opposition au signe dont le sens est direct, et il étend cette idée à la description du fonctionnement de l'interprétation symbolique : ce phénomène interprétatif revient à un processus d'évocation multiple faisant appel aux données de la mémoire à partir du signifié direct de l'acte de langage [38] ; il relève donc de l'association.

Motivation, association, fonctionnement sémiotique, ce sont les notions mêmes que Sperber a récemment soumises à une critique sévère en abandonnant l'analyse des symboles constitués et de leur interprétation pour s'attacher à l'étude du processus de production symbolique. En des termes repris à la psychologie cognitive américaine, on part des « stimuli » provenant du monde extérieur et traités sous la forme de propositions par le « dispositif conceptuel ». Ces propositions sont transformées en propositions nouvelles soit par le « dispositif rationnel » qui procède par dérivation logique, soit par le « dispositif symbolique » au moyen d'un processus d'évocation de propositions fournies par la mémoire « à long terme ». Le second traitement compléterait souvent un traitement déficient de la part du premier dispositif. Or, pour Sperber, le rapport entre les propriétés du stimulus et le contenu de l'évocation n'a rien de nécessaire et l'association par contiguïté et similarité possède souvent un caractère imprévisible : cela revient à nier au symbolisme tout fonctionnement de type sémiotique. Une grammaire du symbole est donc impossible ; les symboles ne signifient pas, mais, en tant que dispositif d'apprentissage, ils constituent un système d'ordre cognitif [39].

Rites et mythes sont-ils donc les produits d'une élaboration de type symbolique ou le résultat d'un processus cognitif ? Rites et mythes comme procès de signification ou au contraire comme système de connaissance ? Qu'en conclure ?

3.2. Deux couples symboliques

Encore une fois, la brève enquête menée en Papouasie-Nouvelle-Guinée semble avoir apporté quelques éclaircissements sur la manière dont se manifestent les produits que nous appréhendons comme étant symboliques, et ceci en particulier dans le domaine rituel. A cet égard, mon attention s'est essentiellement portée sur les rituels d'initiation tribale puisqu'à l'occasion d'un précédent travail sur la Grèce archaïque et ses chœurs féminins, ces rites avaient servi de cadre de comparaison à la compréhension des phénomènes grecs.

Le rite d'initiation des jeunes gens est encore pratiqué chaque année chez les Iatmul du Moyen-Sépik. Il est notamment marqué par une période de ségrégation qui est maintenant limitée à une partie des grandes vacances de Noël et qui a pour lieu le *haus tambaran*, la maison des « ancêtres », de la communauté clanique concernée. A cette occasion, les initiants sont soumis à une pénible épreuve de scarification [40]. Par le moyen d'une succession de brèves incisions pratiquées dans la peau à l'aide d'une lame de rasoir (il y a cinquante ans, avec la dent acérée d'un jeune crocodile !), l'initiateur trace sur le dos et les épaules de chaque initiant, qui est soutenu par son oncle maternel, la forme d'un crocodile. Sans parler de la relation évidente entre le crocodile et les très nombreux mythes d'origine des clans et des tribus du Sépik, la réponse de mes informateurs de Palimbei au sujet de la motivation de cette pratique scarificatoire ne fait aucun doute : il s'agit de faire couler du corps de l'initiant le sang de sa mère pour lui permettre d'accéder à l'état d'adulte [41].

Quelque temps après, rejeté par les débordements du Sépik vers les collines occupées par les Abelam, une tribu apparentée aux Iatmul, je me trouvais à Kinbanggwa. Le cycle initiatique, qui comprend huit degrés menant l'individu de l'âge prépubère à la vieillesse, y a subi les coups de l'acculturation occidentale. Il n'en reste pas moins que les jeunes subissent encore, à la puberté, de douloureuses incisions du pénis qui marquent le début d'une brève période de ségrégation. Au cours de ce rite, les initiants sont emmenés auprès de la rivière qui coule non loin du village. Après que le pénis de l'initiant a été frappé avec des orties, l'incision est pratiquée au-dessus de l'eau de manière que la rivière emporte le sang qui s'écoule [42]. Surprise de taille : ces incisions, qu'il convient de ne pas confondre avec une circoncision, sont destinées, de l'aveu même d'un habitant de Kinbanggwa, à laisser s'écouler du corps de l'initiant le sang impur de sa mère. L'opération est reprise par la suite à espaces réguliers. Il s'agit alors, spécialement pour les jeunes hommes protagonistes de différentes aventures amoureuses, de se purifier du sang souillé de leur(s) partenaire(s) et de la contamination contractée dans le contact sexuel [43].

La pratique de l'incision initiatique et l'interprétation indigène qui en est donnée reçoivent, dans l'aire culturelle du Sépik, de nombreuses confirmations. Citons encore quelques exemples, objets d'observations récentes. Chez les Araspeh, comme chez les Abelam dont ils sont les voisins, le pénis est incisé à plusieurs occasions rituelles ; de même en va-t-il chez les Gnau du Sépik occidental. La plus importante de ces occasions est constituée par le rite de puberté au cours duquel l'incision est pratiquée pour la première fois. Dans l'interprétation des Gnau, l'incision permet au jeune homme de se séparer de son propre sang, de son sang d'enfant, considéré comme impur, et de puiser en concomitance aux sources vitales du sang de son oncle maternel ; pour l'occasion, ce dernier s'est en effet aussi ouvert le pénis et il fait couler le liquide marqué positivement sur le corps de son neveu. Les Gnau conçoivent cette opération comme un échange de sang censé laver le jeune homme et lui apporter force et santé. Les Kwoma, qui vivent quant à eux dans le Haut-Sépik, semblent avoir introduit des variations dans la manière de faire couler le sang à l'occasion de l'initiation tribale des futurs adultes : aux incisions sur le pénis pratiquées près du fleuve qui, comme chez les Abelam, emporte le sang coulé, s'ajoutent un raclement de la langue à l'aide d'une feuille sèche et des scarifications autour des seins[44].

Laissons de côté pour l'instant l'interprétation des scarifications péniennes que souffle à l'ethnologue occidental le mythe d'origine gnau des menstruations quand il raconte comment l'homme, par un subterfuge, s'est déchargé sur la femme de ce poids ; faisons donc abstraction provisoirement d'une assimilation, semble-t-il évidente, entre le sang qui coule du pénis du mâle et celui qui chaque mois s'écoule du vagin de la femme[45]. Les pratiques scarificatoires qui ont pour objet le dos (Iatmul) ou la poitrine (Kwoma) des initiants devraient de toute façon constituer un appel à la prudence face à la tentation d'une équation trop rapide. Limitons-nous au cadre initiatique et à l'interprétation indigène : « faire couler le sang de la mère ».

3.2.1. L'intégration à l'anthropologie du groupe

Comment s'imaginer à partir de ces quelques données ethnographiques le fonctionnement d'une pratique qui, dans notre conception occidentale, apparaît comme rituelle et symbolique ? J'ai bien dit : « s'imaginer ». Le vocabulaire d'inspiration génétique qui va être employé ne doit en effet pas faire illusion : l'essai de description du phénomène symbolique qui suit se situe uniquement sur le plan de la figuration. On se gardera donc bien de l'assimiler à un quelconque fonctionnement réel qui correspondrait à une genèse. Cela dit, on peut considérer que dans le processus de production symbolique deux éléments en tout cas sont irréductibles. Il y a d'abord l'événement physiologique inévitable que constitue la puberté. Les rites, Smith l'a encore affirmé il n'y a pas si longtemps, sont toujours attachés à une occasion particulière, ancrée dans le monde sensible[46]. Ces occasions peuvent être liées à un cycle régulier : cycle des saisons déterminant la succession de certains travaux et impliquant l'élaboration d'un calendrier ou au contraire cycle de la vie individuelle de l'homme avec les étapes inéluctables que marquent en tout cas la naissance, la puberté, l'union du couple et la mort ; mais ces occasions peuvent aussi naître de circonstances imprévisibles, liées aussi bien au cadre naturel qu'à la vie de l'individu : inondation, incendie, sécheresse, maladie. Que l'occasion d'un rite ait un caractère cyclique ou qu'elle corresponde au contraire à une circonstance particulière, elle dépend toujours d'un événement ou d'un changement qui s'opère dans la réalité que nous, Occidentaux, concevons comme empirique. Même quand l'occasion semble être de nature sociale, comme c'est le cas pour une victoire guerrière ou la transgression d'un interdit, il y a événement ; quelque chose se passe sur le plan matériel.

Même si je répugne à utiliser un terme aux résonances évoquant les aspects pour le moins simplistes du béhaviorisme nord-américain, c'est dans ce sens que l'on peut parler du « stimulus » déclenchant le phénomène appréhendé comme symbolique qu'est le rite. Mais aussi nécessaire que le stimulus est sa contrepartie : l'élaboration intellectuelle qui en est la conséquence. Ce travail de la pensée procède essentiellement, semble-t-il, par mise en relation et par classification ; il tend notamment à intégrer par ce moyen l'événement nouveau à l'anthropologie spécifique du groupe concerné. Dans le cas précis de l'événement que représentent la puberté et l'accession physiologique à l'âge adulte chez les gens du Sépik, l'élaboration intellectuelle que provoque l'accomplissement du processus biologique se manifeste sous la forme d'un impératif : « du corps de l'initiant doit s'écouler le sang de la mère ». Ainsi, à l'événement que nous appréhendons comme purement physiologique est couplé, sous forme déontique, un premier produit de la réflexion. Il est incontestable que la corrélation attachant l'un à l'autre les deux termes de ce couple semble arbitraire et que dans d'autres cultures que celles du Sépik, les éléments constitutifs de l'élaboration intellectuelle provoquée par l'événement de la puberté sont différents.

Par exemple, les tribus qui viennent d'être citées ne semblent pas connaître l'institutionnalisation du vol et des rapines à l'occasion de la période de ségrégation (d'ailleurs partielle) dont le début est marqué par les scarifications décrites. Elle est pourtant attestée aussi bien dans d'autres régions de Nouvelle-Guinée qu'en Afrique, sans oublier la Sparte classique où le vol de nourriture apparaît comme un devoir imposé à l'initiant [47]. A l'impératif du vol, produit intellectuel déterminé par l'événement de la puberté, correspond alors une seconde élaboration intellectuelle − de nature justificative − qui concerne l'influence de la consommation de nourriture sur le processus de croissance : la privation de nourriture qui est à l'origine de l'impératif du vol des adolescents passait pour renforcer la résistance physique et pour favoriser la croissance [48]. Il existe incontestablement un lien d'analogie entre le processus physiologique propre à la puberté et la croissance à laquelle il est fait allusion dans l'élaboration intellectuelle qu'il provoque ; cette analogie permet précisément la mise en relation et l'intégration de l'événement particulier à l'anthropologie du groupe concerné. De même, dans l'impératif de l'écoulement du sang de la mère du corps de l'adolescent, le détachement objectif du jeune homme à l'égard de sa mère, corollaire de son accession physiologique à l'état d'adulte, n'établit-il pas un lien motivé entre l'événement physique de la puberté et l'élaboration déontique dont il est l'occasion ? Au sein d'une relation globalement arbitraire intervient par conséquent, tout de même, une part de motivation ; c'est ce qui nous fait retrouver certains éléments composant la figure de l'événement-stimulus dans la construction intellectuelle dont il est l'objet.

3.2.2. La réalisation matérielle

Mais il faut aller un peu plus loin. L'intégration raisonnée au système culturel et à son anthropologie, en réponse à l'incitation que représente l'événement physique ou biologique ne se limite pas au plan intellectuel. L'impératif qu'elle formule va se réaliser par une intervention sur la réalité matérielle. Chez les Iatmul, le sang coule par les scarifications pratiquées sur le dos de l'initiant ; chez les Abelam, par des incisions opérées sur les parties génitales du futur adulte. Par conséquent le rite d'initiation tribale apparaît notamment comme une intervention de l'homme, justifiée du point de vue de la pensée, sur le corps de ceux qui subissent le passage physiologique. Il a pour résultat une trace − forme du crocodile chez les Iatmul, cicatrices chez les Abelam − qui sera la marque de l'accomplissement du passage. Ici aussi le lien entre l'élaboration intellectuelle provoquée par l'événement physiologique et la pratique rituelle qui en découle n'est qu'en partie arbitraire. Certes, la manière de faire couler le sang varie d'une tribu à l'autre, mais le sang constitue un élément commun aux deux termes de cette nouvelle mise en relation.

De même en va-t-il dans la Sparte antique. L'impératif du vol de nourriture motivé par la nécessité de la frugalité destinée à favoriser la croissance se réalise aussi bien dans le cadre des repas communs des hommes adultes (les syssities) que dans le contexte du sanctuaire d'Artémis Orthia : les initiants devaient y dérober les fromages déposés sur l'autel de la déesse. Mais il y a davantage encore puisque les Spartiates eux-mêmes connaissaient l'impératif de faire couler le sang ; cet impératif attaché à l'initiation est effectué non pas par l'intermédiaire de scarifications, mais par une féroce fustigation des éphèbes sur l'autel de la même Artémis Orthia. Et comme cela commence à être le cas de nos jours sùr les bords du Sépik en ce qui concerne l'épreuve de scarification, le rituel spartiate du fouet devint à l'époque romaine l'objet d'un spectacle à l'intention des voy(ag)eurs de passage [49].

Dans la terminologie occidentale, la pratique rituelle de la scarification et les marques qui en découlent seront dites symboliser, à travers l'écoulement du sang de la mère, le passage de l'enfance à l'âge adulte.

3.3. Les propositions symboliques

A partir de cet exemple concret de construction et de production d'un phénomène symbolique de type rituel, faisons une tentative de généralisation ; une tentative qui devrait englober tous les phénomènes dans lesquels le sens commun voit du symbolique : rite, récit de type mythologique, représentations figurées, etc. ; une tentative qui correspond à une sorte de démontage du mécanisme de production symbolique. Mais ici, deux mises en garde sont nécessaires.

D'une part, l'entreprise d'analyse aura pour résultat la mise à jour d'un processus de caractère purement artificiel. Je considère en fait que les trois termes sur lesquels opèrent les deux mises en relation constitutives du phénomène symbolique tel qu'il vient d'être défini ne peuvent exister l'un sans les autres ; je le répète : l'espèce de narrativisation du processus de formation du symbole issu de la description qui va suivre doit par conséquent être considérée uniquement comme une métaphore, comme une représentation schématique d'un processus beaucoup plus complexe. En fait, le rapport entre les trois niveaux cités, dont aucun n'est premier à l'égard des deux autres, ne peut pas s'inscrire dans un ordre linéaire ; il est plutôt de type dialectique.

D'autre part, j'essaie par ce moyen schématique de donner une représentation grossière du processus de production du symbole jusqu'aux manifestations rituelles, narratives ou iconiques qui nous intriguent. Le moment d'interprétation du phénomène symbolique fera l'objet d'un développement plus bref [50].

3.3.1. Le donné naturel et culturel en symbolisme

On sait les difficultés que l'on rencontre dès que l'on entend saisir dans tout produit de la pensée humaine, la part du référent « externe » et l'élaboration dont elle a été l'objet. Sans vouloir, et surtout sans pouvoir, construire ce qui devrait être une nouvelle théorie de la connaissance, on peut tout de même affirmer qu'en sémiotique, on s'accorde pour reconnaître l'existence d'un « monde naturel » dont la perception est en général informée par la « vision significative » du sujet et du groupe culturel auquel il appartient. Et ce n'est sans doute pas céder à un positivisme de mauvais aloi que d'affirmer que, pour nous Occidentaux, ce monde informé en visions significatives se présente comme une réalité physique et biologique soumise notamment aux modifications que lui imposent soit des développements linéaires (croissance humaine) ou cycliques (croissance végétale), soit des accidents imprévisibles. Même si son appréhension varie d'un individu à l'autre et surtout d'une culture à l'autre, même si, en tant que produit de cette appréhension, il se modifie en relation avec les progrès de la connaissance, cet ordre de la « nature » fournit à la raison, au-delà des différences culturelles afférentes aux visions significatives singulières, un ensemble de données sensibles passablement homogène. Et cet ensemble est sans doute d'autant plus homogène que les recherches récentes en neurophysiologie pourraient confirmer l'impression de l'anthropologue pour lequel le rapport dialectique entre sujet et monde « extérieur » est fondé dans un appareil sensori-moteur universel.

Par ailleurs, les sollicitations quotidiennes auxquelles cet ordre du monde naturel soumet l'homme requièrent de lui toute une série de comportements qui, dans la mesure où ils sont l'objet d'une élaboration intellectuelle plus poussée, diffèrent les uns des autres dans une mesure majeure. Cet ensemble de « pratiques signifiantes » constitue l'essentiel de ce que l'on peut appeler la culture, une culture qui inclut naturellement aussi les visions significatives du monde naturel. Admises par l'ensemble des sujets appartenant à la communauté, ces pratiques tendent à constituer un système normatif − normes de comportement, normes politiques, normes d'ordre religieux − qui règle les relations sociales. Avec les représentations du monde naturel, cet ensemble de « pratiques signifiantes » donne à chaque culture sa figure propre[51].

Mais les modifications événementielles et les ruptures auxquelles le monde naturel et l'ordre de la société sont tous deux soumis semblent stimuler de manière spécialement vive le travail de l'esprit humain et en particulier sa faculté de mise en relation. Face aux événements exceptionnels qui marquent autant l'ordre de la nature que celui de la société, il s'agit non seulement de donner des explications, mais surtout d'agir. Dans ce cadre la délimitation nette tracée, notamment par Sperber, entre un dispositif rationnel et un dispositif symbolique perd de sa pertinence. En effet les propositions « logiquement dérivées » (et par conséquent, dans la conception de Sperber, issues du dispositif rationnel) qui permettent de réagir à ces situations exceptionnelles apparaissent comme un simple cas particulier du travail de mise en relation et de structuration de l'intellect. La rationalité occidentale me semble ainsi n'être qu'un développement, extraordinaire il est vrai, de l'un des modes du processus de construction intellectuelle que j'essaie de définir ici. Elle tient sans doute à une cohérence de type analytique et à une confrontation avec la réalité plus rigoureuses que ce n'est le cas dans l'ensemble des manifestations de ce processus ; celui-ci dépend d'un seul et même dispositif intellectuel.

Ce n'est que la prédominance du rationnel dans le monde où nous vivons et surtout son efficacité étonnante qui permettent de lui surbordonner, comme le fait Sperber et comme l'ont fait selon des modalités différentes d'autres avant lui, une « pensée symbolique » ; une pensée qui n'interviendrait que pour combler les éventuelles déficiences de la « pensée rationnelle ». En fait, l'énonciation de propositions rationnelles et celle de propositions que nous appréhendons comme symboliques semblent procéder d'un même dispositif conceptuel dont le fonctionnement n'est pas réservé à la production de la seule rationalité. La pensée rationnelle ne représente donc ni un stade de développement subséquent (que ce soit historiquement, biologiquement ou cognitivement) à une pensée symbolique et prélogique, ni un dispositif dont l'engagement précéderait, dans le traitement des informations extérieures, celui d'un dispositif symbolique destiné à en prendre le relais. Même dans notre culture, les propositions logiquement dérivées coexistent et se combinent constamment avec les propositions « symboliques ».

En résumé, il semble donc que l'appréhension du monde naturel aussi bien que le système des pratiques signifiantes constitutif de chaque société humaine dépendent d'un dispositif de création conceptuelle qui a comme produit la culture. Mais plutôt que d'étendre le champ de pertinence du symbolique à tout le travail de la culture [52], ce qui reviendrait à inclure dans son territoire non seulement les ethnotaxinomies, mais aussi toutes les pratiques conventionnelles telles que les modalités du salut, le système du costume ou la fabrication artisanale d'objets d'usage courant, je préfère réserver cette dénomination aux réélaborations conceptuelles et pratiques à partir des événements particuliers marquant aussi bien la réalité physico-biologique, dans son appréhension comme monde naturel, que la vie en société. On pourra dire que le processus aboutissant aux manifestations de type symbolique intervient au moment où se produisent dans le monde naturel ou dans la réalité sociale des accidents auxquels on ne parvient pas à donner une explication et une réponse pratique habituelles. Encore une fois, plutôt que d'affirmer avec Sperber que le traitement symbolique présuppose nécessairement un traitement rationnel incomplet et imparfait, je pense que le dispositif conceptuel en général, notamment dans des circonstances impliquant un haut degré d'émotivité, a tendance à accélérer la production de propositions qui apparaissent comme symboliques pour les combiner avec des explications de type rationnel, présentes dans toute culture [53].

3.3.2. La mise en relation symbolique

Mais il est temps d'essayer de se représenter comment procède notre capacité conceptuelle dans la production de propositions

qui ne sont ni logiquement dérivées, ni l'objet d'une confrontation serrée avec l'expérience. Egaré par sa perspective qui focalise
l'attention sur le moment d'interprétation du symbole (évocation
déclenchée par le tintement d'une sonnette et signification qu'on
lui attribue), Sperber n'explique par exemple nullement pourquoi
au sein de la culture chrétienne, le vin, dans des circonstances
cultuelles précises, devient l'incarnation du sang du Christ. En
dépit des critiques justifiées que l'on peut adresser à l'association-
nisme culturel et à son aspect mécaniste, j'ai dit avoir l'impression
que le dispositif conceptuel qui subsume à la fois production symbolique et production rationnelle est avant tout une faculté de
mise en relation. A propos d'événements particuliers, l'intellect
puise à la fois dans le monde naturel et dans le domaine social des
éléments qu'il met en correspondance les uns avec les autres. Le
symbolique est en général le résultat de l'association de catégories
empiriques avec différents concepts culturels. Pour reprendre
l'exemple du rite d'initiation tribale tel qu'il est pratiqué par les
Iatmul de Nouvelle-Guinée, la mise en relation est évidente entre
la qualité à la fois physiologique et sociale de l'homme adulte et la
fonction assumée par l'élément tiré de l'environnement animal
propre à cette culture qu'est le crocodile [54].

Ainsi, de même que les événements auxquels sont soumises la
réalité sensible aussi bien que la réalité culturelle servent de stimu-
lants à l'élaboration de type symbolique, de même les propositions symboliques elles-mêmes sont-elles en général composées de
la mise en relation d'éléments tirés de ces deux ordres de réalité.
On retrouve ainsi les deux pôles de référence sémantique dont est
constitué le symbole selon Turner : d'un côté les données senso-
rielles, de l'autre les références à l'ordre social et moral [55]. Mais
l'analyse de l'anthropologue anglais est trompeuse dans la mesure
où le symbole, en particulier le symbole rituel, est présenté comme
un élément singulier avec un caractère d'unité minimale. Or, puisqu'elle est essentiellement mise en relation, la pensée symbolique
est plutôt constituée de propositions, comme j'ai cherché à le
montrer jusqu'ici. C'est dire qu'elle est, dans sa réalisation, mise
en discours et que son expression ne peut être abstraite de ses
conditions d'énonciation singulières. S'il semble que pour les
Ndembu l'arbuste à latex qu'est le *mugdi* représente aussi bien le
lait maternel, le sein de la mère, la souplesse du corps de l'initiant
(pôle sensoriel) que la féminité, la maternité, la descendance

matrilinéaire, sinon la vie ou la coutume tribale (rôle normatif de l'ordre social), il s'agit de l'effet découlant du caractère paradigmatique de l'analyse menée par Turner. En fait, dans chacune des phases des rituels décrits, c'est une autre partie de l'arbrisseau qui est mise en jeu (feuillage, latex, bois, etc.) et le processus symbolique consiste à combiner l'un des éléments pris à cette réalité organique pour l'associer, à l'occasion d'un événement particulier, à un élément tiré de la réalité culturelle et pour l'intégrer à un discours dans son développement linéaire, syntaxiquement articulé.

En conséquence, quand Lévi-Strauss croit montrer que le contenu du mythe est organisé en ce qu'il appelle à tort des « codes » (codes végétal, culinaire, cosmologique, etc.), il ne fait en réalité que mettre à jour les relations que le mythe opère entre différents ordres de la réalité physique, biologique et sociale[56]. Ces « codes » ne constituent pas la clé d'un déchiffrement, ils sont l'expression, au travers d'éléments de sens récurrents, des différents niveaux de réalité que le récit mythologique met en jeu et en correspondance les uns avec les autres.

3.3.3. L'arbitraire des propositions symboliques

Turner, pour ne citer que lui, a affirmé de manière très précise que cette mise en relation d'éléments provenant de différents ordres de la réalité pour constituer le symbole n'est l'objet ni du hasard, ni de l'arbitraire. Dans sa description de l'une des phases du rituel ndembu *Nkula*, l'anthropologue anglais montre comment la couleur rouge sert de dénominateur commun à toute une série de propositions symboliques constitutives de ce rituel qui, dans une définition très générale, est destiné à favoriser la procréation. Par cet intermédiaire, le sang d'un coq rouge, de l'argile de la même couleur, une plume rouge de lourie, la gomme rouge foncé qui s'écoule de l'écorce du *mukula*, etc., se trouvent associés dans une pratique de sacrifice, puis dans un rite de mixtion des substances recueillies. L'association de la couleur rouge avec le sang permet aux Ndembu, semble-t-il, de rattacher leur théorie de la procréation, qui affirme que « le père implante dans la mère une graine de vie autour de laquelle le sang '' coagule '' pour former le placenta », avec toute une série d'entités repérées dans le monde naturel et avec certaines normes sociales concernant la maternité et le matrilignage[57].

On peut s'imaginer que l'assimilation entre le vin et le sang du Christ suit un processus analogue. La couleur du vin rouge permet d'associer un produit matériel (d'origine culturelle !) à la théorie chrétienne de la singularité du sacrifice du Christ pour tous les hommes et de la rédemption par la consommation du sang du sacrifié [58]. A la couleur rouge sombre, on pourra d'ailleurs ajouter, dans le cas précis d'association par similarité, la viscosité relative que le vin antique partage avec le sang.

Pour parler en termes sémiotiques tout en se situant dans le cadre de la conception traditionnelle du symbole comme élément isolé, on dira que, par l'intermédiaire de sèmes communs, une partie du signifié attaché au signifiant tiré de la réalité physique ou sociale sert de signifiant au signifié symbolique : au travers des sèmes « rouge » et « viscosité », le vin devient le signifiant du sang du Christ, ce qui permet de l'intégrer à une série de propositions symboliques concernant le rachat des péchés et le salut du Chrétien. Ce passage, par l'intermédiaire d'un noyau sémantique commun, d'un élément de la réalité à une représentation intellectuelle, le premier devenant l'expression en général matérielle de la seconde, conduit à affirmer le caractère motivé du processus symbolique.

Mais la motivation du symbole est loin d'être entière. Ce n'est en effet qu'une partie du signifié des deux éléments mis en rapport qui fonde la relation établie par le processus symbolique. Pour retourner en Nouvelle-Guinée, Gell a fort bien montré dans son analyse du rituel *ida* des Umeda du Haut-Sépik que les dessins articulant les peintures corporelles dont se couvrent les acteurs de ce « rituel de fertilité » ne sont que partiellement motivés [59]. Si les différentes couleurs utilisées sont associées à différents animaux, en revanche les formes géométriques qui organisent ces dessins sont purement arbitraires. Et Gell va même plus loin quand il renverse les termes de la relation motivante : ce n'est pas parce qu'il représente un casoar que le danseur se couvre de couleur noire, mais c'est parce que le danseur est peint en noir que le casoar, avec son plumage sombre, lui est associé ; c'est donc la couleur qui motive le choix de l'animal (le casoar) et non pas le contraire.

On pourrait objecter que cette proposition est en contradiction avec les autres affirmations de Gell sur le casoar et sur le masque qui porte le nom de cet animal. Gell montre en effet que de nombreuses qualités propres au casoar telles que son agressivité, sa grandeur, son mode de vie au fond de la forêt permettent de l'associer à un certain type d'homme, l'homme mûr, autonome, indépendant, qui peut vivre en marge de la communauté. Mais ce que le masque du casoar représente, ce sont moins les qualités de ce volatile que celles de l'homme qui peut lui être associé. Si le casoar a été choisi, c'est qu'il offre précisément les traits distinctifs du type d'homme que le rituel met en scène et tente de définir en l'opposant à la catégorie des hommes plus jeunes. Le casoar ne sert donc que de médiateur, permettant de concrétiser, de « figurativiser » les contours sémantiques d'un découpage d'ordre social.

Cette constatation est essentielle, car elle confirme la primauté de l'élaboration intellectuelle et conceptuelle à l'égard de l'intervention sur la réalité. Pour en revenir aux exemples déjà mentionnés, on a d'abord, si l'on fait abstraction des événements matériels ou sociaux qui en sont à l'origine, l'impératif « le sang doit couler » ou la proposition « la rédemption des péchés par le sang du Christ », puis le choix, dans la réalité, d'une pratique correspondante par l'intermédiaire d'un terme associé : scarifications sur le dos ou communion par le vin rouge et épais. Et ce choix, mis à part l'élément sémantique commun, est arbitraire ; il varie de culture à culture : ici le dos, là le pénis, ailleurs encore la langue.

Une très brève étude sur les peintures dont les habitants de Tupa dans la région du Mid Wahgi en Nouvelle-Guinée se sont couvert le visage et le corps une semaine durant à l'occasion d'un échange cérémoniel *(moka)* avec le village voisin (Misé) m'a conduit à une constatation identique[60]. A mes questions sur le comment et le pourquoi des couleurs choisies et des schémas évidemment récurrents dans ces grimages étonnants, les gens de Tupa ont toujours donné des réponses relevant de l'esthétique ou évoquant la tradition ; donc, apparemment, pas de motivation symbolique. Cela n'empêche nullement l'ensemble de ces dessins faciaux de former un système signifiant fort bien articulé, un système dont les régularités différentielles constituent les traits distinctifs ; ces marques différentielles répartissent en effet les acteurs du rituel en plusieurs catégories opposées et organisées en un système combinatoire selon les oppositions : « gens de Tupa/ gens des villages avoisinants », « adultes/enfants », « femmes/

hommes », etc. [61] Une étude beaucoup plus approfondie portant sur les grimages d'une série de tribus de la région entourant Mount-Hagen conduit à des conclusions analogues. Les couleurs utilisées dans les peintures faciales sont, certes, associées à des qualités d'ordre moral et culturel, le rouge et les couleurs claires exprimant par leur éclat la fertilité, l'attraction sexuelle et la générosité dans les échanges sociaux alors que le noir, couleur sombre, renvoie à l'agressivité et à la dissimulation ; de plus, le rouge semble plutôt féminin alors que le blanc et le noir connotent le masculin. On choisit donc chaque couleur en vertu de la position culturelle qui lui est attribuée sur l'axe sémantique « clair/sombre » ou « vif/terne », et non pas l'inverse ; la catégorisation sémantique commande le choix des éléments correspondants dans le monde naturel (ici, les couleurs). De même en va-t-il des plumes chatoyantes que chaque participant au rite pique sur sa tête pour former une coiffure fort impressionnante : on se pare d'un élément de l'oiseau concerné non pas pour s'associer les qualités intrinsèques de cet animal et pour le représenter, mais pour la qualité abstraite que constitue l'éclat de ses plumes [62]. Encore une fois, c'est l'élaboration intellectuelle concernant le prestige à acquérir à l'occasion du rituel du *moka* qui préside au choix des éléments matériels destinés à l'action rituelle. Et dans le cas particulier des peintures corporelles, ce ne sont pas les qualités objectives de ces éléments qui déterminent leur choix, mais les catégories culturelles (« clair/sombre ») sous lesquelles ils sont appréhendés : les visions significatives du monde naturel se retrouvent donc aux deux extrémités de la « chaîne » symbolique.

Dans le processus symbolique, les propositions que suscitent les événements de la réalité physique et sociale intègrent donc à leur contenu sémantique des éléments tirés de cette même réalité appréhendée comme monde naturel. L'intégration de la représentation conceptuelle (le sang du Christ) au terme qui l'incarne (le vin) s'opère par l'intermédiaire d'un rapport fondé sur la similarité ou, plus rarement, sur la contiguïté. Mais la similarité/contiguïté ne concerne qu'une partie du signifié du terme intégré ; le reste est laissé à l'arbitraire culturel. C'est pourquoi, pour reprendre l'exemple de Sperber tout en le réfutant, même s'il n'y a rien de plus semblable et de plus contigu à un lion qu'une lionne ou un lionceau, le lion intégré dans une proposition peut représenter, comme dans la poésie épique grecque, un guerrier [63].

L'assimilation a lieu par l'intermédiaire des traits de force fière, de courage ou d'agressivité prêtés à la fois au lion et au héros de la guerre de Troie.

De même, en Nouvelle-Guinée encore, parallèlement aux recherches de Gell, Bulmer a fort bien montré que ce sont les caractères morphologiques exceptionnels du casoar, en particulier l'aspect presque humain de ses os, qui le font entrer dans plusieurs types d'assimilation avec l'homme. Et les réponses données à A. Strathern par ses informateurs Hagen au sujet des danses rituelles exécutées à l'occasion des échanges cérémoniels *(moka)* sont parfaitement significatives du processus que l'on essaie de décrire ici, en particulier dans son aspect producteur de propositions. Les plumes d'une richesse extraordinaire dont hommes et femmes se parent à cette occasion autant que les mouvements de leurs danses sont la marque de l'assimilation que la conception du monde Hagen opère entre le mode de vie de l'oiseau du paradis et celui qui caractérise les humains. Selon Strathern, cette assimilation serait double, portant à la fois sur le « cycle » de croissance des oiseaux de la jeunesse à la maturité comparé au « cycle » de croissance des adolescents devenant adultes, et sur la mue de ces mêmes oiseaux qui signifierait le retour périodique des rites du *moka* : dans les deux cas, les oiseaux, comme les humains, ne se montrent dans leurs danses que lorsqu'ils sont parés (aux deux sens du terme !). En fait, si l'on se base sur les réponses transcrites par l'ethnologue des Hagen, on constate que seule l'apparition des hommes parés à l'occasion des échanges cérémoniels périodiques du *moka* est comparée à la fois au changement affectant l'oisillon qui devient adulte et à sa mue périodique. L'allusion à la croissance humaine semble constituer une simple inférence de l'ethnologue, motivée sans doute par un souci d'équilibre logique très occidental. La correspondance établie par les Hagen entre la seule métamorphose humaine à l'occasion du *moka* et *deux* processus comparables chez l'oiseau du paradis doit être en fait comprise telle quelle. Cette homologation d'une manifestation humaine unique avec deux événements différents dans la vie de l'animal est précisément significative du caractère fondamental de la première : l'échange cérémoniel. Corrélativement, cette assimilation montre le caractère explicatif de la mise en relation symbolique par l'intermédiaire des qualités particulières observées dans le déroulement du processus de croissance et du phénomène de la mue propres aux oiseaux du paradis[64].

C'est évidemment vers les éléments du milieu ambiant qui sont sémantiquement les plus chargés (intension) et non pas vers ceux qui ont la diffusion la plus courante (extension) que va se tourner le processus de production symbolique. De ce point de vue, le facteur psychologique est sans doute déterminant et on a toutes les chances de trouver au centre du processus de formation du symbole les éléments les plus susceptibles de toucher l'affectivité : dans la constitution du rite d'initiation tribale ou dans l'élaboration de l'histoire du clan, le crocodile est un élément plus focalisateur que ne l'est la carpe du Sépik[65] !

Le reste de la mise en relation d'un élément du règne animal avec un terme de l'ordre humain est due au hasard, mais cette relation, acceptée par l'ensemble d'une communauté, est destinée à devenir convention culturelle et acquérir par là une valeur de norme.

3.3.4. Le discours mythique comme processus symbolique

Jusqu'ici l'attention s'est essentiellement portée sur la manière dont il est possible de se figurer le processus producteur des pratiques rituelles ou des représentations figurées. Le mythe présente quant à lui un cas un peu particulier dans la mesure où il utilise pour sa manifestation un système de signes constitué : la langue. De manière sans doute moins évidente que ce n'est le cas pour les rites, les récits que nous appelons « mythes » sont aussi, très souvent, des réactions aux questions posées par la réalité matérielle et culturelle qui sert de cadre à la société produisant ces narrations.

Dans les villages du Moyen-Sépik, la question de l'origine biologique de chaque clan et de son développement reçoit une réponse aussi bien dans les sculptures qui ornent les piliers claniques du *haus tambaran* que dans les récits, souvent ésotériques, que raconte le spécialiste de la narration[66]. Mais la nature particulière du médium que constitue la langue confère au mythe des possibilités symbolisantes pratiquement illimitées. La langue permet en effet, par le jeu de l'imagination, des associations beaucoup plus nombreuses et beaucoup plus complexes que ce n'est le cas par exemple dans le rite soumis aux contingences matérielles : aux catégories empiriques et culturelles s'ajoutent les catégories

conceptuelles qui ne se réfèrent à aucune réalité extérieure.
L'*Odyssée* ne serait jamais cette extraordinaire exploration des
marges de la civilisation grecque si le langage ne permettait de
mettre en scène les différents êtres plus ou moins monstrueux auxquels Ulysse est successivement confronté.

Certes, dans le symbolisme rituel, l'esprit humain joue non seulement avec les objets matériels qu'il transforme tout en les intégrant à la séquence rituelle, mais surtout avec les idées et les
images qui leur sont associées. Les lexèmes quant à eux ne sont
pas, sinon dans leur aspect phonétique, des entités matérielles ; ils
se caractérisent par une polysémie qui permet à l'intellect non seulement de manipuler les réalités auxquelles renvoient certains
d'entre eux ainsi que les images ou représentations conceptuelles
qu'ils évoquent, mais encore de jouer sur les aspects souvent très
différents de leur signifié. Le processus de construction symbolique trouve donc dans le langage un instrument qui peut rivaliser
avec la construction iconique.

Toutefois le mécanisme d'association reste fondamentalement
le même : c'est toujours par l'intermédiaire d'une partie de son
signifié qu'un élément − réalité, image, lexème − est intégré
comme signifiant à l'énoncé symbolique avec lequel il partage ce
signifié partiel. De ce point de vue, l'analogie est frappante entre
le processus symbolique et le phénomène linguistique de la métaphore et de la métonymie si l'on comprend, à la suite de
Jakobson, la métaphore comme étant fondée sur un rapport de
similarité et la métonymie sur un lien de contiguïté[67]. A la différence du rapport de similarité métaphorique qui est fondé,
semble-t-il, uniquement dans le langage (transfert d'une partie du
signifié d'un terme donné comme signifiant d'un autre sur la base
d'un rapport analogique dans : « Vous êtes mon lion superbe et
généreux »), le lien de contiguïté de la métonymie implique une
relation objective entre les éléments qu'elle met en relation (lien
réel entre le « cerveau » et la « tête » compris comme parties du
corps dans l'expression : « Il a la tête bien faite »). En dépit de ce
qu'affirme à ce propos Le Guern, le mécanisme de mise en relation et de combinaison d'éléments renvoyant à des niveaux sémantiques différents (rupture de l'isotopie) est identique dans le processus symbolique et dans le phénomène métaphorique ; dans ces
deux processus, le degré de motivation de la mise en relation est
variable[68]. Comme on vient de le montrer, l'élaboration symbo-

lique n'utilise pas le signifié global du terme qui devient le pôle de la proposition symbolique, mais elle met en jeu une partie seulement de ce signifié quand elle n'en use pas par antiphrase. La différence réside simplement dans le fait que la métaphore est un phénomène linguistique qui opère indépendamment du rapport des signifiés avec la réalité à laquelle ils peuvent renvoyer ; la métaphore est un cas particulier du processus symbolique.

3.4. L'effectuation symbolique

Le résultat de cette troisième étape du processus de production symbolique, ce sont les manifestations gestuelles, iconographiques ou langagières que nous concevons dans la pensée anthropologique occidentale comme rites, représentations figurées ou mythes. En Grèce archaïque, puis classique, ces manifestations prennent la forme des fêtes, des représentations sur vase ou des productions poétiques (épiques ou méliques, puis tragiques). L'intellect ne se borne donc pas à élaborer des propositions ; il les inscrit dans la réalité physique par l'intermédiaire d'un support matériel − corps humain, matériaux inanimés, chaîne phonique − qui permet à ces produits du travail de l'esprit de recevoir une manifestation ; il les met en discours ; il les énonce [69]. Toutes ces manifestations dépendent par conséquent d'un faire qui, par le geste, la sculpture/peinture ou la narration, permet à l'homme de les effectuer, dans des circonstances précises, en leur conférant en général un développement linéaire orienté (l'iconographie faisant de ce point de vue en partie exception) ; on peut aussi bien jouer l'histoire du clan que la représenter par l'image ou la raconter. Par ce faire, l'homme modifie matériellement la réalité qui l'entoure.

Ainsi, dans la phase du rituel *Nkula* décrite par Turner, l'association des spéculations ndembu sur la procréation avec une série d'éléments de la réalité qui sont marqués d'une manière ou d'une autre de la qualité de « rouge », s'effectue dans une pratique rituelle : les substances mentionnées sont d'abord mélangées en une pâte malléable ; on introduit ensuite cette pâte dans la tête des figurines représentant les nouveau-nés avant d'en enduire l'extérieur ; on enferme finalement ces figurines dans des calebasses rondes. Et quant au vin « symbole » du sang du Christ, il n'acquiert son efficacité rédemptrice qu'absorbé dans le cadre de la cérémonie de la communion.

Le phénomène de construction et de production symbolique s'explique donc comme une effectuation, comme la réalisation matérielle de constructions intellectuelles déclenchées par un événement de l'ordre physique ou social. C'est pourquoi il n'y a pas de symbole isolé, mais des propositions symboliques, expression de classifications et de mises en relation, qui s'actualisent et se manifestent dans la pratique de la scarification, le rite de la communion ou la récitation de l'histoire du clan. Cette manière d'envisager le processus symbolique a deux conséquences importantes pour les questions posées au début de ce développement :

– Cela signifie premièrement que le mythe et le rite ne sont que deux manifestations parmi d'autres de la pensée symbolique et qu'il est abusif de les lier l'un à l'autre de manière nécessaire et exclusive, à moins que, comme en Grèce antique, la culture concernée n'établisse explicitement cette relation pour certains d'entre eux ; la mise en relation d'un récit mythologique avec une pratique rituelle et cultuelle est donc soumise au relativisme culturel [70].

– D'autre part, la pensée symbolique n'a d'existence que dans la mesure où elle est l'objet d'une énonciation, énonciation sous forme de récit, de pratique rituelle ou de représentation figurée. C'est l'acte d'énonciation et de communication qui produit le croire dont les propositions symboliques sont l'objet ; c'est lui qui provoque l'adhésion aux différents types de vraisemblance évoquées à propos des récits hellènes. Dans cette mesure, les propositions symboliques sont des actes (linguistiques ou non) de type performatif dans l'efficacité desquels le sujet énonciateur a pleine confiance.

Revenons donc à l'approche sémiotique. La spécificité des manifestations de type symbolique tient au fait qu'elles représentent toutes des élaborations secondaires, à travers le mécanisme sommairement décrit, par rapport au donné de l'expérience sensible et aux catégories de la culture qui les produit. Compris en termes sémiotiques, les énoncés symboliques seraient des signifiants secondaires élaborés à partir des « visions significatives » du monde naturel et des « pratiques signifiantes » constitutives du comportement culturel. Encore un bref exemple : si tout le déroulement d'un cours de répétition de l'armée helvète peut être compris comme une suite de comportements réglés et conventionnels, seules des manifestations telles que la prise ou la remise du drapeau pourront apparaître comme des rites à proprement parler. C'est que ces cérémonies constituent une sorte de raisonnement matérialisé sur le sens du cours de répétition ; elles constituent une « effectuation », une « concrétisation » d'une série de propositions intellectuelles sur l'acte militaire et son sens, ce qui n'est pas le cas des autres séquences constitutives du déroulement du service.

Affirmer que les manifestations symboliques que sont les rites, les représentations iconiques ou les récits légendaires sont structurées comme des systèmes de signification n'implique nullement qu'elles constituent par là même des processus de communication au même titre que les manifestations linguistiques par exemple. Que ces productions jouent sur le sens des termes qu'elles mettent en relation par superposition analogique ne signifie pas qu'elles sont organisées selon un ou plusieurs codes pour transmettre un message, comme le suppose Leach par exemple[71].

La fonction première des manifestations que nous appréhendons comme symboliques est sans doute de construire un ordre en mettant en rapport, autrement que par un raisonnement hypothético-déductif, des éléments en apparence disparates et en intégrant des événements frappants et inhabituels dans un système de pensée cohérent. Quand les Iatmul accomplissent toutes les pratiques constitutives du rituel d'initiation tribale, ils ne transmettent aucun message ; ils consacrent culturellement l'ordre de la nature tout en s'interrogeant à son propos. C'est sans doute la raison pour laquelle les questions de l'ethnologue sur le « pourquoi » de telle pratique reçoivent régulièrement des réponses invoquant simplement la tradition. A travers mythes et rites initiatiques, on effectue le passage de l'adolescence à l'âge adulte et on l'effectue de la même manière que les pères l'ont eux-mêmes effectué. De là, à Tupa et à Misé, à l'occasion de l'échange cérémoniel brièvement décrit, les longs discours des « grands hommes » sur le nombre de porcs à tuer et sur la manière de les apprêter ; ces discours portent sur le comment et non sur le pourquoi de la pratique rituelle.

De plus, dans la mesure où ils réélaborent le donné naturel et culturel, les systèmes de relevance symbolique sont bien des systèmes de nature cognitive ; par les constructions qu'ils produisent,

ils contribuent à l'approfondissement du champ des connaissances propres à chaque culture. Ainsi, chez les Iatmul, la pratique initiatique de scarification sert de fondement et de point de
départ à une série de spéculations sur le passage accompli par le
néo-initié et sur ces conséquences. Dans cette représentation, le
crocodile apparaît notamment comme le créateur de la terre à
partir de la boue du Sépik et la pratique scarificatoire autant que
la conception de la maison des hommes dans laquelle l'initiant est
isolé associent ce dernier à cet acte fondateur [72]. Rituel et légende,
sans que l'un soit justifié par l'autre comme en Grèce, s'inscrivent
donc dans le même processus symbolique de construction intellectuelle de l'ordre de la culture.

3.5. L'interprétation symbolique

Tout cela n'empêche naturellement pas les pratiques symboliques, avec leur intervention dans la réalité, de laisser des traces
qui peuvent être interprétées comme des signes. Preuve en soit la
marque du crocodile inscrite dans le dos des Iatmul adultes : aux
yeux des indigènes eux-mêmes, elle est un signe de la qualité
d'homme du Sépik, sinon de la participation à l'acte créateur du
crocodile des temps premiers ! Après les résultats concrets et tan-
gibles du travail symbolique (quatrième étape du processus
décrit), on parvient ainsi à un cinquième moment qui serait celui
de la réception par les indigènes ou par un observateur extérieur
des phénomènes décrits. C'est uniquement à ce moment d'appréhension et d'interprétation du produit élaboré dans le processus
de construction symbolique que la manifestation peut devenir un
signe. Et j'insiste sur le fait que pour être interprétés, rites, mythes
ou représentations figurées n'ont pas besoin d'avoir été au préalable l'objet d'une opération d'« encodage » avec une intention
de communication : ne sont pas non plus pourvues d'un code
dans le but de signifier ces volutes de la façade baroque que
j'aperçois de ma fenêtre romaine et que j'interprète pourtant non
seulement comme le signe d'une période de splendeur bien
révolue, mais aussi comme la marque d'un style architectural historiquement défini et parvenu esthétiquement à la perfection.
En ce qui concerne rituels, légendes et productions iconographiques, le processus d'interprétation va tenter de suivre et de

décomposer le travail d'associations et de superpositions analogiques opérées par la pensée. Il est évident que dans cet effort, le savoir de l'interprète sur la culture concernée est d'une importance capitale puisque c'est lui qui va livrer non seulement la connaissance du donné sur lequel se fondent les produits symboliques étudiés, mais aussi les éventuelles limitations restreignant les possibilités d'association et de construction. Pour ce travail, l'observateur extérieur, formé à la pensée hypothético-déductive et habitué à la confrontation constante de ses hypothèses avec l'expérience est sans doute mieux armé que l'indigène. Sperber a montré que les rares exégèses indigènes de phénomènes auxquels nous attribuons la qualité de symbolique peuvent être considérées comme faisant partie intégrante de l'élaboration symbolique[73] !

Si donc les Gnau répondent à Lewis que l'écoulement du sang à l'occasion du rite d'initiation tribale est pratiqué pour permettre aux hommes mûrs de favoriser croissance et vigueur chez leurs parents plus jeunes, cette explication pourra être mise en relation autant avec les valeurs particulières attribuées par les Gnau au passage que les adolescents viennent d'effectuer qu'avec les pouvoirs que la théorie gnau des humeurs attribue au sang ; elle fait partie intégrante de l'anthropologie et de la représentation physiologique des Gnau. Mais contrairement à ce qu'estime Lewis, cette exégèse ne doit pas empêcher l'interprète occidental de mettre cette pratique en relation avec les menstrues si le contexte culturel concerné l'y invite en fournissant la possibilité de cette association[74]. Ici, tout dépend de la cohérence interne de l'interprétation extérieure, nourrie des éléments de connaissance les plus nombreux possibles ; tout dépend − nous y sommes enfin ! − de l'évocation que déclenche chez l'interprète le phénomène symbolique étudié ; tout dépend du traitement que cette évocation reçoit dans sa pensée. L'évocation sera orientée d'une manière d'autant moins arbitraire que le savoir sur la culture étudiée sera plus large. Mais rien ne permettra de limiter dans le travail d'interprétation les conséquences de l'arbitraire partiel qu'a présidé au processus d'association dans la construction symbolique ; rien non plus ne pourra empêcher l'influence, au cours de l'évocation, des déterminations psychologiques et sociologiques qui marquent le travail du dispositif conceptuel de l'interprète et qui, à tout instant, « biaisent » l'interprétation par les associations qu'elles suscitent. Toute interprétation porte donc la marque de la personne psychologique et sociale de celui qui l'énonce ; elle est indissociable, de plus, des procédures intellectuelles qui sont le propre de la pensée occidentale. Dans le domaine des sciences humaines, on peut prétendre à la cohérence, mais on ne peut, pour le moment, atteindre l'objectivité[75].

Que devient en conclusion la relation entre le récit légendaire et la pratique cultuelle ? L'hypothèse avancée ici reviendra à affirmer que tous deux dépendent du même processus de construction de signifiés nouveaux à partir des catégories empiriques et des catégories d'ordre social d'une culture donnée. Les différences qui séparent ces deux types de manifestations d'une même action conceptuelle sur la réalité sociale et physique tiennent, c'est désormais évident, aux moyens d'expression employés : expression somatique recourant à des entités concrètes d'un côté, expression à travers la langue de l'autre. En définitive, seule l'analyse d'un mythe particulier en relation avec les cultes qui lui sont attachés et les figurations dont il a fait l'objet pourra montrer ce qui fait la spécificité de ces différentes manifestations, dans leur déploiement « narratif » respectif. Avant de retourner en Grèce en se concentrant sur un exemple précis, on se limitera pour l'instant à insister sur les deux aspects qui permettent de réunir en une même catégorie les produits dits « symboliques ». Il y a d'abord, dans la configuration sémantique qui définit chacun d'entre eux, la présence de l'événement, de la transformation du monde matériel dans son appréhension comme monde naturel qui en constitue l'occasion. C'est ainsi que l'on peut expliquer une partie de la motivation des éléments sémantiques et syntaxiques constitutifs de la proposition symbolique. Mais, par ailleurs, l'opération symbolique est aussi construction. Procédant par le moyen d'une mise en relation où la motivation ne joue qu'un rôle partiel, elle met en correspondance des éléments tirés de différents ordres de la réalité culturelle et sociale pour les reclasser et les combiner en une réalité nouvelle, évidemment soumise à l'arbitraire culturel[76]. Objet d'un croire de relevance culturel, l'énonciation, par l'intermédiaire de différents supports matériels, de ces constructions d'ordre spéculatif, joue un rôle déterminant dans la reproduction de la société qui les imagine et dans l'image que celle-ci se donne d'elle-même. De là leur fonction à la fois cognitive, explicative, émotive et polarisatrice des problèmes posés par la culture concernée ; de là, surtout, leur rôle idéologique de représentations susceptibles d'une analyse de type sémiotique.

4. Quelques procédés d'analyse discursive

Il est temps de laisser à l'appréciation du lecteur nos propres élaborations spéculatives et de revenir aux mythes et aux rites grecs tels qu'ils se manifestent à nous, c'est-à-dire sous une forme discursive linguistique. Dans le domaine langagier notamment, la sémiotique telle qu'on la conçoit autour des travaux de Greimas a tenté de se représenter le processus de constitution et de production du sens comme celui d'un parcours génératif. Partant d'un présupposé d'immanence que je ne partage pas, cet itinéraire très théorique conduit des structures les plus abstraites, qu'on s'imagine être les plus profondes, à la manifestation discursive dans sa diversité linguistique. Malheureusement coupé dans sa représentation structurale stricte de ses motivations extra-discursives, ce processus s'articule en une composante syntaxique et une composante sémantique. Il est censé assurer le passage des structures « sémio-narratives profondes », où l'articulation fondamentale du sens pourrait être formalisée dans sa double dimension syntaxique et sémantique par le « carré sémiotique », au niveau intermédiaire de la syntaxe et de la sémantique sémio-narratives dites « de surface » : les figures concrètes du sens s'y affirment dans leur cohérence syntaxique et sémantique notamment par leur articulation dans une grammaire narrative. C'est dans cette phase que pourraient se situer les procédures de la schématisation décrites par la logique naturelle. Puis, pour atteindre le niveau de la manifestation, on passe par le troisième plan des « structures discursives » qui correspondent aux investissements sémantiques et syntaxiques singuliers dans les positions définies par la grammaire narrative ; c'est là que s'opèrent les « débrayages/ embrayages » propres à la constitution de l'objet sémiotique. De même que les différentes phases du processus de production symbolique tel que l'on vient de se l'imaginer, ces niveaux ne sauraient à l'évidence correspondre à des strates d'existence réelle, d'existence empirique du sens [77].

En dépit de son abstraction par rapport à la représentation plus linéaire et dynamique que l'on peut se faire du processus symbolique, cette conception verticale de la génération de la signification fournit de précieux instruments heuristiques quand, placés devant des manifestations symboliques, en particulier textuelles, nous abandonnons le point de vue de l'énonciateur et du producteur de sens pour assumer celui de l'interprète. Le rôle de lecteur nous invite alors à suivre en quelque sorte le cheminement inverse : il nous conduit, dans une procédure purement opératoire, de la manifestation discursive aux structures les plus profondes. On tentera ainsi de faire apparaître l'organisation syntaxique, puis sémantique, des manifestations étudiées (chapitres II et IV pour le mythe, III et V pour le rite). Quant à la relation logique qui permet de mettre la pratique rituelle dans la perspective du récit légendaire, elle sera l'objet d'une approche syntaxique (fin du chapitre III), avant de fournir, dans son aspect sémantique, la conclusion à cette étude (chapitre VI). En effet, nécessairement objets d'une mise en discours, les manifestations sémiotiques dans leur processus de signification ne sauraient être coupées de leurs circonstances de production et d'énonciation ; de là l'aspect historique de ces ultimes réflexions.

4.1. Syntaxe sémio-narrative

La multiplicité et la diversité des versions de la légende de Thésée sous-jacentes au récit biographique de Plutarque autant que la nécessité d'en comparer le déroulement narratif avec celui des séquences rituelles qu'elles sont censées justifier invite à commencer par la composante syntaxique de ces objets symboliques. Tout en tenant compte au niveau des structures discursives des procédures de débrayage/embrayage qui rattachent ces différents récits à leur source de production, on s'attachera essentiellement à la syntaxe de la narration par l'intermédiaire de la grammaire actantielle qui régit l'organisation de leurs structures sémio-narratives « de surface ». C'est à ce niveau que la comparaison entre objets sémiotiques disparates devient opératoire.

Grammaire actantielle ? Oui, dans la mesure où l'énoncé narratif de base peut être défini par la relation entre un Sujet et un Prédicat ; dans la mesure aussi où la syntaxe narrative se présente comme le tissu des relations qui s'établissent entre les Sujets par l'intermédiaire des Prédicats. Sujets et Prédicats sont naturellement conçus comme des positions vides, d'ordre purement syntaxique. Dans un bref travail consacré aux aspects théoriques de la grammaire sémio-narrative, j'ai tenté de montrer que la relation du Sujet avec le Prédicat pouvait être conçue, comme le propose Greimas, comme une relation de jonction connaissant deux réalisations possibles : la disjonction (U) et la conjonction ($\cap$). Mais pour garder au Prédicat à la fois l'aspect dynamique qu'il peut assumer quand il se réalise à la surface linguistique dans un verbe et son aspect sémantique, j'ai proposé de lui laisser dans la syntaxe sémio-narrative sa fonction centrale, sa fonction de pivot dans la relation entre des actants éventuellement pluriels ; il convient donc de le substituer à la notion statique d'Objet.

Dès lors, si l'on admet la distinction entre état et action, les deux énoncés narratifs fondamentaux reçoivent la formulation suivante :

énoncé d'état : $S_1 : x \cap P : a < \cap/U S_2 : y >$
(où les $< >$ indiquent une simple possibilité de réalisation et les minuscules les qualités sémantiques investies dans les positions actantielles),

énoncé de faire : $S_1 : x \rightarrow : b (S_2 : y \cap/U P : a)$
(où le signe $\rightarrow$ indique l'éventuelle fonction dynamique du Prédicat, suivie de l'indication de la modalité de sa réalisation) [78].

A partir du Prédicat ainsi décomposé en ses deux aspects, qualitatif et dynamique, il est possible de reformuler le modèle actantiel tel qu'il a été défini par Greimas dans *Sémantique structurale*. La relation narrative de base apparaît dès lors comme une relation polémique entre deux Sujets sémiotiques (S_1 et S_2) par l'intermédiaire d'un Prédicat recouvrant qualification et/ou action. De plus, la prise en compte des modalités de l'action qui peuvent, par l'intermédiaire des Sujets, modifier les Prédicats, induit à distinguer une quatrième position actantielle : celle du Destinateur (D_1) ; elle est assortie de son complémentaire, le Destinataire (D_2) dont la position actantielle coïncide souvent avec celle du Sujet de l'action, du Sujet opérateur (S_1). L'acteur occupant la position du Destinateur confère au Sujet opérateur les différentes modalités (pouvoir, savoir, vouloir, devoir) qui incitent celui-ci à l'action [79]. Enfin, pour tenir compte à ce niveau de la syntaxe sémio-narrative « de surface » des dimensions spatiale et temporelle de l'action

narrative, il convient d'introduire la notion de Circonstant (C) ; le
Circonstant est appelé à subsumer les conditions spatio-temporelles dans lesquelles se réalisent l'état ou l'action exprimés dans
l'énoncé sémio-narratif.

Mais la dimension temporelle du récit se constitue également
dans l'enchaînement des énoncés narratifs et dans le déroulement
nécessairement linéaire de la narration. Or la succession des
énoncés narratifs est toujours marquée par une orientation précise
qui, au niveau plus superficiel de la syntaxe discursive, relève de la
causalité introduite par la mise en intrigue. Du point de vue de la
syntaxe sémio-narrative, il semble qu'à partir des trois épreuves
qualifiante, décisive et glorifiante reconnues par Propp dans la
structure du conte merveilleux, il est possible d'induire et de
définir une structure permanente, valable pour tout récit ; cette
structure fonderait l'articulation syntaxique de toute séquence
d'énoncés narratifs. Dénommé en conséquence « schéma narratif
canonique », elle se décompose en quatre phases enchaînées : une
phase de manipulation dans laquelle un Destinateur institue un
sujet comme Sujet de faire ; conséquence de la manipulation et
parfois confondue avec elle, une phase où se trouve affirmée la
compétence du Sujet opérateur, avec les valeurs modales qui vont
permettre le passage à l'étape suivante ; une phase de performance correspondant à l'action proprement dite du Sujet (S_1)
dans sa confrontation avec l'Anti-sujet (S_2) ; enfin une phase de
sanction où les qualités acquises par le Sujet au cours de la performance sont l'objet, en général de la part du Destinateur, d'une
reconnaissance et d'une confirmation d'ordre cognitif, sinon
pragmatique. Avec la morale de l'histoire le Sujet agissant passe
ainsi au statut de héros quand il n'est pas au contraire destitué de
cet honneur après une action aux conséquences négatives [80] !

Il va sans dire qu'un récit complexe comme celui de la légende
de Thésée est fait de plusieurs séquences répondant chacune au
schéma canonique ; ces séquences s'organisent non seulement en
une succession linéaire, mais aussi de manière hiérarchique. Ainsi
la séquence narrative des exploits accomplis par le héros adolescent entre Trézène et Athènes deviendra la phase de manipulation
de l'ensemble de la légende de Thésée. La complexité syntaxique
de la légende du héros athénien m'amènera de plus à distinguer,
entre les énoncés narratifs avec leur organisation en séquence
d'une part et le récit d'autre part, une unité hiérarchique

intermédiaire : l'épisode. Structuré selon le schéma narratif canonique, mais contenant en son sein un enchevêtrement de séquences narratives secondaires, l'épisode recouvre par exemple dans l'ensemble de la légende de Thésée l'unité syntaxique qui correspond au récit de l'expédition de Crète.

4.2. Sémantique sémio-narrative

Contrairement à ce qui est proposé dans la théorie canonique, il apparaît que si les embrayages/débrayages constitutifs du processus de temporalisation relèvent bien dans la mise en discours du récit de la composante syntaxique des structures discursives, en revanche actorialisation et spatialisation se situent plutôt du côté de la sémantique[81]. Parallèlement à la mise en intrigue, ce sont en effet les figures investies dans les positions actantielles de la syntaxe sémio-narrative qui constituent la « matière » sémantique du récit. Figures qui font que les acteurs, les actions et l'espace du récit se distinguent de ceux de son énonciation ; figures qui, volontiers empruntées au monde naturel, mais aussi aux « préconstruits culturels », contribuent à l'effet référentiel du récit par les procédures de la schématisation ; figures qui assurent enfin le passage, dans la perspective interprétative, des structures discursives aux structures sémio-narratives dites « de surface ».

En effet la réitération de ces figures dans le déroulement de la narration contribue à la formation d'axes sémantiques appelés « isotopies ». Ces répétitions d'éléments figuratifs assurent au récit sa cohérence sémantique, de même que le schéma canonique contribuait à sa cohérence syntaxique. Mais ces isotopies figuratives, apparaissant au niveau sémio-narratif de surface, sont ancrées à leur tour dans des éléments plus abstraits que l'on dénommera « thèmes » ; ceux-ci relèvent quant à eux de plein droit de la sémantique sémio-narrative « fondamentale »[82]. Si de la perspective de sémiotique interprétative qui a été adoptée jusqu'ici, on revient au problème de la production de l'objet symbolique et plus généralement de l'objet sémiotique, on pourra se demander si ces thèmes ne constituent pas précisément les critères présidant aux choix des figures du monde naturel et culturel qui, réorganisées et transfigurées, finissent par donner à l'objet symbolique sa configuration singulière. C'est en ce point d'articulation entre monde extra-discursif et objet symbolique/sémiotique que s'enracinerait l'effet d'idéologie propre à toute manifestation de ce type. Insistons encore une fois sur le fait qu'à cet égard, détermination thématique et choix de figures ne sauraient être compris comme des phases successives, dépendant d'un processus génétique ; ce ne sont que les représentations floues de démarches beaucoup plus complexes et empiriquement contemporaines. Mais c'est en elles que la dialectique de l'arbitraire et de la motivation symbolique trouve son fondement.

J'ai en revanche renoncé à aventurer la légende de Thésée sur le terrain de l'articulation des structures sémio-narratives profondes par l'intermédiaire du « carré sémiotique ». Aux doutes quant au bien-fondé de la transformation du carré logique d'Apulée en carré sémiotique s'ajoute le manque de conviction quant au caractère binaire de la structuration du sens, sur le modèle des traits distinctifs reconnus en phonologie[83].

Ces doutes mêmes montrent que les élucubrations théoriques doivent désormais faire place à l'étude pratique des textes.

NOTES

[1] Pour nous, le témoignage essentiel de cette mise en relation étiologique est constitué par la *Vie de Thésée* rédigée par Plutarque au Iᵉʳ siècle de notre ère. Il est évident que cet ouvrage de compilation et de rationalisation conscientes (cf. *Thes.* 1, 5) se fonde sur des sources plus anciennes. Ce sera le rôle de l'analyse narrative de déchiffrer les strates qui en composent le tissu ; pour une orientation sur les sources, volontiers atthidographiques, du texte de Plutarque, on lira les remarques de Frost, 1984, p. 67 ss, et d'Ampolo & Manfredini, 1988, p. XLII ss. Intermédiaire incontournable dans notre connaissance de la légende de Thésée, la biographie de Plutarque se trouvera par nécessité au centre de l'analyse proposée ici.

[2] On vient de citer successivement des expressions tirées de Moschion, fr. 4 Nauck², d'Eschyle, *Eum.* 1026, et de Sophocle, *OC* 1066 avec sch. *ad loc.* (p. 447, 22 ss Papageorgios) ; d'autres attestations de ces expressions sont mentionnées par Herter, 1936, p. 177 s., qui rappelle l'inscription portée par l'Arc d'Hadrien où l'empereur se substitue à Thésée dans la désignation de la ville : *IG* II/III², 5185.

[3] En ce qui concerne la légende de Thésée elle-même, elle a suscité une littérature si abondante que je renvoie le lecteur à Herter, 1936 et 1939, pour la bibliographie antérieure à ces deux études. On remarquera qu'en particulier les recherches de Herter, 1973, et de Brommer, 1982, ont rendu caducs des traitements historicisants de la légende tels ceux de E. R. Farnell, *Greek Hero Cults and Ideas of Immortality*, Oxford (Clarendon Press) 1921, p. 337 ss, ou de C. Robert, *Die griechische Heldensage* I, Berlin (Weidmann) 1920, p. 676 ss, qui ne disposaient pas de toute la documentation iconographique publiée à ce

jour. Dans la bibliographie qui clôt ce volume ne sont mentionnés que les ouvrages et études cités à plusieurs reprises dans les notes.

[4] Sur l'inconsistance du mythe comme éventuel genre narratif à caractère plus ou moins universel, cf. P. Smith, « Positions du mythe », *Le temps de la réflexion* 1, 1980, pp. 161-181, ainsi que les remarques éclairantes qui concluent l'étude de Brisson, 1982, p. 168 ss ; on verra encore les propositions que j'ai présentées à ce propos dans « Introduction : évanescence du mythe et réalité des formes narratives » in Calame (éd.), 1988, pp. 7-14, et dans « Illusions de la mythologie », *Nouveaux Actes sémiotiques* (à paraître).

[5] M. Sahlins « L'apothéose du capitaine Cook », in Izard & Smith, 1979, pp. 307-343.

[6] Detienne, 1981, pp. 15 ss et 191 ss, ainsi que 1989, p. 146 ss, en suivant quelques-unes des phases de la formation du concept de mythe depuis les Grecs, en a fait la démonstration pour cette catégorie ; on lira aussi avec profit Veyne, 1983, p. 28 ss. Tout en nuançant la coupure que marquerait Thucydide, selon Detienne, dans la création du concept de mythique, j'ai tenté de tracer en ce qui concerne le rite la partie grecque du même parcours dans « Mythe et rite en Grèce, des catégories indigènes ? », à paraître dans *Kernos*, 4, 1991.

[7] Dans cette mesure, il est difficile de délimiter avec exactitude le mythe par rapport à la légende ou au conte, comme l'ont relevé, par exemple, Kirk, 1970, p. 31 ss, ou Lévi-Strauss, 1973, p. 153 ss. J'ai développé la proposition de définition floue et instrumentale du mythe esquissée ici en 1990, p. 278 ss.

[8] Sur les débuts de la mythographie grecque, voir A. Henrichs, « Three Approaches to Greek Mythography » in Bremmer, 1987, pp. 242-277, et M. Detienne, « La double écriture de la mythologie entre le *Timée* et le *Critias* » in Calame (éd.), 1988, pp. 17-33 (repris en 1989, pp. 167-186). Sur l'acte de foi dont les mythes sont l'objet dans toute l'Antiquité, cf. Veyne, 1983, p. 52 ss.

[9] Voir par exemple J. Goody, « Religion and Ritual : The definitional Problem », *Brit. Journ. Sociol.* 12, 1961, pp. 143-164 (p. 159), ou E. Leach, « Ritual », *International Encyclopedy of the Social Sciences* XIII, New York (MacMillan) 1968, coll. 523-528. Récemment E. M. Zuesse, « Ritual », *The Encyclopedia of Religion* XII, New York - London (MacMillan) 1987, pp. 405-422, a tenté de restreindre la définition trop large proposée par Leach en parlant, dans une ligne éliadéenne, de « *conscious and voluntary, repetitious and stylized symbolic actions that are centered on cosmic structures and/or sacred presences* ».

[10] Bourdieu, 1980, pp. 87 ss et 163 s. A propos de l'aspect émotif du rituel, on lira par exemple les réflexions de Godelier, 1982, p. 347 ss. En montrant que les rites sont caractérisés par des éléments focalisateurs qui visent au moins à la simulation d'une efficacité, P. Smith, « Aspects de l'organisation des rites » in Izard & Smith, 1979, pp. 139-170, indique un moyen de surmonter l'aporie dans laquelle nous laissent les réflexions de Lévi-Strauss, 1971, p. 597 ss, sur le rite comme expression d'une tentative désespérée de faire « du continu à partir du discontinu » !

[11] Harrison, 1927, pp. 29, 42 ss et 328 ss.

[12] W. Robertson Smith, *Lectures on the Religion of the Semites*, Cambridge (Univ. Press) [3]1927 ([1]1889), pp. 17 ss et 500 ss ; sur la thèse de l'« absurdité » de la mythologie, cf. Vernant, 1974, p. 218 ss, et Detienne, 1981, p. 27 ss ; J. Frazer, *Adonis, Attis, Osiris. Studies in the History of Oriental Religion*, London (MacMillan) [2]1907 ([1]1906), p. 186 ss.

[13] Cf. S. H. Hooke, « The Myth and Ritual Pattern of the Ancient East » in S. H. Hooke (ed.), *Myth and Ritual*, London (Oxford Univ. Press) 1933, pp. 1-14, ainsi que S. G. F. Brandon, « The Myth and Ritual Position Critically Considered » in S. H. Hooke (ed.), *Myth, Ritual, and Kingship. Essays on the Theory and Practice of Kingship in Ancient Near East and Israel*, Oxford (Univ. Press) 1958, pp. 261-291 ; voir aussi Sabbatucci, 1978, p. 251 ss. Pour la psychanalyse, voir Reik, 1974, p. 105 ss, avec la remarque de S. Freud, *ibid.*, p. 25.

[14] S. E. Hyman, « The Ritual View of Myth and the Mythic » in Sebeok, 1955, pp. 462-472, et Lord Raglan, « Myth and Ritual », *ibid.*, pp. 454-461, ainsi que *The*

Hero. A Study in Tradition, Myth and Drama, London (Watts) [2]1949, p. 144 ss ; voir à ce sujet les excellentes remarques de Fontenrose, 1966, p. 2 ss et 26 ss ; à titre de curiosité, on pourra également lire les critiques marquées de dédain ethnocentrique pour les « superstitions » tribales et l'affirmation du caractère incomparable de la tradition gréco-sémitique de A. N. Marlow, « Myth and Ritual in Early Greece », *Bulletin of the John Rylands Library* 43, 1960/61, pp. 373-402.

[15] M. Delcourt, *Œdipe ou la légende du conquérant*, Paris (Belles Lettres) [2]1981 (éd. or. : Lille, Université, 1944), pp. 41 ss et 167 ss, G. Germain, *Genèse de l'Odyssée. Le fantastique et le sacré*, Paris (PUF) 1954, p. 11 ss, Burkert, 1972, p. 39 ss, et 1981, p. 56 ss.

[16] F. Boas, « Mythology and Folklore » in F. Boas (ed.), *General Anthropology*, Boston - London (Heath) 1938, pp. 609-626 (p. 617) ; E. Leach, « The structure of symbolism », in La Fontaine, 1972, pp. 239-273.

[17] Malinowski, 1926, pp. 102 ss et 152 ss.

[18] H. J. Rose, *Modern Methods in Classical Mythology*, St Andrews (Henderson) 1930, p. 12 ; Burkert, 1972, p. 44.

[19] Kluckhohn, 1942, p. 54 ss. On remarquera que dans le domaine de l'étude de la religion grecque, la comparaison avec le monde égyptien contraint même un savant aussi fidèle que Sabbatucci (1978, p. 264 ss) à la distinction entre *mito* et *rito* à contester la pertinence de ces deux catégories suivant le domaine où l'on tente de les appliquer.

[20] C. Lévi-Strauss, « The Structural Study of Myth » in Sebeok, 1955, pp. 428-444, repris dans Lévi-Strauss, 1958, pp. 227-255 (p. 232) ; Lévi-Strauss, 1958, p. 257 ss, 1973, p. 83 s. (réflexions datant de 1968), et 1971, p. 600 ss.

[21] Kluckhohn, 1942, pp. 58, 70 s. et 78 s.

[22] A. Lang, *Myth, Ritual and Religion*, London (Longmans Green) 1887, I, p. 88 : « *He (the savage) seeks an explanation, a theory of things, based on his experience* » ; Malinowski, 1926, pp. 112 s. et 150 s. Théorie encore développée, dans un sens psychologisant (le mythe comme *arché*, comme fondement ancré dans l'inconscient collectif), par K. Kerényi, « De l'origine et du fondement de la mythologie » in C. G. Jung et K. Kerényi, *Introduction à l'essence de la mythologie*, Paris (Payot) [2]1968 (éd. or. : Zurich, Rascher, 1941), pp. 11-41.

[23] Nilsson, 1951, p. 10 s., Fontenrose, 1966, p. 50 ss, Kirk, 1970, p. 12 ss ; cf. déjà Harrison, 1927, p. 13, ainsi que H. J. Rose, « Myth and Ritual in Classical Civilisation », *Mnemosyne* IV. 3, 1950, pp. 281-287. Comme le fait remarquer L. Couloubaritsis, « Mythe et religion : une alliance de raison », *Kernos* 1, 1988, pp. 111-120, la diffusion de l'analyse de type synchronique et structural a suscité la tendance inverse auprès de spécialistes français de la religion grecque qui comparent volontiers sans distinction ces deux ordres de la manifestation symbolique.

[24] Sur la multiplicité des récits étiologiques en Grèce ancienne, cf. Nilsson, 1955, I, p. 26 ss ; pour une tentative de classification de ces récits étiologiques, cf. G. S. Kirk, « Aetiology, Ritual, Charter : Three Equivocal Terms in the Study of Myth », *Yale Class. Studies* 27, 1972, pp. 83-102 : Kirk présuppose que ce type de mythes concourt davantage à une « clarification » (de certaines situations) qu'à une véritable « explication ».

[25] *Tò drómenon* déjà chez Soph. *El.* 40 (pour désigner ce qui se trame dans le palais de Clytemnestre) ou chez Thuc. 5, 102 (en tant qu'« acte de guerre »). Voir *IG* I[2], 4, 4 *(hótan drô]si tà hierá)* et 188, 55 *(drân)* ainsi que, à titre de conjecture, *H. Cer.* 476 ; Aristot. *Poet.* 3, 1448a 24 ss. On trouvera une analyse sémantique de ce terme chez H. Schreckenberg, *DRAMA. Vom Werden der griechischen Tragödie aus dem Tanz*, Würzburg (Triltsch) 1960, pp. 1 ss et 49 ss ; étude morphologique chez Richardson, 1974, p. 303 s.

[26] Voir Plut. *Mor.* 352c, 378ab, 293d et fr. 157, 1 Sandbach ; mais dans *Sol.* 9, 6, *tà drómena* désigne la cérémonie commémorative de la victoire que les Athéniens remportèrent sur les Mégariens à l'époque de Solon. Paus. 1, 43, 2 (rite lié au culte de Déméter et

Coré à Mégare), 2, 22, 3 (*idem* à Argos), 3, 20, 5 (*idem* dans le Taygète), 2, 37, 2 et 6 (mystères de Déméter à Lerne appelés aussi *teleté* ; rites secrets en l'honneur de Dionysos), 3, 22, 2 (culte de Dionysos près de Gythion ; couplé avec *heorté*), 9, 27, 2 et 30, 12 (culte probablement orphique d'Eros), 2, 14, 1 ; 5, 10, 1 ; 8, 15, 1 et 31, 7 ainsi que 10, 31, 11 (mystères d'Eleusis) ; voir aussi Ath. 14, 660a.

Sur ces emplois, on lira Stengel, 1920, pp. 176 et 184, Schreckenberg, *op. cit.* n. 25, p. 122 ss, et Burkert, 1972, p. 43.

[27] Paus. 2, 37, 2 ; 9, 27, 2 et 9, 30, 12 ; cf. aussi 3, 22, 2. Voir encore Plut. *Mor.* 378a. Harrison, 1927, p. 328 n. 3. Sur la nature des *drómena* éleusiniens, on verra Richardson, 1974, pp. 302 s. et 20 ss.

[28] Hdt. 2, 47, 2 et 62, 1 s. ; cf. également 2, 51, 4. Sur l'attitude d'Hérodote face aux récits « sacrés » des Egyptiens, voir C. Darbo-Peschanski, *Le discours du particulier. Essai sur l'enquête hérodotéenne*, Paris (Seuil) 1987, pp. 40 ss et 107 ss.

[29] Sur les origines du concept d'*aition*, voir la brève étude que j'ai présentée dans « Pausanias le Périégète en ethnographe ou comment décrire un culte grec », in Adam *(et al.)*, 1990, pp. 228-249. On trouvera dans cet ouvrage collectif une série de réflexions sur la constitution, par diverses procédures de mise en discours, de l'objet de l'anthropologie de terrain.

[30] Pour les Iatmul, voir Stanek, 1982, p. 9 s.

[31] Cf. R. Guidieri, « Fataa, fa'a, fo'o'a : " dire ", " faire ", " parfaire " : conceptualisation et effectuation de pratiques rituelles mélanésiennes (Fataleka, Salomons orientales) », *Annales E.S.C.* 31, 1976, pp. 218-236.

[32] Cf. Greimas & Courtés, 1979, p. 119 ss, ainsi que Calame, 1986, p. 12 ss. Voir *infra*, chap. III § 3.

[33] Voir Lévi-Strauss, 1958, p. 231 ss, et 1973, p. 169 s. ; on verra encore, dans le même sens, Vernant, 1974, p. 237 ss, et J. Pouillon, « La fonction mythique », *Le temps de la réflexion* 1, 1980, pp. 83-98 ; R. Barthes, « Eléments de sémiologie », *Communications* 4, 1964, pp. 91-134 (p. 130 ss). On notera que L. Hjelmslev, *Prolégomènes à une théorie du langage*, Paris (Minuit) 1971 (éd. or. : København, 1943), p. 142 s., réserve la dénomination « systèmes de symboles » aux sémiotiques monoplanes telles que l'algèbre ; un système symbolique au sens où l'entendent les anthropologues serait plutôt une « sémiotique connotative ». L'essai présenté dans ce § 3. a fait l'objet d'une prépublication dans les *Documents de Travail du Centro Internazionale di Semiotica e di Linguistica* 128/129, Urbino (Università) 1983.

[34] F. de Saussure, *Cours de linguistique générale*, Paris (Payot) [2]1972 (éd. or. : Genève 1915), p. 101, avec les remarques de M. Arrivé, *Linguistique et psychanalyse. Freud, Saussure, Hjelmslev, Lacan et les autres*, Paris (Méridiens-Klincksieck) 1987, p. 25 ss.

[35] Aristot. *Poet.* 21, 1457b 6 ss et *Rhet.* 3, 1405a 3 ss.

[36] Turner, 1969, pp. 42 s. et 52 s. ; cf. aussi *The Forest of Symbols. Aspects of Ndembu Ritual*, Ithaca N. Y. (Cornell Univ. Press) 1967, p. 27 ss. On verra encore du même auteur, 1971, p. 76 ss, et 1972a, pp. 26 ss et 263 ss.

[37] Cf. J. M. Lotman e B. A. Uspenskij, *Tipologia della cultura*, Milano (Bompiani) 1975 (éd. or. : Tartu 1969-73), p. 39 ss, ainsi que B. A. Uspenskij (*et al.*), « Theses on the semiotic study of cultures (as applied to slavic texts) » in J. van der Eng and M. Grygar (edd.), *Structure of Texts and Semiotics of Culture*, The Hague - Paris (Mouton) 1973, pp. 1-28, avec le commentaire de I. Portis Winner, « Ethnicity, Modernity, and Theory of Culture Texts » in I. Portis Winner and J. Umiker-Sebeok (edd.), *Semiotics of Culture*, The Hague-Paris - New York (Mouton) 1979, pp. 103-147, et de B. Oguibenine, « Pratique d'une recherche sémiotique en philologie et histoire des religions », *Kōdikas/Code* 1, 1979, pp. 305-348.

[38] Todorov, 1979, pp. 11 et 37 ss, voir aussi *Théories du symbole*, Paris (Seuil) 1977, p. 55 ss.

[39] Sperber, 1974, pp. 29 ss, 63 ss et 92 ss, ainsi que 1979, p. 25 ss ; D. Sperber and D. Wilson, *Relevance. Communication and Cognition*, Oxford (Blackwell) 1986, p. 151 ss, n'apportent à ce propos rien de nouveau.

[40] L'intégration du rite d'initiation tribale dans le rythme imposé par l'école missionnaire ne lui enlève rien, pour le moment, de son importance et de son authenticité ; aujourd'hui encore, les jeunes hommes montrent avec fierté la marque du crocodile qui les qualifie comme « hommes du Sépik ».

Il n'en va pas de même un peu plus loin que Palimbei, sur le Karaiwari, l'un des affluents du Sépik. Le spectacle de la scarification agrémente maintenant le séjour des rares touristes venus en avion à l'« hôtellerie » construite dans le style « traditionnel » et sise non loin de la rivière. Je ne résiste pas au plaisir de citer le texte du dépliant vantant les frissons provoqués par la mise en scène initiatique offerte en pâture aux citadins occidentaux en mal de dépaysement : « *More* excitement *lies in wait in Manjamai... Here the visitor can see the ancient custom of skin-cutting which was part of traditional initiation-to-manhood ceremonies. The* unfortunate *participant is held down by relatives while the skin in his back is cut in such a way as to have a pattern of scars which remain for life. But the tourist will* be relieved *to learn that at Manjamai the ceremony is only* simulated » (c'est moi qui souligne).

Cette mise en exergue du spectaculaire ne va pas sans rappeler le rôle joué par le théâtre construit par les Romains autour de l'autel d'Artémis Orthia dans la Sparte antique. Dans le cadre d'une civilisation qui partage beaucoup de traits avec l'américanisme dont nous sommes nous-mêmes imprégnés et submergés, le rituel sanguinaire de la *diamastígōsis*, des coups de fouet appliqués aux jeunes initiants spartiates est aussi devenu à l'époque romaine l'objet d'un spectacle destiné à distraire des citadins désabusés : cf. à propos de ce rituel R. M. Dawkins (ed.), *The Sanctuary of Artemis Orthia at Sparta (Journ. Hell. Stud.* Suppl. 5), London (MacMillan) 1929, p. 37 ss, avec le matériel épigraphique commenté par K. M. T. Chrimes, *Ancient Sparta. A Re-examination of the Evidence*, Manchester (Univ. Press) 1949, p. 118 ss, et P. Cartledge, *Sparta and Lakonia. A regional History 1300-362 BC*, London (Routledge & Kegan Paul) 1979, p. 356 ss.

[41] Cf. Bateson, 1932, p. 431 ss, et 1971, pp. 88 et 140 ss avec les pll. IX-XIV, Schuster, 1970, p. 227 ss, et M. Stanek, *Sozialordnung und Mythik in Palimbei. Bausteine zur ganzheitlichen Beschreibung einer Dorfgemeinschaft der Iatmul, East Sepik Province, Papua New Guinea*, Basel (Ethnologisches Seminar) 1983, p. 292 ss.

[42] Sur la parenté des Abelam avec les Iatmul, voir A. Forge, « Art and Environnement in the Sepik », *Proceed. Royal Anthrop. Institute* 1965, pp. 23-31. Du point de vue culturel, les Abellam partagent de nombreux traits avec leurs voisins Arapesh cités plus bas : cf. Ph. M. Kaberry, « Political Organization among the Northern Abelam », *Anthrop. Forum* 1, 1965/66, pp. 334-372, particulièrement p. 336 s.

Sur le cycle des rites initiatiques des Abelam, cf. Forge, 1970, p. 275 ss.

[43] Ces données recueillies sur le terrain sont confirmées par Forge, 1970, p. 276, et Lewis, 1980, p. 128.

[44] Cf. Lewis, 1980, pp. 75 ss et 177 ss, et D. Newton, *Crocodile and Cassowary. Religious Art of the Upper Sepik River New Guinea*, New York (Museum of Primitive Art) 1971, p. 83 (voir aussi pp. 35, 53 et 66 s.) ; pour les Arapesh, cf. les observations faites par M. Mead, *The Mountain Arapesh* II. *Arts and Supernaturalism*, New York (Natural History Press) [1]1938, [2]1970, p. 399. A part des scarifications initiatiques opérées sur la langue, Hogbin, 1970, pp. 114 ss et 120 s., a observé des faits analogues que l'île de Wogeo (Sépik oriental) ; pour les habitants de cette île, il s'agit, comme pour les Abelam, de se libérer par des incisions régulières de l'impureté entraînée par le contact sexuel avec les femmes. Quant à eux, les Sambia, tribu enga des Hauts Plateaux, se libèrent du sang et de la pollution maternels par ses saignements de nez : cf. G. H. Herdt, *The Sambia Ritual and gender in New Guinea*, New York (Holt, Rinehart & Winston) 1987, p. 141 ss.

[45] Sur ce mythe d'origine des menstrues, cf. Lewis, 1980, p. 124. Cette interprétation est notamment celle de Hogbin, 1970, p. 88 s., mais elle est naturellement beaucoup plus ancienne et elle a été largement exploitée dans le domaine de la psychanalyse : cf. B. Bettelheim, *Les blessures symboliques. Essai d'interprétation des rites d'initiation*, Paris (Gallimard) 1971 (éd. or. : Glencoe, The Free Press, [1]1954, [2]1962) p. 121 ss, mais également A. S. Meigs, *Food, Sex, and Pollution. A New Guinea Religion*, New Brunswick (Rutgers Univ. Press) 1985, p. 55 ss.

[46] Cf. Smith, 1979, p. 145 ss ; voir aussi Turner, 1972b, p. 1100.

[47] Xen. *Resp. Lac.* 2, 5 ss, Plut. *Lyc.* 17, 5 s., cf. Brelich, 1969, p. 85 n. 101 pour les exemples ethnographiques, et pp. 119 s. et 134 s. pour la Grèce ancienne. Les Iatmul reçoivent au contraire une série de recommandations morales concernant le vol : Bateson, 1932, p. 438.

[48] Les Iatmul pratiquent l'exact inverse de cette prescription quand ils forcent les initiants, parfois en les battant, à manger plus que nécessaire : Bateson, 1932, p. 438.

[49] Cf. Plut. *Inst. Lac.* 239cd, Paus. 3, 16, 9 ss, Luc. *Anach.* 38, Cic. *Tusc.* 2, 34, etc. ; voir à ce propos Brelich, 1969, p. 133 s., et *supra* n. 40.

[50] Ces deux moments de formation d'une part et de déchiffrement d'autre part sont constamment confondus chez Sperber, 1979. Cette confusion dépend notamment de l'emploi par Sperber de la notion d'« évocation » ; si on l'accepte, il s'agit de distinguer soigneusement entre l'évocation suscitée sinon par les représentations défectueuses du dispositif rationnel, en tout cas par les événements du monde naturel et culturel, et celle déclenchée dans la mémoire de celui qui enregistre et décode le « produit fini ». Voir à ce sujet les remarques que j'ai publiées dans « L'analyse du symbolisme et son ethnocentrisme (sur *Le symbolisme en général* de D. Sperber) », *Kōdikas/Code* 3, 1981, pp. 171-177. Par ailleurs le postulat d'un dispositif « rationnel » reproduit le « grand partage » entre « mentalité primitive » et « pensée rationnelle », lui-même à l'origine d'une série de dichotomies trompeuses : voir en dernier lieu à cet égard Kilani, 1989, p. 67 ss et 130 ss.

[51] Sur la notion de « référent externe », cf. A. J. Greimas, « De la figurativité », *Actes sémiotiques. Bulletin* VI. 26, 1983, pp. 48-51, et pour les différents points de vue développés à ce propos en sémantique classique, cf. Lyons, 1977, I, p. 95 ss. Sur les « visions significatives » comme appréhension du monde naturel et les « pratiques signifiantes » comme système de normes et de comportements culturels, cf. Greimas & Courtés, 1979, p. 234. On constatera que l'on a abandonné la distinction délicate faite par Sperber, 1974, p. 103 ss, entre savoir encyclopédique et savoir sémantique (constitué de propositions purement analytiques) ; voir à ce propos Molino, 1979, p. 115 s., et mes remarques dans l'*art. cit.* n. 50, p. 174.

Quant à l'« objectivité » saisie à la fois comme produit du sujet, mais aussi comme milieu dans lequel évolue ce sujet et dont il fait lui-même partie, on lira les remarques éclairantes de M.-J. Borel, *Discours de la logique, logique du discours*, Lausanne (L'Age d'Homme) 1979, p. 207 ss, et « Le discours descriptif, le savoir et les signes », in Adam *(et al.)*, 1990, pp. 21-69 ; réflexions à lire en relation avec celles de I. Rossi, « On the Scientific Evidence for the Existence of Deep Structures and Their " Objective " and Mathematical Nature » in Rossi, 1982, pp. 265-293.

[52] Ce serait là la conséquence des thèses de Lotman et du groupe de Tartu sur les systèmes modelants secondaires ; voir *supra* n. 37.

[53] Il s'agirait de la deuxième hypothèse de travail énoncée par Sperber, 1979, p. 20 ss, sur le fonctionnement des traitements rationnel et symbolique de l'« output » (*sic !* je suis quant à moi bien persuadé que le cerveau humain ne fonctionne heureusement pas comme un ordinateur perceptuel).

[54] Cf. Schuster, 1970, p. 228 ss.

[55] Turner, 1972a, pp. 28 ss et 230 ss, 1971, p. 84, et 1972b, p. 1101. Ce processus de mise en relation entre éléments appartenant à des contextes différents dans un but de classification est fort bien décrit par Leach, 1976, p. 39 ss.

[56] Cf. Lévi-Strauss, 1973, p. 182 ss, et *Mythologiques* I. *Le cru et le cuit*, Paris (Plon) 1964, pp. 205, 246 et 250 ss.

[57] Turner, 1971, p. 77 ss.

[58] Voir à ce propos O. Herrenschmidt, « Sacrifice symbolique et sacrifice efficace » in Izard & Smith, 1979, pp. 171-192.

[59] Gell, 1975, p. 320 ss.

[60] Sur ces grands cycles d'échanges cérémoniels de porcs et de coquillages de kina qui unissent les villages des tribus des Highlands de Nouvelle-Guinée, voir notamment A. Strathern, *The Rope of Moka. Big-men and Ceremonial Exchange in Mount Hagen, New Guinea*, Cambridge (Univ. Press) 1971.

[61] Gell, 1975, p. 323, relève aussi que dans les masques du rituel *ida*, l'opposition « rouge/noir » est par exemple significative d'une opposition entre junior et sénior ; cette constatation lui permet d'affirmer que « *the colour of body-paint in* ida *is less a mimetic evocation of external objects, than the codification of a set of relationships internal to* ida *itself* ». On verra des réflexions analogues chez Forge, 1970, p. 183 s., à propos des prétendues « représentations » des ancêtres chez les Abelam.

[62] Strathern & Strathern, 1971, pp. 140 ss, 152 ss et 176 s. Voir également M. Strathern, « The Self in Self Decoration », *Oceania* 49, 1979, pp. 241-257, et A. Strathern, « Parures, décorations et art en Nouvelle-Guinée » in M. Kirk, *Les Papous. Peintures corporelles, parures et masques*, Paris (Chêne-Hachette) 1981 (éd. or. : New York 1981), pp. 13-35, avec une classification plus nuancée ; pour une tentative quelque peu confuse d'exploitation sémiotique des résultats de l'analyse des Strathern, cf. R. Neich, « A Semiological Analysis of Self-Decoration in Mount Hagen, New Guinea » in I. Rossi, 1982, pp. 214-231.

M. Sahlins, « Colors and Cultures », *Semiotica* 16, 1976, pp. 1-22, parvient à des conclusions analogues quand il affirme à propos des valeurs associées aux différentes couleurs dans chaque culture que, sans mettre en cause le principe saussurien de l'arbitraire du signe, ces couleurs finissent par former un système contrastif signifiant et motivé : il s'agit d'une « appropriation sociale » de procès naturels.

[63] Sperber, 1979, pp. 27 s. et 30 s. Pour le monde grec, voir A. Schnapp-Gourbeillon, *Lions, héros, masques. Les représentations de l'animal chez Homère*, Paris (Maspero) 1981, p. 115 ss.

[64] R. Bulmer, « Why is the cassowary not a bird ? A problem of zoological taxonomy among the Karam of New Guinea Highlands », *Man* N.S. 2, 1967, pp. 5-25 ; Strathern, 1981, p. 29 ss.

[65] On remarquera que les circonstances de la mise en relation symbolique sont les plus variées ; quand elles correspondent à un événement datable historiquement, il est même possible de les situer dans le temps. C'est par exemple le cas, semble-t-il, de l'interdit juif portant sur la consommation de la viande de porc. Dans un ouvrage dont le dessein est malheureusement hypothéqué par le schématisme que montre son auteur dans l'analyse des ressorts des phénomènes sociaux décrits, Mary Douglas, *Natural Symbols. Exploration in Cosmology*, Harmondsworth (Penguin) ²1978, p. 60 ss, a cherché à prouver que ce « tabou » trouvait sa motivation dans l'obligation édictée par Antiochus à l'égard des peuples soumis de consommer de la viande de porc. Le refus du porc serait alors devenu une manière pour les Hébreux d'affirmer leur identité contre le pouvoir grec et, par voie de conséquence, un symbole de l'appartenance au peuple d'Israël.

[66] Cf. Stanek, 1982, p. 85 ss.

[67] Cf. R. Jakobson, *Essais de linguistique générale*, Paris (Minuit) 1963, p. 61 ss ; sur les théories classiques de la métaphore et leur rapport avec le symbolisme, cf. Todorov, 1979, p. 66 ss.

[68] Le Guern, 1973, p. 43 ss, et Greimas & Courtés, 1979, p. 226 ss ; pour un traitement du problème de la motivation du symbole en termes de rhétorique, cf. T. Todorov, « Introduction à la symbolique », *Poétique* 3, 1972, pp. 267-308.

Au sujet d'un autre rapprochement entre symbole et métaphore, cf. Leach, 1976, pp. 12, 15 et 39 ; le fonctionnement métaphorique et métonymique du rituel a notamment été étudié par L. de Heusch, *Pourquoi l'épouser ? et autres essais*, Paris (Gallimard) 1971, p. 178 ss.

On remarquera enfin que la métaphore, comme le symbole, doit être comprise comme un phénomène d'ordre propositionnel : cf. P. Ricœur, *La métaphore vive*, Paris (Seuil) 1975, p. 221 ss, et J. Molino *(et al.)*, « Présentation : problèmes de la métaphore », *Langages* 54, 1979, pp. 5-40 (p. 22 s.).

[69] Voir à ce propos Godelier, 1982, p. 347 ss, qui affirme que « les discours, les gestes symboliques transforment les idées en une réalité matérielle et sociale directement visible ».

[70] On verra à ce sujet Turner, 1972b, p. 1104, et Kluckhohn, 1942, p. 50 ss. Pour la Grèce, cf. Burkert, 1981, p. 58 s.

[71] E. R. Leach, « La ritualisation chez l'homme par rapport à son développement culturel et social » in Huxley, 1971, pp. 241-248, et Leach, 1976, pp. 9 ss et 41 ; cf. aussi Turner, 1972a, p. 12 ss. Ces remarques doivent répondre notamment aux objections de Sperber, 1974, p. 25 ss, et à celles de Lewis, 1980, pp. 17 ss, 32 ss, mais 116 ss, qui lie l'interprétation du rite comme processus symbolique à l'attribution d'une fonction de communication ; les limites que Lewis assigne avec raison à la prétendue fonction communicative du rite n'impliquent nullement que le rite ne procède pas par métaphore.

[72] Sperber, 1974, p. 101 ; Schuster, 1970, p. 230 ss. C'est dans cette mesure que ces systèmes permettent de « construire une image cohérente du monde » : voir à ce propos P. Smith, « L'efficacité des interdits », *L'Homme* 19, 1979, pp. 5-57, en particulier p. 43 ss.

[73] Sperber, 1974, p. 29 ss, et 1979, p. 30. La procédure de production symbolique avec ses traces et les différentes modalités de leur interprétation vient d'être analysée avec nuance par J. Molino, « Interpréter » in C. Reichler (éd.), *Essais sur l'interprétation des textes*, Paris (Minuit) 1989, pp. 9-52.

[74] Lewis, 1980, pp. 177 s. et 110 ss.

[75] On pourra voir à ce sujet les objections que Bourdieu, 1980, p. 60 ss, élève contre les prétentions du discours « objectiviste » tenu par l'analyse structurale ; voir également le problème délicat de la référence évoquée n. 51.

[76] Cette perspective propose une solution au problème du rapport de la légende ou du culte avec l'histoire. On sait combien de savants ont prétendu trouver dans les narrations mythologiques de la Grèce le miroir d'événements historiques précis, sinon la trace de rituels tombés en désuétude : voir à ce propos les remarques critiques de Burkert, 1981, p. 26 ss., et de Ch. Sourvinou-Inwood, « Myth as History : The Previous Owners of the Delphic Oracles » in Bremmer, 1987, pp. 215-241. La représentation du fonctionnement symbolique esquissée ici implique que les événements historiques peuvent aussi bien constituer l'un des « stimuli » susceptibles de déclencher le processus de construction symbolique qu'être intégrés aux propositions spéculatives qui en sont le résultat ; pour une position analogue quant à la relation entre mythe et histoire, cf. Loraux, 1981a, p. 8 ss. Appartenant à des époques différentes, la présence dans les récits homériques d'éléments tirés de la réalité historique est incontestable : voir par exemple I. Morris, « The Use and Abuse of Homer », *Class. Ant.* 5, 1986, pp. 81-138 (avec une abondante bibliographie !) ; pour quelques exemples de production légendaire à partir d'un présent historique dans d'autres cultures, voir Kilani, 1989, p. 112 ss. Faire des mythes des manifestations d'ordre purement conceptuel, dépendant d'une sémantique coupée du monde extra-discursif, est aussi dénué de sens que d'en considérer le corpus comme constituant un traité d'histoire... Dans cette mesure, les poèmes homériques ne sauraient constituer une simple encyclopédie (orale) du savoir archaïque comme le propose à nouveau E. A. Havelock dans *The Muse Learn to Write. Reflection on Orality and Literacy from Antiquity to the Present Time*, New Haven - London (Yale Univ. Press) 1986, p. 59 ss.

[77] Les différents niveaux du parcours génératif sont décrits par Greimas & Courtés, 1979, p. 157 ss ; pour le détail, voir pp. 29 ss (« carré sémiotique »), 331 s. et 381 ss (« sémantique » et « syntaxe narrative de surface ») ainsi que 107 s. (« discursivisation »). Sur les étapes du parcours génératif, on verra aussi le résumé commode offert par J.-M. Floch, *Petites mythologies de l'œil et de l'esprit. Pour une sémiotique plastique*, Paris - Amsterdam (Hadès-Benjamins) 1985, p. 194 ss. Pour définir ces trois niveaux de l'articulation du sens, P. Ricœur, *Temps et récit II. La configuration dans le récit de fiction*, Paris (Seuil) 1984, p. 85 (cf. aussi p. 77), parle plus simplement de « structures profondes, superficielles et figuratives » ; tout en insistant sur les aspects logiques du modèle, Ricœur reconnaît la fertilité de la conception sémiotique de la narration comprise comme système producteur de valeurs. Sur la notion de schématisation, voir notamment J.-B. Grize, *De la logique à l'argumentation*, Genève (Droz) 1982, p. 171 ss, et Borel, *art. cit.* n. 51, p. 57 ss.

[78] Les énoncés narratifs et leur formulation sont définis par Greimas & Courtés, 1979, pp. 124 s. et 381 ss ; cf. aussi Adam, 1985, p. 36 ss. On verra à ce sujet les propositions de reformulation que j'ai présentées dans « La formulation de quelques structures sémio-narratives ou comment segmenter un texte » in H. Parret et H. G. Ruprecht (edd.), *Exigences et perspectives de la sémiotique. Recueil d'hommages pour A. J. Greimas*, Amsterdam - Philadelphia (Benjamins), 1985, I, pp. 135-147, auxquelles il faut ajouter celles de P. Charaudeau, *Langage et discours. Eléments de sémio-linguistique*, Paris (Hachette) 1984, p. 72 ss. Dans la notation proposée, les positions actantielles sont marquées d'une majuscule pour les distinguer des acteurs (d'ordre sémantique) qui les occupent. Je n'ai pas jugé nécessaire d'alourdir encore cet ouvrage par le découpage en énoncés narratifs qui fonde l'analyse en différentes versions légendaires et en différentes séquences rituelles présentée dans les deux chapitres suivants.

[79] Le modèle actantiel est commenté par A. J. Greimas, *Sémantique structurale*, Paris (Larousse) 1966, p. 172 ss ; voir ensuite Greimas & Courtés, 1979, pp. 3 s. et 94 s. (sur les notions de « Destinateur » et « Destinataire »), avec les remarques complémentaires de J.-C. Coquet, *Le discours et son son sujet* I, Paris (Méridiens-Klincksieck) 1984, p. 49 ss.

[80] Sur le schéma narratif canonique, cf. Greimas & Courtés, 1979, p. 244 ss, ainsi que Adam, 1985, p. 77 s., qui l'intitule « algorithme narratif de la sémiotique ».

[81] La mise en intrigue comme opération de configuration temporelle et, à ce titre, comme fondement de la narrativité est l'objet de l'étude très fine de Ricœur, 1983, p. 85 ss.

[82] Sur « figures », « isotopies » et « thèmes », voir Greimas & Courtés, 1979, pp. 146 ss, 196 ss et 393 ss, avec les précisions proposées dans Greimas & Courtés, 1986, pp. 90 ss et 236 s. On trouvera un bon exposé des problèmes de la figurativité chez D. Bertrand, *Narrativité et discursivité : points de repère et problématiques, Actes sémiotiques. Documents* VI. 59, Paris (GRSL) 1984, p. 34 ss, qui donne par ailleurs un résumé pratique de la théorie « standard ». L'ensemble des problèmes de l'articulation du sens en différents niveaux d'abstraction a été réorienté par F. Rastier, *Sémantique interprétative*, Paris (PUF) 1987, notamment dans la perspective des relations entre isotopies (pp. 117 ss et 167 ss).

[83] Voir les reformulations ou les critiques avancées tour à tour dans F. Nef (ed.), *Structures élémentaires de la signification*, Bruxelles (Complexe) 1976, *Actes sémiotiques. Bulletin* IV. 17, 1981, Greimas & Courtés, 1986, p. 34 ss, ainsi que les doutes que je me suis permis d'exprimer dans « L'univers cyclopéen de l'*Odyssée* entre le carré et l'hexagone logiques », *Živa Antika* 27, 1977, pp. 315-322.

Chapitre II

LES AVENTURES DE THÉSÉE

Au moment où il arrive à Athènes et qu'il se destine à repartir pour Cnossos, Thésée a déjà été le protagoniste d'une longue série d'actes héroïques ; ces différentes actions, avec leur valeur prédicative, ont conféré par qualités et modalités interposées des contours bien précis à la compétence du Sujet du faire narratif dans l'expédition de Crète. Sans s'attacher au détail des énoncés narratifs du texte de Plutarque, on peut le suivre dans l'enchaînement des séquences et des schémas narratifs qui le composent pour se faire au moins une idée de la figure que le début du récit biographique attribue à Thésée au moment où il va s'embarquer pour la Crète ; quitte, quand le texte de Plutarque nous laisse en panne, à le compléter, de manière non systématique, par d'autres sources.

1. Préalables à l'expédition de Crète

L'ascendance du héros lui confère dès sa naissance double qualité royale ; par son père, Egée, roi d'Athènes, et par sa mère, Aïthra, la fille de Pitthée, roi de Trézène. Dans la généalogie canonique d'Athènes, Egée est le neuvième souverain depuis Cécrops l'autochtone, et la légende fait descendre Pitthée de Pélops, le fondateur des Jeux Olympiques et le conquérant, par ses fils, de nombreuses cités du Péloponnèse, dont Trézène [1]. Mais en dépit de cette double ascendance royale, Thésée est aussi doublement un bâtard. Du côté paternel, il est conçu hors mariage lors du passage à Trézène de son père Egée que Pitthée, par ruse et par ambition, introduit auprès d'Aïthra ; quant à Aïthra, la future mère du héros, elle est encore jeune fille quand elle rencontre Egée [2].

En plus de cette ascendance royale, la légende pourvoit aussi Thésée d'un père divin. Non seulement Pélops y apparaît déjà comme le protégé de Poséidon, mais à côté d'Egée elle fait aussi du dieu qui déchaîne les forces sauvages de la mer l'amant d'Aïthra ; la petite fille de Pélops s'unit à Poséidon sur une île située au large de Trézène et abritant le tombeau du cocher de Pélops. Après cette union « virginale », l'île sera consacrée à la nubilité puisque les jeunes filles iront y dédier, avant le mariage et pour y accéder, leur ceinture à Athéna Apatouria ; le service du culte de Poséidon, par ailleurs le dieu tutélaire de Trézène, y sera assuré par une *parthénos* [3].

La conception même de Thésée se situe donc à l'écart de la norme, et ce d'un triple point de vue : spatial (hors d'Athènes et de Trézène, sur une île), juridique (hors des liens légaux du mariage) et social (en dehors des valeurs assignées à l'âge adulte). Aucune surprise dès lors à trouver la légitimité au centre des épreuves qui vont conduire le héros de Trézène jusqu'à Athènes pour le confronter à son père humain.

1.1. Les signes de la reconnaissance

Après Trézène, Plutarque nous convoque à Delphes pour nous y faire retrouver un Thésée déjà adolescent ; afin de marquer sa sortie de l'enfance, le héros vient en effet de consacrer à Apollon les prémices de sa chevelure. Et, à peine de retour à Trézène, c'est en termes de légitimité qu'Aïthra va mettre le futur héros, son fils, en face de sa première épreuve [4]. Délimitée du récit qui précède par cette nouvelle conjonction spatiale, la séquence qui inclut cette épreuve se plie narrativement au schéma canonique et commence par une phase de manipulation. Aïthra révèle en effet à Thésée son origine athénienne ; elle lui dévoile aussi l'existence des *súmbola*, des signes de reconnaissance — épée et sandales —

qu'Egée, après s'être uni avec Aïthra, a laissés sous un rocher, à l'intention de son futur fils. Double manipulation donc, anticipée d'abord dans l'acte d'Egée qui, par *súmbola* ou *gnōrísmata* interposés, fait du futur héros son fils ; puis dans la transmission au héros, par l'intermédiaire d'Aïthra, du savoir sur cette origine royale. Il faut dire qu'au pouvoir virtuel que représentent intrinsèquement, par les valeurs qu'ils incarnent directement, les signes de reconnaissance et du savoir contenu dans la révélation d'Aïthra s'ajoutent le pouvoir-faire (force physique et courage) et le savoir-faire (grandeur d'âme et intelligence) que le simple processus de croissance, troisième Destinateur, vient de parachever pour un Thésée devenu adolescent.

La première épreuve que Thésée affronte ne va que confirmer l'attribution de cette première compétence. L'adolescent intelligent et fort n'a en effet aucune peine à soulever le rocher sous lequel son père a caché épée et sandales et à prendre possession ainsi du pouvoir qu'ils incarnent. Mais du point de vue de la sanction de la performance qui vient de s'accomplir, épée et sandales ne sont que des signes ; ces signes vont stimuler l'accomplissement d'une nouvelle performance pour que se trouve réalisé le signifié indirect auquel ils renvoient, en plus de leur valeur intrinsèque de pouvoir : la légitimité paternelle de Thésée.

1.2. Les adversaires monstrueux

Toutes les épreuves que va affronter Thésée avant son départ pour la Crète se présentent en définitive comme la résolution de ce petit problème de sémiotique prospective : grâce au pouvoir que lui confère le signifié direct des « symboles » laissés par le père, réaliser les valeurs de légitimité *(eugéneia)* attachées à leur signifié indirect. Légitimité d'ordre familial aussi bien que politique puisqu'Egée dépose épée et sandales non seulement pour s'assurer un descendant mâle, mais également pour garantir la continuité du pouvoir qu'il détient face à son rival politique, Pallas, et de ses cinquante fils ; légitimité qu'un double jeu étymologisant inscrit dans le nom même de Thésée soit par le dépôt *(thésis)* des signes de reconnaissance, soit par l'acte même de reconnaissance *(thémenos)* d'Egée.

Pour s'engager dans la deuxième épreuve, il manque encore à la compétence de Thésée la modalité du devoir-faire, sinon celle du vouloir-faire. De même que pour l'épreuve des *súmbola*, c'est Aïthra qui occupe la position du Destinateur et qui engage son fils à quitter Trézène pour se rendre à Athènes. Mais le fils n'accepte que partiellement le devoir-faire imposé par la mère et confirmé par le grand-père, Pitthée. Au lieu de suivre l'itinéraire maritime conseillé, Thésée se donne son propre devoir-faire en s'imposant la voie de terre ; il se pose ainsi comme son propre Destinateur, doublant le devoir-faire d'un vouloir-faire.

C'est que, par les brigands et les malfaiteurs qui l'infestent, la voie terrestre va permettre au héros de se confronter aux valeurs qui, en Grèce antique, définissent la figure anthropomorphe de la sauvagerie : force physique de corps surdimensionnés, cruauté et accès de colère portant au dépassement des limites imposées par la mesure *(húbris)*, violence destructrice dans l'action, négation des valeurs attachées à la retenue, à la justice, à l'égalité et, notion tardive caractéristique, à « l'humanité ». Mais avant le début de la performance, Thésée justifie son vouloir d'une confrontation avec la sauvagerie de ces monstres par le modèle que représente pour lui Héraclès. Animé par la renommée dont jouit la valeur *(areté)* du grand héros civilisateur et fondateur de cités, Thésée se donne donc un nouveau Destinateur ; il inscrit ainsi son action dans la ligne de l'entreprise civilisatrice d'élimination de la violence monstrueuse et injuste commencée par son cousin.

On peut passer rapidement sur la performance de cette séquence composée d'une suite d'épreuves. De Périphétès le porteur de massue à Sinis le ployeur de pins, de Phaïa la femme-laie de Crommyon, sanguinaire et débauchée, à Sciron le détrousseur de voyageurs, de Cercyon le lutteur à Procuste et son lit de douleur, Thésée fait subir à tous ces êtres monstrueux le sort qu'ils imposaient eux-mêmes au voyageur de passage.

La sanction est immédiate : en imitant *(mimoúmenos)* Héraclès, et en infligeant aux monstres les actes mêmes de violence dont ils usaient vis-à-vis d'autrui, Thésée a rétabli la justice. C'est donc cette valeur, centrale dans l'axiologie éthique des Grecs, que la performance attribue au héros au terme de l'épreuve qu'il s'est lui-même imposée[5].

Il est évident que la légende n'a pas présenté d'emblée la configuration que lui prête le travail de réélaboration philologique de Plutarque. Mise dans la perspective historique que l'on réserve à l'ultime chapitre, elle apparaît résulter d'un processus complexe. Pour nous limiter aux documents les plus connus, la séquence des *gnōrísmata* ne semble pas remonter plus haut que Callimaque ; en revanche la série des monstres auxquels est affronté le héros est déjà citée, avec quelques variations, par Bacchylide dans un *Dithyrambe* qui date sans doute de 475 environ. Quant aux représentations figurées, ces différentes épreuves apparaissent en général sous la forme d'un cycle saisissable dès 520 en ce qui concerne la céramique attique et un peu plus tard dans les arts plastiques[6].

1.3. La reconnaissance

Thésée, le héros juste, se trouve ainsi aux portes d'Athènes. Le début de la troisième séquence narrative composant les préalables à l'expédition de Crète est signifié par cette conjonction spatiale. L'arrivée devant Athènes est marquée pour Thésée par la rencontre d'hommes du *génos* des Phytalides à qui le héros demande, selon la coutume grecque, une purification du sang versé au cours des épreuves constitutives de la séquence précédente. Cette purification après des meurtres qui s'inscrivent pourtant dans l'ordre de la justice représente à la fois une phase complémentaire de sanction de la séquence précédente et de manipulation de celle qui suit : Thésée, héros droit et pur, est maintenant accueilli auprès du foyer des Phytalides[7].

1.3.1. *La légitimité paternelle*

Si l'équilibre narratif rompu par les monstres au début de la deuxième séquence narrative est maintenant rétabli, la situation politique troublée que connaît Athènes au moment où le héros y pénètre, correspond à un manque ; animées par Médée, exilée de Corinthe, les dissensions agitent d'ailleurs aussi bien la cité que la maison d'Egée. D'emblée la magicienne se pose comme anti-Sujet face à son beau-fils Thésée ; or, mettant en jeu non plus son pouvoir-faire, mais son savoir-faire, le héros déjoue la ruse ourdie par sa marâtre pour l'empoisonner et, du même coup, tirant son épée, il se fait reconnaître par son père qui renverse la coupe de poison qui lui était destinée[8].

La performance du héros débouche donc tout naturellement sur une phase de sanction qui assume d'ailleurs elle-même la forme d'une manipulation. En voulant laisser à Egée l'initiative de la reconnaissance, Thésée institue comme Destinateur-judicateur de ses actes héroïques son propre père et, à la suite d'Egée, ses futurs concitoyens *(polîtai).* Et c'est non seulement la légitimité familiale du héros qui est ainsi reconnue, mais aussi sa qualité d'homme valeureux *(andragathía).* Plutarque ajoute deux indications importantes à cette séquence ; l'une, d'ordre temporel, précise la date de l'épreuve : le 8 Hécatombaïon ; l'autre, d'ordre spatial, fait coïncider la maison d'Egée et le lieu où le poison s'est répandu avec le site du futur sanctuaire consacré à Apollon Delphinios.

1.3.2. La légitimité politique

Sans doute la légitimité paternelle du héros en même temps que sa valeur ont-elles désormais reçu leur sanction. Les *gnōrísmata,* par l'utilisation de leur signifié direct, ont pu inscrire dans la réalisation narrative leur signifié indirect. Reste cependant le problème de la légitimité politique du héros non seulement comme fils de son père, mais également comme héritier du trône, et ce aussi bien à Athènes même qu'en Attique. C'est ainsi que commence pour Thésée un nouveau parcours spatial.

Faisons un léger retour en arrière dans le texte de Plutarque ; pour l'auteur de la *Vie de Thésée,* le dépôt par Egée des *gnōrísmata* à l'intention de son futur fils est motivé par la crainte du roi d'Athènes de ne point posséder de descendant mâle et de voir ainsi son pouvoir et sa succession menacés par Pallas et ses cinquante fils, les Pallantides. Selon la légende, Pallas serait en effet un frère puîné d'Egée ; jaloux, il conteste le pouvoir du roi d'Athènes en affirmant que ce dernier ne serait qu'un fils adoptif de leur père commun, le roi Pandion[9]. Thésée, prétendant au trône d'Athènes, apparaît donc aux yeux des Pallantides comme le fils bâtard d'un fils adoptif !

La confrontation désormais abandonne la figure de l'*agốn,* du combat athlétique, qu'elle assumait dans les luttes affrontant le héros aux êtres monstrueux infestant la route de Trézène ; elle devient guerre, mais une guerre qui n'a rien d'hoplitique puisqu'elle fait répondre à l'embuscade tendue par les Pallantides la trahison de l'un d'eux et la manœuvre rusée de contournement imaginée par Thésée. Piège, traîtrise, ruse : la lutte armée menée par le héros prend place au sein de ces combats para-hoplitiques menés par des adolescents ou des *néoi* qui ne sont encore intégrés ni à la phalange ni au corps des citoyens adultes [10]. De plus, la lutte de Thésée contre les Pallantides a lieu à l'extérieur de la cité. Les Pallantides partent de Sphettos qui n'est rien d'autre que l'une des trente trittyes en lesquelles Clisthène, à la fin du VIe siècle avant notre ère, a divisé le territoire de l'Attique. Cette trittye, englobée dans la région de l'intérieur des terres, appartient donc à la partie montagneuse et quasiment sauvage de l'Attique. C'est de l'un de ses dèmes, Hagnous, qu'est originaire le délateur, agent de la trahison des Pallantides. Or la légende de Thésée telle que la raconte Plutarque met en relation étiologique explicite ce dème de Hagnous avec le fameux dème de Palléné ; ce dème, site d'un culte célèbre rendu à Athéna, correspond au lieu de la ruse ourdie par Pisistrate pour affronter ses concitoyens et reprendre pour la troisième fois le pouvoir à Athènes. D'autre part, l'embuscade elle-même est organisée à Gargettos, un dème qui, situé entre l'Hymette et le Pentélique, appartient aussi à la région de l'intérieur [11]. La *mesógaia* semble donc former la région par excellence dans laquelle l'histoire légendaire est susceptible de projeter l'origine des tentatives frauduleuses de prise du pouvoir à Athènes. De même qu'il a su déjouer la ruse ourdie contre lui par sa marâtre à l'intérieur même de l'espace réservé à l'exercice du pouvoir royal, Thésée se montre maintenant capable de retourner contre ses adversaires politiques le piège qu'ils lui tendent dans ce territoire extérieur au palais et à la cité où se préparent les coups d'Etat.

Du point de vue narratif, la nouvelle performance de Thésée ne reçoit pas de sanction, pas plus qu'elle n'a été l'objet d'une phase de manipulation ; cependant les traits qui caractérisent les modes de l'action de Thésée situent encore une fois la compétence du héros du côté de l'adolescence, mais une adolescence qui parvient à son terme. Il est significatif à cet égard que Pausanias montre Thésée se réfugiant après le meurtre des Pallantides au Delphinion. Le sanctuaire athénien d'Apollon Delphinios devient ainsi le lieu d'expiation du sang versé avec justice *(sùn tôi dikaíōi)* ; cette fonction cultuelle du sanctuaire apollinien est précisée par Pollux qui nous montre Thésée expiant au Delphinion les souillures contractées par le héros aussi bien dans le meurtre des monstres que dans le massacre des Pallantides [12].

1.3.3. La légitimité territoriale

Thésée, presque adulte, a donc désormais pris une option sur la ville d'Athènes *(ástu)* et sur le territoire de l'intérieur *(mesógaia)*. Reste la *paralía*, le territoire côtier, et plus spécialement cet autre point fort de l'Attique que représente, du point de vue cultuel et politique, la Tétrapole. Cette association de quatre bourgs situés autour de la plaine de Marathon avait une telle importance encore à la fin du VIᵉ siècle que Clisthène, dans sa réorganisation politique du territoire de l'Attique, en retrancha le bourg de Probalinthos, mais sans toucher, semble-t-il, à la fonction cultuelle de la Tétrapole dont la vivacité est attestée encore au IVᵉ siècle [13].

Pour faire intervenir Thésée également au sein de la Tétrapole, la légende invente non plus un monstre anthropomorphe, mais un taureau qui, furieux, dévaste ce territoire de la *paralía* [14]. Voici donc une nouvelle séquence narrative dont la phase de manipulation assure à nouveau la forme de l'auto-destination. C'est le héros lui-même qui décide de s'affronter au taureau de Marathon et qui se donne son propre Destinateur : le démos auquel il veut plaire. Grâce à son pouvoir-faire, Thésée réussit donc à capturer le taureau dévastateur qu'il immole à Apollon Delphinios au lieu de se contenter de le liquider. Par ce sacrifice, auto-sanction répondant à l'auto-destination qui a engagé la performance, le héros se donne en la personne d'Apollon un nouveau Destinateur ; ce Destinateur, déjà présent lors de l'opération de légitimation de Thésée par son père, nous allons le retrouver au départ de l'expédition crétoise.

Mais la séquence de la mise à mort du taureau se combine narrativement avec la rencontre du héros avec Hécalé, la vieille femme prêtresse de Zeus Hécaléios, honoré dans le dème du même nom ; ce dème, Clisthène, encore une fois, le distingue en le rattachant à une autre tribu, probablement pour préserver sa fonction cultuelle exceptionnelle. Avec Hécalé, c'est en somme à la figure d'une grand-mère qu'est confronté Thésée, définie dans sa manière particulière de recevoir le héros par des petits noms. Dans la phase de manipulation, complémentaire de l'auto-destination de Thésée dans son entreprise contre le taureau, Hécalé institue Zeus comme Destinateur du héros en promettant au dieu un sacrifice en cas de succès au combat. Mais cette situation connaît dans la phase de sanction de la séquence un retournement parfaitement significatif : c'est finalement Thésée qui, à son retour de Marathon, honore la mémoire d'Hécalé, disparue entre-temps[15]. C'est donc l'éphèbe qui, presque adulte, se substitue à la vieille femme, pour sanctionner son hospitalité et la protection demandée à Zeus. Dans les représentations imagées qui apparaissent dès 550 environ, les peintres font souvent figurer aux côtés de Thésée affronté au taureau des protagonistes absents de la tradition littéraire, tels Médée ou Egée : preuve − s'il en est encore besoin − de l'indépendance de la tradition iconographique à l'égard de la tradition littéraire[16] !

En tuant le taureau de Marathon, Thésée non seulement a fait preuve de ses bonnes dispositions vis-à-vis du démos et de sa piété à l'égard d'Apollon Delphinios ; il s'est aussi montré capable de se substituer sinon à la génération de ses parents, du moins à celle des grands-parents et il est ainsi intervenu dans le cadre d'un culte de Zeus, le maître de l'organisation civique et de l'ordre du monde.

1.4. Première compétence du héros

Au terme de ces vicissitudes, Thésée se présente enfin comme le héros compétent pour affronter la dernière épreuve avant sa prise du pouvoir politique à Athènes. Les différentes phases de manipulation des séquences décrites jusqu'ici ont enrichi la compétence du héros de toutes les valeurs modales qui font du Sujet sémiotique un Sujet de faire idéal. C'est d'abord le processus de croissance qui, accordant à Thésée vigueur physique et intelligence, ouvre la possibilité d'un pouvoir-faire allié à un savoir-faire. Puis Aïthra, la mère du héros, impose à son fils un devoir-faire en l'engageant à prendre les signes de reconnaissance et à rejoindre son père à Athènes. C'est enfin Thésée lui-même qui se dote d'un vouloir-faire en choisissant, à l'instar d'Héraclès, de débarrasser la route menant de Trézène à Athènes des monstres qui importunent les voyageurs ; voilà donc un Sujet de faire qui finit par placer sa propre compétence sous la garantie d'un Destinateur ou d'un pseudo-Destinateur dont il détermine lui-même la qualité ; sous-jacente à ce double processus d'auto-manipulation, puis d'auto-attribution d'un Destinateur extérieur, il y a une nécessité politique d'assimilation des deux héros et de substitution de

Thésée à Héraclès sur laquelle il faudra revenir. Ces différentes modalités, le héros les réalise dans les épreuves successives dont est composée sa performance : pouvoir-faire et savoir-faire contre les monstres et le taureau de Marathon, savoir-faire contre Médée, pouvoir-faire allié au savoir-faire contre les Pallantides, devoir-faire à l'égard de son père Egée. Et l'accomplissement de ces épreuves attribue au héros une série de qualités qui vont constituer sa figure « morale » tout en définissant les isotopies sémantiques mises en jeu dans l'action à venir. Thésée, héros puissant, courageux, civilisateur, juste et pieux, est reconnu comme fils d'Egée et héritier légitime du trône à Athènes aussi bien par son père (et par les rivaux politiques qu'il élimine !) que par le peuple d'Athènes et de l'Attique, sinon par Apollon Delphinios lui-même. Mais si le droit de Thésée à la succession politique à Athènes est maintenant reconnu, cette succession n'est pas encore réalisée. On le verra : l'isotopie de la légitimité garantie par la divinité, fondée sur le thème de la formation politico-civique, va sous-tendre tout l'épisode de l'expédition crétoise. Mais Thésée vient aussi de se mesurer à plusieurs incarnations de la féminité ; parmi les femmes rencontrées, aucune n'a été jusqu'ici l'égale du héros, aucune ne lui a encore parlé d'amour ! Parallèlement au problème de la succession politique, se pose donc pour Thésée la question du contact avec la sexualité adulte ; cette isotopie, parmi d'autres encore, va également marquer la sémantique narrative de l'épisode crétois qui sera abordée au début du chapitre IV.

2. L'institution du tribut

Au moment où la légitimité filiale et politique de Thésée est enfin établie, le fameux tribut réclamé aux habitants d'Athènes par Minos pour réparer la mort de son fils Androgée a déjà été institué. De manière plus précise, Thésée est reconnu comme fils et successeur d'Egée l'année même où, pour la troisième fois, sept jeunes Athéniens et sept jeunes Athéniennes doivent faire voile vers la Crète pour être livrés au Minotaure. Il est donc nécessaire, pour situer l'institution du tribut dans sa fonction narrative, de faire un retour en arrière ; c'est d'ailleurs ce « flash-back »

qu'opère la *Vie* de Plutarque, suivi en cela par la plupart des
textes, malheureusement tardifs, qui rendent compte de l'expédition crétoise de Thésée [17].

2.1. Exploits et mort d'Androgée

A l'origine donc la célébration par les Athéniens de la fête des
Panathénées avec ses concours gymniques, une fête dont Apollodore n'hésite pas à attribuer l'organisation cette année-là – de
manière assez contradictoire – à Thésée lui-même [18]. C'est que le
texte de Plutarque, à propos des causes de l'institution du tribut,
est pour le moins laconique et que l'enchaînement complet des
énoncés narratifs qui en rendent compte doit être restitué à l'aide
d'autres textes, dont celui attribué à Apollodore. La célébration
des Panathénées sert donc de Circonstant à cette séquence dont le
début est marqué narrativement par la disjonction/conjonction
spatiale que représentent l'arrivée d'Androgée, le fils de Minos, à
Athènes et sa participation au festival. C'est sur ces circonstances
que va se greffer l'action qui, provoquant un déséquilibre, déclen-
chera tout le processus de l'expédition crétoise de Thésée.
Androgée, le successeur légitime de Minos sur le trône de
Cnossos, se permet en effet de remporter une victoire éclatante
sur les autres concurrents participant aux Panathénées. Cette victoire institue immédiatement un manque et une relation polémique entre un premier Sujet du récit (S_1) qui subsume tous les
acteurs du côté athénien et un Anti-sujet (S_2) qui représenté par
Androgée, va inclure les protagonistes attachés au parti crétois.

A la victoire qu'Androgée enlève à ses concurrents va répondre
sa mort violente. De cet énoncé narratif, nous avons plusieurs versions. La mieux attestée donne à Egée l'initiative du rétablissement de l'équilibre : le roi des Athéniens envoie Androgée lutter
contre le taureau de Marathon que, contrairement à Thésée, il ne
réussit pas à dominer et qui le tue. Une autre version retire aux
Athéniens l'acte de vengeance en faisant participer Androgée,
après sa victoire aux Panathanées, aux jeux célébrés en l'honneur
de Laïos à Thèbes ; le Crétois y est tué par des concurrents jaloux.
Une troisième version enfin, attestée dans les textes latins, met en
scène une conjuration des Athéniens et de leurs alliés mégariens
contre le fils de Minos qui trouve ainsi la mort à Athènes même [19].

De manière significative, Diodore de Sicile combine en quelque
sorte les deux dernières de ces versions ; il affirme en effet
qu'Egée monta un complot contre Androgée et qu'alors que ce
dernier se rendait à une procession *(theōría)* à Thèbes, il fut tué
dans une embuscade tendue en Attique, à Oïnoé ; c'est-à-dire
dans l'un des dèmes formant la Tétrapole regroupée autour de
Marathon ! C'est que Diodore déplace les conséquences de la victoire remportée par Androgée aux Panathénées du plan agonal au
plan politique. Ce ne sont plus, dans cette nouvelle version, des
concurrents malheureux et jaloux qui provoquent la mort
d'Androgée, mais Egée qui craint que, par l'intermédiaire de son
fils, Minos ne le dépossède de son pouvoir sur l'Attique. Après sa
victoire, Androgée se serait en effet lié d'amitié avec les Pallant-
tides, instituant ainsi une scission parmi les acteurs incarnants S_1
et faisant passer résolument les fils de Pallas, rivaux d'Egée et
jaloux de son pouvoir politique, du côté de l'Anti-sujet, du côté
de S_2. Androgée menace désormais directement l'identité politique du principal acteur représentant pour le moment S_1. Le fils
de Minos finit donc par assumer une figure qui inverse celle du fils
d'Egée, autant dans la position actantielle qu'il occupe face aux
Athéniens que par l'issue des actions dans lesquelles il est engagé :
alliance avec les Pallantides au lieu de se confronter à eux, attribution de la mort au lieu de la vie dans le combat contre le taureau de
Marathon. Et comme Thésée, Androgée se trouve engagé dans des
actions modalisées selon la ruse et la traîtrise.

C'est la raison pour laquelle la privation de la vie dont est victime Androgée, loin de représenter l'équivalent de la privation de
la victoire qu'ont subie les Athéniens et loin de rétablir l'équilibre
narratif, correspond au premier « manque » — pour reprendre
l'expression de Propp — qui est à l'origine de l'intrigue organi-
sant le récit des aventures de Thésée en Crète. Nos sources, même
si elles sont tardives et si elles sont le résultat d'un travail de
compilation, ne s'y sont pas trompées qui interprètent cette première rupture de l'ordre en l'insérant dans le système des valeurs
constitutives de l'idéologie grecque : l'assassinat d'Androgée,
dans son aspect frauduleux, constitue une *adikía*, une injustice.
Dans le cadre le l'axiologie hellène, le jeu du rétablissement de la
justice devient désormais le moteur de l'intrigue[20]. Un énoncé,
que reprend le seul Apollodore, décrit enfin l'effet que produit sur
son père Minos l'annonce de la mort d'Androgée : en train

d'offrir un sacrifice aux Grâces à Paros, Minos retire la couronne qu'il portait sur la tête et fait cesser la musique de flûte accompagnant la cérémonie sans toutefois interrompre cette dernière. Si elle sert par ailleurs de justification au fait que le rite de Paros, par la suite, a été accompli sans port de couronne ni accompagnement de flûte, cette adjonction joue narrativement le rôle de pendant aux futures réactions d'Egée au moment où il perçoit le signe funeste de ce qu'il croit être la mort de son propre fils.

2.2. La vengeance de Minos

De là la guerre que Minos déclare aux Athéniens, compensation de la mort d'Androgée. L'action humaine est doublée par l'intervention divine. En même temps que les Crétois privent les habitants de l'Attique de l'état de paix en tentant de les déposséder de leur territoire pour répondre à l'injustice que représente l'assassinat du fils de Minos, Zeus leur retire abondance, santé et fertilité en leur envoyant stérilité, maladie et sécheresse (famine et épidémie disent d'autres auteurs que Plutarque).

Ces deux énoncés narratifs, expression de l'action humaine d'une part et de l'action divine de l'autre, sont parfois mis en relation logique. Dans le texte d'Apollodore en particulier, l'intervention de Zeus est présentée comme la conséquence d'une demande expresse de Minos qui ne parvient pas à s'emparer par lui-même d'Athènes. Ce texte attribué à Apollodore est d'autant plus important qu'il inscrit la campagne du roi de Crète contre Athènes dans une entreprise plus vaste destinée à assurer à Minos la maîtrise de la mer — la thalassocratie — et la possession de Mégare. La lutte pour l'expansion maritime et le contrôle de la mer Egée éveille, par référence aux visées politiques de l'Athènes du milieu du ve siècle, un écho que nous nous contenterons pour l'instant d'enregistrer [21].

La réponse des Athéniens à une intervention qui jouit d'un appui divin ne peut elle-même que se fonder sur le soutien d'une divinité. Les habitants d'Athènes vont donc consulter l'oracle de Delphes et obtiennent d'Apollon un savoir susceptible de leur conférer un nouveau pouvoir qui devra leur permettre de répliquer à l'attaque des Crétois. Apollon ordonne ainsi aux Athéniens de répondre aux vœux de Minos concernant la réparation de la

mort de son fils sur la base d'un contrat. La demande de savoir se
commue donc en un devoir-faire confirmant la fonction de Destinateur assumée par Apollon. Le contenu de ce devoir est arrêté
par Minos, acteur syncrétique qui remplit ici à la fois le rôle actantiel d'un second Destinateur, relayant Apollon dans la réalisation
du devoir-faire, et celui de l'Anti-sujet qu'il a rempli jusqu'à
maintenant. Les Athéniens seront donc contraints à livrer au roi
de Cnossos sept jeunes gens et sept jeunes filles tirés au sort, un
tribut dont ils devront s'acquitter chaque année ou tous les huit
ans, selon les versions de la légende [22]. A la mort du fils de Minos
correspond donc, de manière toute parallèle, la mort des fils et des
filles des Athéniens.

Dans le cours de son récit, Plutarque cite une seconde version
de cet énoncé narratif en l'attribuant à Hellanicos de Lesbos, ce
qui nous réfère à un texte datant du milieu du Ve siècle en tout
cas ; c'est d'ailleurs la version qu'adopte Diodore de Sicile [23].
Dans cette version, le choix des adolescents destinés au Labyrinthe, au lieu d'être confié au sort, est opéré par Minos lui-même
qui se rendait à Athènes pour procéder à cette sélection. Cette version de la légende gomme donc le rôle actantiel de Destinateur du
tribut rempli par le roi de Crète pour accentuer sa fonction
d'Anti-sujet qui intervient directement dans l'accomplissement du
devoir imposé aux Athéniens.

Mais le récit connaît aussi des amplifications internes, sans
que ces développements n'aient d'ailleurs d'impact sur la logique
de l'intrigue de base. Apollodore en particulier fait précéder
la conclusion du contrat entre Minos et les Athéniens d'un groupe
d'énoncés narratifs qui finissent par annuler leur propre effet sur
l'action. Les Athéniens auraient en effet entrepris une première
tentative de pacification en s'adressant directement à la divinité.
Se fondant sur un ancien oracle, les gens d'Athènes auraient donc
commencé par sacrifier, en guise d'expiation de leur propre crime,
les filles de Hyacinthos sur le tombeau d'un Cyclope ; mais ce
sacrifice ne fut suivi d'aucun effet positif. On trouve d'autre part
chez Diodore un véritable dédoublement des énoncés narratifs
établissant le contrat des Athéniens avec Minos. Dans cette version de la légende, Apollon, consulté, invite d'abord les habitants
de l'Attique et les autres Grecs également touchés par la stérilité à
adresser des prières à Eaque, le fils de Zeus et d'Egine ; après cette

intervention, la sécheresse cesse, sauf à Athènes où une seconde consultation de l'oracle aboutit au traité conclu entre Athéniens et Crétois.

Quant au sort réservé aux adolescents athéniens envoyés à Cnossos, la légende connaît plusieurs variations. La plupart des versions indiquent que les jeunes filles et les jeunes gens étaient tout simplement dévorés par le Minotaure, ce fils sauvage de Pasiphaé unie au taureau de Crète. Toutes nos sources s'accordent pour faire de ce monstre anthropophage un être hybride, mi-homme, mi-taureau, confirmant en cela l'image du Minotaure que nous renvoient dès le milieu du VIIᵉ siècle les représentations figurées ; elles rejettent toutes cet être monstrueux du côté de l'animalité sauvage *(thēríon)* [24]. Dans une autre version, la mort des adolescents athéniens est provoquée par ce qui constitue l'essence même du labyrinthe où ils sont enfermés : jeunes gens et jeunes filles y dépérissent, faute de trouver l'issue de l'enclos auquel Minos les a condamnés. Diodore de Sicile quant à lui va un peu plus loin dans la mesure où il explicite la conséquence logique de l'institution du tribut : l'épidémie et la famine infligées aux Athéniens cessent et Minos suspend la guerre engagée contre eux.

Il existe enfin une version rationalisante de la réalisation du tribut payé par les Athéniens ; l'Atthidographe Philochore l'a fait passer pour crétoise. Le Labyrinthe n'a vis-à-vis des adolescents athéniens que la fonction d'une prison. Au lieu d'être livrés en pâture au Minotaure, ceux-ci sont en effet donnés par Minos en prix au vainqueur d'un concours gymnique institué pour célébrer la mémoire d'Androgée. Ce concours devient donc le pendant des Panathénées où le fils de Minos a perdu la vie. Ce fut un seigneur de guerre puissant, Tauros, qui remporta la victoire à l'occasion de la première célébration de cet *agṓn* funéraire : ce porteur du nom du taureau fit subir aux jeunes filles et aux jeunes gens qui lui échurent un sort que Philochore, par la plume de Plutarque, dit être à la mesure de l'arrogance et de la méchanceté du personnage. Autant le nom que porte ce seigneur local que le manque de justice et de civilité qui en caractérise la figure selon Philochore *(ouk epieikḗs kaì hḗmeros)* rapprochent cette brute du Minotaure [25]. En évitant le recours à l'acte d'anthropophagie tout en explicitant l'institution du tribut comme contrepartie et réparation de la mort d'Androgée, la légende reformulée par Philochore tend incontestablement à l'historicisation dont se réclamera Plutarque quatre siècles plus tard. De manière paradoxale, elle permettra même, à l'occasion de l'intervention de Thésée, de disculper les Crétois. Mais pour l'instant, notons encore qu'à l'exception des traits animaux, le Minotaure aussi bien que Tauros sont marqués des mêmes traits de force sauvage et de monstruosité qui caractérisent les êtres non civilisés tués par Thésée sur le chemin conduisant de Trézène à Athènes. Sans en constituer la motivation, ces analogies figuratives ont sans doute rendu possible l'intégration iconographique de la lutte de Thésée contre le Minotaure au cycle des représentations des combats qui précèdent son arrivée à Athènes [26].

2.3. L'équilibre de la justice

En dépit des différentes versions qui la transmettent, cette première séquence narrative de l'épisode crétois présente une incontestable unité. Ce serait cependant faire une entorse grave à la méthode suivie que de passer sous silence une ultime version qui, au lieu de rattacher l'institution du tribut à la mort d'Androgée et à ses conséquences désastreuses pour les Athéniens, la rattache au départ de Dédale pour Athènes [27]. Refusant de restituer le maître-artisan aux Crétois, les Athéniens sont contraints d'envoyer chaque année à Minos un homme destiné à être dévoré par le Minotaure ; de là l'intervention de Thésée. Cette version, attestée dans un seul texte, fournit un bel exemple de la manière dont une intrigue peut être l'objet d'importantes substitutions dans son contenu et garder en même temps son identité.

Mais version athénienne ou version crétoise des faits, peu importe : en définitive, l'issue de l'intrigue déclenchée par la participation victorieuse d'Androgée aux Panathénées et par son assassinat frauduleux conduit potentiellement à une seconde intrigue destinée à combler le manque laissé par la première [28]. En faisant correspondre à un acte d'assassinat d'un jeune athlète le meurtre sauvage et répété d'adolescents, la performance initiale établit les conditions axiologiques appelant l'intervention de Thésée : l'exigence du rétablissement de la justice, après avoir été du côté des Crétois, se trouve maintenant dans le camp des Athéniens. Pourvu au travers des épreuves précédentes d'un pouvoir-faire, d'un savoir-faire, d'un devoir-faire et finalement d'un vouloir-faire, mais également nanti d'une légitimité filiale et politique qui le rapproche d'Androgée, le héros athénien est tout désigné pour rétablir l'équilibre rompu par un tribut qui ne fait que compenser, par une injustice, l'injustice initiale. Et ce n'est pas un hasard si Thésée intervient non pas après le premier, mais après le troisième envoi des jeunes Athéniens en Crète : le manque à combler est désormais décidément du côté d'Athènes. A la mort des jeunes Athéniens doit répondre la mort du Minotaure. La geste de Thésée vient donc s'insérer logiquement dans un récit dont la phase de performance, d'amplification interne en amplification interne, ne parvient pas à déboucher sur une phase d'équilibre et de sanction, ni à trouver son accomplissement dans la réalisation du schéma canonique.

3. Manipulation du héros

Les épreuves affrontées par Thésée avant son départ pour la Crète ont donc contribué à vérifier les qualités que lui avaient attribuées potentiellement sa mère et son père humains, et à les inscrire dans sa compétence de héros. La reconnaissance par les Destinateurs du héros de sa force physique, de ses qualités morales de jeune homme juste et pieux, et de sa légitimité tant filiale que politique referme donc logiquement sur elle-même cette première suite de séquences narratives (épisode) en la faisant correspondre au schéma narratif canonique. Reste toutefois en suspens − on l'a dit − la question de la réalisation de la légitimité du héros, pour l'instant objet d'une reconnaissance sur le seul plan cognitif. Dans ce cadre, la suite de séquences qui s'achève avec le sacrifice à Apollon du taureau de Marathon fait figure, dans un report du schéma narratif canonique à l'ensemble de la légende de la jeunesse du héros, de phase de manipulation de l'épisode de Crète ; cet épisode se compose d'ailleurs lui aussi − on le verra − d'une suite de séquences narratives qui, avec d'évidentes variations, réalisent chacune le schéma canonique. On finit donc par retrouver ce dernier à trois niveaux différents de la syntaxe sémio-narrative de surface : la séquence narrative, dans le cadre de laquelle il a été défini, la suite de séquences narratives que j'ai appelée épisode, enfin l'ensemble du récit.

3.1. Convergence narrative et auto-destination

L'institution du tribut imposé aux Athéniens par Minos et surtout sa répétition ont donc laissé dans le récit engagé par l'assassinat d'Androgée un déséquilibre narratif ; point de suture entre
le récit du tribut et la geste de Thésée, celui-ci représente pour le
héros athénien l'occasion d'un nouveau devoir-faire et celle d'une
réitération de son vouloir-faire. Le destin du héros vient ainsi
coïncider une quatrième fois avec l'histoire d'Athènes et au
manque laissé dans l'histoire du héros par l'absence de réalisation
de sa légitimité correspond le manque produit par l'injustice de
l'envoi répété des adolescents athéniens au Minotaure. C'est toujours le pouvoir politique d'Egée qui est en jeu, mais sa contestation, après avoir eu pour cadre le palais (Médée), la ville
d'Athènes (les Pallantides), puis l'Attique (le taureau de Marathon), vient maintenant de l'extérieur. Et Thésée, après avoir été
reconnu par son père, par ses concitoyens et par les habitants de
l'Attique, attend désormais une reconnaissance venue du monde
externe. L'entreprise crétoise en fournit le prétexte idéal.

Les sources s'accordent pour montrer qu'au moment où Thésée
arrive à Athènes, l'institution du tribut imposé par les Crétois a
créé une situation de conflit interne, au milieu même des acteurs
athéniens occupant la position actantielle du Sujet (S_1). Ce conflit
ajoute donc une situation de manque à celui institué par la réitération de l'envoi du tribut tout en érigeant la phase de manipulation
du héros pour l'intervention en Crète en une séquence narrative
secondaire. Les Athéniens prennent en effet acte de la contradiction existant entre le devoir qui leur est imposé de se séparer de
leurs fils et filles légitimes pour en faire don à Minos et l'acquisition par Egée, dans le même temps, d'un fils dont il reconnaît
publiquement la légitimité ; il s'agit pourtant, en apparence, d'un
bâtard venu de l'étranger. La légitimité de Thésée est donc tout à
coup remise en cause par les conséquences mêmes qu'implique
pour les Athéniens l'envoi du tribut. Cette contestation des
valeurs acquises par le héros dès son arrivée à Athènes se traduit
narrativement sur le plan thymique par le mécontentement des
Athéniens ainsi que par les plaintes qu'ils adressent à leur roi ; sur
le plan narratif, elle se manifeste par leur volonté de renverser la
situation.

Face à cette double situation de manque, Thésée, dont la légitimité se trouve mise en cause alors qu'elle n'est pas encore réalisée, se substitue volontairement aux Athéniens comme sujet de leur propre vouloir : faisant don de sa propre personne, il offre de faire partie du troisième tribut d'adolescents en partance pour Cnossos, sans qu'il promette cependant explicitement de liquider le Minotaure[29]. Encore une fois, Thésée se donne comme son propre Destinateur. Dans le cas particulier, il se substitue volontairement au sort — ou, suivant les versions, à Minos — comme Destinateur des adolescents désignés pour se rendre en Crète. Mais en s'attribuant par ce nouveau processus d'auto-destination la fonction de Sujet du tribut, il s'assimile aussi la qualité de légitimité des adolescents et des adolescentes destinés au Minotaure.

La séquence narrative secondaire que représente le conflit né entre Egée et ses propres sujets sert donc de phase de manipulation directe à l'ensemble de l'épisode crétois ; elle contribue à l'institution de la compétence du héros qui est maintenant pourvu, concernant l'expédition à Cnossos, d'un Destinateur (lui-même) et d'un vouloir-faire. Restera encore à réaliser la promesse concernant la seconde partie du vouloir des Athéniens qui désirent non seulement voir Egée privé lui aussi de son fils légitime, mais également récupérer leurs propres enfants.

L'effet de l'auto-sacrifice du héros est immédiat : les Athéniens reçoivent partiellement satisfaction et le conflit né au sein des acteurs occupant la position du Sujet pourrait trouver sa solution si Egée ne tentait pas de s'opposer à la décision de son fils. Mais cette opposition ne sera levée qu'avec la réalisation de la seconde partie du vouloir des Athéniens. Pour l'instant, c'est au sort à désigner sous le contrôle d'Egée, comme l'exigeait le contrat avec Minos, les autres victimes destinées à être dévorées par le Minotaure ; ce tirage au sort a lieu, semble-t-il, au Prytanée[30].

3.2. Versions divergentes

Il convient de ne pas oublier cependant que la version pour nous la plus ancienne de la légende gomme toute cette séquence en montrant Thésée tiré au sort en même temps que les autres adolescents participant au tribut. En effet Phérécyde d'Athènes, auteur

au début du ve siècle d'un ouvrage d'*Attica*, semble avoir ignoré
le parcours narratif qui fait de Thésée son propre Destinateur
pour l'entreprise crétoise[31]. Dans cette version donc, pour autant
que son raccourci ne soit pas l'effet du travail de compilation du
scholiaste qui résume le texte de Phérécyde, la compétence du
héros ne sera explicitée qu'au moment de sa réalisation, dans la
confrontation avec le Minotaure.

La situation est naturellement toute différente dans la version
offerte par Hellanicos de Lesbos et reprise par Diodore de Sicile.
Thésée n'y a pas la possibilité de faire valoir son vouloir-faire
puisque c'est Minos qui choisit les jeunes gens destinés au Minotaure et que son dévolu tombe d'abord sur le fils d'Egée. Et c'est
Minos encore qui, projetant le récit dans le futur auquel le promet
d'ailleurs sa logique narrative, demande que les adolescents qu'il
emmène en Crète ne portent pas d'armes guerrières ; il ajoute
cependant qu'il libérera les Athéniens du tribut dès qu'ils parvien-
dront à tuer le Minotaure[32]. Ici encore la compétence de Thésée,
privée d'un vouloir-faire, ne pourra que s'exprimer dans son pouvoir-faire face au Minotaure dont on laisse entrevoir la possible
liquidation ; l'initiative du faire narratif reste dans les mains de
l'Anti-sujet, qu'incarne Minos !

Sans doute n'est-ce qu'avec le déroulement progressif du mythe
et sa transformation en une histoire morale exemplaire que la
figure du héros assume l'autonomie psychologique nécessaire
pour se doter lui-même, comme son propre Destinateur, d'un
vouloir-faire. Néanmoins les premières versions de la légende,
même si elles laissent au sort ou à Minos le rôle de Destinateurs de
Thésée au seuil de l'expédition de Crète, n'enlèvent rien aux
valeurs de légitimité politique et, comme nous le verrons, d'approches de la sexualité adulte qui marquent l'épreuve crétoise.

3.3. Un contrat secondaire

Si l'on considère l'ensemble des séquences narratives qui couvrent la jeunesse du héros jusqu'à l'exploit de Marathon comme
phase de manipulation de l'épisode de Crète, on comprendra que
la séquence d'auto-destination qui vient d'être décrite ne fasse
figure que de phase de manipulation secondaire ; de là, également,
ment, son caractère facultatif. La compétence de Thésée, en vue

de son exercice à Cnossos, n'a désormais besoin que de quelques compléments déterminés par la nouveauté du domaine approché par le héros. Ces appoints sont l'objet des séquences narratives précédant le départ proprement dit : convention d'ordre cognitif passée avec Egée, encore dans le camp des opposants, attribution d'adjuvants en la personne de pilotes spécialistes dans le domaine de la marine, puis, au travers d'une série d'actions rituelles, acquisition d'un appui de la part des dieux.

Pour permettre le départ du héros, il faut tout d'abord que le conflit interne né entre le roi d'Athènes et ses sujets reçoive une solution. Le contrat qu'Egée consent à passer avec son fils, en acceptant finalement son départ, a une valeur à la fois rétrospective et prospective ; rétrospective dans la mesure où il permet au roi d'Athènes de réintégrer la position actantielle du Sujet (S_1), prospective puisqu'il porte sur le début de la phase de sanction de l'expédition crétoise. Cette convention se fonde sur l'acte sémiotique élémentaire que les Athéniens accomplissent pour conférer une manifestation matérielle à leur conviction que les adolescents en partance pour Cnossos sont destinés à la mort : la voile noire qu'arbore le navire emmenant en Crète les jeunes victimes athéniennes est en effet le signe du sort funeste qui leur est réservé. En poursuivant et en projetant dans le futur cette séquence narrative secondaire engagée par Egée et ses sujets, Thésée réussit, par un faire d'ordre persuasif, à renverser le contenu de la conviction des Athéniens ; il parvient surtout à imposer à son père un croire concernant sa future victoire sur le Minotaure et le salut des adolescents qui l'accompagnent en Crète. Cette conviction du salut promis aux jeunes Athéniens reçoit elle aussi une réalisation matérielle d'ordre sémiotique : la victoire de Thésée sera marquée par une voile blanche, ou pourpre si l'on en croit Simonide dont le témoignage fait remonter cette séquence de la légende au début du Ve siècle en tout cas [33]. Et c'est Egée qui est le Sujet de cette inversion des signes, Egée qui, par là-même, réintègre la position athénienne qu'il avait quittée en refusant d'associer son fils au tribut payé par ses sujets.

L'accord d'ordre cognitif établi entre Egée et son fils porte donc aussi bien sur l'attribution à deux valeurs cognitives contraires (savoir sur la mort/savoir sur la vie) d'une manifestation matérielle (voile noire/voile blanche) que sur la réalisation potentielle de l'un ou de l'autre des termes de l'alternative. La séquence répond donc doublement au conflit interne né du désaccord entre les Athéniens et leur roi au sujet des participants au tribut. L'auto-destination de Thésée permettait de répondre à la seconde partie du vouloir des Athéniens désirant que leur roi soit aussi privé de son fils légitime. Le contrat passé avec Egée laisse entrevoir que non seulement le vouloir des Athéniens pourrait être également satisfait dans sa première partie (désir de retrouver leurs enfants), mais que le roi lui-même pourrait retrouver son fils. Il résout donc aussi bien le conflit politique opposant les Athéniens à leur roi que l'opposition personnelle d'Egée au départ de son rejeton pour Cnossos.

Relevons, en marge de cette séquence, que l'accomplissement de la convention sémiotique opérée par Egée suit le processus de formation du symbole que j'ai tenté de représenter en introduction à cette étude : d'abord, à propos d'un événement important, l'élaboration d'ordre cognitif, puis la réalisation matérielle de cette élaboration sur la base du rapport (partiel et culturellement arbitraire !) que les Grecs établissaient entre l'opposition vie/mort et le couple de couleurs blanc/noir[34] ! Fondé sur une convention, ce signe s'oppose par ailleurs aux autres signes intervenant dans le récit, tels les *gnōrísmata*, la couronne d'Amphitrite, la pelote de fil ou la couronne d'Ariane ; motivés, ceux-ci se développeront en véritables propositions symboliques.

3.4. Adjuvants humains

Après l'établissement de cette convention qui, passée entre le héros et son père sur une base sémiotique, aura des conséquences essentielles sur l'issue de l'intrigue, Thésée se voit attribuer un adjuvant pour la navigation. Seul Plutarque rappelle la double version dont cette aide a été l'objet dans la légende. La première, qui remonte au poète Simonide, assume chez Plutarque la forme d'un simple énoncé d'état : par l'intermédiaire du pilote Phéréclos, la compétence de Thésée est élargie à la navigation. La seconde, transmise par l'Atthidographe Philochore à la fin du IVe siècle, se présente sous la forme d'un énoncé de faire : un homme de Salamine, du nom de Sciros, grand-père de l'un des adolescents destinés au Minotaure, attribue à Thésée un pilote, Nausithoos, ainsi qu'un timonier, Phaïax[35]. Philochore réfère

cette deuxième version à l'existence au Phalère d'un monument et
d'un rite consacrés à ces deux héros salaminiens ; il attribue même
à Thésée l'édification de ce monument. L'origine salaminienne
des adjuvants marins de Thésée autant que cette manière de
fonder la validité d'une version légendaire sur un culte existant
feront évidemment l'objet de réflexions ultérieures.

Enfin, terminant son récit de l'épisode crétois par une description du festival des Oschophories institué par Thésée, Plutarque
ajoute à cette conclusion deux énoncés narratifs doubles qui, du
point de vue du déroulement temporel de la narration, s'insèrent
dans la série des énoncés racontant les préparatifs de l'expédition
de Crète. Je renvoie à plus tard le problème que pose cette rupture
dans la logique du récit qui attache des énoncés narratifs faisant
partie de la phase de manipulation à des pratiques rituelles qui
sont instituées au moment de la sanction. Au terme du récit, on
apprend donc encore que Thésée aurait d'une part travesti en
jeunes filles deux adolescents parmi ses amis athéniens ; le héros
les aurait substitués à deux des adolescentes que le sort avait dési-
gnées. Plutarque semble insister sur le fait que Thésée acquiert
ainsi avant son départ deux adjuvants nouveaux ; la figure féminine de ces deux amis de Thésée ne se manifeste en effet que dans
l'apparence extérieure des adolescents, sur le mode du paraître ;
quant à leur être, ces deux jeunes gens ont les traits de courage et
d'ardeur qui les réfèrent à la définition grecque de la virilité [36].
D'autre part, Plutarque ajoute que les Dipnophores (les porteuses
de repas) prenant part aux Oschophories étaient supposées représenter et imiter les mères des adolescents athéniens tirés au sort
pour être livrés au Minotaure. Selon la légende, ces femmes
avaient en effet apporté à leurs enfants en partance pour Cnossos
des aliments et du pain *(ópsa kaì sitía)* ; de plus, en guise de
consolation, elles leur auraient raconté différentes histoires
(mûthoi). Plutarque ne donne aucune précision sur l'endroit où
était censée avoir lieu cette intervention des mères ; on pourrait
supposer qu'il s'agissait du Prytanée où avait probablement eu
lieu le tirage au sort des adolescents et d'où part, on le verra,
l'expédition de Crète. Mais une seconde version du même énoncé
narratif identifie ce lieu avec le temple d'Athéna tout en ajoutant
que ces femmes adressèrent à leurs rejetons également des vœux
pour leur voyage [37]. Quoi qu'il en soit, l'intervention de ces mères
des adolescents participant au tribut situe à nouveau l'action qui

va être accomplie en Crète dans le contexte du problème de la filiation. Thésée, après avoir quitté sa propre mère à Trézène et évité le piège tendu par sa belle-mère Médée, semble désormais incarner l'aspect paternel de la filiation, alors que les jeunes filles et jeunes gens qui sont maintenant associés à la même aventure assument son aspect maternel.

3.5. Destinateurs divins

Quand bien même l'attribution des adjuvants pour l'approche du domaine marin et la résolution de l'opposition paternelle ont achevé la compétence du héros, il manque encore à Thésée l'assistance divine, indispensable dans le cadre de la représentation grecque de l'accomplissement d'une action d'importance. Cet ultime complément à sa compétence, Thésée va l'acquérir par une suite d'actions rituelles. Ce seront autant de pratiques manipulatoires tendant à faire des divinités concernées, dans le contrat qu'instituent soit le vœu, soit le sacrifice, autant de Destinateurs de l'action à venir ; des pratiques qui vont aussi définir la configuration sémantique de la protection divine dont disposera le héros pour l'expédition de Crète.

Dès le tirage au sort accompli, Thésée quitte donc le Prytanée où étaient réunis les adolescents désignés pour le malheureux tribut et il se rend avec eux au sanctuaire d'Apollon. Cette disjonction aussi bien spatiale que temporelle marque le début effectif de l'épisode de Crète, qui reçoit ainsi, dans l'institution des Destinateurs divins, sa propre phase de manipulation. Au nom des adolescents qui l'accompagnent, Thésée consacre au dieu le rameau du suppliant tout en lui adressant un vœu. Ce rameau, ajoute Plutarque, provenait de l'olivier sacré – il s'agit sans doute de l'olivier consacré à Athéna sur l'Acropole – et il était entouré de laine blanche. Quoi qu'il en soit de sa valeur symbolique, ce rameau du suppliant fait immanquablement songer à l'*eiresiōnē* portée à l'occasion des Pyanopsies ; et cette impression trouve son fondement dans le texte même de Plutarque qui, dans sa description du festival des Pyanopsies, compare explicitement le rameau du suppliant déposé au Delphinion avec l'éirésiôné portée aux Pyanopsies [38].

Une deuxième version du vœu prononcé par Thésée à son

départ pour la Crète permet peut-être d'en préciser le contenu ; Plutarque est en effet à ce sujet singulièrement muet. Les circonstances dans lesquelles le vœu est prononcé sont ici différentes. Dans cette version, Thésée a déjà pris la mer au moment où, surpris par une tempête au large de Délos, il adresse à Apollon une demande ; sans qu'il soit en mesure d'accompagner son vœu, cela va sans dire, d'un acte tel que celui du don d'un rameau de suppliant. Aux termes de ce vœu, Thésée promet de consacrer à Apollon, en échange du salut demandé, des rameaux d'olivier couronnés ; l'offrande de ces rameaux sera accompagnée d'un sacrifice, de la consommation d'une bouillie et de la construction d'un autel destiné au dieu sauveur. Tout en projetant la partie actuelle du *do ut des* dans le futur, Thésée passe avec Apollon un véritable contrat qui met le dieu dans la position actantielle du Destinateur du héros. Dans les textes tardifs qui attestent de cette seconde version du vœu prononcé par Thésée, les énoncés narratifs à réaliser en réponse à l'intervention salvatrice du dieu correspondent explicitement à l'institution du rite des Pyanopsies[39].

Une troisième version enfin, transmise notamment par le *Phédon* de Platon, donne à la promesse adressée à Apollon par le héros avant son départ pour la Crète un contenu tout à fait différent. En échange du salut Thésée promet au dieu d'envoyer chaque année à Délos une théorie ; c'est précisément l'une de ces théories qui, en 399, retarda l'exécution de la sentence prononcée contre Socrate[40]. Cette manière de rattacher à la même série d'énoncés narratifs des pratiques cultuelles aussi différentes que les Pyanopsies et la théorie délienne est essentielle pour le problème général qui est au centre de cette étude. Ce qu'il importe de relever pour l'instant, c'est le rôle joué dans toutes ces versions de la légende par Apollon qui devient le garant de l'éventuel salut accordé à Thésée et aux adolescents que le héros athénien emmène avec lui.

Aux gestes accomplis dans le cadre du Delphinion Plutarque ajoute un élément absent dans les autres sources de cette phase de la séquence narrative : ce serait exactement le sixième jour du mois Mounichion, c'est-à-dire à la fin d'avril, que Thésée aurait quitté Athènes pour se rendre au bord de la mer[41]. Plutarque, tout en donnant par cette indication la place temporelle dans le calendrier athénien de la disjonction spatiale qui marque le départ de

Thésée, précise de plus que de son temps encore, les jeunes filles se rendaient ce jour-là au Delphinion pour adresser des supplications aux dieux. Même si cette date a certainement été projetée de la pratique rituelle sur le mythe au moment du rattachement de la première au second, sa mention permet de préciser le parcours de Thésée : du Prytanée (ou du temple d'Athéna) au Delphinion, puis du sanctuaire d'Apollon vers le bord de la mer.

Mais pour une entreprise que nous verrons se situer à la jonction de deux domaines très différents de l'espace social des Grecs, l'aide salutaire d'Apollon n'est pas suffisante. Et c'est, par l'intermédiaire d'un oracle, le dieu lui-même qui donne l'ordre à Thésée d'offrir un sacrifice à Aphrodite pour instituer la déesse comme guide de son voyage. Le sacrifice a lieu dans cet espace intermédiaire du bord de mer, au Phalère, à la jonction entre le domaine de la cité et le domaine marin ; à cette occasion, la chèvre offerte à la déesse de l'amour se métamorphose en bouc. De là l'épithète désormais attribuée à la déesse : Aphrodite *Epitragía*, Aphrodite « chevauchant le bouc »[42].

Le moment même de l'embarquement du héros, c'est-à-dire le moment coïncidant avec le début de la performance narrative, est donc marqué par une sorte de travesti animal. Il est aussi défini par les valeurs de sexualité adulte qu'incarne la figure d'une Aphrodite destinée à accompagner Thésée tout au long de son parcours crétois ; la déesse sera en effet, selon les mots de l'oracle, « le guide et le compagnon de voyage » du héros. Mais laissons ces éléments à l'analyse sémantique pour constater simplement que la déesse figure ainsi aux côtés d'Apollon comme deuxième acteur divin incarné dans le Destinateur de la performance qui débute maintenant.

4. La demeure de Poséidon

De manière surprenante, la première épreuve constitutive de la phase de performance de l'entreprise crétoise est totalement absente du texte de Plutarque. Elle est cependant développée dans l'une des sources écrites de la légende parmi les plus dignes de foi puisqu'il s'agit d'un *Dithyrambe* de Bacchylide. Par ailleurs, elle est non seulement bien attestée, même si ce n'est pas avec une fréquence très élevée, dans la céramique de la fin de l'époque archaïque et de l'époque classique ; mais surtout elle figurait sur l'une des fresques qui, probablement due au pinceau de Micon, ornait dès 475 l'une des parois du sanctuaire réservé au héros athénien [43]. Dans le cadre de l'analyse narrative comparative qui a été choisie ici, il n'est pas possible de ne pas tenir compte d'une séquence probablement victime de la volonté rationalisante de Plutarque.

4.1. La légitimité divine

Voguant donc vers la Crète, Thésée est gratifié d'une première occasion d'exercer sa compétence tout en parachevant la figure. On n'omettra pas de relever ici l'apparition d'Athéna dans le rôle d'une sorte de Destinateur complémentaire de l'expédition de Crète ; c'est elle en effet qui, dans le texte de Bacchylide, pousse Borée à gonfler la voile du navire emmenant Thésée vers les côtes de la Crète. La séquence que met en scène le poète de Céos se situe ainsi, dans le déroulement narratif global de l'épisode de Crète, à cheval entre la phase de manipulation (qui s'achève en principe à Athènes, ou au Phalère) et la phase de performance (qui commence à Cnossos). Car, dans le dithyrambe de Bacchylide, Minos est présent sur le pont de la nef emmenant les jeunes Athéniens à Cnossos. Cette présence, tout en présupposant le traitement par le poète de la version ancienne attribuée à Hellanicos de Lesbos, offre au héros un occasion préalable de montrer ses qualités : l'affrontement avec le souverain de Cnossos marque évidemment le début de la performance ; et c'est sur une question de légitimité que va porter cette confrontation, nous référant ainsi précisément au problème situé au cœur de la phase de manipulation qui vient de s'achever. Donc, pendant la traversée, Minos, enflammé par Aphrodite et séduit par la beauté de l'une des sept jeunes Athéniennes destinées au Labyrinthe, tente de s'unir à elle ; le preux Thésée intervient immédiatement pour s'opposer à la tentative du roi de Crète et lui proposer un duel à mains nues, de type athlétique. Dès la première étape de la confrontation entre les deux principaux des protagonistes occupant les positions actantielles de l'Anti-sujet et du Sujet, Minos, adulte, apparaît d'emblée comme celui qui détient le pouvoir sur les jeunes gens et les jeunes filles du tribut alors que Thésée, encore adolescent, se fait le défenseur de leur « virginité ».

Le déséquilibre introduit par la tentative d'oppression sexuelle dirigée par l'Anti-sujet contre une représentante du Sujet est donc rétabli par la prompte intervention de Thésée. Subsiste cependant la différence de statut entre le roi de Cnossos, Minos, et Thésée, le fils du roi d'Athènes. Le conflit entre ces deux pouvoirs de valeur inégale va se poursuivre sur le plan cognitif. Pour se hausser au niveau de la compétence du roi de Crète, Thésée, après avoir rendu hommage à l'ascendance divine de Minos, affirme face à elle sa propre origine divine. Après la reconnaissance de la légitimité filiale du héros dans l'ordre de l'humain, la confrontation de Thésée avec Minos passe du domaine de l'expression de la sexualité adulte à celui de la reconnaissance de la légitimité filiale sur le plan divin. Pour l'instant, cette affirmation de l'origine divine de l'Anti-sujet aussi bien que du Sujet tient de l'acte de langage ; elle requiert encore une épreuve de véridiction susceptible de donner une vérification pratique de l'affirmation cognitive.

Pour réaliser cette effectuation véridictoire de l'acte cognitif, Minos demande à son père Zeus un signe bien reconnaissable *(sâm' arígnōton ; signum)* de leur lien de parenté ; à cette demande de reconnaissance en paternité, le dieu donne une réponse matérielle immédiate en envoyant la foudre. Par cet *indicium significationis* comme le dit Hygin, les premiers énoncés narratifs de l'épreuve de véridiction destinée à confirmer la légitimité divine des deux protagonistes de l'action assument la forme d'un petit jeu sémiotique. Cette épreuve par les signes est requise par les rapports avec un Destinateur qui ne se montre en général pas personnellement ; on en retrouve la manifestation en Grèce ancienne dans la réalité sociologique dès que le sujet social doit se mettre en rapport avec une entité qui n'a pas d'existence matérielle concrète. C'est ainsi que chez Homère le *sêma* est appréhendé aussi bien comme le signe d'une volonté divine que comme la trace matérialisée dans le monument funéraire du héros qui n'est plus [44].

Mais revenons à la véridiction. A la performance de Minos doit correspondre la contre-épreuve de Thésée. Cette dernière reçoit un développement narratif tel qu'elle assume à elle seule la forme d'une véritable séquence canonique. Phase de manipulation pour commencer, quand Minos demande à Thésée de plonger dans la mer et de rapporter de la demeure de son père l'anneau d'or qu'il y jette ; le roi de Crète devient ainsi le Destinateur du héros. L'invitation de Minos fait appel à la compétence, au courage du héros qui plonge immédiatement dans les flots ; ce plongeon marque alors le début de la performance. Autant l'ordre que Minos donne au pilote du navire de continuer sa route que la tristesse des adolescents athéniens qui ont vu leur compagnon disparaître dans la vague montrent que l'épreuve de véridiction correspond en fait à une épreuve d'affrontement : ayant pris l'apparence d'un Destinateur, Minos, Anti-sujet, veut en réalité la mort de Thésée. Le récit joue ici sur l'assomption par un acteur unique de deux rôles actantiels différents. Mais des dauphins, précieux adjuvants, prennent en charge le héros pour le mener auprès des Néréides, au sein de la demeure de son père Poséidon. Au lieu d'y récupérer l'anneau de son Destinateur apparent, Minos, Thésée y reçoit d'Amphitrite (ou de Thétis, selon Hygin) un vêtement de pourpre et une couronne de roses, la couronne même que l'épouse de Poséidon obtint d'Aphrodite le jour de son mariage avec le souverain de la mer [45]. Au Destinateur apparent se substitue, dans cette phase de sanction, le Destinateur réel ou sa représentante qui, par le don de la couronne, consacre non seulement le statut divin du héros, mais l'introduit également dans le domaine du mariage. Après la mère, la femme-monstre, la marâtre et la grand-mère, Thésée est maintenant entré en contact avec une belle-mère incarnation de l'épouse. Par ce biais il est reconnu non plus seulement comme fils d'Egée, mais aussi comme rejeton de Poséidon ; sur le plan de la légitimité divine, il est devenu l'égal de Minos.

4.2. Nouveaux Destinateurs

C'est d'ailleurs sur ce moment de la reconnaissance que s'est concentrée l'iconographie pour narrer, selon le mode ponctuel auquel elle est pratiquement condamnée, l'épreuve du saut dans la mer. L'énoncé narratif de l'accueil réservé au héros athénien par Amphitrite y reçoit alors des formulations légèrement divergentes par rapport au texte de Bacchylide : soit que Poséidon assiste à la scène où Amphitrite couronne un Thésée en général représenté comme un jeune adolescent, soit qu'Amphitrite passe au second

plan pour permettre l'affrontement direct du jeune héros avec son
père, soit encore qu'Athéna se substitue à Poséidon comme spec-
tatrice du don de la couronne par Amphitrite[46]. Quant à l'aide
apportée par Triton, qui se substitue aux dauphins pour conduire
le héros au fond de la mer, elle peut être considérée comme une
figure de surface destinée à désigner aussi bien le caractère marin
de la scène que l'action narrative dans laquelle le héros est engagé.
L'iconographie nous montre en tout cas que derrière Amphitrite,
le Destinateur du héros dans la reconnaissance de la légitimité est
bien Poséidon, sinon Athéna[47].

Reste la reconnaissance du statut du héros par les acteurs du
récit. Thésée remonte à la surface et surgit des flots, dernier
énoncé de la performance. Autant les dons divins dont il est
chargé que l'absence de toute trace d'humidité sur son corps lisse
déterminent le faire interprétatif de ses compagnons en même
temps que celui du lecteur : Thésée est bien le fils d'un dieu et les
jeunes Athéniens, en entonnant le péan qu'accompagne le refrain
repris par les jeunes filles, montrent qu'ils le reconnaissent comme
tel[48]. Ainsi s'accomplit la deuxième partie de la phase de sanction
conclusive de la séquence narrative. La confusion dans laquelle ce
retour miraculeux du héros jette Minos souligne l'éminence de la
qualité dont s'est enrichie la compétence de Thésée à l'occasion de
cette nouvelle épreuve. La véridiction est achevée et du paraître,
on passe à l'être : Thésée est d'origine divine comme Minos, qui
ne peut plus endosser à son égard le rôle de Destinateur qu'il avait
usurpé ; la couronne de roses d'Amphirite s'est d'ailleurs substi-
tuée à l'anneau du roi de Crète. Et Bacchylide ne manque pas de
consacrer linguistiquement ce retour à l'équilibre ; au prodige
(*téras*, v. 72) que représente l'envoi de la foudre de Zeus répond le
miracle (*thaûma*, v. 123) du retour du fils de Poséidon. Pour
l'affrontement qui va suivre, les acteurs s'incarnant dans le Sujet
et l'Anti-sujet sont désormais dotés de qualités équivalentes.

5. Le labyrinthe de Crète

Ce complément de légitimité divine conféré à la compétence du
héros nous introduit à la phase de performance de l'ensemble de
l'épisode. La concision dont fait preuve Plutarque dans la descrip-

tion des actes de ce qui constitue le pivot événementiel du récit est étonnante : une seule proposition complexe dont la manifestation linguistique recouvre cependant cinq énoncés narratifs. Cela n'empêche pas Plutarque, qui dit explicitement avoir travaillé aussi bien sur la tradition orale que sur la tradition écrite des actions crétoises de Thésée, de nous livrer, à un énoncé près, l'essentiel de l'intrigue.

La nouvelle séquence narrative est engagée par la coutumière conjonction spatiale. Dès le débarquement en Crète des Athéniens, Ariane, la fille de Minos, s'éprend du beau Thésée. Ariane va réaliser une première matérialisation de son amour en faisant au héros un don qui ressort à la fois des niveaux pratique et cognitif : le don de la fameuse pelote de fil s'accompagne de la transmission d'un savoir sur les détours du Labyrinthe. Thésée est alors paré pour l'affrontement proprement dit : le héros, après avoir pénétré dans le Labyrinthe, tue le Minotaure. Et, sans même prendre la peine d'indiquer que le héros réussit à échapper aux entrelacs sinueux du Labyrinthe, Plutarque conclut en montrant Thésée quittant la Crète avec Ariane et les jeunes Athéniens soustraits à l'appétit anthropophage du Minotaure[49].

5.1. Ruses dédaliques

Autour de cette séquence réduite par Plutarque à son intrigue, on se trouve en présence d'une floraison de variantes qui l'étoffent soit en insérant dans la chaîne narrative des énoncés complémentaires, soit en développant les valeurs sémantiques attachées aux relations élémentaires que le récit tisse entre ses protagonistes. Mais il y a davantage : à propos du troisième énoncé narratif décrit, qui opère précisément le transfert de l'un des acteurs assumant le rôle actantiel de l'Anti-sujet du côté de ceux occupant la position du Sujet, Apollodore est par exemple le témoin d'une formulation qui transforme ce transfert en un véritable contrat passé entre les deux acteurs qui assument ces rôles, Ariane et Thésée ; en échange du savoir sur le Labyrinthe qu'elle a transmis au héros, la fille de Minos demande au fils d'Egée de l'emmener à Athènes et de l'y épouser. Par la promesse qu'il donne, le héros athénien s'engage à réaliser ces deux énoncés narratifs qui, pour l'instant projetés dans le futur du récit, restent à l'état de virtualités. Et ce n'est qu'en échange de ce faire d'ordre purement cognitif, de ce véritable acte de langage, que Thésée obtient l'aide matérielle d'Ariane. Apollodore ajoute qu'Ariane détenait son savoir concernant les moyens d'échapper au Labyrinthe de son créateur, Dédale ; c'est une figure sur laquelle on reviendra. Notons pour l'instant que cette contribution du savoir technique de l'artisan crétois au futur succès de Thésée est confirmée par la version ancienne de l'historien athénien Phérécyde ; l'auteur des *Attica* indiquait en effet déjà que c'était Dédale qui avait fourni à Ariane la fameuse pelote de fil, indispensable au héros pour retrouver l'issue de l'inextricable construction [50]. Quelles qu'en soient les modalités, le passage actantiel d'Ariane de la position de l'Anti-sujet à celle du Sujet marque bien le début d'une nouvelle séquence narrative secondaire. Après le contrat passé entre Thésée, représentant les Athéniens, et Egée, c'est maintenant l'accord passé entre le héros et Ariane qui insère dans la logique narrative de l'épisode crétois ce second programme, le projetant dans le futur du déroulement du récit.

Mais c'est sans doute dans les valeurs prédicatives intégrées dans les actions agencées par l'intrigue que l'imagination narrative s'est montrée la plus prolifique. Pour ne parler que de l'Antiquité, l'amour qu'Ariane conçoit pour le jeune Athénien dès qu'il met le pied sur la terre de Crète est rapidement devenu un *tópos* de la tradition littéraire [51]. De même en va-t-il du don de la pelote qui consacre cet amour, en particulier dans la littérature latine [52]. En ce qui concerne la lutte de Thésée contre le Minotaure, sans doute la version la plus intéressante est-elle donnée une fois encore par Phérécyde dans la version qui vient d'être citée : suivant les conseils prodigués par Dédale, Thésée surprend le Minotaure dans son sommeil, sur le mode de la ruse et, le saisissant par la tête, il sacrifie le monstre à Poséidon. On verra par ailleurs que l'équipement et les modes de combat attribués au héros athénien varient suivant les époques et suivant le support, textuel ou iconographique, de la scène représentant l'affrontement au Minotaure. C'est en particulier le cas quand, à la fin du VIᵉ siècle, cette scène est intégrée, avec le combat contre le taureau de Marathon, à la suite des scènes de lutte contre les monstres infestant la route conduisant de Trézène à Athènes. Culminant dans la scène du Labyrinthe, des différents affrontements sont organisés en un cycle susceptible de rivaliser avec celui des travaux d'Héraclès [53].

5.2. Echappatoires

Contrairement à Plutarque, la plupart de nos sources mentionnent explicitement, après la victoire remportée sur le Minotaure, le haut fait que représente la sortie du Labyrinthe. Cette action complète la performance du héros en ajoutant le savoir-faire que lui ont conféré Ariane et Dédale au pouvoir-faire démontré dans la lutte contre le monstre[54]. Mais de manière aussi étrange que significative, aucun des textes n'indique la conséquence directe qu'impliquent la mort du Minotaure et la victoire sur les errances dans le Labyrinthe : le salut des adolescents dont Thésée assume la responsabilité vis-à-vis des Athéniens. C'est que d'un côté, pour l'ensemble de la logique de l'épisode crétois, le salut des jeunes gens et des jeunes filles ne représente pas encore la suppression définitive du tribut imposé aux Athéniens. De plus, du point de vue de la logique spatiale du même épisode, le salut des adolescents ne sera effectif qu'au moment où, à Athènes, ils seront restitués à leurs familles. Enfin le meurtre du Minotaure, auquel va s'ajouter le départ d'Ariane avec Thésée, introduit dans l'intrigue du récit un nouveau déséquilibre qui requiert compensation.

C'est encore au moment de la sortie du Labyrinthe que les commentateurs d'Homère rattachent l'exécution par Thésée et les adolescents qui l'accompagnent de la fameuse danse de la grue ; les textes plus anciens situent par contre cette première danse chorale mixte à l'étape de Délos. Et ce n'est que dans le contexte de l'analyse de la danse délienne qu'il sera possible de se livrer aux considérations d'ordre historique qu'exige ce rapport établi par des textes tardifs entre la danse de Thésée et celle exécutée par le chœur crétois représenté sur le bouclier d'Achille dans le chant XVIII de l'*Iliade*[55].

Parmi les expansions narratives de ce cinquième énoncé, l'Atthidographe Philochore, à la fin du IVᵉ siècle, semble indiquer qu'après être sorti du Labyrinthe et avant même de quitter la Crète, Thésée épousa Ariane ; le héros réaliserait ainsi en Crète une partie du contenu de la promesse faite à la fille de Minos au moment de la conclusion du contrat de la deuxième séquence secondaire. Il est toutefois difficile de convertir en une affirmation une indication donnée par un texte dont nous n'avons qu'un compte rendu en latin. Seule la *Souda*, un lexique byzantin du xᵉ siècle, donne de cet énoncé narratif et de ses conséquences une formulation transparente : après avoir tué le Minotaure, Thésée aurait épousé Ariane et, ajoute la *Souda* de manière tout à fait isolée, il aurait régné sur la Crète[56]. S'il semble hasardeux d'accorder pleine confiance à un texte pour le moins tardif et qui donne de l'ensemble de l'expédition crétoise une version plutôt suspecte, en revanche le lien qu'il établit entre alliance matrimoniale et prise du pouvoir royal correspond parfaitement − on le verra − à la vraisemblance sémantique de la légende.

Nos sources retrouvent leur plein accord en ce qui concerne le départ du héros. Phérécyde comme Démon se plaisent à enrichir la description de la fuite de Thésée avec Ariane et les adolescents en compliquant narrativement l'achèvement de la performance et la disjonction que réalise cet énoncé. Le premier raconte que Thésée, pour empêcher toute tentative de poursuite (l'histoire n'est pas terminée !), mit hors d'état de nuire les bateaux de la flotte crétoise ancrée dans le port de Cnossos. Le second, peut-être par contamination avec la version crétoise dont on ne va pas tarder à s'occuper, met en scène la mort du général de Minos, Tauros, qui entendait empêcher le départ du héros athénien. D'autre part, seul Homère signale le but de Thésée au moment où il quitte la Crète avec Ariane : Athènes[57]. Mais dans la version la plus courante, les obstacles qui pourraient entraver le départ de Thésée sont évités par le fait que le héros appareille de nuit, à l'insu de tous. Cette déception à l'égard du pouvoir incarné dans l'Anti-sujet est une preuve supplémentaire que le récit, ni dans son programme de base, ni dans ses programmes secondaires, n'est encore terminé. D'ailleurs la performance crétoise s'achève à l'égard de Minos par une double dépossession : privation des adolescents athéniens qui lui étaient destinés et « enlèvement » de sa propre fille.

Déjà mentionnée dans l'*Odyssée*, la fuite d'Ariane avec Thésée a, elle aussi, connu une certaine fortune littéraire. Cette simple disjonction avec la Crète a pris peu à peu la figure de l'enlèvement et elle est venue s'ajouter à la série des actes de rapt attribués au héros athénien[58]. L'accomplissement du voyage vers Athènes est encore à l'état de potentialité et pour Ariane, promise à l'avenir qui fait l'objet de l'épisode suivant, ce voyage ne recevra pas de réalisation. Mais les scholies à Apollonios de Rhodes, se fondant sur un texte homérique d'ailleurs modifié, prennent le virtuel pour le réel. Elles sont ainsi amenées à contester la valeur de vérité de cette version et à en donner une nouvelle : Minos aurait empêché le mariage de sa fille avec le héros et Thésée n'aurait par conséquent pas pu emmener Ariane à Athènes ; cette séparation aurait alors entraîné la mort de l'héroïne telle qu'elle est racontée dans la séquence de Naxos[59].

5.3. Versions complémentaires

On ne saurait quitter le Labyrinthe sans parler de la version rationalisante et « crétoise » des événements de Cnossos[60], que donne − rappelons-le − l'Atthidographe Philochore. Cette version s'inscrit naturellement dans la suite logique de la substitution à la mort des jeunes Athéniens dans le Labyrinthe du concours gymnique institué en l'honneur d'Androgée ; on se souvient que la tête des adolescents d'Athènes y était en quelque sorte mise à prix. La performance de Thésée est insérée ici dans une troisième séquence secondaire affrontant dans ce cas différents acteurs parmi ceux qui occupent dans le récit général le rôle actantiel de l'Anti-sujet. Le pouvoir qu'incarnent les acteurs subsumés dans ce rôle actantiel connaît en effet une faille dans la mesure où Tauros, le général de Minos, conteste ce pouvoir par ses victoires répétées aux concours pour célébrer la mémoire d'Androgée. De là, au début de cette version crétoise, un premier énoncé d'état, exprimant sur le plan passionnel, ou thymique, l'opposition née au sein des acteurs incarnés dans l'Anti-sujet : les Crétois éprouvent de la jalousie à l'égard des victoires de Tauros et de la puissance qu'elles lui confèrent. C'est la raison pour laquelle ils en viennent à insinuer, sur le mode cognitif de la supposition, que Tauros a des relations avec la femme de Minos, Pasiphaé. De là le manque qui provoque l'affrontement entre le roi de Crète et son général ; Thésée est alors appelé à assumer dans cette relation polémique le rôle subordonné d'un adjuvant de Minos. Dans ce cadre, le souverain de Cnossos accorde en effet au héros athénien, qui en avait exprimé le désir, de participer au concours et de s'affronter à Tauros ; le héros athénien devient ainsi non seulement le concurrent direct de Tauros, mais surtout le représentant du roi dans l'affrontement. Dans cette phase de manipulation du programme secondaire, Minos se substitue à Thésée, qui avait manifesté un premier vouloir, comme Destinateur de la performance ; il reprend à son profit le désir de faire du héros pour le transformer en un faire-faire. Du point de vue de la performance elle-même, la victoire de Thésée contre son adversaire Tauros remplace figurativement le combat contre le Minotaure. C'est alors seulement, comme première sanction de la victoire de l'Athénien, qu'Ariane, sans en tomber réellement amoureuse, éprouve une vive admiration pour le jeune héros. Heureux d'avoir assisté à la destitution de Tauros et au rétablissement de sa propre autorité, Minos restitue les jeunes gens et les jeunes filles du tribut à Thésée et il libère la ville d'Athènes de sa pénible obligation : sanction de l'exploit du héros et terme de la séquence secondaire aussi bien que de l'ensemble du récit !

Narrativement, la rivalité qui oppose Minos à Tauros permet d'intégrer le pouvoir, puis l'intervention du héros athénien en Crète dans une nouvelle séquence secondaire dont Minos est le Destinateur. Si Thésée est bien le Sujet opérateur de la performance, le rôle de Destinateur que joue Minos à son égard permet de retirer au héros athénien la responsabilité de la libération des jeunes Athéniens et de la levée du tribut. Ces actions, sanctions de la nouvelle séquence secondaire, représentent donc aussi le terme de l'ensemble de la version crétoise du récit. Cette version, nous ne la saisissons d'ailleurs que dans sa phase crétoise (la phase athénienne avec la mort d'Androgée et l'institution du tribut peut être supposée) : Minos reste de bout en bout le sujet de l'action ; il en est par conséquent le héros. En son terme, à l'appropriation/dépossession (épreuve) des Athéniens dont Thésée est le sujet dans la version courante se substitue une renonciation/attribution (don) qui a Minos pour sujet [61]. Le souverain de Crète est non seulement le héros du récit crétois ; il en est aussi, dans sa phase de sanction, le Destinateur-judicateur. Dans le cadre de la subordination de l'action du héros athénien à celle du héros crétois, l'amour d'Ariane pour Thésée se transforme en un sentiment d'admiration qui, provoqué par la victoire du héros sur Tauros, n'a pas de conséquence narrative. Dans ces conditions, Ariane ne peut pas passer du rôle actantiel de l'Anti-sujet à celui du Sujet et l'énoncé n'est que l'expression d'un état thymique. L'intégration de l'action de Thésée à une séquence secondaire différente conduit donc bien à une sanction du héros athénien, mais à une sanction qui est subordonnée au faire de Minos qui, après avoir obtenu

réparation du meurtre d'Androgée et avoir utilisé l'intervention
athénienne pour le rétablissement de son propre pouvoir, reste le
maître de l'action.

Ayant résumé la plupart de ces versions de la séquence crétoise
de l'expédition de Thésée, Plutarque ajoute une variante qui s'inscrit dans un contexte narratif tout à fait différent. Puisqu'elle met
en scène un Thésée qui assure déjà la souveraineté à Athènes, cette
version se situe hors du cadre narratif qui est l'objet de l'analyse
présente. Cependant son attribution à Cléidémos, auteur d'une
Atthis au milieu du IVe siècle, empêche de l'écarter et, avant d'y
revenir dans l'analyse sémantique, on pourra en retenir les éléments syntaxiques suivants [62]. Le manque initial est provoqué par
la fuite de Dédale à Athènes et par la mort de Minos qui le poursuit sans respecter les règles de la navigation alors en vigueur.
Mais avant de mourir, Minos avait enlevé aux Athéniens des
enfants qu'il détenait en otages. Deucalion, le fils de Minos, son
successeur sur le trône de Cnossos, s'engage dans la confrontation
en menaçant de tuer les jeunes otages si les Athéniens ne lui rendent pas Dédale. Tout en tentant d'apaiser Deucalion, Thésée fait
alors construire secrètement une flotte, en partie en Attique, en
partie à Trézène, où il dispose de l'appui de son grand-père
Pitthée. La flotte construite, il débarque à Cnossos et dans un
combat qui se déroule aux portes du Labyrinthe, il tue Deucalion.
Ariane succède alors à son frère et la confrontation se transforme
en contrat : les jeunes Athéniens sont rendus à Thésée et l'on
s'engage entre Athéniens et Crétois dans un traité d'amitié permanente et réciproque. Mais Cléidémos nous fait prendre une avance
inopportune sur l'institution du pouvoir royal du héros.

6. Naxos, île de Dionysos

Le fil conducteur − on ose à peine dire le fil d'Ariane −
fourni par la compilation de Plutarque à travers les différentes
versions de la légende de Thésée a permis de suivre jusqu'ici un itinéraire relativement linéaire. L'analyse en énoncés narratifs a
montré que ces versions se répondent les unes aux autres à partir

de la même intrigue, avec des variations qui relèvent davantage de la sémantique du récit et de sa motivation d'ordre passionnel que de son organisation sémantique. C'est dire le sérieux du travail narratif de l'auteur des *Vies parallèles* qui reconnaît qu'en revanche, en ce qui concerne l'étape de Naxos, les récits sont nombreux et contradictoires. De là un nouvel effort de distinction avec, en tête du développement consacré au destin d'Ariane à Naxos, la définition de ce que l'on pourrait appeler la version zéro de cette séquence, composée de deux seuls énoncés : Thésée abandonne Ariane et l'héroïne se suicide [63].

6.1. Les neuf versions

Mais en dehors des textes pris en considération par Plutarque, les versions sont encore si nombreuses qu'elles rendent légitime, dans ce cas précis, l'infidélité à l'auteur romain. On va donc tenter un classement d'ordre historique, tout en insistant sur la valeur très relative de ce critère relevant pour une fois de la diachronie. Son application est en effet limitée par l'état lacunaire de la tradition et par la vanité en mythologie de toute recherche d'une version « originaire ».

6.1.1. La version homérique

La version pour nous la plus ancienne remonte donc à Homère. Le passage déjà cité de l'*Odyssée* explique que si Thésée ne peut réaliser son projet d'emmener Ariane à Athènes, c'est que, à l'occasion de son passage à Naxos et sur dénonciation de Dionysos, la déesse Artémis atteignit de ses flèches la malheureuse héroïne. Le commentaire d'Eustathe complète dans une certaine mesure ces énoncés pour le moins succincts [64]. Après avoir quitté de nuit la Crète, Thésée aborde donc à Naxos, une île consacrée à Dionysos, ajoute Eustathe. Thésée s'y unit avec la fille de Minos. C'est alors qu'Athéna ordonne à Thésée d'abandonner la jeune fille et de regagner seul Athènes. Après cette brève phase de manipulation où Athéna apparaît dans son faire persuasif comme Destinateur du héros, Thésée quitte Naxos en y laissant la jeune fille encore plongée dans un profond sommeil. Intervient alors, selon Eustathe toujours, Dionysos qui accuse la jeune fille d'impiété :

Ariane se serait en effet unie à Thésée dans le sanctuaire d'Artémis. Le dieu protecteur de Naxos fait donc enlever la jeune Crétoise ; celle-ci meurt alors d'une mort soudaine. Eustathe, en suivant le texte homérique, fait coïncider narrativement cette brusque disparition avec la sanction de la séquence naxienne puisqu'il attribue la cause de ce décès à Artémis.

6.1.2. La version athénienne

Les scholies au même passage de l'*Odyssée* donnent cependant de la disparition d'Ariane une version assez divergente, une version qu'elles attribuent à Phérécyde d'Athènes et qui remonterait par conséquent au début du ve siècle avant notre ère. Cette même version est d'ailleurs reprise dans le commentaire d'Eustathe qui l'attribue plus généralement à des auteurs « plus récents » (qu'Homère)[65]. Cette seconde version se distingue de la première à partir du moment où Thésée quitte Naxos. Ariane, abandonnée, reçoit alors la visite d'Aphrodite qui la console du départ du héros athénien en lui promettant qu'elle deviendra la femme de Dionysos et qu'elle acquerra ainsi une gloire éternelle. Omettant l'intervention d'Aphrodite, Eustathe se limite à indiquer à ce propos qu'après le départ de Thésée, Dionysos offrit à Ariane son assistance. La Crétoise s'unit alors au dieu qui, en gage de son amour, lui fait don d'une couronne d'or. Mais Artémis enlève la jeune fille qui vient de faire le sacrifice de sa virginité et la tue. En souvenir de la Crétoise, les dieux placent enfin la couronne d'Ariane parmi les astres. Cette version, qui trouve pour nous son origine chez Phérécyde, correspond à celle que l'on trouve représentée dans la céramique dès 480 avant notre ère. Selon un procédé fréquent dans l'iconographie grecque, les peintres semblent avoir fait coïncider dans la même image deux énoncés narratifs différents : le départ de Thésée sur l'ordre d'Athéna et l'arrivée de Dionysos auprès d'Ariane. Deux de ces images opposent fortement, en les plaçant dos à dos, Athéna (qui fait face à Thésée) et Dionysos (qui se retourne plein d'amour vers Ariane). D'autres ajoutent des acteurs à la scène figurée, tel Hermès qui vient chercher Thésée, Eros qui survole Ariane, Poséidon qui assiste au départ de son fils ou un enfant *amphithalés* destiné à dormir avec la fiancée à la veille du jour de ses noces[66]. Tout en confirmant les valeurs investies dans les énoncés narratifs composant le récit, la

présence de ces acteurs montre l'autonomie de la tradition iconographique à l'égard de la tradition littéraire.

6.1.3. *Variantes mythographiques et poétiques*

Cette deuxième version des aventures d'Ariane a connu un
nombre infini de variantes, mais au-delà des suppressions, des
adjonctions ou des substitutions dans les énoncés narratifs dont
elles sont composées, la trame du récit reste identique. De là, pour
le savant moderne, la possibilité de regrouper ces variantes en une
troisième version, catégorie évidemment artificielle dans laquelle
on peut distinguer deux sous-classes : d'un côté celle dans laquelle
on peut inclure les textes grecs et en particulier les comptes rendus
d'Apollodore et de Diodore, ce qui nous situe vers le Ier siècle
avant notre ère, si la version des mythographes ne partage pas une
origine commune avec le très bref résumé présenté par la *Théogonie* d'Hésiode ; de l'autre, les textes latins essentiellement
représentés par les poètes augustéens Ovide et Catulle.

Les mythographes de la fin de la période hellénistique d'abord,
qui concordent dans la mention de l'arrivée nocturne de Thésée et
d'Ariane à Naxos, dans l'omission de l'abandon de la jeune fille
par le héros athénien et dans la mention de l'amour que Dionysos
conçoit pour la jeune Crétoise. Pour réaliser l'amour qu'il lui
porte, le dieu enlève alors Ariane à Thésée et l'emmène, suivant
les textes, sur l'île de Lémnos, sur le Mont-Drios ou sur l'Olympe.
Il s'y unit à elle ; après l'avoir épousée, ajoute Diodore, en de
justes noces déjà mentionnées dans la *Théogonie* d'Hésiode.
Apollodore indique ensuite que de cette union naquirent quatre
fils, un nombre que les scholies à Apollonius de Rhodes portent
jusqu'à six. Quant à Diodore, qui omet de mentionner ces naissances, il cite en revanche, après la mort de l'héroïne, le
« catastérismos » de sa couronne, témoignage de l'affection que
les Immortels portèrent à la jeune femme. Relevons qu'aucune
des sources grecques de cette variante ne donne de motivation à
l'abandon d'Ariane par Thésée ; si ce n'est Diodore qui, dans un
autre développement, fait intervenir un rêve : dans son sommeil,
Thésée aurait vu Dionysos lui enlever Ariane ; saisi de crainte, le
héros aurait préféré quitter Naxos [67]. En revanche, il s'agit certainement d'une version ancienne puisque nous en retrouvons la
trace déjà chez Hésiode ; dans la *Théogonie*, le mariage de Dio-

nysos avec Ariane est présenté comme l'exemple de l'union réussie
d'un dieu avec une mortelle, une union qui conduit l'héroïne non
pas au « catastérismos », mais à une immortalisation accordée
par Zeus en personne.

Aucun des textes latins, sources de cette troisième version de
l'étape naxienne de Thésée, ne mentionne les enfants nés de
l'union entre Ariane et Dionysos. Les auteurs de ces textes ont par
contre été sensibles aux différentes valeurs thymiques, d'ordre
passionnel, qui pouvaient être mises en jeu dans un tel récit. Ils
s'étendent donc, en de longues descriptions, sur le sommeil
d'Ariane, sur son désespoir quand elle s'aperçoit que Thésée n'est
plus à ses côtés, sur la pitié qu'éveillent auprès de Dionysos les
larmes de la jeune fille et sur les amours de l'héroïne et du dieu.
Quant à la couronne placée dans le ciel comme signe sinon de
l'immortalité, en tout cas de la pérennité d'Ariane, c'est en
général Dionysos lui-même qui, dans ces textes, l'enlève de la tête
de son aimée pour la fixer au milieu des autres astres [68].

Dans cette variante latine de la troisième version, l'abandon
d'Ariane par Thésée ne reçoit plus aucune motivation : plus
d'intervention d'Athéna, plus de sanction par Artémis au moment
où la jeune Crétoise sacrifie sa virginité à l'amour que Dionysos
conçoit à son égard. Seul Hygin dit de manière laconique le renoncement de Thésée à son projet d'amener Ariane à Athènes, par
crainte qu'on lui en fasse le reproche. Dans toutes ces variantes du
récit, la seule divinité à intervenir dans l'action est Dionysos qui,
sauf dans le « catastérismos », devient un simple Sujet opérateur ;
puisqu'il n'y a plus de motivation à l'action, il n'y a plus, non
plus, manipulation de Sujet par des dieux assurant le rôle du
Destinateur de son action [69]. Cette absence de motivation est plus
évidente encore dans les textes grecs où l'abandon d'Ariane par
Thésée n'est tout simplement pas mentionné ; Dionysos se substitue alors au Destinateur divin Athéna pour devenir le protagoniste direct de l'action. Amoureux d'Ariane, c'est lui qui devient
le Sujet opérateur de la disjonction entre l'héroïne et Thésée :
cette intervention directe de Dionysos comme Sujet dans l'action
revient à retirer au héros athénien toute responsabilité dans
l'abandon de son amante [70].

Cette double possibilité, offerte par la substitution des rôles
actantiels, d'une attribution de la responsabilité de l'acte
d'abandon soit à Thésée, soit à Dionysos devenu protagoniste de

l'action est fort bien résumée par Philostrate quand il rattache
l'abandon de la jeune fille soit à l'injustice de Thésée, soit à
l'action de Dionysos. Philostrate, rappelons-le, décrit un tableau
qui représente la fuite de Thésée alors que Dionysos, plein de
désir, se trouve déjà aux côtés d'Ariane encore endormie. Les
quelques documents iconographiques qui portent le témoignage
de cette version de la légende permettent d'en faire remonter la
représentation imagée à la fin du Vᵉ siècle avant notre ère ; on la
voit par ailleurs jouir d'une fortune certaine jusqu'à une période
très tardive[71]. La description de Philostrate constitue donc un
exemple frappant d'une interprétation langagière, par l'intermédiaire d'un processus de narrativisation, d'une représentation
iconique : verbes d'action et motivations d'ordre psychologique
font en effet de cette description de Philostrate un véritable récit.

En relation avec cette troisième version de l'étape de Naxos, on
relèvera encore qu'aucun des textes cités jusqu'ici n'indique la
provenance de la couronne que Dionysos donne ou retire à Ariane
pour finalement la fixer parmi les astres. Il faut attendre l'époque
alexandrine et le traité qu'Eratosthène a probablement consacré
aux mythes fondant la dénomination des étoiles pour trouver un
texte mentionnant l'origine de la couronne d'Ariane ; mais la tradition qui s'établit peut-être à partir de ce texte connaît aussi plusieurs variantes[72]. L'une d'elles fait de cette couronne un cadeau
qu'Ariane reçoit des mains d'Aphrodite et des Heures à l'occasion
de son mariage avec Dionysos. Une seconde variante, rapportée
par le seul Hygin, met en relation la couronne d'Ariane avec celle
que Thésée reçut de Thétis lors de la visite à la demeure marine de
son père ; l'Athénien en aurait ensuite fait don à la fille de Minos
quand elle lui fut accordée comme épouse. Cette variante pourrait
être considérée comme une compilation tardive si Hygin ne se
réclamait pas d'autres textes *(alii)*, pour nous perdus. Une troisième variante enfin, transmise par les mythographes astronomes,
est assez originale pour renverser la logique du récit ; puisque de
plus elle remonte probablement au VIᵉ siècle avant notre ère, elle
mérite un traitement séparé.

6.1.4. *Une version hésiodique ?*

Mais il faut à nouveau consacrer un instant à l'histoire, à l'histoire du texte à défaut d'être en mesure de retracer une illusoire

histoire de la légende. La première version que Plutarque cite dans
son développement consacré au destin d'Ariane à Naxos, après le
bref résumé déjà cité et correspondant à une version « zéro »,
semble remonter à Hésiode[73]. Dans cette version, pour nous la
quatrième, l'abandon d'Ariane par Thésée semble précéder
l'arrivée de la Crétoise à Naxos. En effet le jeune Athénien, brû-
lant d'amour pour Aïglé, la fille de Panopeus, le héros fondateur
de Panopée en Phocide, aurait abandonné la jeune Crétoise ; en
quel endroit exactement, nul ne le dit. Mais on sait qu'à la suite de
cet abandon, Ariane aurait été transportée par des matelots à
Naxos où elle aurait épousé non pas Dionysos, mais son prêtre
Oïnaros.

Dans cette quatrième version, le Destinateur de l'abandon
d'Ariane par Thésée n'est donc plus représenté par la divinité,
comme chez Homère où Athéna convaincait le héros de regagner
Athènes seul, mais par l'amour. L'amour du fils d'Egée pour
Aïglé retire la motivation de l'action au domaine divin pour l'inscrire dans le champ passionnel ; sujet de la passion, c'est désormais Thésée qui endosse la responsabilité de son acte d'abandon.
De là, dans le texte d'Hésiode, l'expression explicite de la culpabi-
lité du héros athénien et l'intervention supposée du tyran Pisistrate pour retirer de l'œuvre du poète béotien ces vers injurieux
pour la légende athénienne, suivant un procédé de manipulation
des textes très fréquent à cette époque où la tradition légendaire
des cités venait de connaître ses premières transcriptions par
écrit[74].

Ainsi se définit le rôle idéologique que peut jouer dans le récit la
phase de manipulation et les valeurs qui sont investies dans le rôle
actantiel du Destinateur. La motivation dans l'enchaînement des
actions représente assurément l'une des voies essentielles de l'inscription dans le récit de l'univers culturel dont il est le produit.
C'est précisément dans la manière de justifier une action que se
manifeste la fonction et les modes de l'idéologie[75].

6.1.5. *La version crétoise d'Epiménide*

On l'a dit, le mythographe Eratosthène et son traducteur latin
Hygin font remonter la dernière des variantes de l'origine de la
couronne d'Ariane à Epiménide, le mystérieux mage crétois qui
aurait vécu au VIᵉ siècle avant notre ère[76]. Epiménide en effet,

dans ses *Crética*, semble avoir brouillé la logique du récit et avoir
fourni, en mélangeant les énoncés de l'épisode crétois avec ceux
de l'étape naxienne, une cinquième version des aventures d'Ariane
à Naxos. On y voit Dionysos intervenir non pas dans cette île,
mais en Crète. C'est là qu'avec l'intention de séduire la jeune fille,
il donne à Ariane la couronne qui devient le moyen de sa ruse
enjôleuse. L'héroïne accepte le don divin, mais les textes ne précisent pas si le dieu parvient à ses fins. C'est à ce moment seulement
que cette version de la légende fait intervenir Thésée ; la fille de
Minos fait cadeau au héros, à son tour, de la couronne donnée par
Dionysos, une couronne d'or sertie de pierres précieuses, produit
de l'art d'orfèvre d'Héphaïstos. Guidé par son éclat, le héros athénien aurait réussi à retrouver son chemin dans les détours du
Labyrinthe. Par leur manière de présenter l'action, l'auteur
alexandrin et son épigone latin, qui semblent tous deux s'inspirer
d'Epiménide, admettent enfin implicitement que, par la suite, à
Naxos, Dionysos a retrouvé Ariane, qu'il l'a épousée et qu'il a
placé parmi les étoiles la célèbre couronne.

Le renversement dans l'ordre des énoncés qu'opère cette cinquième version de la légende, d'origine peut-être crétoise, a pour
conséquence narrative le rôle majeur attribué à Dionysos. Par
l'intermédiaire de la couronne, le dieu devient le Destinateur non
seulement de l'action qui se déroule à Naxos, mais aussi celui des
actions qui ont la Crète pour cadre. Ce débordement du rôle joué
par Dionysos sur la Crète, en relation avec l'attribution de cette
version à Epiménide, n'est évidemment pas indifférent et il devra
être pris en compte par l'analyse sémantique.

6.1.6. *Une version locale insulaire*

Dans le respect de l'ordre chronologique présidant à l'apparition, dans notre champ d'observation, des différentes versions de
l'étape naxienne, il convient de mentionner ensuite le très bref
compte rendu que donne Plutarque d'une version attribuant la
paternité d'Oïnopion à Thésée, et non pas à Dionysos. Cette
paternité théséenne pour le moins surprenante puisqu'elle fait
entrer Thésée en concurrence directe avec Dionysos est attestée
dès le milieu du ve siècle ; Plutarque l'attribue en effet à Ion de
Chios dont il cite un vers élégiaque faisant explicitement d'Oïnopion le fils de Thésée [77].

6.1.7. Variations spatiales et actorielles

Il appartient à Théolytos de Méthymne, un poète épique relativement récent, auteur de *Bacchica épé*, de nous faire revenir à l'action violente de Dionysos vis-à-vis d'Ariane, mais avec un déplacement du lieu où prend place le rapt[78]. Dans cette septième version, on assiste non plus à un renversement des énoncés narratifs, mais à une substitution dans les acteurs qui les assument. C'est en effet le dieu qui, prenant la place de Thésée et devenant de nouveau le protagoniste direct de l'action, enlève la jeune Crétoise pour l'emmener (si l'interprétation du texte, très ramassé dans sa formulation, est exacte) à Naxos. Sur cette île — semble-t-il — Dionysos aussi bien que Thésée laissent la place à un nouvel acteur, Glaucos, un démon de la mer mi-homme, mi-poisson, espèce d'équivalent marin du Minotaure. Glaucos s'éprend de la jeune Ariane. C'est alors que Dionysos intervient pour neutraliser le monstre trop entreprenant en l'entravant avec un sarment. En revanche dans une variante de la même version, dont le poète épique Euanthès serait le témoin dans son *Hymne à Glaucos*, le monstre marin assume exactement le rôle actoriel occupé par Dionysos dans le reste de la tradition[79]. Ariane, abandonnée par Thésée à Naxos, suscite l'amour de Glaucos ; elle s'unit alors à ce rejeton de Poséidon et de la Nymphe Naïs. Quel que soit le rôle plus ou moins effacé qui y est joué par Dionysos, la particularité de cette version consiste à affronter à Ariane, sur le plan de l'amour, un monstre dont les qualités rappellent étrangement le monstre auquel est affronté Thésée sur le plan agonal.

6.1.8. La tradition locale

Comme tant d'autres cités ou colonies grecques, Naxos possédait sa propre tradition légendaire à laquelle des historiens du cru se chargèrent peu à peu de conférer la forme d'une histoire locale. Il est fort probable que dans ce contexte, Dionysos, qui était — rappelons-le — le dieu protecteur de l'île, ne pouvait apparaître comme le concurrent parfois fort déloyal du héros athénien. A ce qu'en dit Plutarque, les historiens naxiens inventèrent deux figures d'Ariane qui devinrent les protagonistes distinctes de deux récits différents[80]. On fait donc de la première Ariane la femme de Dionysos ; de l'union du dieu avec l'héroïne à Naxos naissent

Staphylos et Oïnopion. La seconde Ariane, au contraire, est affrontée au seul Thésée qui enlève la jeune fille avant de l'abandonner. Renversant l'ordre des énoncés des autres versions, les Naxiens font aborder Ariane sur leur île seulement à la suite de cet abandon ; ils la montrent accompagnée de sa nourrice. Les deux Ariane meurent finalement à Naxos.

C'est donc en définitive la dissociation narrative opérée par les historiographes naxiens entre Thésée et Dionysos qui permet le dédoublement de la figure d'Ariane et, en même temps, sa « désambiguïsation » : la première Ariane, épouse de Dionysos et mère, est une femme adulte ; la seconde, objet d'un acte de rapt de la part de Thésée et accompagnée de sa nourrice, recueille les traits de la jeune fille. L'opération de « moralisation » de la légende qui retire au dieu Dionysos des actes tels que la séduction ou l'enlèvement en limitant son rôle à celui de l'époux finit donc par avoir un impact sémantique essentiel ; on y reviendra de même qu'il faudra se pencher sur les deux rites naxiens qui furent institués, selon la légende, à l'occasion de la mort de chacune des deux Ariane.

6.1.9. *La version cypriote*

Une neuvième version nous fait enfin quitter Naxos pour aborder à Chypre. Plutarque, qui est le seul à la rapporter, fait remonter cette version à Péon d'Amathonte, un mythographe-historiographe local peu connu, qui vécut peut-être à l'époque alexandrine[81].

Dans cette version cypriote, les deux héros débarquent évidemment sur l'île d'Aphrodite où les a poussés une tempête. Ariane est enceinte des œuvres de Thésée, ce qui présuppose que l'union entre les deux héros a eu lieu encore en Crète. Indisposée par le mal de mer, Ariane reste à Chypre alors que la tempête emmène Thésée, retourné à son bateau. C'est donc l'élément naturel et incontrôlable incarné dans la tempête qui devient la cause de la séparation entre Thésée et Ariane, assumant donc le rôle actantiel du Destinateur. Les femmes de Chypre assument alors auprès de l'héroïne abandonnée, en lui prêtant assistance, la fonction remplie dans les autres versions par Dionysos. Ariane meurt finalement dans les douleurs de l'enfantement, sans avoir pu accoucher ; c'est donc à nouveau un processus d'ordre naturel qui est mis à l'origine de l'action, dans le cas particulier, la mort de l'héroïne. Cette neuvième version fait alors revenir Thésée à Chypre ; à la nouvelle de la mort de son aimée, le héros, saisi d'un profond chagrin, honore la mémoire d'Ariane par l'institution d'un culte. Il consacre à la Crétoise deux statues, l'une en argent, l'autre en bronze, et il laisse aux gens du pays de l'argent pour qu'ils exécutent en son honneur des sacrifices. La version cypriote du retour de Crète débouche donc sur l'institution de pratiques cultuelles parallèles à celles attachées à la version naxienne du même récit.

6.2. Variations « thématiques »

Ces neuf versions de l'étape naxienne de l'expédition de Thésée ne parviennent évidemment pas à couvrir ni à épuiser dans sa variété la tradition littéraire qui est née de cette séquence particulière de la légende. Dans la mesure où l'on peut désigner par « motif » un micro-récit composé d'un ou de deux énoncés narratifs qui, tout en gardant leurs éléments figuratifs, sont extraits de leur contexte narratif pour doubler d'une situation devenue exemplaire des énoncés analogues, plusieurs des énoncés composant la séquence de la légende analysée ici sont devenus de véritables « motifs » de la littérature antique [82].

C'est ainsi que le « motif » de l'abandon d'Ariane à Naxos et celui de son désespoir a servi de parangon, dans la littérature érotique de toute l'Antiquité, pour toutes les situations où une jeune fille était délaissée par son amant [83]. De même en va-t-il pour la couronne de l'héroïne qui, brillant au ciel, devient le signe (*sêma* ou *tékmar*) de l'amour porté par les dieux à certains héros [84]. Emblématique est aussi devenu le mariage d'Ariane avec Dionysos puisque Hésiode déjà le cite − on l'a vu − comme exemple de l'union d'un dieu avec une mortelle. Plus tard chez Xénophon, l'union, mimée dans le cadre du banquet du dieu et de l'héroïne devient le modèle de l'amour le plus charnel et voluptueux qui soit [85]. Des différentes situations nées du déroulement de l'action dans l'épisode naxien, coupées des figures et des valeurs qui se constituent dans le déroulement syntagmatique du récit légendaire, ont donc joui d'une fortune littéraire exceptionnelle ; elles ont servi d'aliment, sinon d'alibi, à une littérature qui, dès le

IVe siècle avant notre ère et jusqu'à l'époque romaine, va tendre à recréer des situations censées refléter la réalité quotidienne à travers des actions dont la motivation est constamment référée aux sentiments individuels : c'est ainsi que naît la littérature psychologisante.

En revanche, pour en revenir en conclusion au plan narratif, la mort d'Ariane, puis son immortalisation par la volonté des dieux, représentent le terme de la performance et la sanction de la deuxième séquence secondaire annoncée par l'amour de la fille de Minos pour le fils d'Egée et son transfert actantiel de la position de l'Anti-sujet à celle du Sujet. Sanction positive ou négative suivant les versions, mais sanction qui montre en tout cas que c'est essentiellement par l'intermédiaire de cette séquence secondaire que l'étape naxienne est intégrée dans la logique de l'ensemble du récit de l'expédition crétoise. Comme dans l'histoire d'amour née en Crète, c'est à Naxos moins Thésée qu'Ariane elle-même qui est la protagoniste principale de l'action. De là le caractère certainement adventice d'une étape « accrochée » narrativement à une séquence secondaire davantage qu'à la logique du récit principal.

7. Délos et l'Autel aux cornes

7.1. Fondations cultuelles

Thésée, après l'abandon d'Ariane à Naxos, ne prend pas le chemin direct d'Athènes. Il fait halte à Délos et les actes rituels que le héros accomplit sur l'île d'Apollon n'ont évidemment pas connu la fortune littéraire dont ont joui les aventures amoureuses d'Ariane à Naxos. En revanche, les pratiques d'ordre rituel dont Thésée est à Délos le Sujet opérateur n'ont pas manqué de susciter autant la curiosité du poète savant hellénistique Callimaque, qui les cite à la fin de son *Hymne à Délos*, que l'intérêt du périégète Pausanias, cet inlassable collectionneur des pratiques et des récits attachés aux lieux de culte qu'il visite. Mais l'étape de Délos n'a pas non plus échappé à Plutarque qui décrit l'abordage du héros sur l'île sacrée, le sacrifice qu'il organise en l'honneur d'Apollon, la consécration du xoanon d'Aphrodite reçu des mains d'Ariane et l'exécution avec les adolescents qui l'accompagnent d'une danse chorale autour du fameux autel de Délos (l'Autel aux cornes : *Kerátōn*), l'institution en l'honneur d'Apollon de jeux dont le vainqueur aurait été récompensé d'une feuille ou d'une couronne de palmier [86]. Ainsi les jeunes Athéniens sauvés de l'appétit vorace du Minotaure, curieusement absents de la séquence naxienne, font-ils à Délos une réapparition attendue.

La description par le poète alexandrin des actes de culte accomplis par Thésée à Délos confirme en général le compte rendu de Plutarque. Si Callimaque omet de mentionner le sacrifice à Apollon, il ajoute en revanche que Thésée est le chorège du chœur qu'il institue autour de l'autel délien. Et les scholies à ce passage de l'*Hymne à Délos* attachent la consécration de la statue d'Aphrodite à la fondation par Thésée d'un sanctuaire dédié à la déesse de l'amour. Et pourquoi cette fondation en l'honneur d'Aphrodite ? En souvenir de l'amour d'Ariane pour le héros athénien et pour commémorer la maîtrise du Minotaure.

Pausanias quant à lui donne de la halte délienne une version très résumée. Il omet donc l'exécution chorale et surtout il réduit à un seul énoncé narratif les honneurs rendus à Apollon et la consécration de la statue d'Aphrodite, dont il fait une dédicace à Apollon ! Par contre, le Périégète donne une description de la vieille statue de bois qui s'élevait encore au moment de sa visite à Délos sur son socle, en dépit des injures imposées par le temps. Au-delà d'Ariane, Pausanias fait remonter l'origine de la statue à Dédale qui, après l'avoir façonnée, l'aurait confiée à la jeune Crétoise. En parvenant dans les mains de Thésée, le xoanon d'Aphrodite suit le même itinéraire que la pelote de fil dans la version qu'en donnait Phérécyde. Et de même que la pelote de fil permettait au héros de se libérer des détours inextricables du Labyrinthe après sa victoire sur le Minotaure, la consécration du xoanon à Aphrodite signifie le terme narratif des liens amoureux dans lesquels Ariane a enserré le héros. Pausanias ne manque d'ailleurs pas de donner une version psychologisante de cet aboutissement de la logique du récit en liant la consécration du xoanon au désir de Thésée de ne point ramener à Athènes le souvenir de l'amour perdu d'Ariane ! Mais il y aura encore beaucoup à dire de cette limitation de l'amour d'Ariane pour Thésée, dont Dédale est doublement l'artisan, du parcours en mer Egée et de l'assimilation de l'héroïne à Aphrodite.

7.2. La danse de la grue

Plutarque fait également appel aux événements de Crète pour expliquer les figures très particulières de la danse exécutée par Thésée et ses jeunes accompagnants athéniens : il s'agirait d'une imitation du parcours sinueux suivi par les Athéniens pour sortir du Labyrinthe. A ce qu'indique Dicéarque, un élève d'Aristote et de Théophraste, les Déliens auraient donné à cette danse singulière le nom de « danse de la grue »[87]. Du point de vue narratif adopté dans ce chapitre, il faut encore se pencher sur la version de la légende que donnent les commentateurs d'Homère. Il s'agit d'exégèses antiques du passage de l'*Iliade* où l'on voit Héphaïstos modeler sur le bouclier d'Achille une aire de danse semblable à celle qu'à Cnossos Dédale aurait conçue à l'intention d'Ariane[88]. Puisque le groupe choral que façonne Héphaïstos est un chœur mixte, formé de jeunes filles et de jeunes gens, et puisque Homère lui-même compare l'aire où évolue ce chœur à celle que Dédale un jour avait dessinée pour Ariane, ces commentaires tardifs n'ont eu aucune hésitation à pousser la comparaison plus avant et à faire du chœur de Thésée le modèle du groupe choral anonyme représenté sur le bouclier d'Achille. Ce faisant, ils font retourner la danse exécutée par le héros et les jeunes Athéniens de Délos en Crète, reconstituant à partir du texte d'Homère la séquence narrative suivante : Dédale fait don à Ariane d'une aire de danse par lui dessinée (l'énoncé est homérique) ; à leur sortie du Labyrinthe, Dédale enseigne pour la première fois aux jeunes Athéniens ayant échappé au Minotaure la danse mixte ; et Eustathe de préciser que l'artisan crétois dispensa cet enseignement non pas pour favoriser Thésée, un étranger, mais pour encourager l'amour qu'Ariane nourrissait pour le héros ; Thésée profite malgré tout de ce savoir nouveau puisque, accompagné des sept jeunes filles et des sept adolescents d'Athènes, il exécute pour les dieux la danse enseignée par Dédale, une danse qui imite les détours du Labyrinthe.

Point n'est besoin de s'employer longuement à débusquer les abus de cette reconstitution. Du point de vue figuratif, le chœur homérique n'est point le descendant du chœur de Thésée puisque les danseurs d'Homère portent des épées (les danseurs athéniens sont sans armes) et qu'ils sont accompagnés de deux acrobates, inexistants dans la légende. Et surtout, sous l'angle de la syntaxe narrative, on constate que dans leur reconstruction, les commentateurs d'Homère n'ont fait que reprendre les énoncés mettant en scène les bienfaits dont Dédale comble Thésée par l'intermédiaire d'Ariane : pelote de fil ou xoanon d'Aphrodite. La variante crétoise de la danse mixte de Thésée pourrait donc être écartée comme compilation tardive si quelques représentations iconographiques, datant en général de l'époque archaïque, ne venaient pas brouiller les cartes dans un problème que la philologie paraissait être susceptible de résoudre à elle seule.

Parmi ces documents iconographiques, le cratère de Clitias, dit aussi « Vase François », nous livre la représentation la plus originale tout en constituant un témoin digne de foi. Le chœur des six jeunes gens et sept jeunes filles, conduit par Thésée, semble quitter le bateau dont on voit la poupe ; il se dirige vers Ariane qui, accompagnée de sa nourrice, tient la pelote de fil. L'activité musicale de ce groupe choral est désignée sans ambiguïté par la lyre que porte le chorège, Thésée. Et que la musique était associée à la séquence crétoise et à la rencontre du fils d'Egée avec la fille de Minos est confirmé par toute une série d'images de l'époque archaïque et du début de l'époque classique où le héros athénien, la lyre à la main, fait face à la jeune Ariane qui tient pelote de fil ou couronne[89]. Quelle que soit l'interprétation que l'on donne à ces scènes, il est indéniable que la tradition iconographique archaïque situe l'intervention de Thésée en Crète dans un cadre musical, sinon choral.

Reste donc l'explication historique. Dès Homère et pendant toute la période archaïque, la performance chorale de Thésée est associée à la Crète et à Ariane. A partir de l'époque classique, dans des conditions historiques qu'il faudra encore définir, cette activité musicale du héros athénien est déplacée de Crète à Délos, dans une séquence narrative qui montre les signes incontestables d'une certaine autonomie par rapport au reste de la légende. Preuve en soit, du point de vue des protagonistes de l'action, la réapparition des jeunes gens et des jeunes filles d'Athènes, littéralement oubliés à Naxos ; preuve en soit également le fait que l'étape de Délos, qui apparaît relativement tard dans la littérature, n'a jamais connu de fortune iconographique et qu'elle n'a par conséquent jamais été l'objet d'une insertion dans le cycle iconique des hauts faits du héros. Paix donc aux commentateurs du texte homérique ; dans la plus pure tradition de la création mythologique, ils n'ont fait que reprendre l'élément narratif que leur soufflait la comparaison homérique avec le chœur d'Ariane pour l'intégrer à la tradition, attestée iconographiquement, de la danse de Thésée et pour le développer selon un schéma inspiré d'un autre groupe d'énoncés narratifs, constitutifs de cette même séquence crétoise. C'est ainsi que Dédale devient, à travers Ariane, également le Destinateur de la danse du héros athénien et de ses compagnons ; c'est ainsi que la danse de la grue, située par la tradition archaïque en Crète, puis déplacée à l'époque classique à Délos, regagne Cnossos, pourvue d'une valeur dédalique nouvelle.

7.3. Premiers hommages aux Destinateurs

En dehors de cette recréation mythologique, ce qui frappe dans la narration de l'étape délienne, c'est qu'elle apparaît comme une suite d'énoncés relevant uniquement de la performance. Thésée est le sujet opérateur de toutes les actions, qui ne font l'objet d'aucune manipulation, ni d'ailleurs de la moindre sanction. C'est que nous parvenons au terme de l'expédition crétoise, et de fait, avec leur caractère cultuel, les actions accomplies par le héros se réfèrent toutes aux sujets manipulateurs, aux garants divins de l'expédition : Apollon et Aphrodite. Il s'agit pour Thésée, après ses succès crétois, de faire retour à l'instance qu'il a instituée dans le rôle de son propre Destinateur. Et puisque le héros, tout en faisant d'Apollon, puis d'Aphrodite ses Destinateurs, s'est aussi montré son propre Destinateur, c'est finalement en son propre honneur qu'il institue les jeux dont on aura à reparler.

Callimaque est d'ailleurs sensible à ce début de clôture narrative dans la mesure où, dans le passage déjà commenté de l'*Hymne à Délos*, il met explicitement en relation les actes cultuels dont s'acquitte le héros avec l'envoi de la théorie promise au moment de son départ pour Cnossos. Certes, aucun des actes rituels accomplis par Thésée à Délos ne correspond au contenu de la promesse faite à Apollon ; cependant dans les théories envoyées à Délos par les Athéniens, les agrès du bateau de Thésée sont censés rappeler ces actes. La présence de ces agrès est par conséquent, sur le plan du rituel, le symbole par synecdoque de la promesse faite à Apollon par le Thésée de la légende et de l'accomplissement de ce vœu dans les hommages rendus par le héros à ce même dieu[90]. Inversement, le récit des actes de culte accomplis par Thésée à Délos semble bien servir d'aïtion au rite de la théorie accompli au moment de la sentence prononcée contre Socrate. En ce qui concerne les honneurs rendus à Aphrodite, les choses sont plus simples ; la consécration de la statue d'Aphrodite et l'exécution de la danse de la grue recevaient une réplique rituelle directe dans des actes de culte encore accomplis du temps de Callimaque.

Par certains de ses aspects, l'étape délienne fait donc figure, dans le déroulement du récit de l'expédition de Crète, de morceau rapporté ; cette impression est encore renforcée par le fait que les actes accomplis à Délos par le héros sont mis en relation avec ce qui constitue une simple variante de la réalisation du vœu fait à Apollon. En revanche la séquence délienne est parfaitement intégrée à la logique du récit. Après la performance, la sanction, qui aura pour cadre principal Athènes, mais à l'égard de laquelle le faire réalisé à Délos représente une préfiguration, en quelque sorte une répétition générale.

8. Du Phalère à Athènes : sanction

C'est donc à Athènes que nous allons retrouver non seulement Apollon, Aphrodite et Thésée, mais aussi Dionysos et les adjuvants du héros pour l'accomplissement définitif de la phase de sanction de l'ensemble du récit de l'expédition contre le Minoture.

8.1. En vue des côtes de l'Attique

Mais avant l'exécution des actes cultuels qui vont servir à la fois de sanction de la narration légendaire et d'aïtion fondateur de rites athéniens tels que les Pyanopsies et les Oschophories, il faut que s'achève la séquence narrative secondaire amorcée par la polémique qui avait opposé, avant le départ pour la Crète, les différents acteurs occupant la position actantielle du Sujet : les citoyens d'Athènes, le roi Egée et son fils Thésée. Si le héros athénien avait réussi à résoudre une partie du conflit opposant les Athéniens à leur roi en proposant sa participation, en tant que fils légitime d'Egée, au tribut envoyé au Minotaure, en revanche il avait dû recourir, pour résoudre provisoirement la relation polémique qui l'affrontait désormais à son père, au contrat d'ordre cognitif et sémiotique portant sur les voiles, signe de son succès ou au contraire de sa mort. Les énoncés narratifs alternatifs que le contrat mettait en place sur le mode du virtuel doivent maintenant recevoir une réalisation, et ce sur mer, avant même que ne s'opère la conjonction spatiale du héros avec les côtes de l'Attique.

On connaît les événements. A l'approche des côtes de l'Attique, Thésée et son adjuvant, le pilote du bateau, oublient d'accomplir l'action coïncidant avec l'énoncé narratif virtuel qui aurait dû signifier l'issue positive de l'expédition : ils omettent de hisser la voile blanche, signe convenu du salut bien réel des jeunes Athéniens. Sans le savoir, le héros, par l'intermédiaire de la voile noire qu'arbore son navire, donne à son père le signe de la non-réalité. Croyant à la mort de son fils dans le Labyrinthe, Egée se donne la mort en se jetant, suivant les textes, soit du haut des rochers de l'Acropole, soit dans la mer qui désormais portera son nom [91].

A l'instar de l'abandon d'Ariane à Naxos, le suicide d'Egée est devenu un thème de prédilection de la littérature grecque tardive et de la civilisation romaine. Dans la recherche d'une cause extérieure à l'oubli fatidique de Thésée de manière à lui en retirer la responsabilité, on a tour à tour invoqué la joie éprouvée par le héros à l'occasion du retour à Athènes, la tristesse provoquée par la perte d'Ariane, sinon la volonté de Zeus imploré par la jeune fille désireuse d'être vengée [92]. Dans deux autres variantes, la responsabilité de l'acte meurtrier par l'intermédiaire du croire d'Egée est non seulement retirée au vouloir du jeune héros, mais elle est également séparée de son faire. Dans un premier cas, c'est, par le biais d'un faux pas, le hasard qui aurait provoqué la chute et la mort d'Egée se précipitant à la rencontre de son fils ; dans un second, c'est un marchand qui aurait annoncé au roi d'Athènes la mort supposée de son fils : de là le suicide d'Egée. Mais même si la responsabilité de Thésée est fondée sur un acte involontaire et même si elle est matérialisée par le faire interprétatif erroné – selon le paraître – d'Egée, ni Plutarque, ni Sénèque ne s'y sont trompés : le responsable est aussi le coupable ; Thésée est un parricide [93].

L'auto-destination de Thésée comme participant au tribut qui devait être envoyé en Crète assumait au début de l'épisode une

double fonction : elle constituait la phase de manipulation de
l'ensemble de l'épisode crétois tout en résolvant une partie du
manque né du conflit interne opposant les Athéniens à leur roi,
signe de l'engagement d'une séquence narrative secondaire. De
même la mort d'Egée, en même temps qu'elle introduit un nouveau déséquilibre narratif dans la séquence secondaire, s'insère
dans la logique de l'ensemble de l'épisode. Elle met en effet un
terme à la chaîne de meurtres engagés par l'assassinat initial
d'Androgée. Mais à la cascade des meurtres des fils − meurtre
d'Androgée fils de Minos, meurtre des enfants des Athéniens,
meurtre du Minotaure, un autre fils de Minos − répond finalement le meurtre du père par le fils. Avec la mort d'Egée, Thésée
pourra reprendre le pouvoir de son père sur Athènes, comme roi
adulte ; le héros accède donc avec ce meurtre involontaire au
même rang politique que son ennemi Minos. Ainsi, si la séquence
secondaire se trouve encore en plein déséquilibre narratif (pour
atteindre la stabilisation, il faudra encore une compensation à la
mort d'Egée et la restitution aux Athéniens de leurs fils légitimes),
on s'achemine du point de vue de l'épisode principal vers l'équilibre marquant la fin du récit ; ou plus exactement, avec la perspective de succession royale qu'ouvre pour Thésée la disparition
de son père, on se dirige vers l'engagement d'un nouvel épisode.
Reste encore à accomplir la phase de sanction avec les honneurs
rendus à la fois aux adjuvants humains et aux Destinateurs divins
que s'est donnés Thésée.

8.2. Débarquement au Phalère

Après avoir donc provoqué à bonne distance spatiale et invo-
lontairement la mort de son père, Thésée débarque au Phalère ;
là, nous dit Plutarque, « il accomplit les sacrifices promis aux
dieux à son départ » [94]. Le manque de précision de cet énoncé
nous plonge dans l'embarras ; les « sacrifices » mentionnés ne
coïncident en effet véritablement avec aucune des promesses pro-
noncées par le héros avant son départ pour Cnossos. Quels noms
donner, surtout, aux dieux ainsi honorés ? Apollon ? mais le vœu
qui le concerne a été prononcé au Delphinion et non pas au
Phalère ; Aphrodite Epitragia ? mais le sacrifice en son honneur a
déjà été accompli au moment de l'embarquement pour la Crète. Il

n'y a pas d'autre solution que de laisser pour l'instant la question en suspens et de continuer à suivre Thésée dans son parcours de retour.

En effet en même temps que les gestes cultuels de Thésée permettent d'engager le processus de débrayage à l'égard des Destinateurs qu'il s'était attribués − signe que l'épisode parvient à son terme −, commence, par l'intermédiaire de la véridiction, l'épreuve de reconnaissance du héros, caractéristique de la phase de sanction ; une épreuve de reconnaissance et de sanction qui, de manière aussi étrange que significative, a été engagée par la mort du père !

Tout en accomplissant son sacrifice « aux dieux », Thésée envoie donc un héraut à Athènes pour communiquer aux habitants de la ville le savoir concernant le salut de leurs enfants et son propre salut. Mais la nouvelle de l'heureux retour du héros et de ses compagnons coïncide avec la diffusion de l'annonce de la mort du roi, Egée. Le contraste entre ces deux nouvelles provoque chez les Athéniens des réactions contradictoires de joie et de tristesse. Ces passions opposées reçoivent une expression matérielle dans la mesure où les citoyens d'Athènes font don au héraut envoyé par Thésée de couronnes dont il n'entoure, en signe de deuil, que son caducée. Une version attestée dans des textes plus tardifs indique que les Athéniens, pour célébrer le retour du héros, lui offrirent directement des fruits tout en lui lançant fleurs et feuilles de toutes sortes ; ces textes réfèrent explicitement ces honneurs rendus au héros athénien avec les gestes rituels par lesquels une cité accueille d'ordinaire un athlète vainqueur aux jeux gymniques. Peut-être est-ce aussi à ces gestes que se réfère Euripide quand, dans l'*Héraclès furieux*, il fait promettre à Thésée de consacrer à Héraclès les dons reçus des mains des citoyens athéniens pour avoir sauvé leurs rejetons de la voracité du Minotaure [95]. Quoi qu'il en soit et en dépit de la mort du roi, les Athéniens reconnaissent par leurs gestes d'accueil le succès du héros ; en ramenant sains et saufs dans la cité les enfants des Athéniens, il a rempli le contrat dont il s'était fait lui-même le Destinateur, et ce autant du point de vue du programme général de l'épisode crétois que dans la perspective de la séquence secondaire ouverte par le conflit opposant les Athéniens à leur roi.

Les sacrifices et les libations accomplis, le héraut annonce à Thésée le suicide de son père ; de là les lamentations du jeune homme et de ses accompagnants qui vont ponctuer son parcours du Phalère jusque dans l'enceinte de la cité ; de là surtout le mélange des cris d'affliction et des manifestations de joie à l'occasion des libations du festival des Oschophories dont cet énoncé narratif constitue sans aucun doute l'aïtion.

Il n'y a désormais plus aucun doute possible ; les actes accomplis entre le Phalère et Athènes, avec la reprise par Thésée du caractère double des gestes exécutés par les Athéniens, constituent le début de la phase de sanction. Sanction négative en ce qui concerne la mort d'Egée et la séquence secondaire, sanction positive vis-à-vis du salut du héros et des jeunes filles et fils de citoyens qui l'accompagnaient. Sanction accomplie par Thésée d'une part à l'égard de ceux qu'il a institués comme ses propres Destinateurs, des dieux dont l'identité n'est pas encore connue (épisode principal) ; sanction d'autre part par le Sujet dont Thésée s'est fait le délégué aussi bien dans l'épisode principal qui opposait les Athéniens aux Crétois que dans le conflit secondaire qui affrontait ce même Sujet à son propre roi. Restent donc encore ouverts, quant à l'ensemble de l'épisode, le problème de la sanction à l'égard des dieux et des adjuvants du héros et, quant au conflit secondaire, le manque laissé par la mort d'Egée. Ce n'est qu'à l'intérieur de la cité que le récit pourra s'achever.

8.3. Dans les murs d'Athènes

Continuons à suivre, avec Plutarque, le parcours accompli par Thésée[96]. Tout en se lamentant de la mort de son père, le héros quitte donc le Phalère et monte vers la ville. Le premier acte qu'accomplit Thésée après cette nouvelle conjonction spatiale, c'est celui de rendre à son père les honneurs funèbres qui lui sont dus. Cet hommage rendu au roi défunt d'Athènes comble le manque introduit par son meurtre involontaire ; il marque aussi le terme définitif de la première séquence secondaire. Reconnu par son fils, le père repasse maintenant définitivement, même si c'est de manière posthume, du côté du Sujet. Mais grâce à ce conflit interne, Thésée peut désormais prendre la place du roi adulte laissée par Egée.

Au parcours spatial de retour dans la cité, Plutarque donne une date : le 7 Pyanopsion, date du salut définitif des jeunes gens et des jeunes filles destinés au Minotaure. C'est donc bien à l'intérieur de la cité d'Athènes, et non pas au départ de Cnossos, que se réalise le salut des adolescents et que s'achève par conséquent la performance de Thésée. Mieux que Plutarque, Sappho et Platon montrent que le héros est bien le Sujet opérateur de ce salut et qu'en sauvant les jeunes Athéniens, il a également assuré son propre salut. Isocrate, dans un passage déjà cité, insiste de plus sur le fait que Thésée restitua les adolescents à leurs parents et que cette restitution marque le terme du tribut imposé par Minos, ce tribut « illégal », « terrible » et « inéluctable ». On atteint donc à Athènes l'équilibre narratif qui, dans la version crétoise, était déjà rétabli à Cnossos[97]. Mais les comptes ne sont pas encore réglés ni avec Apollon, ni avec la légitimité de Thésée, qui a été l'objet d'une large reconnaissance au moment de l'arrivée du héros à Athènes, mais qui n'a toujours pas reçu de réalisation.

8.3.1. *L'institution des Pyanopsies*

Ainsi, nous dit Plutarque, le 7 du mois Pyanopsion, Thésée « accomplit le vœu fait à Apollon ». La promesse du vœu qui avait institué le dieu comme Destinateur de l'épisode de Crète se réalise donc dès le retour dans l'enceinte de la cité. C'est ainsi le Sujet de la performance, le Sujet opérateur, qui se charge de la sanction de son propre Destinateur, de même que c'était lui qui avait demandé l'aide du dieu : aucune surprise donc à retrouver au terme du récit le même renversement entre les acteurs assumant respectivement, pendant la performance, le rôle du Sujet de faire et celui du Destinateur. On se rappellera que si l'auteur de la *Vie de Thésée* ne donne pas le contenu du vœu prononcé vis-à-vis d'Apollon, en revanche des textes plus tardifs indiquent qu'il correspondait à la promesse du don de l'éirésiôné, d'un sacrifice, de la cuisson d'une bouillie et de la construction d'un autel. Et tandis que Platon donne à ce vœu fait pour Apollon un contenu tout à fait différent, correspondant à la promesse de l'envoi à Délos d'une théorie, le texte de l'*Hymne à Délos* de Callimaque montre que ce vœu reçoit une réalisation, indirecte, à l'occasion de l'étape délienne[98].

En dépit de ces lacunes, le texte de Plutarque fait succéder à la mention de la réalisation du vœu adressé à Apollon la description de la bouillie que Thésée et les jeunes Athéniens rescapés confectionnèrent avec les restes de vivres ramenés de Crète et qu'ils consommèrent en commun. De cette coïncidence entre la mention du vœu et la description de ce qui, selon des textes plus tardifs, faisait une part de son contenu, on peut inférer qu'à la confection de la soupe se sont ajoutés le port de l'éirésiôné, l'exécution d'un sacrifice et l'édification d'un autel. Le port de l'éirésiôné se trouve par ailleurs au centre du rituel des Pyanopsies dont le vœu prononcé et accompli par le héros semble constituer l'action. Mais avant de passer à l'analyse de ce culte, il faut encore insister sur le fait que l'institution des Pyanopsies par Thésée représente la phase de sanction quant à l'aide accordée par Apollon.

8.3.2. L'inauguration des Cybernésia

C'est ainsi que l'on parvient au dernier chapitre consacré par Plutarque à l'expédition contre le Minotaure. L'auteur ne semble plus y suivre une séquence narrative linéaire, mais il donne, presque en vrac, une série d'indications complémentaires qui, tout en concernant chacune le retour de Thésée à Athènes, se laissent difficilement organiser dans une séquence chronologique. Au lecteur par conséquent de leur attribuer leur place temporelle et spatiale dans le déroulement de la fin du récit.

Plutarque commence par mentionner l'acte de conservation dont le bateau du héros a été l'objet jusqu'au début de l'époque hellénistique. Sans doute cette action de consécration doit-elle être située au Phalère et être rattachée à l'institution par Thésée de la fête des Cybernésia ; cette institution, même si Plutarque la mentionne au moment du départ du héros pour la Crète, ne peut se situer, narrativement, qu'au moment du retour au Phalère. Le héros athénien en prend d'ailleurs l'initiative pour rendre hommage à ses deux pilotes, Nausithoos et Phaïax, pour qui il fait également construire, au Phalère, un monument [99]. Thésée, dans ce nouveau moment de la phase de sanction, prend donc congé de ses adjuvants, médiateurs des différentes conjonctions spatiales du héros avec la demeure de son père divin, avec la Crète, avec Naxos, avec Délos et finalement avec la terre de son père humain.

8.3.3. La fondation des Oschophories

Suit, dans le texte de Plutarque, une évocation de l'institution par Thésée de la fête des Oschophories, un rite qui a déjà été mentionné à propos des actes ayant marqué le retour du héros du Phalère à Athènes. Le récit de Plutarque, qui s'inspire ici de l'Atthidographe Démon (fin du III⁰ siècle avant notre ère), est heureusement complété par la précieuse description de ce festival que nous donne Proclus [100]. Etant donné le parcours que suit la procession à laquelle cette séquence de la légende de Thésée sert d'aïtion, c'est certainement dans l'itinéraire qui conduit le héros du Phalère à la ville qu'il faut situer les actes fondateurs décrits par Plutarque et Proclus.

Avant de revenir dans la description du rite des Oschophories sur le problème de la localisation spatiale des gestes rituels accomplis, suivons les énoncés narratifs constitutifs de la légende. Thésée institue donc le festival des Oschophories. Proclus ajoute que cette institution est l'objet de la part du héros, d'un vouloir-faire particulier ; Thésée entend par cette fondation cultuelle rendre grâce à Athéna et à Dionysos, les dieux mêmes − précise le texte − qui lui sont apparus près de Naxos. Nos deux sources mentionnent ensuite le travesti par Thésée de deux jeunes gens en jeunes filles. Pour Plutarque − on s'en souvient − Thésée aurait introduit ces adolescents déguisés à la place de deux jeunes filles au moment du départ pour la Crète ; en conséquence les deux travestis ont aussi participé à la procession du retour, une procession naturellement conduite par le héros lui-même. Proclus ne parle pas quant à lui de procession, mais d'un service religieux en l'honneur des dieux avec l'assistance des jeunes gens travestis. Enfin, par l'intermédiaire d'une source tardive, l'Atthidographe Philochore semble confirmer une indication plutôt confuse de Plutarque concernant l'organisation à cette occasion d'un repas [101] ; ce repas aurait été mis sur pied par les adolescents rescapés pour rappeler ceux que leurs mères leur apportèrent avant le départ pour Cnossos, alors qu'ils étaient enfermés soit dans le Prytanée, soit dans le sanctuaire d'Athéna. De là, selon Plutarque, la participation au sacrifice des Oschophories de femmes appelées Dipnophores, les « porteuses de repas » ; et à partir de la procession de Thésée, surtout, le port des ōskhoí, des rameaux, qui ne va pas tarder à se trouver au centre de notre analyse. Ces rameaux étaient portés – ajoute Plutarque – pour rendre grâce à Dionysos et Ariane ; ou Athéna ?

Au moment donc où il serait enfin possible de donner des noms aux dieux honorés par Thésée quand il débarque au Phalère, la tradition, unanime à propos de Dionysos, hésite entre Ariane et Athéna. Sans doute la réponse à l'hésitation des textes porte-t-elle ici sur un partage à opérer entre le plan du récit légendaire et celui du rituel des Oschophories, consacré, comme on le verra, à Athéna Sciras et à Dionysos. Honneurs rendus dans la légende à Dionysos et peut-être à Ariane, qui y occupe une place plus importante qu'Athéna ; à Dionysos et Athéna dans le rite, comme l'attestent de nombreux autres textes. A moins qu'il ne soit nécessaire d'apporter une correction au texte de Plutarque qui projette Ariane sur le plan du rite [102] ? Il est vrai que, du point de la légende en tout cas, les honneurs dus aux Destinateurs crétois, Ariane et Aphrodite, leur ont déjà été rendus à Délos.

8.3.4. La célébration des Théséia

Après le retrait de la scène narrative d'Aphrodite à Délos, mais avant celui d'Apollon à Athènes, on assiste donc, entre le Phalère et la cité, aux honneurs rendus aux deux Destinateurs secondaires de l'expédition que furent Dionysos et Athéna. A Aphrodite, les Aphrodisia de Délos ; à Apollon les Délia et les Pyanopsies d'Athènes ; à Dionysos et Athéna, les Oschophories entre le Phalère et Athènes ; et aux adjuvants pilotes, les Cybernésia du Phalère. Reste Thésée lui-même qui a été son propre Destinateur. Il n'est pas oublié par Plutarque qui, de manière parfaitement cohérente, cite en dernier lieu la sanction dont est l'objet celui qui a aussi été l'initiateur, son propre initiateur, de l'expédition de Crète ; un acte de sanction dont, logiquement, le héros est aussi le Sujet-Destinateur. Après l'auto-manipulation et l'auto-destination, l'auto-sanction pour encadrer le récit et en achever la logique narrative.

Dans un premier temps, ce sont d'ailleurs les Athéniens, pour exprimer au héros leur reconnaissance face à son sacrifice, qui consacrent à Thésée un *témenos*, un enclos sacré. Mais c'est en revanche Thésée lui-même qui demande aux familles contraintes à participer au tribut exigé par Minos de contribuer au sacrifice qui

va y être régulièrement accompli en son honneur. Ce renversement dans les acteurs occupant les rôles du Destinateur et du Sujet
se comprend d'autant mieux que ces contributions au sacrifice en
l'honneur du héros ne sont que la contre-partie, de la part des
citoyens athéniens, de la restitution par Thésée de leurs fils et de
leurs filles. C'est donc Thésée qui se fait le Destinateur de sa
consécration comme vainqueur du Minotaure et comme libérateur
du tribut imposé par Minos. C'est lui-même qui opère l'acte de
véridiction destiné à la reconnaissance des valeurs acquises au
cours de l'expédition crétoise ; c'est lui qui s'en fait le judicateur.
A cette reconnaissance le héros lui-même, de nouveau, associe les
Phytalides qui jouiront du privilège d'être chargés du sacrifice
rendu en l'honneur du héros. Ce faisant, Thésée non seulement
honore l'insigne famille athénienne en échange de l'hospitalité
dont il avait bénéficié à son arrivée à Athènes et rappelle au
moment où il va prendre le pouvoir l'acte de purification qui a
marqué cette arrivée sur le territoire athénien, mais il se fait aussi
le Destinateur des Phytalides ; par ce biais, il soumet donc à son
autorité un *génos* important [103].

Sanction réflexive, sanction de l'adulte : ni Apollodore, ni Diodore ne s'y sont trompés [104]. Thésée règne maintenant sur
Athènes : c'est le résultat définitif de l'expédition de Crète et de la
performance du héros. Laissons donc la parole en conclusion à
Diodore de Sicile : « Après la mort de son père, Thésée hérita de
la royauté ; il exerça son pouvoir sur le peuple en respectant la
coutume et il fit beaucoup pour le développement de sa patrie ».

NOTES

[1] Plut. *Thes.* 3 s. Sur la généalogie des monarques athéniens, cf. *Marm. Par. FGrHist.*
239 A 19 ; voir aussi Hdt. 1, 173 ; 7, 92 et 8, 44, qui ne connaît que Cécrops, Erechthée,
Pandion, Egée et Thésée. Sur Pélops, cf. déjà Pind. *Ol.*1, 36 ss et, beaucoup plus tard,
Apoll. *Epit.* 2, 3 ss. Ampolo & Manfredini, 1988, p. 197 s., donnent sur ces souverains des
renseignements complémentaires.
[2] Sur l'oracle qui est à l'origine de la rencontre entre Aïthra et Egée, privé de descendance mâle, cf. déjà Eur. *Med.* 663 ss. Les versions iconographiques, essentiellement attiques et classiques, de la rencontre d'Aïthra avec Poséidon et de la séquence des signes de
reconnaissance sont données par U. Kron, « Aithra I », *LIMC* I. 1, Zürich - München
(Artemis) 1981, pp. 420-431.
[3] Paus. 2, 33, 1 ; la fonction prématrimoniale de ce rite est décrite par P. Schmitt,
« Athéna Apatouria et la ceinture : les aspects féminins des Apatouries à Athènes »,

Annales E.S.C. 32, 1977, pp. 1059-1073. La double origine de Thésée est analysée par Herter, 1973, col. 1053 ss, qui en 1936, p. 20 ss, et 1939, p. 274 ss, attribuait à la tradition trézénienne et par conséquent ionienne l'ascendance divine du héros, et à la tradition athénienne son ascendance humaine ! On a naturellement aussi tenté de donner une explication historique à ce problème : Radermacher, 1943, p. 265 ss, essaie de prouver par l'étymologie qu'*Egée* n'est que la dénomination ancienne de la divinité qui aura ensuite pour nom Poséidon ! Autres référencs à ce propos chez Ampolo & Manfredini, 1988, p. 198 s.

[4] Plut. *Thes.* 3, 6 - 7, 2 ; cf. aussi Paus. 1, 27, 8 (= *FGrHist.* 607 F 4).

[5] Plut. *Thes.* 8, 1 - 11, 3 ; voir également l'histoire exemplaire attribuée à la tradition locale de Trézène et rapportée par Paus. 1, 27, 7 (= aussi *FGrHist.* 607 F 4). Autres sources chez Herter, 1973, col. 1061 ss.

[6] Call. frr. 235 et 236 Pfeiffer ; Bacch. 18, 8 ss (pour la datation de ce poème, cf. *infra* chap. VI n. 16). On trouve le début d'une liste analogue chez Sophocle, fr. 730c, 16 ss Radt, un fr. qui provient peut-être du *Thésée* attribué à cet auteur. Pour l'iconographie, voir les références données *infra* chap. VI n. 14 ; pour les textes, cf. n. 17.

[7] Plut. *Thes.* 12 ; sur une autre version montrant Thésée expiant au Delphinion, la souillure que représentent ces meurtres, cf. *infra* § 1.3.2. avec n. 12.

[8] Le corpus des éventuelles représentations iconographiques de cette scène a été constitué par Sourvinou-Inwood, 1979, p. 26 ss, qu'il faut lire en tenant compte des remarques restrictives formulées dans le compte-rendu de C. Bérard, *Gnomon* 52, 1980, pp. 616-620, et des compléments mentionnés par Ch. Sourvinou-Inwood elle-même, « Menace and Pursuit : Differanciation and the Creation of Meaning » in Bérard, 1987, pp. 41-58.

[9] Plut. *Thes.* 3, 7 et 13 ; cf. Apoll. 3, 15, 5 ; autres sources chez Herter, 1973, col. 1091 ss. On relèvera qu'Egée lui-même, tel que Sophocle le met en scène (fr. 24 Radt) assimile les fils de Pallas à des Géants ; nés de la terre de l'Attique, les Pallantides partagent donc avec les monstres tués par Thésée une nature ensauvagée. Strab. 9, 1, 6, qui cite ce fr. de Soph., ajoute que la rivalité avec les Pallantides serait née du partage de l'Attique entre les fils de Pandion : cf. *infra* chap. IV § 2.1.1. Selon F. Vian, *La Guerre des Géants. Le mythe avant l'époque hellénistique*, Paris (Klincksieck) 1952, p. 274 ss, cette lutte porterait la trace de l'un des rites d'adolescence à l'origine des Panathénées.

[10] Sur ce type de luttes armées, cf. Vidal-Naquet, 1983, p. 156 ss. Déjà chez Hom. *Il.* 4, 390 ss, Agamemnon montre comment le seul Tydée réussit à tuer les cinquante jeunes gens *(koûroi)* placés en embuscade pour empêcher son retour.

[11] Hdt. 1, 62 ss, Ps. Aristot. *Ath. Pol.* 15, 4, etc. Cette troisième prise du pouvoir par le tyran est commentée par Rhodes, 1981, pp. 191 ss et 208 s. ; cf. aussi Ampolo & Manfredini, 1988, p. 214. Sur la répartition de l'Attique en trois régions et en trittyes ainsi que sur la position géographique et religieuse particulière des lieux mis en scène dans la légende, cf. D. M. Lewis, « Cleisthenes and Attica », *Historia* 12, 1963, pp. 22-40, Lévêque & Vidal-Naquet, 1964, p. 13 ss, ainsi que les résumés donnés par Kron, 1976, p. 19 ss, et par Whitehead, 1986, p. 5 ss. Pour la situation de Gargettos, cf. W. Kolbe, « Gargettos (2) », *Realenc. Alt.-Wiss.* VII. 1, Stuttgart (Metzler) 1910, col. 760 ; les implications spatiales de l'entreprise contre les Pallantides sont commentées par Jacoby, 1954, I, p. 433 s., et II, p. 337 s.

[12] Eur. *Hipp.* 34 s. avec sch. *ad. loc.* (II, p. 9, 15 ss Schwartz = Philoch. *FGrHist.* 328 F 108) ; cf. aussi Apoll. *Epit.* 1, 11, Strab. 9, 1, 6, Paus. 1, 22, 2 et 28, 10, Poll. 8, 119, sch. Dem. 23, 74 (in *Bull. Corr. Hell.* 1, 1877, p. 138), etc. ; dans la ligne du *Lexique* de Pollux, l'*EGen.* p. 120 Miller place au Delphinion l'expiation des meurtres de Sinis, de Sciron et des Pallantides ; reprenant cette glose, l'*EMag.* p. 359, 3 ss. Gaisford laisse tomber la mention de ces derniers !

Représenté en 428, le second *Hippolyte* euripidéen constitue notre témoignage le plus ancien sur la lutte de Thésée contre les Pallantides. Cette version de la légende présente le meurtre des Pallantides comme la cause de l'exil temporaire de Thésée, alors roi adulte, à Trézène ; ce déplacement biographique n'est donc que l'effet de l'intrigue nouvelle imaginée par Euripide : cf. Jacoby, 1954, I, p. 432 ss, et Barrett, 1964, p. 162 s. Pour les représentations figurées de cette séquence, cf. *infra* chap. VI n. 17.

[13] Cf. Philoch. *FGrHist*. 328 F 75, avec le commentaire de W. Wrede, « Tetrapolis », *Realenc. Alt.-Wiss.* V A, Stuttgart (Metzler) 1934, coll. 1086-1088 ; pour les cultes de la Tétrapolis, cf. J. D. Mikalson, « Religion in the Attic Demes », *Am. Journ. Philol.* 98, 1977, pp. 424-435.

[14] Plut. *Thes.* 14 ; autres sources chez Ampolo & Manfredini, 1988, p. 215 s.

[15] Sur le dème de Hécalé, cf. Lewis, *art. cit.* n. 11, p. 31 s. Par les honneurs que lui rend Thésée, Hécalé devient l'héroïne éponyme du dème correspondant ; les cultes rendus aux héros éponymes de l'Attique sont décrits par Whitehead, 1986, p. 208 ss.

[16] Catalogue des représentations figurées du taureau de Marathon chez Kron, 1976, p. 128 ss ; cf. aussi Sourvinou-Inwood, 1979, p. 32 ss, Brommer, 1979, p. 504 s. ainsi que 1982, p. 28 ss, et Neils, 1987, *passim*. On constate que sur les figurations classiques de la scène, qui inscrivent en général le combat dans le cycle des « travaux », Thésée est représenté comme un adolescent.

[17] Sur l'institution du tribut, on lira, en plus de Plut. *Thes.* 15, 1, Diod. Sic. 4, 60, 4 ss, Apoll. 3, 15, 7 ss, Paus. 1, 27, 10, Eus. *Praep. Ev.* 5, 19, 1 ss, sch. AB Hom. *Il.* 18, 590 (II, p. 179, 10 ss et IV, p. 201, 32 ss Dindorf ; le texte établi par H. Erbse est inutilisable), sch. Plat. *Minos* 321a (p. 295 Greene), Zenob. 4, 6 (I, p. 85 Leutsch-Schneidewin), Eust. *Od.* 1688, 32 ss, et, du côté des textes latins, Verg. *Aen.* 6, 14 s. avec Serv. *ad loc.* (II, p. 6, 8 ss Thilo-Hagen), Ovid. *Her.* 10 et *Met.* 7, 453 ss, Cat. 64, 77 ss, Hyg. *Fab.* 41.

[18] D'après les auteurs d'*Atthides*, les Panathénées furent fondées par Erichthonios : Hellanic. *FGrHist.* 4 F 39 et Androt. *FGrHist.* 324 F 2 auxquels il faut ajouter Arist. fr. 637 Rose. La tradition assigne en général à Thésée une réforme de ce même festival, en relation avec l'opération de synécisme : cf. *infra* chap. VI n. 106.

[19] La deuxième version est surtout représentée par le texte d'Apollodore et celui des scholies à Platon, la troisième par ceux de Servius et Lactance (cités n. 17). Quand Hygin, *Fab.* 41, dans une quatrième version, affirme qu'Androgée est tombé au combat dans la guerre opposant Minos aux Athéniens, il ne fait que combiner deux énoncés consécutifs : cette guerre est en fait une conséquence de l'assassinat d'Androgée.

[20] Cette notion de « manque » narratif susceptible d'engager l'intrigue selon le schéma canonique est explicitée par Greimas & Courtés, 1979, pp. 232 et 244 ss. Il y a une coïncidence frappante entre cette conception de la narration comme rétablissement d'un équilibre et la notion grecque de la *díkē* : à ce propos, voir Gentili, 1984, p. 58 ss, avec une ample bibliographie à ce propos.

[21] Sur l'intervention de Zeus, on verra aussi les scholies au *Minos* attribué à Platon, et sur l'inscription de l'expédition de Minos contre Athènes dans un projet de thalassocratie, le texte d'Eusèbe (textes cités n. 17). Pour la thalassocratie crétoise, cf. *infra* chap. IV § 1.6. ; sur les relations entre Athènes et Mégare, chap. VI § 3.1.1.

[22] Le nombre canonique de 7 + 7 est très largement attesté et nous en trouvons déjà la trace chez Sappho, à la fin du VIIe siècle : cf. fr. 206 Voigt = Serv. *in* Verg. *Aen.* 6, 21 (II, p. 9, 17 ss Thilo-Hagen) ; il est notamment repris par Bacchylide (17, 2), Euripide (*HF* 1327), Isocrate (*Hel.* 17) et Platon (*Phaed.* 58ab). Il est par contre moins stable dans l'iconographie : cf. Brommer, 1982b, p. 79 ss. L'hésitation est par ailleurs grande en ce qui concerne le rythme temporel commandant l'envoi du tribut à Minos. Apollodore (3, 15, 8), Eusèbe (*Praep. Ev.* 5, 18, 5), Servius, le commentateur de Virgile (*Aen.* 3, 74, I, p. 352, 27 Thilo-Hagen ; 6, 14, II, p. 6, 13 Thilo-Hagen ; 6, 21, II, p. 9, 17 Thilo-Hagen), Eustathe (*Od.* 1688, 33) notamment parlent d'un tribut annuel ; en revanche Plutarque (*Thes.* 15, 1), Diodore de Sicile (4, 61, 3) et Ovide (*Met.* 8, 171) affirment que le tribut devait être envoyé tous les huit ans.

[23] Plut. *Thes.* 17, 3 = Hellanic. *FGrHist.* 4 F 164 ; Diod. Sic. 4, 61, 3.

[24] Références *infra* chap. IV nn. 48, 49 et 50.

[25] Voir aussi bien Philoch. *FGrHist*. 328 F 17a (= Plut. *Thes*. 16, 1) que F 17b (= Euseb. *Chron*. a Abr. 785) où Tauros est dit *ōmòs kaì anémeros* ; selon Jacoby, 1949, pp. 137 et 325 n. 58, cette version historisante serait la création de Philochore lui-même. Plutarque, *Thes*. 16, 2 s., ajoute à son catalogue de versions la légende, historicisante elle aussi, qui fait vieillir les jeunes Athéniens au service de Minos avant d'intégrer leurs descendants aux Crétois envoyés à Delphes comme « prémices », puis fondateurs d'un établissement en Thrace ; cette version, Plutarque la tire de la *Constitution des Bottiéens* d'Aristote (fr. 443 Rose) : cf. Ampolo & Manfredini, 1988, p. 217 s.

[26] L'association iconographique du combat contre le Minotaure aux autres luttes menées par le héros est datable de la fin du vi[e] s. déjà ; les différentes formes qu'assume le cycle des « travaux » de Thésée sont analysées *infra* chap. vi § 1.2.

[27] Sch. Eur. *Hipp*. 887 (II, p. 103, 7 ss Schwartz).

[28] A ce que dit Plut. *Thes* 17, 3, Hellanicos de Lesbos déjà (*FGrHist*. 4 F 164 = 323a F 14) était conscient de cet enchaînement logique puisqu'il indiquait que seule la mort du Minotaure pourrait mettre fin au tribut expiatoire de la mort d'Androgée.

[29] Les textes qui nous transmettent cette séquence insistent en général sur le sacrifice par le héros de sa propre personne : à part le texte de Plutarque (*Thes*. 17, 1-3) que je suis ici, on verra Apoll. *Epit*. 1, 7, sch. AB Hom. *Il*. 18, 590 (II, p. 179, 10 ss et IV, p. 202, 1 ss Dindorf), Procl. *ap*. Phot. *Bibl*. 322a 18, Eust. *Od*. 1688, 35, Cat. 64, 81, Ov. *Met*. 8, 171, Lact. *Narr. fab*. 8, 2, Hyg. *Astr*. 2, 5.

[30] Quelques rares documents dénomment individuellement les jeunes Athéniens et Athéniennes conduits par Thésée : cf. *infra* chap. vi § 3.1.2.

[31] Pherec. *FGrHist*. 3 F 148 (texte transmis par les sch. Hom. *Od*. 11, 322, p. 505, 25 ss Dindorf). Sur ce premier auteur d'*Attica*, cf. *infra* chap. vi n. 26.

[32] Hellanic. *FGrHist*. 4 F 164 = 323a F 14, Diod. Sic. 4, 61, 3 ; voir à ce propos le commentaire de F. Jacoby, *FGrHist*. I, Leiden (Brill) [2]1957, p. 471, et 1954, p. 36 s.

[33] Sim. fr. 550 *(a)* Page ; on verra Plut. *Thes*. 17, 4-5 qui cite précisément ce fr.

[34] La couleur noire de la voile a été rapprochée de celle propre à la chlamyde des éphèbes athéniens : cf. Vidal-Naquet, 1983, p. 160 s., et Ampolo & Manfredini, 1988, p. 219. Pourtant parmi tous les exemples cités pêle-mêle par G. Radke, *Die Bedeutung der weissen und der schwarzen Farbe in Kult und Brauch der Griechen und Römer*, Jena (Diss.) 1936, p. 31 ss, la représentation attachant le blanc et le noir au contenu favorable ou défavorable d'un présage semble la plus pertinente pour expliquer l'occurrence de cette opposition dans la biographie de Plutarque : cf. Call. fr. 260, 56 ss Pfeiffer (corbeau d'Apollon) et Artemid. 2, 12 (interprétation des rêves).

[35] Plut. *Thes*. 17, 5-7 = Sim. fr. 550 *(b)* Page (à ce sujet, cf. *infra* chap. iii n. 20) et Philoch. *FGrHist*. 328 F 111.

[36] Plut. *Thes*. 23, 3, cf. aussi Procl. *ap*. Phot. *Bibl*. 322a 14 ss.

[37] Plut. *Thes*. 23, 4 = Demon *FGrHist*. 327 F 6 (un Atthidographe de la fin du ive s.) ; sur le Prytanée comme point de départ de l'expédition de Crète, cf. Plut. *Thes*. 18, 1 et *infra* chap. iv n. 106 (à propos de la situation de cet édifice). Deuxième version chez Harp. *s.v. deipnophóros* (I, p. 85 Dindorf) et Hsch. *s.v. deipnophóroi* (*D* 527 Latte) qui semblent tirer leur information d'un texte dû à l'orateur attique Hypéride (fr. 87 Jensen) ; voir aussi *An. Gr*. I, p. 239, 7 ss Cramer = Philoch. *FGrHist*. 328 F 183 et surtout l'inscription des Salaminiens *cit. infra* chap. iii n. 15 (l. 49) : cette inscription, qui fait mention des Dipnophores (cf. *infra* chap. iii § 1.2.2.), date de 363/2 avant notre ère.

[38] Plut. *Thes*. 18, 1 et 22, 6 ; sur les Pyanopsies et l'éirésiôné, cf. *infra* chap. iii § 1.4. Macrobe, *Sat*. 1, 17, 21, qui attribue son information à Phérécyde (*FGrHist*. 3 F 149), prétend que le vœu de Thésée est adressé à Apollon Oulios et Artémis Oulia. Ces divinités sont en effet vénérées dans quelques sanctuaires de Grèce sous cette épiclèse qui, par « antonymie », désigne comme « destructeurs » les dieux mêmes du salut : cf. *Sud. s.v. Oúlios* (*O* 905 Adler) et H. Oppermann, « Oulias (1) », *Realenc. Alt.-Wiss*. XVIII.2, Stuttgart (Metzler) 1942, coll. 1999 ; ce culte n'est cependant pas attesté à Athènes, si ce

n'est dans ce seul texte de Macrobe. Sans doute l'auteur latin n'avait-il d'autre intention dans l'utilisation de cette épiclèse que de marquer la protection qu'Apollon accorde à Thésée en échange de la promesse qui lui est faite ; mais Ampolo & Manfredini, 1988, p. 227, en proposent une explication politique en rappelant que l'un des fils de Cimon portait le nom de Oulios.

[39] Sud. *s.v. eiresiōnē* (*Ei* 184 Adler) et Eust. *Il.* 1283, 8 ss (IV, p. 666, 4 ss Van der Valk).

[40] Plat. *Phaed.* 58ab et *Sud. s.v. theōrís* (*Th* 221 Adler) ; cette mise en relation de la légende de l'expédition de Crète et de la théorie à Délos est impliquée par Himerius, *Or.* 28, 10, et par Eusèbe, *Praep. Ev.* 5, 18, 6, quand il affirme que le tribut payé à Minos, dont les Athéniens auraient gardé le souvenir pendant plus de cinq cents ans, fut la cause du délai apporté à la condamnation de Socrate.

[41] Plut. *Thes.* 18, 2. Sur ce rite du 6 Mounichion, cf. *infra* chap. III § 1.1.

[42] *Ibid.* 18, 3. Sur le culte d'Aphrodite Epitragia en Grèce et sur cette figure particulière de la divinité, cf. *infra* chap. IV § 2.2.

[43] Bacch. 17 (cf. *infra* chap. V n. 144) ; cf. aussi Paus. 1, 17, 2 ss qui, pour décrire la fresque de Micon, résume l'épisode en le rationalisant (Thésée récupère l'anneau lancé par Minos !), et Hyg. *Astr.* 2, 5. Pour les représentations figurées, cf. P. Jacobsthal, *Theseus auf dem Meeresgrunde*, Leipzig (Teubner) 1911, Brommer, 1982, p. 77 ss et Burnett, 1985, p. 162 n. 4 ; l'attribution à Micon de la peinture ornant le Théséion est discutée par Barron, 1972, pp. 22 s. et 40 s., et par Beschi & Musti, 1982, p. 320 s. Pour la datation de la construction du Théséion, cf. *infra* chap. III n. 32. Ampolo & Manfredini, 1988, p. XIII, attribuent l'omission de la séquence du plongeon dans la *Vie de Thésée* au rationalisme de Plutarque.

[44] Cf. G. Nagy, « Sêma and Nóēsis : Somme Illustrations », *Arethusa* 16, 1983, pp. 35-55.

[45] Barron, 1980, p. 3 s., voit dans la désignation de ce vêtement par le terme rare de *aïōn* une allusion politique à la victoire remportée en 476/5 par Cimon à Eiôn (cf. Thuc. 1, 98, 1).

[46] Voir à ce propos spécialement les planches publiées par Jabobstahl, *op. cit.* n. 43, pll. I-IV, et dans le *LIMC, Amphitrite* 75-79 et *Athena* 540-541. Thésée reçu par Amphitrite : médaillon de la cylix attique, New York, Metr. Mus. 53.11.4 (*ARV²* 406, 7 = *LIMC Amphitrite* 76 = *Athena* 541 ; 480-470 avant notre ère) ; on remarquera que l'extérieur de cette coupe à figures rouges porte notamment une représentation du moment où Thésée quitte sa belle-mère Amphitrite, emmené par Triton sous la protection de Poséidon, son père divin : pll. in *Bull. Metropol. Mus. Art* 13, 1954, p. 62 s., cf. Neils, 1987, p. 96 ss ; Thésée salué par Poséidon avec Amphitrite se préparant à offrir la couronne au héros (commentaire chez Blech, 1982, p. 265 s.) : cratère à colonettes, Cambridge, Fogg Art Mus. 60.339 (*ARV²* 274, 39 = *LIMC Amphitrite* 78, 480-470) ; Thésée reçu par Amphitrite sous le regard de Poséidon : cratère en calice, Bologna, Mus. Civico 303 (*ARV²* 1184, 6 = *LIMC Amphitrite* 79 ; env. 420) ; Thésée reçu par Amphitrite sous le regard d'Athéna : coupe, Paris Louvre G 104 et Firenze Mus. Archeol. PD 321 (*ARV²* 318, 1 et 1645 = *LIMC Amphitrite* 75 ; env. 500). Cf. aussi Brommer, 1982, p. 78 ss.

[47] A ce propos, E. Wüst, « Der Ring des Minos. Zur Mythenbehandlung bei Bakchylides », *Hermes* 96, 1968, pp. 527-538, a pu s'étonner que chez Bacchylide, Thésée soit confronté à sa belle-mère et non pas à Poséidon directement. Plutôt que de référer ce paradoxe à la coïncidence dans le *Dithyrambe* de deux versions différentes (!), il faut rappeler que Zeus se manifeste lui aussi par signe interposé.

[48] Sur le péan que l'on chante en l'honneur d'un dieu (en général Apollon) avant ou après la réussite d'un événement important et sur l'*ololugé*, le cri rituel qui l'accompagne, cf. Calame, 1977, I, p. 147 ss.

La paternité de Poséidon à l'égard de Thésée reçoit une autre confirmation dans une séquence narrative que Plutarque omet aussi : il s'agit des trois vœux que, sur un oracle d'Apollon, le héros est en mesure d'adresser à son père divin et parmi lesquels figure celui de sortir indemme du Labyrinthe : cf. Eur. *Hipp.* 887 ss avec les sch. Eur. *Hipp.* 1348 (II, p. 133, 7 ss Schwartz), ainsi que Cic. *Off.* 1, 10, 32 et 3, 25, 94. Selon Herter, 1939, p. 314 s., cette séquence constituerait une version alternative à celle du plongeon marin.

[49] Plut. *Thes.* 19, 1 ; on pourra remarquer qu'ainsi réduite à son intrigue, la séquence narrative du Labyrinthe suit à peu près le schéma à cinq macropropositions tel qu'on peut l'établir à partir du modèle élaboré par W. Labov et J. Waletzky : cf. Adam, 1985, p. 49 ss.

[50] Pherecyd. *FGrHist.* 3 F 148 : fr. transmis par les sch. Hom. *Od.* 11, 322 (p. 505, 25 ss Dindorf) ; les conseils de Dédale sont notamment mentionnés par les sch. AB Hom. *Il.* 18, 590 (II, p. 179, 22 ss et IV, p. 201, 7 ss Dindorf), Eust. *Il.* 1166, 30 s. et *Od.* 1688, 38, Serv. in Verg. *Aen.* 6, 14 (II, p. 6, 18 ss Thilo-Hagen) ; cf. aussi Apollod. *Epit.* 1, 9. De manière contradictoire, la pelote de fil ne figure dans les représentations de cette scène qu'à l'époque archaïque : cf. Brommer, 1982b, p. 69 ss. Le renversement actantiel que représente le contrat passé entre Ariane et Thésée est bien mis en valeur par Ovide dans l'*Héroïde* 10, 69 ss : en faisant don à Thésée du fil sauveur, Ariane trahit Minos ; mais plus tard, quand il abandonnera Ariane à Naxos, le héros trahira à son tour la jeune fille.

[51] Il s'agit d'un thème de prédilection de la littérature latine : voir notamment Ov. *Her.* 10, 69 ss, Cat. 64, 86 ss, Sen. *Phaedr.* 646 ss, Hyg. *Fab.* 42 et 270, 3, Lact. *Narr. fab.* 8, 2 ; cf. aussi sch. Eur. *Hipp.* 887 (II, p. 103, 14 Schwartz), Serv. *in* Verg. *Georg.* 1, 122 (III, p. 359, 20 Thilo-Hagen), etc.

[52] Aux textes d'exégèse cités n. 50, il faut ajouter les passages littéraires suivants : Luc. *Herm.* 47, Ov. *Her.* 4, 59 s. ainsi que 10, 69 ss 100 ss, *Met.* 8, 172 s., Prop. 2, 14, 7 s., Hyg. *Fab.* 42, Stat. *Theb.* 12, 676, *Anth. lat.* 732, 22, etc.

[53] Cf. *infra* chap. IV § 1.1. La *Suda s.v. Aigaîon pélagos* (*Ai* 23 Adler) donne une version assez fantaisiste de ce combat de Thésée contre un Minotaure qui se réfugie au fond d'une caverne. Quant à la version de la légende que donne le a propos Palaïphatos, un « faiseur » tardif (*Myth. Gr.* III. 2, p. 8 Festa), elle est tout à fait contradictoire : Ariane aurait transmis une épée à Thésée enfermé dans le Labyrinthe qui, dans cette version, représente la prison où Minos avait l'habitude de jeter ses ennemis. Ces transformations narratives dénoncent par rapport à la vulgate une réélaboration tardive, passablement « resémantisée ». On remarquera enfin que Clément d'Alexandrie, *Strom.* 1, 21, 137, 1 (II, p. 85, 9 s. Staehlin) utilise la date du combat contre le Minotaure comme point de repère d'une chronologie.

[54] On trouve dans l'iconographie au moins une attestation de cet énoncé narratif qui est alors transformé en énoncé de sanction puisqu'Athéna tend à Thésée une couronne en présence de Niké, Ariane et Minos : couvercle de lécanis campanienne, Graz, Univ. G 25 (*LIMC Athena* 539 = *Ariane* 26 ; fin du IVe siècle). Dans l'imagerie classique, Athéna assiste volontiers aux côtés d'Ariane à la lutte de Thésée contre l'être monstrueux : Brommer, 1982b, p. 83 s.

[55] Les textes des commentateurs à Hom. *Il.* 18, 590 ss. sont cités *supra* n. 50 ; sur l'étape de Délos, cf. *infra* § 7.2.

[56] En plus de la glose de la *Souda* déjà citée n. 53, on lira aussi celle se trouvant *s.v. Thēseús* (*Th* 364 Adler).

[57] Pherec. *FGrHist.* 3 F 150 et Demon *FGrHist.* 327 F 5, cités par Plut. *Thes.* 19, 2 et 3 ; Hom. *Od.* 11, 320 ss.

[58] En plus de Hom. *Od.* 11, 322 ss et des sch. Ap. Rhod. 3, 997 (p. 244, 23 ss Wendel) qui, dans une première version, paraphrasent Homère, on verra Ath. 13, 557a = Istros *FGrHist.* 334 F 10, Diod. Sic. 4, 61, 5, Ovid. *Ars am.* 1, 509 s. et *Met.* 8, 180 s., Cat. 64, 110 ss, Lact. *Narr. fab.* 8, 2, Hyg. *Fab.* 42, sch. Theocr. 2,45/46a (p. 280, 3 ss Wendel) ainsi que Serv. *in* Verg. *Aen.* 6, 14 (II, p. 6, 18 ss Thilo-Hagen) et *Georg.* 1, 21 (III, p. 359, 20 ss Thilo-Hagen).

[59] Les sch. Ap. Rhod. 3, 997 (p. 245, 5 ss Wendel) ne se contentent pas de lire dans le texte d'Homère *gêmen* (Thésée « épousa » Ariane), forme indéfendable du point de vue de son intégration au schéma métrique du vers, au lieu de *êge mén* (Thésée « conduisit » Ariane) ; elles donnent de plus une interprétation erronée de leur propre lecture du texte homérique puisqu'elles en concluent que Minos aurait empêché le mariage de sa fille ! D'ailleurs, même leur interprétation du passage d'Apollonius de Rhodes qu'elles commentent est fautive : l'auteur alexandrin dit en effet simplement qu'après que la colère de Minos se fut calmée, la Crétoise s'embarqua avec l'Athénien, quittant ainsi sa patrie.

Par l'expression *oud'apónēto* (« mais il n'en tira pas profit ») qui suit la mention du départ de Crète, le texte d'Homère précise clairement que l'arrivée d'Ariane à Athènes ne s'est jamais réalisée.

[60] Philoch. *FGrHist*. 328 F 17a (= Plut. *Thes*. 19, 5-7) avec le F 17b ; à ce propos, cf. *supra* n. 25.

[61] Sur ces catégories, cf. Greimas & Courtés, 1979, p. 131, et Groupe d'Entrevernes, *Analyse sémiotique des textes*, Lyon (PUL) 1979, p. 24 ss.

[62] Plut. *Thes*. 19, 8-10 = Cleidemus *FGrHist*. 323 F 17 ; cf. Luc. *Phars*. 2, 610 ss. Selon Jacoby, 1949, p. 137 ss, cette version de l'expédition en Crète représente une « historicisation » de la légende dans une perspective de propagande pro-athénienne ; cf. encore 1954, I, pp. 57 ss et 74 ss, et Ampolo & Manfredini, 1988, p. 222.

[63] Plut. *Thes*. 20, 1. On remarquera que Steph. Byz. *s.v.* Dîa (p. 229, 6 s. Meineke) distingue quatre îles portant le nom de *Dîa* ; parmi elles, Naxos et un îlot proche de la Crète. Mais les sch. Hom. *Od*. 11, 325 (p. 507, 1 s. Dindorf) identifient sans ambiguïté la Dia homérique avec Naxos, l'île consacrée à Dionysos.

[64] Hom. *Od*. 11, 321 ss, avec les sch. *ad*. v. 322 (p. 505, 25 ss Dindorf) ainsi que Eust. *Od*. 1688, 41 ss ; on s'est demandé si le v. 325, mentionnant Dionysos, n'était pas l'objet d'une interpolation : Privitera, 1970, p. 87 s.

[65] Sch. Hom. *Od*. 11, 322 (p. 506, 9 ss Dindorf) = Pherec. *FGrHist*. 3 F 148, Eust. *Od*. 1688, 48 ss. Le terme de *neóteroi* employé par Eustathe renvoie à cette catégorie de poètes postérieurs à Homère que distinguait Aristarque ; cf. A. Séveryns, *Le Cycle épique dans l'Ecole d'Aristarque*, Liège - Paris (Vaillant-Champion) 1928, p. 31 ss.

[66] Herter, 1973, col. 1138, Brommer, 1982, p. 87 ss, et *LIMC Athena* 489-492 = *Ariadne* 93, 52, 54 et 94 respectivement ; on verra en particulier l'hydrie attique, Berlin Staatl. Mus. F 2179 (*ARV²* 252, 52 = *LIMC Athena* 489 ; env. 470 avant notre ère) : Athéna sépare Thésée d'Ariane qu'embrasse Dionysos ; et le cratère en calice attique, Siracusa Mus. Naz. 17, 427 (*ARV²* 1184, 4 = *LIMC Aphrodite* 1356, *Ariadne* 94, *Athena* 491 ; fin du vᵉ siècle ; cf. *infra* chap. IV § 1.4.) : Athéna couronne Thésée qui va s'embarquer sous la protection de Poséidon alors que Dionysos s'approche d'Ariane couronnée par un Eros (pour d'autres figurations d'Eros investissant Ariane de la puissance de l'amour, cf. *infra* chap. IV n. 127). Sur la juxtaposition narrative, dans l'iconographie, de plusieurs scènes sur la même image, cf. V. Dasen, « Autour du Linos de Néarchos. Essai sur la bande dessinée chez les Anciens », *Etudes de Lettres* 4, 1983, pp. 55-73, ainsi que A. M. Snodgrass, « La naissance du récit dans l'art grec » in Bérard, 1987, pp. 11-18.

L'arrivée de Dionysos où Thésée quitte Ariane endormie était aussi l'objet de l'un des tableaux ornant le temple de Dionysos Eleuthéreus à Athènes : Paus. 1, 20, 3.

Pour le rite du *paîs amphithalés, cf. infra* chap. V n. 67.

[67] Hes. *Theog*. 947 ss (sur ce texte, cf. *infra* chap. VI n. 135), voir aussi Eur. *Hipp*. 339 ; Diod. Sic. 4, 61, 5 et 5, 51, 3 = *FGrHist*. 501 F 5, Apoll. *Epit*. 1, 9, sch. Ap. Rhod. 3, 997 (p. 245, 2 ss Wendel) ; cf. aussi Quint. Smyrn. 4, 386 ss et Nonn. *Dion*. 47, 269 ss. C'est peut-être encore à cette version que font allusion les sch. Theocr 2, 45/46a (p. 280, 3 ss Wendel) quand elles affirment que c'est par la volonté de Dionysos que Thésée oublia la jeune fille à Naxos, l'abandonnant dans son sommeil.

[68] Ov. *Ars am*. 1, 509 ss et *Met*. 8, 175 ss, Hyg. *Fab*. 43, Lact. *Narr. fab*. 8, 2, Serv. *in* Verg. *Georg*. 1, 221 (III, p. 359, 19 ss Thilo-Hagen) et *Aen*. 3, 125 (I, p. 366, 1 ss

Thilo-Hagen). La faveur dont jouit cette version auprès des Romains, essentiellement sensibles à son aspect dramatique et passionnel, est attestée par les nombreuses représentations figurées dont elle fait l'objet à l'époque impériale : *LIMC Ariadne* 55-92 et 97-98, avec le commentaire de Bernhard & Daszewski, 1986, p. 1067.

[69] Aux textes latins cités il faut encore ajouter l'*Héroïde* 10 d'Ovide qui est consacrée à Ariane. Le seul motif invoqué par la jeune fille elle-même quant à l'explication de son abandon par Thésée, c'est le sommeil profond dans lequel elle était plongée au moment du départ du héros (vv. 5 s. et 111 ss) ; cela ne l'empêche d'ailleurs nullement d'accuser Thésée de trahison.

[70] L'abandon par Thésée est toutefois mentionné par les sch. Ap. Rhod. 3, 997 (p. 246, 2 Wendel) qui citent par ailleurs le texte d'Homère. Notons encore que la séparation entre Ariane et Thésée par l'effet de l'enlèvement dont l'héroïne est l'objet de la part de Dionysos est aussi mentionné par Charit. 3, 3, comme exemple de l'enlèvement par un dieu d'une mortelle à un mortel, et par Paus. 10, 29, 3 s. dans sa description des peintures ornant la *léschè* de Cnide ; pour Pausanias, le rapt opéré par Dionysos a eu lieu soit par le recours à la ruse, soit par la violence. Cf. aussi Paus. 1, 20, 3 (peinture de l'enlèvement d'Ariane par le dieu dans le sanctuaire de Dionysos Eleuthereus à Athènes).

[71] Philostr. *Im.* 1, 15. *LIMC Ariadne* 93-98 ; cf. Brommer, 1982, p. 90 s.

[72] Cf. Eratosth. *Cat.* 5 (III. 1, p. 5 s. Olivieri) ainsi que Hyg. *Astr.* 2, 5 et sch. Arat. *Phaen.* 71 (p. 106, 6 ss Martin) ; le traité d'Hygin autant que le commentaire à Aratos dépendent du texte d'Eratosthène : cf. J. Mau, « Eratosthenes (2) », *Der Kleine Pauly* II, München (Druckenmüller) 1975, coll. 344-346. Sur ces différentes versions, cf. Blech, 1982, p. 282 ss. Dans une partie de l'iconographie Ariane est détentrice d'une couronne alors qu'elle se trouve encore en Crète, affrontée à Thésée : cf. *infra* chap. IV § 1.3.4.

[73] Plut. *Thes.* 20, 1-2 qui cite Hes. fr. 298 Merkelbach-West ; cf. encore Plut. *Thes.* 29, 2 et Ath. 13, 557ab (qui cite Hes. fr. 147 Merkelbach-West).

[74] La censure exercée par Pisistrate à l'encontre du texte d'Hésiode est mentionnée par Héréas de Mégare (*FGrHist.* 486 F 1) cité par Plut. *Thes.* 20, 2. Sur les différentes interventions de cet historien local (aussi connu sous le nom de Héragoras) pour attribuer à Pisistrate, dans un but de diffamation chauvine, d'autres manipulations de textes épiques, cf. F. Jacoby, « Hereas », *Realenc. Alt.-Wiss.* VIII. 1, Stuttgart (Metzler) 1912, col. 621, et F. Krafft, *Vergleichende Untersuchungen zu Homer und Hesiod*, Göttingen (Vandenhoeck & Ruprecht) 1963, p. 15 ss. L'information est accueillie avec scepticisme par Piccirilli, 1975, p. 59 ss, et par Ampolo & Manfredini, 1988, p. 225 s.

[75] Cette conception de l'idéologie comme la représentation que l'on donne de sa propre pratique pour tenter de la justifier est plus compréhensive que la conception marxisante telle qu'essaie de la définir pour le monde antique par exemple M. Vegetti, « Introduzione » in *Marxismo e società antica*, Milano (Feltrinelli) 1977, pp. 11-65.

[76] Erat. *Cat.* 5 (III. 1, p. 5 s. Olivieri = p. 66, 7 ss Robert) = Epimen. fr. 3 B 25 Diels-Kranz = *FGrHist.* 457 F 19, Hyg. *Astr.* 2, 5 ; cf. aussi Himer. *Or.* 9, 5 qui montre Pan accompagnant d'un air de syrinx les ébats d'Ariane et de Dionysos dans une caverne crétoise ! Il faut noter que l'on trouve un écho de cette version dans un fr. de Diod. Sic. 6, 4 (cité par Tert. *Cor.* 13). On remarquera enfin que selon F. Jacoby, *FGrHist.* IIIb *(Komm.)*, Leiden (Brill) 1955, pp. 313 et 329, les *Crética* attribués à Epiménide ne sauraient remonter au-delà du IVe s. ; sur l'énigmatique figure d'Epiménide, cf. *infra* chap. IV, § 2.4.2.

[77] Plut. *Thes.* 20, 2 = Ion. Eleg. fr. 29 West = 7 Gentili-Prato (sur ce texte, voir *infra* chap. IV n. 133). Etant donné la qualité de fondateur de la cité attribuée à Oïnopion dans cette version, il est possible que comme son propre père Thésée, mais aussi comme Héraclès ou les Dioscures, ce héros ait bénéficié d'une double ascendance, humaine et divine.

[78] Ath. 7, 296ab = Theolyt. *FGrHist.* 478 F 2 ; ce poète nous est connu presque uniquement par ce passage d'Athénée : cf. E. Diehl, « Theolytos », *Realenc. Alt.-Wiss.* V A. 2, Stuttgart (Metzler) 1934, col. 2033.

[79] Ath. 7, 296c.

[80] Plut. *Thes.* 20, 8-9 = *FGrHist.* 501 F 1 ; sur la tradition historiographique locale de Naxos, cf. F. Jacoby, *FGrHist. (Komm.)*, vol. IIIb, Leiden (Brill) 1955, pp. 414 s. et 418. Pour le rite correspondant, cf. *infra* chap. IV § 1.3.4.

[81] Plut. *Thes.* 20, 3-7 = Paion Amath. *FGrHist.* 757 F 2 ; sur cet historiographe originaire d'une ville du sud de Chypre, cf. O. Seel, « Paion (4) », *Realenc. Alt-Wiss.* XVIII. 2, Stuttgart (Metzler) 1942, coll. 2401-2403. On confond parfois cet auteur avec Créon, un auteur de *Cypriaca*.

[82] L'aspect figuratif du « motif » serait, dans cette définition, assez fort pour empêcher cet élément d'être inséré dans le déroulement syntagmatique et sémantique d'un récit, si ce n'est à titre d'exemple, doublant les énoncés narratifs du récit concerné. Sur un essai de définition du motif, cf. J. Courtés « La " lettre " dans le conte populaire merveilleux français », *Actes sémiotiques. Documents* 9, 1979, p. 10, avec les remarques de C. Bremond, « Comment concevoir un index des motifs », *Actes sémiotiques. Bulletin* 16, 1980, pp. 15-29.

[83] Voir par exemple, pour la littérature alexandrine, Ap. Rhod. 4, 432 ss, Theocr. 2, 44 ss, Alciphr. *Epist.* 4, 19, 9 s., Aristaen. *Epist.* 2, 13, cf. encore *Anth. Pal.* 16, 146 ; ce thème jouit d'une popularité plus grande encore à Rome : *Aetna* 21 s., Ovid. *Am.* 1, 7, 15 s., *Ars am.* 3, 457 ss, *Fast.* 3, 459 ss, *Her.* 4, 115 s. et surtout 10, 5 ss, Prop. 1, 3, 1 s., Tib. 3, 6, 39 ss, Auson. *Cup. cruc.* 31, Stat. *Silv.* 1, 2, 131 ss et 3, 5, 48 ss. Pour l'iconographie, voir *LIMC Ariadne* 55-74 et 75-92 !

[84] Ap. Rhod. 3, 1001 ss, Call. *Aet.* IV, fr. 110, 59 ss Pfeiffer (= Cat. 66, 59 ss), Arat. *Phaen.* 71 s. avec les sch. *ad loc.* (p. 106, 6 ss Martin) qui font de la couronne un souvenir des malheurs subis par l'héroïne ; cf. aussi Diod. Sic. 4, 61, 5, Hor. *Carm.* 2, 19, 13 s., Ov. *Fast.* 3, 459, Prop. 3, 17, 7 s., etc.

[85] Hes. *Theog.* 947 s. ; voir aussi Eur. *Hipp.* 339, Charit. 8, 1, etc. ; Xen. *Symp.* 9, 2 ss. A ces différents « motifs », on peut ajouter celui du sommeil d'Ariane : cf. p. ex. Charit. 1, 6 et 8, 1, Philostr. *Im.* 1, 15, etc.

[86] Plut. *Thes.* 21, Call. *Del.* 308 ss avec les sch. *ad* 308 (II, p. 73, 162 ss Pfeiffer), Paus. 9, 40, 3 ; sur les jeux institués par Thésée, cf. Plut. *Mor.* 724a et Paus. 8, 48, 3.

[87] Plut. *Thes.* 21, 2 = Dicaearch. fr. 85 Wehrli ; cf. aussi Poll. 4, 101. Le grammairien et théologien latin Marius Victorinus, *Ars gramm.* 1, 16, 14 (VI, p. 60, 1 ss Keil), établit le même rapport entre les figures de danse exécutées à Délos et le parcours tortueux à travers les détours du Labyrinthe. Les différentes manières dont il est possible de se représenter la danse de la grue, autant dans son exécution légendaire que dans sa performance rituelle, sont analysées *infra* chap. IV § 2.4.5. A propos des rites de la circumambulation autour du Cératôn et de la morsure à l'olivier sacré que Callimaque, *Del.* 316 ss, mentionne à la suite de sa description de la *géranos* et qu'Hésychius, *s.v. Dēliakòs bōmós* (D 817 Latte), réfère à la légende de Thésée, cf. *infra* chap. III § 2.3.4.

[88] Hom. *Il.* 18, 590 ss, sch. AB Hom. *Il.* 18, 590 s. (II, p. 179, 27 ss et IV, p. 201, 12 ss Dindorf), Eust. *Il.* 1165, 59 ss (IV, p. 267, 1 ss Van der Valk) ; cf. encore Eust. *Il.* 1156, 60 s. (IV, p. 229, 22 ss Van der Valk). On relèvera que Pausanias, qui cite par deux fois (8, 16, 3 et 9, 40, 3) l'aire chorale édifiée par Dédale pour Ariane et la représentation qu'on en trouve chez Homère, ne mentionne à cette occasion ni Thésée, ni le chœur mixte des jeunes Athéniens.

[89] Ces documents iconographiques sont cités et commentés *infra* chap. IV § 1.3.4 avec n. 34. Pour le problème historique du déplacement de la danse de Crète à Délos, cf. *infra* chap. VI § 3.1.2.

[90] Seul Marius Victorinus, *loc. cit.* n. 87, reconnaît explicitement que la danse rituelle accomplie par Thésée à Délos constitue une réalisation des vœux prononcés par le héros avant son départ d'Athènes ; Himer. *Or.* 28, 10 parle simplement de la théorie envoyée par Thésée « après la Crète ». En revanche ni Platon, *Phaed.* 58ab, ni la *Suda, s.v. theōrís* (*Th* 221 Adler), qui attestent tous deux de la promesse de l'envoi de la théorie, ne mentionnent une quelconque réalisation par Thésée du vœu prononcé.

[91] La plupart des textes qui narrent cette séquence situent le suicide d'Egée à l'Acropole : cf. Apoll. *Epit.* 1, 10, Diod. Sic. 4, 61, 7, Paus. 1, 22, 4, Plut. *Rom.* 34, 2 ; Plut. *Thes.* 22, 1 parle simplement d'un rocher alors que *Sud. s.v. Aigaîon pélagos* (*Ai* 23 Adler), Hyg. *Fab.* 43 et Serv. *in* Verg. *Aen.* 3, 74 (I, p. 353, 5 ss Thilo) expliquent par le saut du roi dans la mer le nom que cette dernière porte depuis ce moment ; des références complémentaires sont données par Herter, 1973, col. 1145. Voir aussi *infra* chap. iv n. 170.

[92] Joie du retour : Plut. *Thes.* 22, 1 ; affliction pour avoir été privé d'Ariane : Apoll. *Epit.* 1, 10, Diod. Sic. 4, 61, 6, Paus. 1, 22, 5 ; volonté de Zeus : *Aetna* 584 s. et Cat. 64, 201 ss et 238 ss : cf. aussi Ovid. *Ib.* 495 s., Lucan. *Phars.* 610 s., etc.

[93] Plut. *Rom.* 34, 2 et Sen. *Phaedr.* 1164 ss.

[94] Plut. *Thes.* 22, 2-3.

[95] *Sud. s.v. periageirómenoi* (*P* 1054 Adler), Phot. *Lex. s.v. periageirómenoi* (II, p. 77 Naber) ; Eur. *HF* 1325 ss.

[96] Plut. *Thes.* 22, 4.

[97] Sapph. fr. 206 Voigt, Plat. *Phaed.* 58ab, cf. aussi Eur. *HF* 1326 s. ; Isocr. *Hel.* 28. Cf. *supra* § 5.3. la version crétoise donnée par Philochore (citée n. 60) ; voir aussi la sch. Plat. *Min.* 321a (p. 295 Greene).

[98] Cf. *supra* §§ 3.5. et 7.3.

[99] Plut. *Thes.* 23, 1 et 17, 7 ; les brefs renseignements de Plutarque sur l'institution des Cybernésia remontent à Philochore, *FGrHist.* 328 F 111.

[100] Plut. *Thes.* 23, 2-4 = Demon *FGrHist.* 327 F 6 ; Procl. *ap.* Phot. 322a 17 ss.

[101] *An. Gr.* I, p. 239, 7 ss. Cramer = Philoch. *FGrHist.* 328 F 183 (déjà cité *supra* § 3.4. avec la n. 37).

[102] La correction de *Ariádnēi* en *Athēnâi* a été suggérée notamment par Rutgers van der Loeff, 1915, p. 409 ; *contra* : R. Flacelière, « Sur quelques passages des *Vies* de Plutarque », *Rev. Et. Gr.* 61, 1948, pp. 68-107 (p. 81), ainsi que Jacoby, 1954, I, p. 206, et II, p. 215. On remarquera que dans l'iconographie classique, c'est Athéna qui reçoit le jeune Thésée à son retour de Crète : voir notamment la seconde scène qui orne l'extérieur de la cylix attique à figures rouges citée n. 46 ; cf. encore *infra* chap. iv § 1.3.6.

[103] L'attribution au génos des Phytalides du culte héroïque de Thésée est peut-être le fait de Cimon : cf. *infra* chap. vi n. 94. Les rapports que ce génos entretient avec la fertilité de la terre de l'Attique sont explicités *infra* chap. v § 1.1.4. ; voir aussi Ampolo & Manfredini, 1988, p. 212.

[104] Apoll. *Epit.* 1, 10 et Diod. Sic. 4, 61, 8 ; même la *Suda s.v. Aigaîon pélagos* (*Ai* 23 Adler), pour qui la victoire sur le Minotaure fait de Thésée le roi de Crète, indique que le héros, ayant fait le voyage d'Athènes pour annoncer sa victoire à son père, abandonnera finalement le pouvoir sur la Crète pour régner sur l'Attique.

Chapitre III

LES CULTES « FONDÉS »
PAR THÉSÉE

Face à la richesse et à la variété du déroulement syntagmatique
des différentes versions de la légende, l'enchaînement des actes
rituels composant les cultes qui ont été attachés au récit légendaire
apparaît dans chaque cas comme un développement narratif singulièrement bref. En un mot, la description narrative des cultes
déçoit. Lévi-Strauss aurait-il eu donc raison de voir un procédé
spécifique du rite dans la répétition d'opérations toujours identiques et par conséquent susceptibles d'une description syntagmatique pour le moins rapide [1] ? Sans vouloir prétendre à une généralisation à partir d'un cas très particulier, il semble bien que les pratiques cultuelles athéniennes qui ont été rattachées à l'épisode crétois de la légende de Thésée se distinguent de cette dernière par
une succession de transformations beaucoup moins riche et beaucoup moins complexe. De là peut-être l'impression de morcellement retirée par Lévi-Strauss de ses observations du rituel. Les
acteurs du rite sont en effet moins les Sujets opérateurs de transformations impliquant l'attribution à d'autres Sujets de nombreux prédicats que les Sujets d'une suite d'activités assimilables à
des états — défiler, porter, danser, chanter, manger, etc. Cet effacement presque total dans le rite du faire opérateur et de ses
conséquences transformatoires implique l'absence, face au Sujet
sémiotique, de l'Anti-sujet et de la relation polémique qui, les
affrontant l'un à l'autre, fonde toute narration. Sans doute cet
effacement est-il lié à une autre absence encore : celle des phases
initiale et terminale de manipulation et de sanction que l'on atten-

drait dans des descriptions qui, par ailleurs, semblent obéir au
schéma narratif canonique. Si l'on ajoute que ces descriptions que
donnent les Anciens de leurs propres rituels semblent focaliser
notre attention essentiellement sur les qualités des objets portés ou
des nourritures consommées à l'occasion de ces pratiques cultuelles, on pourra prévoir que les rites dont on va tenter l'analyse se
développent davantage dans la dimension du paradigmatique que
sur le plan syntagmatique. De là l'importance toute particulière
qu'assumera, dans un chapitre successif, l'étude sémantique.

Mais puisque déroulement linéaire et orienté il y a tout de
même, commençons par une analyse en énoncés narratifs des descriptions que donnent les auteurs antiques des rites attachés aux
aventures crétoises du grand héros athénien. Cette analyse se justifie d'autant plus que l'état lacunaire, voire incohérent de notre
documentation autant que l'hétérogénéité de nos sources contraignent à un recours constant à la critique de texte. L'étude syntagmatique se révèle ainsi l'alliée de la philologie.

Dernière précaution méthodologique : faire coïncider l'ordre
de succession des fêtes associées à la légende avec l'enchaînement
des énoncés narratifs constituant cette même légende reviendrait à
identifier l'ordre cyclique du calendrier festif athénien avec la
logique linéaire du mythe. Cette erreur de méthode devrait être à
tout prix évitée si, à défaut de renseignements extérieurs sur la
localisation des fêtes étudiées dans le calendrier athénien, on n'en
était pas réduit une fois encore à suivre le fil conducteur offert par
Plutarque, c'est-à-dire le fil de la narration légendaire. Dès lors,
quand il est possible de les déterminer de manière indépendante de
ce texte, on constate qu'effectivement la succession des dates auxquelles se déroulaient les rites attachés au mythe de Thésée suit en
gros la séquence temporelle des actions narratives constitutives de
la légende telle que la raconte Plutarque. Et lorsque l'on parvient
à des contradictions d'ordre chronologique entre succession des
fêtes et temporalités de la légende, ces incohérences nous renvoient au problème qui se trouve au centre même de cette étude :
les modalités de la constitution et de l'établissement des relations
entre mythe et rite.

Examinons donc le déroulement des rites athéniens que les
textes donnent comme motivés par l'épisode crétois de la légende
de Thésée avant de nous concentrer sur les cultes périphériques
par rapport à Athènes.

1. Cultes athéniens

Le fil conducteur choisi pour cette étude des rituels athéniens fait débuter le cycle des fêtes attachées à l'épisode crétois de la légende de Thésée non pas au début de l'année athénienne, en Hécatombaion (juillet/août), mais fin avril, au cours du mois Mounichion.

1.1. Le rituel du 6 Mounichion

Plutarque situe en effet le départ de Thésée pour la Crète le jour où était célébré à Athènes le rite correspondant à ce départ, c'est-à-dire le 6 du mois Mounichion. Le laconisme de Plutarque à propos de ce rite du 6 Mounichion est d'autant plus regrettable que son texte constitue notre seule source [2]. Il n'en mentionne que deux actes : à son époque encore, on envoyait ce jour-là des jeunes filles au Delphinion, le fameux sanctuaire d'Apollon qui se situait à l'est de l'Acropole, près du temple de Zeus [3]. A cette occasion, les jeunes filles adressaient, certainement à Apollon, des supplications. Il ne fait pas de doute que ces deux énoncés rituels correspondent à ceux qui, dans le récit légendaire, ont Thésée pour Sujet, Thésée qui se rend précisément au Delphinion pour consacrer à Apollon le rameau des suppliants [4].

Quant au sacrifice d'une chèvre que Thésée offre à Aphrodite juste avant son embarquement pour la Crète, Plutarque n'utilise l'énoncé légendaire que pour expliquer l'épiclèse de la déesse, désormais Aphrodite Epitragia. Il ne mentionne en revanche aucun culte, ni aucun acte rituel correspondant au sacrifice mis en scène dans le mythe [5]. Il convient donc de renvoyer à l'analyse sémantique ce trop bref aïtion.

1.2. Les Oschophories : Dionysos et Athéna

L'attention portée par Plutarque sur le déroulement de la légende, tout en pliant à la logique de cette dernière l'ordre de suc-

cession des fêtes qui lui sont rattachées, brise parfois aussi l'ordre
des actions rituelles dont chacun de ces cultes est composé. Si les
autres témoignages écrits en notre possession permettent de cas en
cas de rétablir la logique du rituel ou de combler certaines lacunes,
l'intérêt de philologue qui anime leurs auteurs focalise souvent
leur attention sur un élément particulier des rites concernés, rendant ainsi aléatoire une restitution exacte et complète de la syntaxe de la fête. En se soumettant soi-même à la discipline philologique, force est de se contenter souvent d'un travail de reconstruction et de se satisfaire de son caractère conjectural.

1.2.1. Gestes rituels

La première action accomplie par Thésée dans le récit que nous
fait Plutarque de son retour à Athènes est un sacrifice aux dieux ;
des dieux que nous avons vu être honorés, à la suite du mythe,
dans le festival des Oschophories. Et de fait, le premier énoncé
rituel mentionné par l'auteur de la *Vie de Thésée* dans sa description du retour du héros et de son parcours du Phalère à Athènes
concerne le héraut des Oschophories. Dans le rite lui-même,
comme dans la légende, les exécutants, au lieu de donner au
héraut les habituelles couronnes festives, en ornent son caducée.
Et la dernière pratique cultuelle évoquée par Plutarque dans ce
contexte s'inscrit dans le même processus d'entorse à la norme du
rite par la combinaison d'un geste positif avec un geste de valeur
négative. En effet à l'occasion de libations, qui marquaient sans
doute le terme du repas cérémoniel dont on vas parler, les participants à la fête entonnaient un refrain composé d'un cri *(eleleû)*
accompagnant, selon Plutarque, l'exécution du péan et d'un autre
son *(ioû, ioû)* exprimant « stupeur et trouble »[6].

A ces gestes rituels, que Plutarque attache au parcours de
Thésée et de ses compagnons du Phalère à Athènes, s'ajoutent
ceux qui sont intégrés à la description de la fête proprement dite ;
on se souvient que l'auteur thébain situe cette description en
quelque sorte en appendice à sa narration de l'épisode crétois. On
apprend ainsi que célébrer les Oschophories, c'est avant tout
porter *(phoreîn)* des sarments avec leurs grappes *(ōskhoí)* ; le nom
même du rituel le laisse deviner. Cet acte est accompli par des
jeunes gens, naturellement dénommés Oschophores, comme le
confirment les textes très nombreux qui viennent s'ajouter sur ce

point au témoignage de Plutarque. La mention des Oschophores autant par le rhéteur Hypéride, l'élève d'Isocrate et de Platon, que par l'Atthidographe Philochore atteste de l'ancienneté relative de la fête[7].

Trois renseignements d'importance sont à ajouter à cet énoncé rituel. Tout d'abord Plutarque indique que la procession des Oschophories reproduit celle que conduisit Thésée à son retour de Crète : les jeunes participants au rituel y portent un vêtement analogue. Etant donné que cette allusion au costume des oschophores suit immédiatement, dans le texte de Plutarque, la mention du travestissement légendaire des deux petits jeunes gens *(neanískoi)* en jeunes filles *(parthénoi)*, on peut en inférer que le costume porté par les Oschophores correspond à des vêtements féminins. Quelques textes viennent d'ailleurs explicitement confirmer la participation à l'Oschophorie de deux « jeunes hommes » *(neaníai)* habillés en femmes *(katà gunaîkas)* : c'est à ces travestis qu'était dévolue la charge de conduire la procession elle-même[8]. En effet — et c'est là le second complément au texte de Plutarque — les oschophores portaient les *ōskhoí*, les rameaux de vigne, dans un déplacement qui les conduisait du temple de Dionysos au sanctuaire d'Athéna Sciras au Phalère[9]. On reviendra sur ces deux sanctuaires pour mesurer l'impact sémantique de la disjonction spatiale opérée par les Oschophores dans leur parcours processionnel. Enfin le témoignage de Proclus apporte la précision suivante : les Oschophores, conduits par deux « jeunes hommes » travestis en femme, formaient un groupe choral qui chantait des hymnes précisément dénommés « oschophoriques ». Ces chants étaient évidemment accompagnés de danses, des danses oschophoriques qu'Athénée associe aux évolutions chorégraphiques à caractère gymnique qu'exécutent les adolescents nus quands ils imitent les mouvements appris dans le cadre de la palestre[10].

De plus, deux de nos témoignages assez anciens sur les Oschophories — l'un d'eux remonte au philologue alexandrin du IIe siècle avant notre ère Aristodème — présentent la procession des porteurs de sarments vers le temple d'Athéna Sciras au Phalère comme une course, et plus précisément comme un concours à la course ; selon l'un, cette course était courue par des éphèbes *(éphēboi)*, selon l'autre, par des adolescents ayant père et mère *(paîdes amphithaleîs)*, répartis par tribus. Mais la description de

Proclus, plus détaillée, distingue ce qui est confondu dans ces deux textes : d'un côté la procession avec le port des *ōschoí* assumé par deux travestis et les chants exécutés par le chœur qui les suivait, de l'autre le concours de course à pied auquel participaient des éphèbes *(éphēboi)* représentant chaque tribu. Par ailleus, Aristodème et Proclus concordent pour indiquer que le vainqueur de ce concours avait le privilège de boire dans une cylix à usage rituel appelée *pentaplóa*, la coupe « aux cinq ingrédients ». C'est au moment de cette célébration du vainqueur au concours de course qu'Aristodème situe quant à lui l'exécution de danses et de chants choraux ; la probable célébration par Pindare d'un vainqueur dans un poème oschophorique pourrait bien donner raison au philologue d'Alexandrie [11].

Après ces compléments précieux donnés par celles de nos sources dont l'attention s'est concentrée sur le port des sarments, on peut revenir au texte de Plutarque qui mentionne encore un sacrifice, puis au banquet auquel participaient des femmes dénommées *deipnophóroi*, les porteuses de repas. La participation des Dipnophores aux Oschophories reçoit une abondante confirmation dans les sources lexicographiques dont les renseignements remontent à l'Atthidographe Philochore, sinon au rhéteur Hypéride lui-même [12]. Ces mêmes textes confirment les renseignements livrés par Plutarque en rattachant comme lui l'intervention dans le rituel des femmes dipnophores à l'énoncé narratif légendaire mentionnant les aliments que les mères des malheureux jeunes Athéniens désignés par le sort leur portèrent avant leur embarquement pour Cnossos. La participation des Dipnophores, au sein d'une fête attachée à la légende du retour de Thésée, se réfère à la séquence mythique du départ du héros pour la Crète. Enfin le seul Plutarque attribue encore aux Dipnophores la narration rituelle de récits *(mûthoi)* destinés à rappeler les fables qu'avaient racontées les mères des enfants en partance pour la Crète, pour tenter de les encourager [13].

De la publication du festival par le héraut au repas qui y met un point final en passant par la procession oschophorique du sanctuaire de Dionysos jusqu'à celui d'Athéna Sciras au Phalère, l'exécution de chants et de danses, la course à pied, le sacrifice et l'intervention des Dipnophores, les renseignements livrés par Plutarque et complétés par quelques sources lexicographiques finissent par s'organiser en une séquence chronologique qui n'est sans doute pas trop éloignée du déroulement du rite dans ses phases constitutives. Seule l'allusion aux libations, qui devaient coïncider avec le moment du sacrifice ou celui du repas consommé à la suite du sacrifice [14], a été soustraite à la chronologie du rite pour être insérée dans la logique du récit légendaire. Le procédé est analogue à celui qui permet de rattacher à des moments différents du déroulement de la légende la procession des Oschophores et l'intervention des Dipnophores qui sont pourtant constitutives de la même fête.

1.2.2. *Une inscription providentielle*

La relative cohérence de la description plutarchéenne, en dépit de sa dépendance narrative vis-à-vis du mythe qui est censé fonder le rituel décrit, reçoit d'ailleurs une éclatante confirmation dans un document épigraphique qui a été réservé pour la bonne bouche ! Cette inscription dite « des Salaminiens » porte le texte d'un contrat passé entre deux groupes du *génos*, du clan des Salaminiens établis en Attique, probablement à la suite de la conquête de l'île par les Athéniens ; datant de 363/2 avant notre ère, ce texte règle la part dévolue à chacun de ces deux groupes dans l'organisation de certains cultes, dont celui d'Athéna Sciras [15]. Ce contrat prévoit tout d'abord, pour les sacrifices communs, une répartition équitable des viandes sacrifiées en dépit de leur double provenance ; les victimes étaient en effet prélevées d'une part sur le revenu que les Salaminiens eux-mêmes tiraient de la location d'un terrain consacré à Héraclès, et d'autre part sur le revenu public de la cité. Cette dernière part, les Salaminiens, responsables de la distribution des viandes, la reçoivent – précise l'inscription – « soit des mains des Oschophores, soit des Dipnophores ». On passe ensuite du règlement établi pour les cultes en général à celui prescrivant les pratiques afférentes aux cultes individuels, parmi lesquels celui d'Athéna Sciras. L'inscription ajoute alors à la répartition des viandes une distribution de pain notamment à l'intention du héraut – figure que l'on retrouve ici avec plaisir – et de la prêtresse d'Athéna, nouvelle venue, mais hôte attendue au milieu des protagonistes du culte du Phalère. Le décret prévoit également le mode de nomination des Oschophores et des Dipnophores : ils seront désignés par un magistrat *(árchōn)*, tiré au sort, sur l'avis de la prêtresse et du héraut. Enfin quelques pres-

criptions concernant un *próthuma*, un sacrifice précédant le
« combat » *(hámillos)*, se réfèrent presque certainement à l'agôn,
à la course des éphèbes dont les Oschophories étaient l'occasion.
Quant à la mention des pains distribués dans le sanctuaire
d'Athéna Sciras, on pourrait y voir une référence à la fonction alimentaire des Dipnophores.

Le décret prévoit que ce règlement cultuel doit être inscrit sur
une stèle rédigée en commun et déposée précisément dans le sanctuaire d'Athéna Sciras ; on constate ainsi le rôle central que joue
ce culte du Phalère dans les services religieux prêtés par le génos
des Salaminiens. En tout cas en ce qui concerne les sujets des
énoncés rituels constituant le déroulement des Oschophories,
l'inscription des Salaminiens établit la pertinence pour la fin de
l'époque classique des renseignements livrés par le texte de
Plutarque ; elle confirme également les liens privilégiés, attestés
par ailleurs dans d'autres documents, qui attachaient au culte
d'Athéna Sciras le génos des Salaminiens. Enfin, et surtout, elle
inscrit le déroulement des Oschophories dans le cadre du schéma
général pendant toute célébration festive en Grèce avec ses quatre
éléments constitutifs : la procession, le chant choral, le sacrifice et
l'agôn [16].

1.3. Les Cybernésia : Poséidon

C'est encore au Phalère qu'eut probablement lieu l'exposition
du navire du héros, beau paradigme pour les philosophes préoc-
cupés par le problème de l'identité dans le changement puisque,
pour le maintenir pareil à lui-même, on en remplaçait les clins à
mesure qu'ils pourrissaient. Non seulement ce navire correspondait sans doute à celui envoyé chaque année à Délos pour la
théôris, mais à la consécration mythique est sans doute lié le rite
ou la fête *(heorté)* des Cybernésia ; même si rite de retour, Plutarque mentionne cette célébration en narrant le départ de l'Athénien pour la Crète [17]. Ce rite, dont aucun élément ne nous est malheureusement décrit, était centré autour des monuments héroïques *(hērốia)* que Thésée éleva dès son retour à ses pilotes, Phaïax
et Nausithoos ; d'après Plutarque, ces deux hérôa se trouvaient
non loin du sanctuaire de Sciros, un autre héros salaminien,
grand-père maternel de l'un des jeunes gens participant au tribut

envoyé au Minotaure. Si l'emploi de la forme passive, de rigueur chez Plutarque dans la description des pratiques cultuelles, empêche de savoir quel était le sujet des honneurs rituels rendus à ces deux pilotes héroïsés, le caractère héroïque de leur culte permet de supposer que cet acte correspondait quant à son contenu à un sacrifice suivi d'un banquet auquel les héros étaient sans doute conviés ; tout culte héroïque était en effet marqué en Grèce classique par un sacrifice nocturne, déterminé par l'acte spécifique d'*enagízein*[18].

Historiquement, la mention du culte héroïque rendu aux pilotes salaminiens de Thésée remonte en tout cas à l'Atthidographe Philochore alors que Simonide, dans une version plus ancienne, fait référence à un autre pilote en l'honneur duquel aucune pratique rituelle n'est attestée. Quoi qu'il en soit, ce culte reçoit dans l'inscription « des Salaminiens », déjà citée à propos des Oschophories, une singulière confirmation[19]. Ce décret cultuel prévoit en effet que le génos des Salaminiens doit offrir à Poséidon Hippodromios, dont le temple se trouvait au Phalère, un porc et que cette consécration doit être accompagnée du sacrifice de trois petits cochons aux héros Phaïax, Teucer et Nauséiros respectivement. Ce sacrifice avait lieu au mois Boédromion (septembre/octobre), c'est-à-dire un mois environ avant la date attribuée au retour légendaire de Thésée. Si la variation dans le nom propre de l'un des héros honorés dans ce sacrifice pose un petit problème d'ordre philologique, que l'on verra ne pas être insurmontable, en revanche la différence d'un mois entre la date du sacrifice telle qu'elle est indiquée par l'inscription et celle que l'on peut déduire de la légende est irréductible. Seule solution : admettre dans la narration légendaire une nouvelle manipulation permettant de faire coïncider le sacrifice rituel offert à Phaïax et Nausithoos avec le retour de Thésée[20].

On relève enfin que les honneurs héroïques rendus aux pilotes de Thésée n'étaient pas sans connaître une articulation, sur le plan du rite, avec les Oschophories célébrées en l'honneur d'Athéna Sciras, même si temporellement il n'y a pas de coïncidence entre ces deux festivités. Ce lien, c'est précisément l'inscription fixant les attributions cultuelles du génos des Salaminiens qui l'indique, après avoir pourtant dissocié ces deux cultes. L'inscription mentionne en effet encore, pour le mois Maïmactérion (novembre/décembre), un sacrifice rendu à Athéna Sciras et à Sciros, probable-

ment exécuté sur le même autel. Or Sciros est précisément le héros
salaminien, grand-père de l'un des adolescents envoyés à Cnossos,
qui a fourni à Thésée ses deux pilotes[21]. Indépendamment même
de la tradition mythologique qui marque ici une nette tendance à
réorganiser les pratiques rituelles selon sa propre logique, l'inscription des Salaminiens situe dans une même ligne cultuelle, mais
dans une organisation chronologique différente de celle donnée
par Plutarque, le sacrifice exécuté pour Poséidon, les honneurs
héroïques rendus aux pilotes de Thésée, les pratiques attachées
dans les Oschophories au culte d'Athéna Sciras et le sacrifice
rendu au héros salaminien Sciros. La cohérence retrouvée dans
cette série de pratiques rituelles se référant au domaine marin
nous permet de quitter, la conscience tranquille, le bord de mer et
le Phalère pour regagner la cité.

1.4. Les Pyanopsies : Apollon

Avec les Oschophories, les Pyanopsies représentent certainement la fête athénienne la plus importante parmi les rites attachés
à l'épisode crétois du mythe de Thésée. A nouveau, Plutarque fait
correspondre la date du festival − le 7 Pyanopsion − avec la date
du retour à Athènes du héros triomphant. Mais il n'y a dans ce cas
aucune distorsion narrative par rapport au calendrier du rituel
puisqu'aussi bien le nom donné à la fête que les scholies et les lexi-
ques qui s'appuyent sur des traités hellénistiques d'héortologie tel
celui d'Apollonios d'Acharnes consacré aux fêtes athéniennes
confirment largement cette date tout en attestant le fait que le festival était consacré à Apollon. On trouve de plus une attestation
épigraphique de la date des Pyanopsies dans une inscription
datant du [er] siècle avant notre ère ; et, du point de vue historique,
la fête est citée dans un fragment de l'orateur attique Lycurgue, ce
qui nous situe au [ve] siècle, et chez le comique Timoclès, un
contemporain de Démosthène[22].

Dans cette tradition essentiellement lexicographique, de même
que chez Plutarque, la mention du nom de la fête est évidemment
attachée à la pratique rituelle qui explique sa dénomination : la
consommation d'un brouet de légumes, répétition rituelle de la
« soupe aux restes » absorbée par Thésée et ses compagnons à son
retour de Crète[23].

A la consommation rituelle du brouet s'ajoutait le port de l'*eiresiŏnē*, cette branche d'olivier entourée de laine à laquelle on suspendait les prémices des fruits de la saison. Avant de consacrer à cet objet hautement symbolique le développement qui lui est dû, on remarquera que, sur le plan de l'action, la tradition concernant sa manipulation est double. En effet, même si les renseignements concernant ces deux branches de la tradition coexistent souvent dans le même texte, il faut distinguer l'éirésiôné, rameau du suppliant que l'on consacre à Apollon, du rameau du même nom que l'on suspend, également à l'occasion des Pyanopsies, devant les portes des maisons de la ville.

1.4.1. Deux rites distincts ?

Pour commencer, la pratique consacrée à Apollon. Si Plutarque se contente d'une mention générale du port de l'éirésiôné dans le cadre des Pyanopsies, les sources qui centrent leur intérêt non plus sur la dénomination du festival mais sur cette étrange pratique rituelle montrent que le destinataire de ce rameau de supplication est le dieu Apollon. Ces nouvelles notices lexicographiques ajoutent en général à leur commentaire sur l'éirésiôné, comme le fait aussi Plutarque, le texte du chant qui était exécuté pendant la consécration cultuelle de cet objet. Et enfin les textes les plus explicites nous indiquent quel est le Sujet de ces deux énoncés rituels dans la définition qu'ils donnent du culte rendu à Apollon : le port du rameau du suppliant est attribué à un enfant ayant père et mère *(paîs amphithalés)* et l'exécution du chant est assumée par des adolescents *(paîdes)*. Comme l'oschophorie, ce port de l'éirésiôné jusqu'au sanctuaire d'Apollon devait revêtir la forme d'une procession.

Cette première branche de la tradition qui fait d'Apollon le destinaire de l'éirésiôné se dédouble d'ailleurs à son tour. En effet si une partie des textes, dont celui de Plutarque, attache la consécration à Apollon du rameau du suppliant au retour légendaire de Thésée à Athènes, d'autres attribuent en revanche l'institution de ce rite à la simple propitiation d'une famine ou d'une période de stérilité. En suivant l'histoire du texte, on remarquera que la version qui rattache la célébration des Pyanopsies au mythe de Thésée remonte pour nous jusqu'à Pausanias le lexicographe (à l'époque d'Hadrien ?) alors qu'il est possible de suivre la version faisant allusion à une famine jusqu'à Cratès d'Athènes et à l'orateur Lycurgue ; Cratès fut, vers la fin du IVᵉ siècle avant notre ère, l'auteur d'un traité consacré aux *Sacrifices des Athéniens*[24]. Du point de vue historique encore, on remarquera qu'un décret datant du IIᵉ siècle avant notre ère mentionne en même temps que le sacrifice à Thésée dont on va parler la consécration à Apollon de l'éirésiôné ; cet acte de consécration du rameau du suppliant, le décret l'attribue aux prytanes[25]. Et Plutarque d'ajouter à cette double tradition légendaire un troisième aïtion qui attache l'offrande de l'éirésiôné à l'hospitalité accordée par les Athéniens aux Héraclides !

Mais, on l'a dit, un second filon de la tradition se dispense de citer Apollon et montre simplement les jeunes Athéniens *(paîdes)* portant et fixant le jour des Pyanopsies des éirésiônaï aux portes des maisons de la ville. A l'instar de la branche d'olivier nouvellement coupée qui dans les pays catholiques méridionaux vient apporter sur chaque foyer la bénédiction du Seigneur à l'occasion du dimanche des Rameaux, dans l'Athènes classique la porte de chaque demeure recevait, le 7 Pyanopsion, son éirésiôné. Aristophane ne manque pas de se moquer à plusieurs reprises du rameau séché pendant aux portes, donnant ainsi un triple témoignage d'une coutume certainement très populaire[26].

1.4.2. *Les raisons d'une complémentarité*

La tradition lexicographique montre toutefois qu'il n'y a pas véritable antinomie entre la pratique consacrée à Apollon et le rite destiné aux maisons privées. La *Suda* et Eustathe résolvent la contradiction apparente en inscrivant ces deux pratiques dans une succession chronologique : d'abord la consécration à Apollon, puis, « après la fête » *(metà tền heortến)*, la fixation auprès des portes des rameaux pris « à la campagne » *(éxō agrôn)*. Et une citation plus étendue du fragment déjà cité de Lycurgue semble même confondre ce que la tradition postérieure distingue : ce serait simplement en l'honneur d'Apollon que l'on plaçait devant les portes des maisons le rameau du suppliant[27]. Mais le caractère peut-être uniquement domestique du rite d'une éirésiôné destinée aux demeures de la ville ne doit pas faire oublier la pratique alimentaire qui a donné son nom au festival des Pyanopsies et qui possède quant à elle un caractère communautaire et public. Il y a donc bien à l'occasion des Pyanopsies d'un côté un rite s'adressant aux foyers privés et de l'autre un rite se déroulant dans le cadre public du sanctuaire d'Apollon.

Enfin, selon deux de nos sources lexicographiques, le chant de l'éirésiôné accompagnait deux gestes rituels supplémentaires : on répandait à l'occasion des Pyanopsies des *katakhúsmata*, c'est-à-dire les fruits secs (noix et figues essentiellement) que l'on avait aussi coutume de jeter sur le foyer domestique pour souhaiter la bienvenue à un nouveau-venu dans la maison, esclave, jeune épouse, etc. ; et après ce geste, on versait le contenu d'une coupe de vin mélangé [28]. Si l'on peut avoir quelque bonne raison de douter de la validité de ce témoignage tardif en dépit du caractère vraisemblable de cette libation domestique, en revanche il faut relever que l'inscription qui apporte la confirmation épigraphique de la date des Pyanopsies mentionne encore pour le jour de cette fête la consécration d'une galette à Apollon et à Artémis [29]. Ce témoignage est cependant tardif et il se réfère probablement aux cultes organisés par une association d'inspiration orphique ; étant donné les différentes inversions du régime alimentaire courant prônées par les Orphiques, cette galette pourrait servir de substitut, par exemple, à la consommation du brouet de fèves dont nous aurons encore à traiter. Il est donc difficile d'intégrer cet acte rituel à nos connaissances sur le déroulement des Pyanopsies à l'époque classique [30].

1.5. Les Théséia : Thésée !

On s'en souvient : de même que l'épisode des aventures crétoises de Thésée s'ouvrait par la manipulation du héros par lui-même, de même se concluait-il narrativement par une phase d'auto-sanction dans laquelle le héros apparaissait comme son propre judicateur. C'est en effet Thésée lui-même qui demande au génos des Phytalides de se charger du sacrifice exécuté en son propre honneur à son retour victorieux de Cnossos ! Dans son récit biographique, Plutarque répète la mention de ce sacrifice qui clôt l'épisode crétois à l'occasion de l'énumération des actes marquant le terme de l'ensemble de la vie du héros. La référence est bien double puisque le biographe, tout en situant cette cérémonie sacrificielle auprès du tombeau élevé pour consacrer toute la

carrière du héros, insiste sur le lien que ce sacrifice entretient avec
le retour de Crète ; sa date, le 8 Pyanopsion, coïncide en effet,
précise-t-il, avec celle du retour de Thésée à Athènes [31]. On ajoutera qu'elle coïncide également avec le jour traditionnellement
consacré au dieu Poséidon.

Par ailleurs, cette double référence narrative, Plutarque la situe
dans une perspective nettement historique. La première mention
du sacrifice en l'honneur de Thésée coïncide en effet avec la fondation (légendaire) d'un enclos sacré *(témenos)*, directement attachée au retour mythique du héros à Athènes. Par contre la
seconde mention situe le même sacrifice autour du tombeau du
héros, un tombeau qui ne fut édifié − ajoute Plutarque − qu'au
moment où, probablement peu après 476/5, Cimon rapporta de
Scyros les ossements du héros ; un monument funéraire qui s'élevait au milieu de la ville *(en mésēi tēi pólei)*, non loin du gymnase
(qui au temps de Plutarque s'étendait en effet au sud de l'Agora).
Les fouilles archéologiques semblent donner confirmation de la
situation décrite par Plutarque. On a en effet exhumé un sanctuaire héroïque à l'angle sud-est de l'Agora, dans le voisinage
immédiat du Prytanicon et du Bouleutérion ; de plus la description que donne Pausanias du Théséion d'Athènes confirme la
construction à l'époque de Cimon d'un *sēkos* dans un *témenos*
que d'autres sources font remonter au règne de Pisistrate. D'autre
part on admet en général que les premières Théséia ont été célébrées à l'occasion de l'inauguration du monument, un 8 Pyanopsion de l'une des années qui suivirent 476 [32].

Tout en soustrayant le sacrifice en l'honneur de Thésée à un
culte gentilice, apanage du génos des Phytalides, pour l'intégrer à
un culte rendu par l'ensemble de la cité, la double référence indiquée par Plutarque dessine en fait l'élargissement du sens attribué
aux honneurs rendus au héros, probablement à partir de 475 : on
célèbre d'abord, dans le *témenos*, l'expédition crétoise ; puis,
quand on y construit le tombeau du héros, on y rend honneur à
toute sa carrière politique. Mais pour le biographe de Thésée, il
n'y a évidemment pas de différence nette entre action légendaire
et événement historique : honneurs institués par Thésée lui-même
dans le mythe et réinstitutionnalisation du culte héroïque par
Cimon en 475 s'inscrivent dans la même ligne narrative.

En dépit de la valeur plus générale qu'il a prise de glorification
de toute la carrière du héros, le sacrifice du 8 Pyanopsion clôt

donc en particulier l'épisode crétois ; il entre par conséquent dans
notre champ d'investigation. Ce sacrifice semble s'être peu à peu
développé pour prendre la forme d'un festival gymnique auquel
on donna le nom de *Thēseîa*[33]. Cette métamorphose des honneurs
rendus à Thésée en un agôn leur confère, en tant que suite de
joutes gymniques, un caractère atypique qui nous dispensera de
suivre dans tous ses détails un déroulement largement connu en
Grèce par toute une série de jeux du même genre.

Quelques décrets promulgués en l'honneur d'éphèbes et d'ago-
nothètes participant à ce festival et datant du Ier siècle avant notre
ère donnent de la forme des Théséia à cette époque une image
assez complète et cohérente. Le sacrifice en l'honneur du héros
était précédé, comme c'était le cas aux Oschophories, d'une
pompé, d'une procession dont on ignore malheureusement quels
étaient les acteurs. Après le cortège on assistait à une course aux
flambeaux, à des jeux gymniques et à des jeux équestres. Les protagonistes des deux premières séries de joutes étaient répartis en
trois catégories : enfants, éphèbes et hommes adultes, les enfants
étant eux-mêmes répartis, pour certaines épreuves, en trois classes
d'âge différentes. L'agôn gymnique comprenait à son tour une
longue suite d'épreuves, celles même que l'on retrouve dans tous
les jeux grecs : course du stade, double stade, course du « long
stade », lutte, pugilat, pancrace, course armée, combat en armes,
lancer du javelot, etc. Les différentes courses de chevaux étaient
quant à elles réservées aux cavaliers et aux phylarques qui com-
mandaient à Athènes les dix corps de la cavalerie ; elles étaient
complétées par des courses de char[34]. Thésée passait d'ailleurs
pour avoir été non seulement, dans le combat contre le Minotaure, le fondateur du pancrace sans gantelets, mais aussi l'inventeur de la course de char en armes[35].

Avec les joutes gymniques organisées en l'honneur de Thésée
comme elles le furent ailleurs pour Héraclès, Zeus ou Apollon,
nous arrivons au terme du cycle des rituels attachés à Athènes à
l'expédition crétoise du héros et à son déroulement narratif. Et
sans doute verra-t-on davantage qu'un simple hasard dans la coïncidence, à l'occasion du rituel qui clôt ce cycle, entre la glorification du Thésée crétois et la célébration de l'ensemble des exploits
du héros. Mais, avant d'évaluer cette rencontre, il faut encore se
tourner vers les cultes qui, en dehors d'Athènes, ont été liés à
l'épisode légendaire du Labyrinthe. On verra que les lieux mêmes

où sont accomplis ces actes cultuels sont loin d'être étrangers à la cité de Thésée !

2. Cultes des îles

L'attention portée sur les cultes spécifiquement athéniens ne doit pas nous faire oublier qu'entre la procession du 6 Mounichion et les nombreuses fêtes attachées au retour de Thésée à Athènes, les étapes du héros dans son parcours maritime ont été aussi largement utilisées pour expliquer l'institution d'une série de pratiques rituelles au statut sémantique pour le moins ambigu. Il est à nouveau possible de suivre l'ordre chronologique et spatial que nous propose Plutarque et, laissant pour l'instant à tribord la Crète que sa position particulière a mise à l'écart du jeu de l'aïtion, abordons, avec Ariane et Thésée, à Naxos.

2.1. Le culte d'Ariane à Naxos

Les énoncés rituels que l'on peut tirer des indications à nouveau laconiques de Plutarque ne sont, quant aux cultes qui ont été attachés au séjour légendaire de Thésée et Ariane à Naxos, pas très nombreux − malheureusement. L'histoire locale, utilisée et explicitement citée par Plutarque dans sa description de l'étape naxienne, semble avoir tiré prétexte du caractère contradictoire des honneurs rendus à Ariane par les habitants de l'île pour créer deux figures légendaires, distinctes autant dans leur identité que dans leur insertion temporelle : les festivités de réjouissance et de divertissement pour Ariane l'épouse de Dionysos, et pour la jeune Ariane abandonnée par Thésée, un sacrifice à caractère probablement funéraire. La généralité des termes employés par Plutarque − *heortázein, thusíai* − ne permet de préciser ni la figure de ces actes, ni les sujets susceptibles de les assumer. L'auteur romain s'attache uniquement aux modalités thymiques, réjouissance et tristesse, qui déterminent le faire propre à chacune de ces pratiques rituelles. Mais on verra que ces modalités ne sont que les deux faces des honneurs rituels rendus à un héros décédé avant d'être immortalisé et que ce double aspect thymique du rite est fréquent dans la pratique cultuelle des Grecs [36].

2.2. Travestis cypriotes

On se rappelle que l'une des versions de la légende fait aborder Ariane et Thésée non pas à Naxos, mais à Chypre. L'histoire de l'abandon de l'héroïne, puis de sa mort en couches avant que Thésée ne vienne lui rendre un dernier hommage par la consécration de deux statuettes est utilisée comme aïtion d'une pratique rituelle des plus singulières. Tirant ses renseignements d'un écrivain local ayant peut-être vécu à Chypre vers la fin du IVe siècle, Plutarque raconte que le 2 du mois Gorpiaïos (c'est-à-dire à la fin août), on exécutait en l'honneur d'Ariane un sacrifice, répétition du sacrifice ordonné par Thésée lui-même au moment de la consécration des deux effigies. A cette occasion, l'un des jeunes gens *(neaniskoi)* qui assistaient au rite imitait les mouvements et les cris d'une femme en couches. Puisque l'historien dont Plutarque tire son information dans la description de cet étrange rituel vivait à Amathonte et que le tombeau d'Ariane se trouvait dans un bois sacré situé non loin de cette même ville cypriote, il est fort probable que le sacrifice était exécuté par des habitants de cette ville, devant le monument funéraire élevé par l'héroïne, au milieu du bois où elle était par ailleurs associée à Aphrodite [37].

Or il s'avère que nous possédons sur le culte d'Aphrodite à Chypre quelques renseignements dont la convergence est propre à étayer le témoignage du seul texte de Plutarque. De plus, étant donné que ces indications fragmentaires, mais cohérentes, remontent également à Péon d'Amathonte ainsi qu'à l'*Atthis* de Philochore, c'est-à-dire aux textes mêmes consultés par Plutarque, il y a tout lieu de croire que les pratiques dont font état ces ouvrages se réfèrent au même culte que celui décrit par l'auteur thébain [38]. Ce rapprochement est d'autant plus légitime que le célèbre culte d'Aphrodite auquel on va faire allusion est précisément attaché à la cité d'Amathonte, auprès de laquelle avait lieu le sacrifice à Ariane. Les deux auteurs mentionnés rapportent donc que les hommes exécutaient pour Aphrodite d'Amathonte un sacrifice au cours duquel ils étaient travestis en femmes ; quant aux femmes elles-mêmes, elles revêtaient à cette occasion des vêtements masculins. Et il n'y avait pas jusqu'à Aphrodite qui n'assumât dans ce culte une figure tout à fait masculine ou, suivant d'autres versions, des traits qui l'attachaient à l'un et l'autre sexes[39]. Le caractère double de la déesse d'Amathonte était assez connu dans l'Antiquité pour avoir inspiré un Catulle chez qui elle devient l'inspiratrice d'un amour fatidique. Sans oublier que la masculinité d'un Aphroditos, peut-être d'origine cypriote, était déjà connue d'Aristophane[40] !

Après la métamorphose de la chèvre en bouc qui a marqué, au moment de son départ pour Cnossos, le sacrifice offert par Thésée à Aphrodite Epitragia et avant le travesti des deux jeunes gens conduisant l'Oschophorie du retour, comment ne pas être frappé par le lien qui unit certainement à Amathonte l'inversion des signes de la féminité dont le culte d'Ariane est le lieu à l'ambiguïté sexuelle d'une Aphrodite cypriote qui se présente sous les traits d'un homme barbu, mais revêtu d'un costume de femme ?

2.3. Rituels déliens

2.3.1. Les Aphrodisia

Après Naxos et Chypre, c'est encore la figure d'Ariane qui marque l'étape de Délos ; Ariane qui, avec Aphrodite, domine le rituel centré sur la danse de la grue. On se souvient que Plutarque présente la consécration par Thésée de la statue d'Aphrodite confiée au héros par la fille de Minos comme l'aïtion de cette célèbre danse que l'on exécutait autour d'un autel non moins fameux : le *Keratón*, l'Autel aux cornes. Dans son *Hymne à Délos*, Callimaque fait précéder cette performance musicale d'un acte rituel qui concerne la statue même consacrée par Thésée. Avant l'exécution chorégraphique, cette antique statue était en effet couverte de couronnes ; cette statue, Callimaque en vante encore la réputation et le caractère particulièrement sacré tandis que Pausanias la décrit comme un petit xoanon qui, attribué à l'art de Dédale, aurait perdu avec l'usure du temps sa main droite ; quant à ses jambes, elles se fondaient en un pied quadrangulaire qui devait correspondre à un fût hermaïque. En ce qui concerne les modes d'exécution de la danse de la grue, il suffira de rappeler ici que l'articulation même du texte de Callimaque tend à identifier le Sujet de cette performance chorale avec le chœur de jeunes filles qu'il évoque dans le même passage ; il est accompagné des jeunes gens qui chantent par ailleurs le fameux hymne d'Olen [41].

Avec la géranos, l'Autel aux cornes et les honneurs rendus au xoanon d'Aphrodite, c'est en fait au cœur des traditions rituelles les plus sacrées de Délos que nous entraînent nos sources. Quelques inscriptions datant de la fin du IIIe siècle nous permettent d'identifier les actes institués par Thésée et décrits dans les textes littéraires avec le festival des Aphrodisia. On trouve en effet dans ces documents épigraphiques relatifs au culte d'Aphrodite à Délos la mention de dépenses qui concernent exactement les deux actes rituels décrits : achat de feuilles et de fleurs pour parer la statue de la déesse, achat de torches pour le chœur exécutant la danse ; il faut y ajouter l'étrange achat d'une corde, peut-être relatif à l'exécution de la danse de la grue. Datées du mois Hécatombaïon, ces dépenses situent la fête des Aphrodisia en juillet-août [42]. D'autre part les données légendaires sur la consécration par Thésée de la statue d'Aphrodite à Apollon sont en parfait accord avec la situation que les inscriptions attribuent à l'endroit où se déroulaient les Aphrodisia ; il s'agit en effet de l'Aphrodision dit « *en hierôi* », situé par conséquent à l'intérieur même du sanctuaire d'Apollon. L'antique statue en bois d'Aphrodite était donc incluse dans le périmètre sacré, réservé au dieu qui régnait sur Délos et, sans qu'il soit nécessaire de faire de l'autel aux cornes un monument spécifiquement consacré à Aphrodite, tout porte à croire que le Kératôn s'élevait dans cette même enceinte [43].

Ainsi sources littéraires et inscriptions concordent pour faire des Aphrodisia une festivité centrée sur deux actes rituels : le couronnement du xoanon d'Aphrodite et la danse de la grue autour du Kératôn. Cette fête était dédiée à Aphrodite tout en étant incluse spatialement dans le sanctuaire d'Apollon. Le rapport double des Aphrodisia avec Apollon et avec leur déesse tutélaire est d'ailleurs déjà indiqué dans la légende où la dédicace de la statue d'Aphrodite transmise par Ariane se réalise dans un cadre apollinien.

2.3.2. *Les Délia*

En inscrivant dans la suite immédiate des actes rituels constitutifs des Aphrodisia la mention de la théorie que les descendants

de Cécrops envoyaient chaque année à Apollon délien, le texte du
poème savant de Callimaque nous convoque aussi au grand festival de Délos, les Délia apolliniennes. Rappelons que, citée également par Platon dans un passage célèbre du *Phédon*, l'envoi de la
théorie athénienne à Délos n'est rattaché à l'étape délienne du
mythe de Thésée que par l'intermédiaire du navire qui transportait
la théorie et sur lequel on fixait les agrès du bateau légendaire du
héros ; cette nef fameuse était elle-même exposée au Phalère, en
relation probable avec le rituel athénien des Cybernésia [44].

Du point de vue délien et même si aucune pratique rituelle
légendaire ne s'y réfère explicitement, la théorie athénienne nous
renvoie au grand festival des Délia. Le rite dédié à Apollon était
d'origine ionienne ; il est déjà évoqué dans l'*Hymne homérique*
consacré à ce dieu. Objets de deux réinstitutionnalisations successives par les Athéniens, les concours gymniques et musicaux
décrits par Thucydide en marquaient le déroulement ainsi que les
sacrifices et les performances chorales auxquels les Athéniens
ajoutèrent des courses de chevaux [45]. De plus l'envoi de chœurs
athéniens pour la célébration des Délia, fort probablement par
l'intermédiaire de la théorie, est attesté aussi bien par les sources
littéraires qu'épigraphiques [46]. En dépit de l'importance de ce festival, un certain flou règne − il faut le dire − sur son déroulement
pratique. Sa date, que l'on situe au mois Hiéros (février/mars),
n'est pas certaine même si elle coïncide avec celle de la mort de
Socrate ; si Thucydide parle d'une fête quinquennale, en revanche
Platon fait de la théorie attachée à cette célébration une manifestation annuelle. Les Délia ont de plus connu une histoire
mouvementée : réformées par les Athéniens en 425, célébrées pendant tout le IVᵉ siècle, elles ont connu une éclipse avec la fin de
l'hégémonie athénienne sur Délos pour être remplacée par les
Apollonia et finalement réapparaître, avec les Athéniens, en 166
avant notre ère. Même si elles ne correspondaient pas à une célébration identique, Délia et Apollonia ont en tout cas connu une
alternance à la même date du calendrier festif athénien ; elles ont
donc souvent été confondues [47].

Mais des nombreux actes rituels dont est composé le plus
important festival de Délos, les énoncés qui ont été référés au
mythe de Thésée sont en nombre très restreint. A l'acte prépara-
toire que représente l'envoi de la théorie sur un navire portant
pour Apollon les agrès de la nef du héros, on ne peut guère ajouter

que l'agôn déjà mentionné[48]. Institué selon la légende par Thésée en l'honneur d'Apollon, ce concours gymnique correspond probablement à l'une des joutes qui composaient le déroulement des Délia. Si c'est bien le cas, il constitue la seule pratique rituelle des Délia à avoir été attachée au séjour de Thésée sur l'île de Délos.

2.3.3. *Les Théséia insulaires*

En plus de ces différentes festivités déliennes référées de manière plus ou moins explicite au passage de Thésée sur l'île, on peut encore mentionner l'institution tardive des Théséia, réplique probable du festival athénien correspondant. Trois dédicaces attestent en effet dès le milieu du IIe siècle avant notre ère, c'est-à-dire dès le début de la nouvelle période de domination d'Athènes sur Délos, la célébration d'une fête directement consacrée au héros athénien[49]. A déchiffrer ces documents épigraphiques, les Théséia déliennes semblent en tout cas reprendre à leur équivalent athénien la course aux flambeaux ; comme à Athènes, cette course était courue selon trois classes d'âge : enfants, éphèbes et hommes adultes. De cette ressemblance, on peut inférer que le rite délien était également célébré le 8 du mois Pyanopsion. Les trois dédicaces qui en attestent l'existence, adressées à Apollon, apportent le témoignage d'un intéressant syncrétisme entre le culte de Thésée et le dieu qui non seulement joue un rôle si important dans la geste crétoise du héros, mais qui domine aussi toute la vie cultuelle de l'île.

On s'étonnera à juste titre de l'absence de lien de type étiologique entre ce festival des Théséia déliennes et le séjour légendaire du héros dans l'île. Lacunes de la tradition ou date récente de l'institution de cette fête ? Le travail de justification étiologique de pratiques rituelles par des récits légendaires s'est pourtant poursuivi à travers toute la période hellénistique. On ne peut que conjecturer une relation entre l'institution des Théséia déliennes et la légende du héros athénien sur la base d'un élément de cohérence narrative : l'institution à Délos par Thésée lui-même d'un festival célébré en son propre honneur se serait harmonieusement inscrite dans la logique d'une étape que nous avons vu représenter la préfiguration de la phase de sanction, proprement athénienne, de l'épisode crétois.

2.3.4. *Pratiques circumambulatoires*

Restent, pour terminer cette revue des rites relatifs aux différentes étapes du héros athénien à son retour de Crète, les curieuses pratiques de la circumambulation autour de l'Autel aux cornes, flagellé à cette occasion, et de la morsure de l'olivier sacré que mentionne Callimaque à la suite de la description de la danse de la grue. S'il est vrai que le texte de Callimaque intègre cette mention à un développement proche, mais syntaxiquement distinct du précédent, s'il est vrai également que le poète alexandrin indique que cette coutume était le propre des marins de passage, il faut aussi reconnaître qu'Hésychius, même s'il s'agit d'un témoignage tardif, attribue à Thésée l'institution du rite de la circumambulation autour du Kératôn ; et le lexicographe présente cette institution comme une action de grâce du héros qui a réchappé au Labyrinthe crétois [50]. Ces rites ne devraient-ils pas être dès lors intégrés dans notre corpus ?

Pour conforter le témoignage tardif d'Hésychius, il y aurait évidemment le lien sémantique que l'olivier sacré et le voyage marin permettaient d'établir également entre le rite de la morsure et la légende du héros athénien. L'auteur inconnu du texte où Hésychius a puisé ses renseignements est-il parti de ces possibilités d'association pour conférer à ces étranges pratiques rituelles une origine théséenne, ou les Athéniens ont-ils réellement attaché l'une et/ou l'autre d'entre elles, dans leur mainmise idéologique sur Délos, à la légende de Thésée ? Reconnaissons tout de même que Callimaque, quant à lui, fonde ces pratiques par la référence à la légende de l'enfance d'Apollon. Qu'elles soient dépendantes l'une de l'autre ou non, ces deux actions rituelles doivent en tout cas être dissociées des Aphrodisia et des Délia [51]. Pour le reste, nous nous butons à l'une de ces apories dans lesquelles les textes anciens nous laissent si fréquemment.

3. Mythe et rite : relation narrative

Après cette longue opération de fragmentation de récits mythiques et rituels en chaînes d'énoncés narratifs, sans doute est-il temps de revenir, sur le plan syntagmatique au moins, à la question de l'articulation des énoncés des uns sur les énoncés composant les autres. Premier élément de réponse donc à la *vexata quaestio* de la relation du récit légendaire avec la manifestation d'ordre rituel.

3.1. Les marques linguistiques d'un enchaînement

On a dit que dans leur manifestation linguistique, les énoncés constitutifs de la légende se distinguaient strictement et régulièrement des énoncés décrivant le rite par l'utilisation de l'aoriste, par opposition à l'usage du présent réservé à la figuration du rituel. Et ce caractère distinctif, qui fait office de critère infaillible, n'est pas réservé au texte de Plutarque ; on le retrouve dans toutes nos sources, d'un texte aussi classique que le *Phédon* de Platon jusqu'à la prose technique des *Lexica* tardifs. Dans ces premiers dictionnaires comme dans les scholies, produits tous deux de la philologie byzantine, le présent fait simplement place à un imparfait pour indiquer la distance temporelle séparant le rite décrit du cadre énonciatif où se situe le locuteur ; dans l'introduction de ce troisième palier temporel, d'ordre énonciatif, la description de la pratique rituelle est en général médiatisée par la référence au narrateur neutre manifesté dans la forme linguistique du « on dit que ». A la distanciation temporelle s'ajoute par conséquent un « débrayage » d'ordre spatial indiquant l'éloignement entre le locuteur qui n'a évidemment pas pu assister aux pratiques décrites et ses témoins oculaires qui constituent la source de l'information transmise ; dans ce cas, les renseignements sont parfois donnés sur le mode du vraisemblable qu'exprime la formule *dokeî*, « il semble », employée notamment par les sources les plus tardives. Quant aux sources les plus anciennes, la simultanéité temporelle entre performance du rite décrit et situation du locuteur-narrateur est au contraire soulignée par des expressions adverbiales telles que « et maintenant encore » *(kaì nûn éti)*. Au IIe siècle de notre ère, Plutarque semble se situer à l'exacte intersection d'une énonciation coïncidant avec le cadre spatio-temporel donné à la description du rite et d'une communication au contraire médiatisée spatialement et surtout temporellement : tout en situant les pratiques rituelles qu'il décrit dans son présent de locuteur, l'auteur de la *Vie de Thésée* en attribue souvent l'origine énonciative à un ouï-dire médiateur. Cette procédure n'est pas très différente de celle inaugurée pour nous par l'enquête géographique et ethnographique d'Hérodote [52].

Mais il y a davantage que ces distinctions spatio-temporelles et énonciatives entre niveau de la narration du mythe, niveau de la description du rite et point de vue du locuteur-narrateur. Plutarque en particulier, mais d'autres textes également établissent souvent − on l'a dit − un lien logique de cause à effet entre énoncés de la légende et énoncés décrivant le rite ; au-delà des distinctions mentionnées, ce rapport de déterminant à déterminé ou de déterminé à déterminant est marqué linguistiquement par l'usage d'une subjonction ou d'un adverbe. Chez l'orateur Lycurgue déjà, la consécration rituelle de l'éirésiôné aux Pyanopsies est référée par un *hóti* (« parce que ») explicatif à la légende de la stérilité frappant l'Attique et levée par Apollon ; ce même *hóti*, on le retrouve mille ans plus tard dans le texte des scholies à Aristophane qui décrivent la même coutume. Ce peut être aussi l'adverbe *dió*, « c'est pourquoi », qui exprime dans le cheminement inverse la même concaténation logique ; par exemple chez Plutarque, quand il nous explique l'origine de l'épiclèse d'Aphrodite Epitragia, mais aussi à l'époque byzantine, lorsque la *Souda* fait remonter la dénomination des Pyanopsies à la bouillie de légumes apprêtée par Thésée à son retour de Crète. L'explication devenue implication se manifeste encore dans une expression telle que « de là » *(hóthen, énthen)* ou par le verbe résultatif *gígnesthai*. Ces deux modes de l'implication se trouvent actualisés côte à côte chez Plutarque quand il donne la raison du couronnement du caducée porté par le héraut des Oschophories, puis celle de la confection de la bouillie des Pyanopsies ; et c'est encore de cette manière que Callimaque lui-même, jouant pleinement son rôle de poète savant, rattache l'institution de la théorie athénienne vers Délos au passage de Thésée sur l'île d'Apollon [53].

Dans toute la littérature mythographique hellène et même chez ceux qui comme l'orateur Lycurgue se situent en dehors d'elle, la mise en relation de la pratique rituelle avec le récit légendaire s'opère, avec une continuité remarquable, dans le cadre de la logique explicative définie dès le Ve siècle par le *di'hó ti* d'Hérodote. On semble donc suivre le modèle indiqué par l'enquêteur d'Halicarnasse aussi bien dans les procédés auxquels il recourt

pour exprimer sa propre situation énonciative de narrateur vis-à-
vis des *lógoi* des autres que dans sa manière originale de faire de
certains de ces *lógoi* la raison motivante des actes de culte observés
en Egypte par exemple. Et chez Plutarque, cette mise en relation
du point de vue de la motivation fait sans aucun doute partie intégrante du travail d'« archéologie » et de l'effort d'« épuration de
la fable *(tò muthôdes)* par la raison » qui sont censés sous-tendre
la *Vie de Thésée*[54]. En dépit des marques linguistiques qui en distinguent la description, mythe et rite sont référés l'un à l'autre
dans une relation explicative sans que cette relation ne soit l'objet
d'une réflexion théorique. Elle est simplement pour Plutarque de
l'ordre du récit, de l'ordre du récit « raisonné » ; suivons donc le
vœu exprimé par l'auteur de la *Vie de Thésée* et ne demandons pas
davantage à cette « archéologie » narrative que ce qu'elle peut
nous donner. Sa manière remonte finalement au moins à la littérature de l'enquête ethno-géographique du ve siècle avant notre
ère !

3.2. Un point de vue sémio-narratif sur le rite

Si l'on quitte les marques linguistiques permettant de distinguer
dans les textes étudiés l'action légendaire de l'action cultuelle pour
aborder le même problème dans la perspective sémio-narrative,
apparaissent de nouvelles différences ; et ceci toujours indépendamment d'une quelconque prise de conscience de ces distinctions
par les Grecs eux-mêmes.

3.2.1. *Manipulation et sanction inversées*

On s'est déjà plaint de la relative indigence du récit que nous
donne Plutarque des pratiques cultuelles relatives à la légende de
Thésée, en général essentiellement composé d'une suite d'énoncés
d'état. Du point de vue sémio-narratif, la description du rite se
présente donc comme une séquence de prédicats qui, recouvrant
différentes activités, sont attribués tour à tour au Sujet de
l'action. A première vue et dans la perspective narrative, le rite
n'est donc pas le lieu de la transformation qui résulte dans tout
récit de l'action du Sujet opérateur sur un Anti-sujet, que ces
Sujets aient figure anthropomorphe ou non. Toutefois la série

d'énoncés d'état dont la description narrative semble être formée s'ouvre en général par un énoncé de faire, mais un énoncé transformateur d'un type particulier. En effet la suite prédicative mentionnée commence souvent par un acte dans lequel le Sujet de l'action transmet un Prédicat-objet au dieu auquel s'adresse le rite concerné ; ce transfert, dont l'objet n'est pas toujours précisé, prend la figure d'un acte de consécration, en général un acte de sacrifice. Cet acte, loin d'affronter le Sujet à un Anti-sujet, fait communiquer le Sujet opérateur avec le bénéficiaire du faire par l'intermédiaire de l'acte de consécration et de sacrifice[55]. En définitive, la seule transformation d'état qu'inclut la description du rite revient à cet acte de communication participative dans lequel l'objet transmis — animal, couronnes, rameau ou paroles de supplication — compte sans doute moins que le contact établi entre le sujet de l'acte rituel et l'instance divine à laquelle cet acte s'adresse.

Dans le rite appréhendé sous sa forme narrative, pas de relation polémique donc, bien qu'elle constitue normalement le fondement de la narrativité ; apparemment pas de phase de manipulation instituant le Sujet sémiotique du rite comme Sujet opérateur ; et surtout pas de phase de sanction confirmant la valeur des Prédicats attribués au cours des énoncés d'état constitutifs du déroulement du rite. Mais, en guise de transformation, un simple acte de communication entre ceux qui apparaissent dans la conception grecque de l'action comme Sujet et Destinateur, entre hommes et dieux ; un acte marquant tout de même le caractère exceptionnel de la séquence des actions dont le rite est composé.

Néanmoins cet acte de communication — et c'est là l'essentiel — ne reste pas sans conséquence. Il équivaut en réalité à un faire d'ordre manipulatoire ; il vise donc à un faire-faire, mais à un faire-faire singulier qui, au lieu de concerner le Sujet du rite dont l'action requerrait pourtant un Destinateur, est destiné au dieu qui en reçoit les honneurs. Par cet acte de communication, le Sujet sémiotique tente en effet d'avoir une influence sur le récipiendaire de la consécration. Il y a donc tout de même manipulation dans la manifestation narrative du rite, mais par une sorte de renversement des rôles actantiels : le Sujet de l'acte de consécration assume finalement le rôle actantiel du Destinateur vis-à-vis d'un dieu qu'il aimerait instituer comme Sujet opérateur, au moins en puissance ; c'est en effet le fidèle qui dans le rite et par lui invite le

dieu à l'intervention et à l'action. Mais le faire que l'on attend de
la divinité consiste en général davantage dans le maintien ou le
rétablissement d'un état de choses préexistant que dans sa
transformation ; le faire-faire sacrificatoire a souvent pour but de
restituer une situation dont l'équilibre a été rompu par un événement quelconque (expiation) quand il n'a pas pour simple objectif
de prévenir la menace d'une transformation dans un moment particulièrement délicat et instable (propitiation). C'est dans ce cadre
manipulatoire qu'il est également possible de situer les actes
rituels exprimant la reconnaissance des hommes à l'égard des
dieux quand l'équilibre a été rétabli ou maintenu. Au faire-faire
de la manipulation correspond alors la reconnaissance, le
« savoir-être fait » et le « savoir-être » de la sanction ; avec le
même renversement des rôles actantiels : le Sujet de l'acte rituel
devient le Destinateur-judicateur d'un dieu qui vient de s'acquitter
avec succès du faire qui lui a été confié !

Du point de vue narratif, la description que nous donnent les
Grecs de leurs pratiques rituelles touche à l'incohérence. Si l'on
consent à reconnaître au schéma narratif canonique une validité
pratiquement universelle, on remarquera que le rite, dans sa description narrative en tout cas, se réduit à une seule opération de
manipulation, ou éventuellement de sanction ; y concourent en
définitive tous les actes attribués au Sujet opérateur du rituel à travers la séquence d'énoncés d'état décrite. Manipulation ou sanction inversées : le Sujet du faire s'y fait le Destinateur d'un Destinateur qui, au-delà de la séquence rituelle, doit devenir ou est
devenu lui-même Sujet de faire ! Ni les motivations de ce faire-
faire (manipulation) ou de ce savoir-être fait (sanction), ni le faire
qui devrait en découler ou qui en a découlé ne font partie de la
séquence rituelle proprement dite. Les rites étudiés ici consistent
donc narrativement en un faire manipulatoire, respectivement
judicateur ; ce faire est lui-même fractionné en plusieurs actions,
correspondant chacune à l'attribution d'un Prédicat spécifique à
l'acteur du rite qui assume la position actantielle du Destinateur.

3.2.2. Manipulation par le récit légendaire

Réduits narrativement à une phase de manipulation ou de sanction inversées, instituant ou consacrant une compétence qui ne
reçoit pas sa réalisation en leur sein, dépourvus donc des actes qui,

vis-à-vis de l'état des choses qu'ils visent à réaliser, correspondraient à une performance, les rites étudiés n'ont pas de logique
narrative autonome ; ils requièrent une intégration dans une
séquence qui livre à la fois les motivations et les conséquences des
actes dont ils sont composés.

Dans la perspective offerte notamment par le texte de Plutarque, l'« avant » narratif de l'action rituelle est évidemment
représenté, sous forme d'aïtion, par le récit légendaire attaché au
rite. Utilisé comme aïtion, le récit mythique joue par rapport au
Sujet de l'action rituelle le rôle de phase de manipulation et d'institution de la compétence de ce Sujet. Car le fait que la logique du
récit légendaire se plie aux quatre phases du schéma narratif canonique n'empêche nullement l'ensemble du récit et en particulier la
phase de la sanction de son Sujet de servir à leur tour de phase
de manipulation et d'institution de la compétence du Sujet de
l'action rituelle et cultuelle ; cela signifie que le Sujet du mythe,
dans la sanction dont il est le protagoniste, devient le Destinateur
du Sujet du rite. Et dans la mesure où la sanction du Sujet du récit
mythique est opérée par un Destinateur-judicateur, en général une
divinité, l'action rituelle bénéficie dès lors des qualités d'un
double Destinateur : accrochée à la logique narrative du mythe, la
performance rituelle − manipulation ou sanction inversées − est
en définitive déterminée à la fois par le Sujet de l'action mythique
et par son Destinateur divin. Ainsi dans les Pyanopsies, l'acte de
consécration de l'éirésiôné à Apollon par les jeunes Athéniens a
pour Destinateurs autant le héros Thésée qui accomplit ce geste
pour la première fois à son retour de Crète qu'Apollon lui-même
qui, par le vœu prononcé avant le départ pour Cnossos, a été institué comme Destinateur de l'action dont ce geste rituel représente
l'aboutissement ; et l'acte rituel de l'oschophorie, pour me limiter
à ce deuxième exemple, apparaît comme la performance manipulatoire d'une compétence définie dans le récit mythique aussi bien
par l'acte fondateur de Thésée que par le rôle de Destinateur
assuré par Athéna ainsi que Dionysos.

A cette insertion de l'acte rituel dans la logique du récit légendaire s'ajoute, dans le cas concret examiné ici, l'analogie établie
par le renversement actantiel dont ils sont tous deux l'objet ; il se
manifeste en effet aussi bien dans le rite que dans la phase de
manipulation ou de sanction du mythe. De même que l'acteur du
rite se présente comme Destinateur du protagoniste divin auquel il

s'adresse, Thésée ne fait que s'instituer, dans l'acte qui « fonde »
ce rite, en judicateur de l'aide accordée par les dieux ; tous deux
assument la position de Destinateur de divinités qui contractuelle-
ment ont obéi ou doivent obéir à leurs injonctions ! Il y a sans
doute dans ce renversement narratif des rôles actantiels un trait
essentiel du rapport sociologique que l'homme religieux entretient
avec celui qu'il a institué comme réalité d'ordre supérieur. Mais
quelles que soient les positions actantielles respectives assumées
dans le récit mythique grec par le héros et les divinités qui le protè-
gent, le premier aussi bien que les secondes apparaissent comme
les Destinateurs des Sujets des actes rituels qui ont pu être attachés
à ce récit.

3.2.3. Jeux de la manipulation

Il est temps de souligner que si elle est fréquente en Grèce, la
relation du rite avec un récit de type mythologique n'a absolument
rien de nécessaire ; on a déjà indiqué qu'aussi bien dans la religion de l'Hellade antique que dans les manifestations cultuelles
d'autres peuples, les exemples abondent de rituels qui se déroulent
sans être inscrits dans la logique d'un quelconque récit [56]. Il semble
néanmoins qu'en tout cas en Grèce ancienne, la relation entre le rite
et le mythe qui peut en constituer la motivation acquiert un caractère nécessaire dans la catégorie des rituels qui se répètent selon une
périodicité régulière. Toujours dans la perspective de la logique
narrative, l'exécution des actes composant ces rituels n'est en effet
motivée par aucun manque, par aucune rupture de l'ordre ; ils
visent au contraire, de manière projective, au maintien et à la poursuite de cet ordre (actes de propitiation). La rupture de l'équilibre
qui en engage l'exécution, ils la trouvent dans le récit mythique qui
semble les « fonder ». Dans la séquence logique établie par les
Anciens eux-mêmes, Pyanopsies et Oschophories apparaissent
ainsi comme des actes propres à perpétuer la situation politique
rétablie à Athènes par Thésée après le déséquilibre que représentait
l'exigence de l'envoi au Minotaure des quatorze jeunes Athéniennes et Athéniens. Du point de vue du fonctionnement du processus symbolique, le récit mythologique qui sert d'aïtion au rite se
présente alors comme l'une des élaborations de la pensée permettant de construire, symboliquement, la cause de l'acte rituel, sa
« raison » ; il lui confère, dans la perspective indigène, un sens.

Dans ce contexte, il n'y a en retour rien d'étonnant dans le fait qu'en Grèce au moins, les rites occasionnels ne sont en général pas rattachés à un aïtion. C'est en effet précisément une rupture réelle de l'équilibre écologique ou social qui offre le prétexte et qui provoque la nécessité d'accomplir un acte rituel visant à le rétablir (expiation) ; c'est elle qui institue le Destinateur de cet acte en même temps que la compétence de son Sujet opérateur. Ce processus particulier d'engagement de la cérémonie rituelle n'empêche naturellement en rien l'un ou l'autre de ces rituels occasionnels d'agir comme un devoir et de jouer par conséquent le rôle de phase de manipulation et d'institution de la compétence d'un rite répété à sa suite à intervalles réguliers pour propitier le retour d'une même situation de déséquilibre. Entre les gestes rituels accomplis par Thésée à son retour de Crète (avant qu'ils ne servent de phase de manipulation aux festivités qui semblent les reprendre) et le sacrifice de cinq cents chèvres offert chaque année le 6 du mois Boédromion par le polémarque d'Athènes à Artémis et à Enyalios (/Arès) en vertu d'un vœu prononcé à l'occasion de la bataille de Marathon [57], il n'y a que la distance qui sépare la fiction légendaire de la réalité sociologique ; une distance que la narrativité semble être susceptible de réduire et à laquelle les Anciens étaient fort peu sensibles...

3.2.4. *Sanction dans la pratique sociale*

Mais on a également dit que les rites analysés, loin d'assumer la figure narrative d'une performance, prenaient plutôt la forme d'une manipulation inversée au cours de laquelle le Destinateur était appelé, par un Sujet lui-même métamorphosé en Destinateur, à jouer le rôle de Sujet dans une performance à venir. Si, dans les rites occasionnels, cette performance demandée et attribuée à la divinité consiste dans le rétablissement d'un ordre rompu, dans les rites à échéance régulière, cette même performance revient au simple maintien de l'ordre des choses. Admettre que l'aïtion légendaire, quand il est présent, coïncide avec l'institution du (ou des) Destinateur(s) de l'action rituelle et que dans l'accomplissement du rite ce Destinateur est à son tour appelé à remplir le rôle actantiel de Sujet opérateur d'un acte à venir, c'est finalement reconnaître que le rituel débouche, en bonne logique narrative en tout cas, sur un acte qui a pour objet l'ordre du quotidien. Ainsi, tandis que le mythe utilisé comme aïtion instaure la compétence du Sujet du rite, ce dernier institue à sa suite la compétence d'un sujet nouveau − qui correspond au Destinateur du récit mythique −, un sujet que le rite sollicite d'intervenir dans la réalité du quotidien. Le rite n'a donc pas sa fin en lui-même, mais il débouche sur la manipulation de la réalité sociale et naturelle. De cet ordre, le maintien ou le rétablissement correspondront à une double sanction : sanction pour celui qui a été institué comme Destinateur dans le rite, sinon déjà dans le récit légendaire, et sanction pour le Sujet de l'action rituelle. Destinée à rester en général implicite, cette sanction d'ordre social pourra cependant s'exprimer parfois sous la forme d'un rite de reconnaissance. Mais avant même d'être éventuellement l'objet d'une sanction, l'action de la pratique sociale est sans doute assurée d'un succès d'autant plus certain que le rite qui en constitue la manipulation est lui-même manipulé par la phase de sanction du récit légendaire : l'acteur social est donc d'autant plus sûr de réussir dans son action qu'à travers la pratique rituelle, il est entré en communication avec Apollon qui a été lui-même appelé à assurer la victoire du héros Thésée. La mise en perspective du rite par rapport à la légende apparaît donc dans sa logique et dans son effet comme un mode de l'argumentation[58]. Il conviendra de s'en souvenir en conclusion, dans l'interrogation sur le sens historique de la constitution de la légende de Thésée et de sa relation avec les cultes d'Athènes.

On remarquera d'ailleurs que, du point de vue linguistique, cette superposition des acteurs assumant respectivement les rôles narratifs de la légende et ceux de la pratique sociale est rendue possible par les lexèmes mêmes recouvrant ces positions actantielles. Si le Sujet de l'action mythique est toujours porteur de l'identité discrète que confère en principe un nom propre, le Sujet de la pratique rituelle est en général représenté par l'équivalent morphologique d'un *on* indéfini (pluriel indéfini, passif impersonnel, etc.). Au moment où un récit légendaire devient dans sa sanction phase de manipulation de l'action rituelle, ce *on* social, ce *on* acteur de la quotidienneté prend une identité précise. Dans le rite même, c'est Thésée qui agit à travers ce *on*, et dans le déroulement de la vie quotidienne, c'est le dieu, institué comme Sujet de faire par la performance rituelle, qui est associé au Sujet de l'action. Il y a donc dans la pratique rituelle attachée à un

récit légendaire et dans le déroulement du quotidien qui est censé
s'en suivre véritable projection du Sujet social dans des Destinateurs (fictifs) auxquels on demande d'assumer son propre rôle de
Sujet de faire !

Jusqu'ici la relation narrative que l'on a tenté de dégager dans
la mise en perspective, opérée par les Grecs, du rite par rapport au
récit légendaire a toujours été traitée dans le cadre des textes qui
s'en font l'expression, c'est-à-dire dans le cadre discursif établi
probablement par la littérature « ethnographique » du ve siècle
avant notre ère. On peut cependant se demander si au-delà de ce
cadre textuel, la pratique sociale, en particulier dans sa relation
avec la pratique rituelle et la légende, n'est pas elle-même res-
sentie, sinon vécue comme un récit [59]. Sans pouvoir faire le tour de
l'épineuse question de l'extension de la définition sémiotique de
l'action à la description de la pratique sociale, la perception narrative de la réalité dont les textes étudiés ici sont les témoins apporte-
rait, au moins en ce qui concerne l'appréhension et la description
première de l'action sociale, une réponse positive.

Quoi qu'il en soit, l'enchaînement de logique narrative opéré
par les Grecs entre mythe, rite et pratique sociale coïncide avec ce
que nous avons tenté de nous imaginer du déroulement du processus symbolique. Cette séquence recouvre en effet les phases de
production du symbole dont elle contribue à développer la
manifestation ; elle correspond à la succession des différents produits de l'élaboration intellectuelle suscitée par les « stimuli »
dont on a parlé. Ce « stimulus » est implicitement désigné dans le
jeu de l'aïtion et dans celui de la sanction sociale : rétablissement
ou maintien de l'ordre impliquent en effet rupture ou danger de
rupture !

3.3. Inadéquation de quelques catégories anthropologiques

Cette mise en perspective de la pratique rituelle comme transition entre son occasion, qui peut coïncider avec la construction
symbolique d'un récit, et l'ordre social implique une interrogation
sur la pertinence de certaines des catégories par lesquelles on a
cherché à définir en anthropologie le domaine du religieux. On
trouve certes en Grèce, à travers toute une série d'expressions
dont l'analyse particulière conduirait à l'introduction de nom-

breuses nuances, l'équivalent de la notion moderne de « sacré » ;
dans le sens surtout d'une qualification des normes qui règlent les
rapports des hommes avec les dieux. On serait en revanche fort
emprunté d'opposer à cette conception du sacré le contraire que
lui ont forgé les anthropologues contemporains ; donc pas de
notion de « profane » en Grèce ancienne, si ce n'est dans quelques cas très particuliers qui ne concernent que la qualification de
lieux qui n'ont pas reçu de consécration[60]. Dans la mesure où le
concept du « sacré » est focalisé en Grèce classique, de manière
très générale, sur les relations que les hommes entretiennent avec
la divinité, il n'y a rien d'étonnant à cette absence. Que le sacré se
trouve au centre de l'attention dans la pratique cultuelle, lieu de
réalisation des rapports entre les hommes et leurs dieux,
n'implique en effet nullement qu'il soit éliminé de la pratique
quotidienne. Au contraire, dans la conception d'un mythe et d'un
rite dont le déroulement narratif débouche dans sa logique sur
le statut du quotidien, la pratique cultuelle n'est là que pour
confirmer et activer la relation qui lie en même temps la réalité
sociale, dans sa constitution même, au monde de la divinité. Il n'y
a donc pas, en Grèce en tout cas, de moment « profane »
absolu !

Et si c'est bien dans le déroulement normal de l'ordre social et
de sa mise en scène que se situent les phases de performance et de
sanction consécutives aux manipulations opérées par les pratiques
rituelles et leurs éventuels aïtia, l'opposition entre un temps sacré
− primordial, paradigmatique et finalement atemporel − et le
temps profane de l'*hic et nunc* se désagrège à son tour : le second
s'inscrit dans la suite logique directe du premier pour n'en devenir
que la conséquence. Un tel brouillage de catégories apparemment
irréductibles conduit immanquablement à repenser la notion de
« rupture » traditionnellement attachée à l'intervention du rite
dans le déroulement du quotidien. Ce que l'on peut affirmer en
revanche, c'est que la narration mythico-rituelle étudiée jusqu'ici
vise, à travers un procès, à établir une permanence, même si
l'équilibre dont est faite cette permanence repose lui-même sur
une série de relations polémiques...

3.4. Manipulations narratives

De même que mythe et rite assument la fonction de manipulations narratives et symboliques du monde social, ils sont en retour eux aussi l'objet, de la part de ceux qui cherchent à stabiliser ce monde, de manipulations. Les rapports du monde naturel et culturel avec les productions symboliques qu'il suscite relèvent nécessairement du dialectique ; ces relations sont caractérisées par la réciprocité. Quand bien même elles interviennent dans l'ordre du narratif et par l'intermédiaire de cet ordre, les manipulations dont mythe et rite sont l'objet restent extérieures à cet ordre ; elles font partie intégrante de la pratique sociale et en particulier de ces pratiques symboliques qui fondent la constitution de l'idéologie. C'est en tant que telles qu'elles ont un impact décisif sur l'organisation narrative de la séquence mythe − rite − ordre du quotidien.

Dans l'ordre de ces manipulations comprises comme pratiques symboliques et idéologiques, on a vu qu'un même énoncé légendaire pouvait être institué comme explication de deux rites parfaitement différents : le vœu adressé par Thésée à Apollon avant son départ pour la Crète est mis en relation aussi bien avec l'accomplissement des Pyanopsies qu'avec l'envoi de la théorie à Délos. L'opération inverse se vérifie également puisqu'une seule pratique rituelle est susceptible de bénéficier de deux aïtia totalement divergents ; la preuve en est encore une fois offerte par le rite des Pyanopsies, attaché aussi bien à l'expédition crétoise de Thésée qu'à la légende toute différente du retour des Héraclides[61].

Mais à l'intérieur même du processus de rattachement de l'action rituelle à un récit légendaire, on constate de nombreuses divergences ou incohérences narratives. Les Oschophories en fournissent la démonstration : dans la description que nous en donne Plutarque, les énoncés d'état constitutifs de l'accomplissement du rite ne coïncident pas tous avec des énoncés décrivant les actions analogues exécutées par Thésée à son retour de Crète. Les énoncés rituels relatifs aux Dipnophores reprennent par exemple des énoncés légendaires attachés à la séquence du départ du héros. Quant au travesti rituel de deux jeunes Oschophores en jeunes filles, il trouve son correspondant légendaire à la fois au moment du départ et au retour victorieux de l'Athénien. D'ail-

leurs – divergence supplémentaire – les Oschophores sont deux
à conduire la procession de l'oschophorie alors que la légende présente Thésée comme unique chorège de son chœur mixte ; à
Délos, l'exécution de la danse de la grue avec son groupe choral à
deux têtes offre la même divergence par rapport au mythe ! De
plus, le rite emmène les Oschophores dans un parcours exactement inverse de celui qu'actualise le mythe : d'Athènes au Phalère
et non pas, comme Thésée, du Phalère à Athènes. Comme on l'a
déjà relevé, c'est, dans le texte de Plutarque, la description du rite
qui se ressent, dans son fractionnement, de l'impossibilité d'un
rattachement absolument cohérent au récit légendaire censé le
fonder.

Inversement, la narration de la légende subit elle aussi les conséquences de ces mêmes difficultés. Par exemple dans le récit que
nous donne Plutarque de l'accomplissement par le héros du vœu
formulé à l'adresse d'Apollon. Au retour de Thésée, le vœu
semble tout d'un coup se dédoubler dans son accomplissement :
actions de grâce rendues « aux dieux » au Phalère, puis remercie-
ments à Apollon par l'institution des Pyanopsies à Athènes.
D'autres sources, en rattachant explicitement la formulation du
vœu au port de l'éirésiôné, indiquent que l'acte de reconnaissance
de Thésée au moment de son retour est organiquement lié aux
Pyanopsies [62]. L'apparent dédoublement de l'accomplissement du
vœu prononcé avant l'expédition de Crète n'a ainsi d'autre but,
dans le texte de Plutarque, que celui d'intégrer à la séquence du
retour victorieux également le festival des Oschophories et ses
Destinateurs, Athéna et Dionysos, qui n'interviennent pourtant
dans le récit qu'au cours de la performance. Par ailleurs, on est en
droit de se demander si le rite du 6 Mounichion, attesté chez le
seul Plutarque, n'est pas une simple invention narrative destinée à
donner à la formulation du vœu de Thésée une contrepartie
rituelle. En tant que création relevant de la narration, ce rite
aurait alors également pour rôle d'adapter la séquence rituelle au
mouvement du mythe : le cycle mythique constitué par le départ et
le retour du héros coïnciderait ainsi avec un cycle rituel (fictif)
censé débuter le 6 Mounichion pour s'achever aux Pyanopsies [63].

La même nécessité de rattacher les actes cultuels au développement logique du récit légendaire entraîne les hésitations déjà rele-
vées quant aux dates de célébration respectives des Oschophories
et des Pyanopsies. On se rappelle que dans le texte de Plutarque,

qui se soumet à la logique narrative du récit mythologique, les indications concernant le premier festival encadrent de manière fort ambiguë la description du second. Faut-il en déduire que les Oschophories étaient célébrées le même jour que les Pyanopsies, c'est-à-dire le 7 du mois Pyanopsion ? Les quelques données extérieures que nous possédons sur la localisation des Oschophories dans le calendrier festif athénien sont malheureusement contradictoires. L'inscription des Salaminiens signale pour le 6 Pyanopsion un sacrifice à Thésée qu'il est tentant d'identifier avec celui des Oschophories alors que le calendrier d'Haghios Eleuthérios place le jeune homme à la grappe signifiant probablement les Oschophories après l'enfant porteur du rameau des Pyanopsies [64] ; le premier document semble donc prouver l'inverse du second ! Recourir à l'hypothèse historienne d'un déplacement de la date des Oschophories, par exemple à l'occasion de leur rattachement à la légende de Thésée, ne revient pas ici à une solution acceptable : les dates respectives des deux document cités — 363/2 avant notre ère et probablement le IIIe siècle avant notre ère — situent en effet ceux-ci bien après le moment de fixation de la légende. Etant donné que le sacrifice à Thésée mentionné par l'inscription des Salaminiens pourrait aussi se référer à la célébration des Cybernésia et que Plutarque est contraint à recourir à la manipulation narrative mentionnée pour intégrer à l'arrivée de Thésée au Phalère certains des gestes rituels attachés aux Oschophories, je serais enclin à situer ce festival le même jour que les Pyanopsies, peut-être à leur suite. Mais la solution de ce problème reste à la merci du fameux jeu du kaléidoscope philologique !

Et dans la description des actes extérieurs à Athènes, ni rite, ni mythe n'échappent à ce processus de manipulation visant à intégrer les pratiques de l'un dans la logique de l'autre. Au vœu légendaire de Thésée finalement rattaché aussi bien à la célébration des Pyanopsies, à celle des Oschophories qu'à l'envoi de la théorie aux Délia, on peut ajouter le récit de la mort d'Ariane utilisé pour expliquer l'institution de rites naxiens aussi bien que cypriotes. Et pratiquement toute la dispute philologique portant sur la localisation de la première exécution de la danse de la grue, en Crète ou à Délos, a pour origine un phénomène du même type. Le déplacement de la danse de la Crète à Délos peut être mis en relation avec une situation historique précise ; de même en va-t-il sans doute pour l'absence de rapport organique entre l'étape naxienne et l'étape délienne. Ce sera l'objet de la dernière partie de cette étude de déterminer les conditions historiques de cette vaste opération de manipulation et de tenter d'en énoncer ainsi les raisons idéologiques.

Faisant brièvement retour sur les marques linguistiques qui permettent de distinguer le récit légendaire de l'énoncé des pratiques rituelles, il subsiste une différence à laquelle je n'ai fait qu'une brève allusion. Si le sujet des actions constitutives de la narration mythique est toujours pourvu de l'identité et de l'individualité que confère un nom propre, celui qui assume les actes rituels correspond au sujet pluriel et indéfini qu'indique l'utilisation de formes du passif impersonnel ou de la troisième personne du pluriel. La détermination sémantique de ce *on* ne va pas au-delà d'une catégorie d'acteurs, qu'elle corresponde à une classe d'âge, à un groupe social ou, éventuellement, à une fonction rituelle. Cette marque distinctive supplémentaire nous fait entrer de plain-pied, après l'analyse de la narration dans sa dimension syntaxique, dans le problème sémantique de l'articulation du mythe et du rite ; on peut donc enfin passer au chapitre suivant !

NOTES

[1] Lévi-Strauss, 1971, p. 600 s.

[2] Plut. *Thes.* 18, 2.

[3] Pour l'emplacement du Delphinion, cf. *infra* chap. v n. 3.

[4] Il faut tout de même rappeler le fait que selon un renseignement tardif (Macr. *Sat.* 1, 17, 21), mais qui pourrait remonter à Phérécyde (*FGrHist.* 3 F 149, cf. *supra* chap. II n. 38), le vœu légendaire de Thésée aurait été adressé aussi bien à Apollon qu'à Artémis. Etant donné que le sixième jour du mois est précisément dédié à Artémis (cf. Ampolo & Manfredini, 1988, p. 220), on a pu émettre l'hypothèse que le rite inauguré par Thésée était avant tout consacré à cette déesse : cf. Deubner, 1932, p. 201, qui, avec raison, démontre l'aspect conjectural de cette thèse ; il ajoute que, sur le modèle éginète, le rite du 6 Mounichion aurait pu porter le nom de *Delphinia* : cf. à ce propos les sch. Pind. *Pyth.* 8, 61 et 64 (II, p. 215, 7 ss et 11 ss Drachmann) qui sont malheureusement peu explicites sur le rite et ne mentionnent à son sujet qu'un agôn.

[5] Plut. *Thes.* 18, 3 ; cf. *infra* chap. IV § 2.2.

[6] Plut. *Thes.* 22, 4 ; ces deux énoncés rituels ne figurent que dans le texte de Plutarque. Sur l'ambivalence thymique de ces gestes, voir *infra* chap. IV § 1.3.4.

[7] Plut. *Thes.* 23, 2-4 ; la dénomination de la fête est expliquée dans ce sens étymologique par *An. Gr.* I, p. 285, 29 ss (acteurs du port des sarments : *eugeneîs paîdes*) et 318, 22 ss Bekker *(dúo neaníai)*, *EMag.* 824, 55 ss. Gaisford, Hsch. *s.v.* *ōskhophória* (Ō 469 Schmidt ; *paîdes eugeneîs hēbôntes*, jeunes gens triés sur le volet), Phot. *Lex. s.v.* oskhophoreîn (II, p. 33 Naber ; un seul *paîs eugenés*), Procl. *ap.* Phot. *Bibl.* 322a 13 ss *(dúo neaníai)*, sch. Nic. *Alex.* 109 (p. 65 Geymonat : *paîdes amphithaleîs*) ; cf. encore *Sud. s.v.*

ōskhophóros (*Ō* 257 Adler). Quant aux premières mentions datables des Oschophories, au IVe s. avant notre ère, on verra Hyper. fr. 88 Jensen, Philoch. *FGrHist.* 328 F 16 ainsi que Istr. *FGrHist.* 334 F 8, cités tous trois par Harp. *s.v. oskhophóroi* (II, p. 227, 5 ss Dindorf). Rappelons que la source du texte de Plutarque est l'Atthidographe Démon, *FGrHist.* 327 F 6, qui vécut probablement pendant la seconde moitié du IIIe siècle : cf. Jacoby, 1954, I, pp. 201 s. et 206 ss.

[8] *An. Gr.* I, p. 318, 22 ss. Bekker, dont le texte parle de « deux jeunes hommes *(neaníai)* portant des habits de femme *(en gunaikeíais stolaîs)* », et Procl. *ap.* Phot. *Bibl.* 322a 15 s. *(idem).* Le chiffre de deux Oschophores est confirmé par *An. Gr.* I, p. 318, 24 Bekker et surtout par Istros, *FGrHist.* 334 F 8 (cf. *supra* n. 7), qui indique que les deux Oscho- phores étaient choisis parmi « ceux que distinguaient leur richesse et leur naissance », cf. aussi *Sud. s.v. ōskhophóros* (*Ō* 257 Adler).

[9] *An. Gr.* I, p. 285, 29 ss (seule mention du temple d'Athéna Sciras) et p. 318, 22 ss Bekker, *EMag.* 824, 55 ss Gaisford (seulement Athéna Sciras), Hsch. *s.v. ōskhophória* (*Ō* 469 Schmidt ; seulement Athéna Sciras), Phot. *Lex. s.v. oskhophoreîn* (II, p. 33 Naber ; mention du temple de Sciras), Procl. *ap.* Phot. *Bibl.* 322a 24 ss (parcours du sanc- tuaire de Dionysos au *témenos* d'Athéna Sciras), sch. Nic. *Alex.* 109 (p. 65 Geymonat ; *idem*) ; cf. aussi *Sud. s.v. oskhophória* (*O* 256 Adler ; fête d'Athéna Sciras). L'emplace- ment de ces deux sanctuaires est discuté *infra* chap. v n. 69. Sur l'introduction, peut-être erronée, d'Ariane dans la description des Oschophories que donne Plutarque, *Thes.* 23, 4, cf. *supra* chap. II § 8.3.3. On remarquera à ce propos que P. Ghiron-Bistagne, *Recherches sur les acteurs dans la Grèce antique*, Paris (Belles Lettres) 1982, p. 219, aimerait voir dans le cortège représenté sur l'amphore attique à figures noires, Paris, Louvre E 860 (*ABV* 103, 111) une figuration de la procession des Oschophories conduite par Dionysos et Ariane...

[10] Procl. *ap.* Phot. *Bibl.* 322a 26 ss, Ath. 14, 631bc.

[11] Aristod. *FGrHist.* 383 F 9 (= Ath. 11, 495f) et sch. Nic. *Alex.* 109 (p. 65 Geymonat) à comparer avec Procl. *ap.* Phot. *Bibl.* 322a 27 ss ; la coupe du vainqueur de la course des Oschophories est aussi mentionnée par Philochore, *FGrHist.* 328 F 15 (= Ath. 11, 495e). Sur ces deux interprétations possibles de la procession et de la course des Oschophories et sur les savants qui ont défendu chacune d'entre elles, cf. Pélékidis, 1962, p. 226 ss, et Rutherford & Irvine, 1988, p. 43 ss, commentant le fr. 6c Maehler de Pindare. C'est par erreur que ce concours de course a été attribué par Aristodème de Thébes au festival des Scira : cf. *infra* chap. v n. 131.

[12] *An. Gr.* I, p. 239, 10 ss. Bekker qui tire son information de Philochore *FGrHist.* 328 F 183 et qui mentionne une dipnophorie également célébrée en l'honneur des Cécro- pides (peut-être confirmée par l'inscription citée *infra* n. 15, l. 45 : cf. Jacoby, 1954, I, p. 551 s., et II, p. 444, qui cherche une origine commune aux deux rituels ; voir aussi Brûlé, 1987, p. 67), Harp. *s.v. deipnophóros* (I, p. 85 Dindorf) qui cite Hyper. fr. 87 Jensen, Hsch. *s.v. deipnophóroi* (*D* 527 Latte).

[13] Jeanmaire, 1939, p. 371 ss, suggère que dans l'accomplissement du rituel, ces récits étaient centrés sur la « geste de Thésée » !

[14] Le terme général de *spondaí* utilisé par Plutarque pour désigner cet acte de liba- tion ne permet pas de déterminer s'il accompagnait le sacrifice sanglant ou la consom- mation du vin à l'issue du banquet, ou encore s'il avait une valeur de sacrifice complé- mentaire et autonome ; à ce propos, cf. Stengel, 1920, p. 103 s., et Rudhardt, 1958, p. 240 ss.

[15] *Incr. Sal. SEG* XXI, 527 = 19 *Suppl.* Sokolowski ; voir à ce propos le commentaire de Ferguson, 1938, p. 33 ss, et celui de M. P. Nilsson, « The new inscription of the Salaminioi », *Am. Journ. Philol.* 59, 1938, pp. 382-393, repris dans *Opuscula Selecta* II, Lund (Gleerup) 1952, pp. 731-741, qui s'étonne avec raison de la participation officielle de la cité à un culte en apparence gentilice ; il interprète différemment la ligne 21, attribuant aux Oschophores et aux Dipnophores un simple rôle d'intermédiaire dans l'opération de

remboursement sur le trésor public des frais des sacrifices. A propos de l'origine du clan des Salaminiens, voir *infra* chap. vi § 4.1.

[16] Liens attestés notamment dans l'inscription *IG* II², 1232, 14 ss, qui date de la fin du ivᵉ siècle avant notre ère ; sur les quatre éléments constitutifs de toute célébration festive en Grèce antique, voir les réflexions présentées dans « Morfologia e funzione della festa nell'Antichità », *Annali Ist. Orientale Napoli (Sez. filol. lett.)* 4/5, 1982/83, pp. 3-23.

[17] Plut. *Thes.* 23, 1 et 17, 5 ss = Philoch. *FGrHist.* 328 F 111. Pour la référence à la théorie envoyée à Délos, cf. *infra* § 2.3.2. avec n. 44. L'argument de la croissance est commenté par Ampolo & Manfredini, 1988, p. 234.

[18] Stengel, 1920, p. 141 ss, Rudhardt, 1958, pp. 238 s. et 250 ss, et Burkert, 1977, p. 315 s.

[19] Sur les différentes versions de la légende concernant les pilotes de Thésée, cf. *supra* chap. ii § 3.4. avec la n. 35. *Inscr. Sal.* (*cit.* n. 15), l. 89 ss, avec Ferguson, 1938, p. 27.

[20] Selon Podlecki, 1975, p. 18 s., et Bertelli & Gianotti, 1987, p. 52, le fr. 550 *(b)* Page mentionnant le nom de l'un des pilotes de Thésée serait issu d'un poème composé par Simonide pour la célébration des Oschophories ; cf. encore *infra* chap. v n. 119.

[21] *Inscr. Sal.* (*cit.* n. 15), l. 92 et Plut. *Thes.* 17, 6 ; cf. à ce propos le commentaire de Ferguson, 1938, p. 18 ss. Par ailleurs, Paus. 1, 36, 4 attribue la fondation du temple d'Athéna Sciras au Phalère à un héros du nom de Sciros, qui passait pour être devin à Dodone : cf. *infra* chap. v § 3.2.2 avec n. 106.

[22] En plus du texte de Plut. *Thes.* 22, 4-7, il faut lire, probablement au iiᵉ siècle de notre ère, Harpocration, *s.v. Puanópsia* (p. 265 Dindorf) qui cite aussi bien Lycurgue (fr. XIV, 3 Conomis = *FGrHist.* 401 F 4) que le fr. 55 Tresp = *FGrHist.* 365 F 2 d'Apollonios d'Acharnes (pour des héortologues anonymes, cf. *FGrHist.* 368 F 3), et, au iiiᵉ siècle de notre ère, Athénée 9, 408a qui cite Timoclès, fr. 18 Kassel-Austin. La *Souda, s.v. Puanepsiōnos* (*P* 3104 Adler), se sert de l'œuvre d'Harpocration et de l'épitomé qui était à disposition à cette époque. Dans la même tradition visant à expliquer la fête par l'étymologie de sa dénomination, on verra Poll. 6, 61 ainsi que Phot. *Lex. s.vv. Puanópsia* et *Puanopsión* (II, p. 120 Naber). Les autres sources (citées n. 24) sont centrées sur la seconde des pratiques rituelles constitutives du festival.

[23] Aux textes cités il faut ajouter un attestation épigraphique : *IG* II², 1367, 9 ss = 52 Sokolowski (iᵉʳ siècle avant notre ère). On remarquera qu'un calendrier de culte d'Eleusis datant probablement du début du iiiᵉ siècle avant notre ère (*IG* II², 1363, 8 ss = 7 Sokolowski) mentionne pour le 7 Pyanopsion le sacrifice d'une chèvre à Apollon : cf. Mikalson, 1975, p. 69 s. D'autre part le calendrier festif du dème de Thoricos près du Laurion, publié par G. Daux, « le calendrier de Thorikos au Musée J. Paul Getty », *Ant. Class.* 52, 1983, pp. 150-174, mentionne pour le mois Pyanopsion la célébration de Pyanopsies avec un sacrifice à Néanias qu'il est facile d'identifier avec Apollon ; on hésite quant à la date exacte de cette offrande : cf. Parker, 1957, pp. 142 et 146.

[24] Les différents témoins de la première variante de cette première branche de la tradition semblent dépendre à peu près de la même source ; s'inscrivent en tout cas dans une même ligne la première explication fournie par *Sud. s.v. eiresiōnē* (*Ei* 184 Adler ; port du rameau attribué à un *país amphithalḗs* ; chant assumé par des *paîdes*) et celle que l'on trouve chez Eust. *Il.* 1283, 1 ss (IV, p. 665, 14 ss Van der Valk ; *idem*) ; c'est Eustathe qui fait remonter cette tradition au lexique atticiste de Pausanias (*E* 17 Erbse) ; sources complémentaires *infra* chap. v n. 7. Sans doute peut-on encore rattacher à cette variante le texte de l'*EMag.* 303, 18 ss Gaisford qui ne précise cependant pas quels sont les protagonistes des actions rituelles qu'il décrit. Par contre, le texte d'*An. Gr.* I, p. 246, 27 ss Bekker doit dépendre d'une source différente.

Quant aux sources ne faisant pas mention du mythe de Thésée dans l'explication des Pyanopsies, ce sont les sch. Aristoph. *Eq.* 729 (p. 59b, 52 ss Dübner) et *Plut.* 1054 (p. 378b, 30 ss Dübner) ainsi que Tzetz. *Ad Aristoph. Plut.* 1054 (IV. 1, p. 214, 1 ss Koster) ; Tzétzès a un texte légèrement différent de celui de la scholie correspondante puisqu'il parle à propos du port de l'éirésiônê de *propompē lamprá* ; cette scholie et le commentaire de Tzétzès attribuent l'exécution du chant qui accompagnait le port du rameau de suppliant à un seul *paîs amphithalés*. Cette variante de la première version de la tradition est à son tour résumée dans les passages cités de la *Suda* et d'Eustathe qui la font donc remonter à Cratès d'Athènes, *FGrHist.* 362 F 1a = fr. 19 Tresp (au sujet de ce savant, cf. Tresp, 1914, pp. 7 et 60 s.) ; elle est aussi mentionnée dans la glose citée de l'*EMag.* qui l'attribue à Lycurgue, fr. XIV, 2b Conomis = *FGrHist.* 401 F 1b.

Le port de l'éirésiônê pour Apollon est encore attesté dans les gloses d'Harpocration et de la *Souda* citées à la note 22, ainsi que dans la *Souda, s.v. diakónion* (*D* 589 Adler). Voir encore à ce propos *infra* chap. v § 1.4.1.

[25] Inscription Agora *Inv.* I, 6006, publiée par B. D. Meritt, « Greek Inscriptions », *Hesperia* 17, 1948, pp. 1-53 (p. 17 ss, n° 9) = *SEG* XXI, 464, 11 s. ; ce décret date exactement de 140/39 avant notre ère. Voir à ce propos le commentaire de J. et L. Robert, « Bulletin épigraphique », *REG* 62, 1949, p. 106. L'épiclèse de l'Apollon mentionné dans la dédicace a été restituée comme P[atrṓiōi ou comme P[uthíōi : cf. De Schutter, 1987, p. 192, n. 57, qui opte pour la première solution. Mais les Pyanopsies classiques semblent plutôt avoir été destinées à Apollon Delphinios : cf. *infra* chap. v § 1.1. avec n. 3.

[26] Cette autre branche de la tradition est intégrée aux explications données dans les textes déjà cités (n. 24) de la *Souda* et d'Eustathe d'une part, des scholies aux *Cavaliers* et au *Ploutos* de l'autre. Pour les moqueries comiques visant l'éirésiônê desséchée, cf. Aristoph. *Eq.* 729, *Plut.* 1054 et *Vesp.* 399.

[27] *Lex. Patm. s.v. eiresiṓnē* (Lex. gr. min. p. 159 Latte-Erbse) = Lyc. fr. XIV, 2a Conomis = *FGrHist.* 401 F 1a ; résumant ce fr., le texte du Cod. Darmstad. 2773, fol. 250ᵛ (*ad* fr. XIV, 2a Conomis) semble encore plus explicite puisqu'il dit que « chacun plaçait à chaque porte privée un rameau de suppliant pour Apollon ». On remarquera que le texte des *Anecdota Graeca* (*cit.* n. 24) va également dans le sens d'une combinaison des deux branches de la tradition.

Quelques textes d'époque byzantine présentent le port de l'éirésiônê comme un rite destiné à Hélios et aux Heures. On verra, en marge de l'analyse sémantique (*infra* chap. v n. 43), que cette association, même si elle est le résultat d'une confusion, n'en est pas moins significative de la fonction attribuée au festival des Pyanopsies.

[28] *EMag.* et Eust., *loc. cit.* n. 24 ; la *Souda, prim. loc. cit.* n. 24, abrège cette version de la description du culte et elle ne mentionne donc pas ces deux actes. Deubner, 1932, p. 200, considère ces gestes rituels comme un simple doublet de la consécration de l'éirésiônê ; mais c'est avant tout leur mention extrêmement tardive qui peut légitimement conduire à mettre en doute leur appartenance au rite des Pyanopsies tel qu'il se déroulait à l'époque classique.

[29] *IG* II², 1367, 8 ss : cf. n. 23 ; sur la forme de cette galette, cf. Deubner, 1932, p. 154.

[30] *Orphica* fr. 291 Kern, cf. aussi test. 219 Kern ; à ce propos voir Detienne, 1977, p. 192 ss.

[31] Plut. *Thes.* 23, 5 et 36, 4 ; cf. aussi Diod. Sic. 4, 62, 4 qui parle d'honneurs « égaux à ceux rendus à un dieu ». La date du 8 Pyanopsion est confirmée par Hsch. *s.v. ogdoaîon* (*O* 34 Latte), qui cite également à ce propos la pratique sacrificielle en l'honneur du héros ; cf. Herter, 1939, p. 293 s. ; cette date est mentionnée dans d'autres sources lexicographiques citées par Herter, 1973, col. 1226. En 22, 4, Plutarque attribuait au retour du héros la date du 7 Pyanopsion. Cette légère inconséquence de chronologie est évidemment motivée par la nécessité narrative de faire coïncider et les Pyanopsies et les Théséia avec le retour de Crète. Il ne fait pas de doute que ces deux festivités, à un jour de distance, se succédaient dans le temps.

[32] La situation du Théséion près du gymnase, édifié sur le bord méridional de l'Agora par l'un des Ptolémées vers le milieu du IIᵉ siècle, est confirmée par Paus. 1, 17, 2 qui voit en cet endroit un sanctuaire *(hierón)* entourant un lieu de sépulture *(sēkós)* construit pour recevoir les ossements du héros rapportés par Cimon de Scyros vers 475 : cf. Barron, 1972,

p. 21 s. La première mention « historique » du sanctuaire consacré à Thésée est attachée à la troisième prise du pouvoir par Pisistrate (en 546/5 avant notre ère ?) : Ps. Aristot. *Ath. Pol.* 15, 4 ; mais étant donné que Polyaen. 1,21, 2 situe le théâtre de ce troisième coup de force de Pisistrate dans l'Anacéion, on a douté de l'existence d'un sanctuaire consacré à Thésée avant l'exploit de Cimon : cf. Rhodes, 1981, p. 210 s., et Boardman, 1982, p. 16 s., mais cf. Bérard, 1983, p. 47 s. ! Pour la datation de sa décoration peinte, cf. *infra* chap. VI n. 24. Sur l'emplacement archéologique du Théséion, cf. Boersma, 1970, pp. 15, 51 s., 144 et 148, ainsi que Travlos, 1971, pp. 234 et 578 s. (histoire de la question chez Herter, 1973, col. 1225), et Ampolo & Manfredini, 1988, p. 260 ; on verra à ce propos le scepticisme manifesté par H. A. Thompson and R. E. Wycherley, *The Athenian Agora* XIV. *The Agora of Athens*, Princeton (Amer. School of Class. Stud. at Athens) 1972, p. 124 ss. En se fondant notamment sur le témoignage tardif et partiel des sch. Aeschin. 3, 13 (p. 81, 10 ss Dindorf) qui mentionnent deux Théséia athéniens, S.N. Coumanoudis, « *Thēséōs sēkós* », *Arch. Ephem.* 1976, pp. 194-216, distingue la chapelle funéraire construite selon lui sur l'Agora d'un sanctuaire élevé à l'extérieur de la cité. Selon Philoch. *FGrHist.* 328 F 18, 3, Thésée n'aurait gardé en Attique que quatre *temenē* après le don qu'il aurait fait à Héraclès son sauveur des autres sanctuaires qui lui avaient été consacrés ; cf. aussi Eur. *HF* 1326 ss ; pour l'identification de ces quatre sanctuaires, cf. Jacoby, 1954, I, p. 307 ss, et II, p. 225, Herter, 1973, coll. 1201 s. et 1223 s., Ampolo & Manfredini, 1988, p. 256 s., et Kearns, 1989, p. 168 s., qui rappelle qu'un Théséion est au Pirée attesté par *IG* II², 2498, et près des Longs Murs par *IG²* II, 1035, 48.

La date du 8 Pyanopsion 475 pour l'institution des premières Théséia aussi bien que celle de 476/5 sont déduites à partir du texte de Plut. *Thes.* 36, 1 ; la seconde correspond exactement au moment où l'oracle de Delphes enjoignit aux Athéniens de recueillir les ossements de Thésée pour les honorer (sous l'archontat de Phaïdon) : cf. *IG* I², p. 277, 30 ss et 72 s. Thuc. 1, 98, 2 mentionne l'expédition de Cimon à Scyros sans la dater alors que Diod. Sic. 11, 60, 2 la place sous l'archontat de Démotion (= 470/69) ; cf. aussi *P. Oxy.* 1610, fr. 6 s. (Ephore) et Plut. *Cim.* 8, 5. En conséquence les historiens modernes tendent parfois à abaisser la date du retour à Athènes des ossements du héros : cf. Podlecki, 1971, p. 141 ss, et Barron, 1972, p. 20 s.

[33] Aristoph. *Plut.* 627 s. ironise sur un rite de Théséia célébré le 8 de chaque mois ; ce rite où l'on consommait une simple soupe à la farine ne doit évidemment pas être confondu avec les « Grandes Théséia » du 8 Pyanopsion : cf. sch. *ad loc.* et *ad* 1126 (pp. 359a, 24 ss et 381, 54 s. Dübner). Le déroulement au mois Pyanopsion des « Grandes Théséia » est confirmé non seulement par les textes cités n. 31, mais aussi par une série d'inscriptions : cf. notamment le calendrier de dédicaces de couronnes fourni par l'inscription *IG* II², 1496 A, col. IV, 134 s. et 140 s.

Sur la confusion commise par les sch. Aristoph. *Ach.* 961 (IB, p. 122, 6 ss Koster) entre le rite du 8 Pyanopsion et les Choès des Anthestéries, cf. Deubner, 1932, p. 224.

[34] Cette description se fonde essentiellement sur l'inscription *IG* II², 957 datant de 158/7 avant notre ère ; on verra aussi, dans la même série, les inscriptions 956 et 958-965 ; voir à ce propos le commentaire de Pélékidis, 1962, p. 229 ss, qui suppose avec quelque vraisemblance l'existence de Grandes Théséia célébrées tous les quatre ans, en alternance avec les Théséia annuelles. Les listes d'éphèbes *IG* II², 1006, 23 et 77 ainsi que 1008, 14 s. (fin du IIe siècle avant notre ère) confirment la participation de cette classe d'âge aux Théséia où ils apparaissent en armes. Qu'une course aux flambeaux faisait partie du déroulement des Théséia est confirmé par les dédicaces tardives *IG* III.1¹, 107 et 109. Quant à la course de char, elle est mentionnée par Hsch. *s.v. hippodromía* (*I* 285 Latte).

[35] Sch. Pind. *N.* 5, 49 (III, p. 98, 14 ss Drachmann), sch. Aristoph. *Nub.* 28 (III. 1, p. 18, 8 ss Koster).

[36] Plut. *Thes.* 20, 8 = *FGrHist.* 501 F 1. Cf. *infra* chap. IV § 1.3.4.

[37] Plut. *Thes.* 20, 6-7 = Paion Amath. *FGrHist.* 755 F 2 ; sur Péon d'Amathonte, nous ne savons rien d'autre que ce que dit Plutarque dans ce passage ; on le considère en général

comme un mythographe local qui aurait vécu à l'époque d'Alexandre : O. Seel, « Paion (4) », *Realenc. Alt.-Wiss.* XVIII. 2, Stuttgart (Metzler) 1942, coll. 2401-2403, qui donne également les rares renseignements en notre possession sur l'origine macédonienne du calendrier dans lequel s'insère le mois Gorpiaïos.

[38] Cf. Macrob. *Sat.* 3, 8, 2 = Philoch. *FGrHist.* 328 F 184, avec le commentaire de Jacoby, 1954, I, p. 552 s. ; voir également les frr. 7 et 26 Morel de deux poètes latins de la République, Calvus et Laevius respectivement, et Cat. 68, 51 ; Hsch. *s.v. Aphróditos* (*A* 8773 Latte) = Paion Amath. *FGrHist.* 757 F 1. Cf. encore Serv. *in* Verg. *Aen.* 2, 632 (I, p. 312, 4 ss Thilo-Hagen), *An. Gr.* I, p. 472, 24 s. Bekker. W. Sale, « Aphrodite in the *Theogony* », *Trans. Am. Philol. Assoc.* 92, 1981, pp. 508-521, met cette figure d'une Aphrodite bisexuée en relation avec le mythe de la naissance de la déesse des organes génitaux d'Ouranos ; il voit dans cet événement un signe de la qualité de divinité de la conception et de la fertilité assumée par Aphrodite. On lira aussi à ce propos, avec davantage de précautions encore, les rapprochements opérés par G. Devereux, *Femme et mythe*, Paris (Flammarion) 1982, p. 113 ss.

[39] L'existence d'un important culte d'Aphrodite à Amathonte est attestée aussi bien par les textes littéraires que par les documents épigraphiques : Verg. *Aen.* 10, 51, Cat. 36, 14, Paus., 9, 41, 2 et Hsch. *s.v. kárpōsis* (*K* 883 Latte) ; cf. Nilsson, 1906, p. 368 s. ; autres sources et références bibliographiques cher Herter, 1973, col. 1141, et chez P. Aupert et M.-Ch. Hellmann, *Amathonte* I. *Testimonia* 1, Paris (Ecole Française d'Athènes) 1984, p. 20 ss ; on lira avec beaucoup de prudence les réflexions associatives de J. Karageorghis, *La Grande Déesse de Chypre et son culte*, Lyon - Paris (Maison de l'Orient-De Boccard) 1977, p. 194 ss. Cat. 68, 51 s., Aristoph. fr. 325 Kassel-Austin (= Macrob. *Sat.* 3, 8, 2) ; cf. aussi *Lex. Sabb. s.v. Aphróditos* (p. 42, 4 ss Latte-Erbse). Rappelons que c'est à Aphrodite d'Ascalon, ancêtre de l'Aphrodite cypriote, que les Scythes, selon Hdt. 1, 105 et 4, 67, attribuent la métamorphose en femmes des androgynes *enárees*.

[41] Plut. *Thes.* 21, 1-2 qui cite, à propos de la dénomination de la danse, Dicéarque (fr. 85 Wehrli : cf. Ampolo & Manfredini, 1988, p. 229), Call. *Del.* 307 ss, Paus. 9, 40, 3 s. ; voir aussi Poll. 4, 101 et Hsch. *s.v. geranoulkós* (*G* 404 Latte). Commentant la consécration du xoanon, les sch. *ad* Call. *Del.* 308 (II, p. 73 Pfeiffer) parlent même de la fondation par Thésée d'un sanctuaire d'Aphrodite : cf. *supra* chap. II § 7.1. Le problème de la danse de la grue est traité *infra* chap. IV § 2.4.5..

[42] *Epikósmēsis* de la statue : *IG* XI, 290, 151 s. ; 338, Aa, 42 ; 354, 77 ; fourniture de *rhumoí* et de *lámpades* : 290, 82 ; 291, b, 11 ; 316, 99 ; 338, Aa, 41, etc. ; cf. aussi 145, 43 (inscription datant de 302 avant notre ère).

[43] Sur la situation du Kératôn « auprès du temple d'Apollon », cf. Plut. *Soll. an.* 983e qui réinterprète un passage d'Homère ! Sur sa conformation, voir les références et parallèles donnés par Ampolo & Manfredini, 1988, p. 229 s. Quant à cette situation, à cette architecture et à l'inclusion du sanctuaire d'Aphrodite dans le même cadre, les fouilles archéologiques ne nous laissent malheureusement que face à des conjectures, cf. Bruneau, 1970, pp. 26 ss et 333 s., ainsi que Bruneau & Ducat, 1983, p. 150 s., et Mineur, 1984, p. 242. S'il n'est pas nécessaire de faire du Kératôn un autel spécifiquement consacré à Aphrodite comme le voudrait Nilsson, 1906, p. 381, il n'y a pas non plus de raison de dissocier le rituel des Aphrodisia de la danse de la grue instituée par Thésée comme entendent le faire, pour la période archaïque, Gallet de Santerre, 1958, p. 179 ss, et pour la période hellénistique, Bruneau, 1970, pp. 23, 29, 334 et 341 ; de même Mineur, 1984, p. 237. Les inscriptions citées à la n. 42 établissent précisément la correspondance nécessaire entre les objets rituels achetés à l'occasion des Aphrodisia au mois Hécatombaïon (fin juillet) et les actes décrits par les sources littéraires qui sont centrées sur le retour de Thésée et sa performance dansée autour du Kératôn. Cette correspondance empêche de dissocier le couronnement du xoanon d'Aphrodite (qui serait propre au rituel des Aphrodisia selon Bruneau) et la danse de la grue. Cependant, s'appuyant sur le témoignage de Himer. *Or.* 28, 10, Mineur, 1984, p. 238, affirme que la danse de la grue était exécutée

par le chœur des jeunes Athéniens amenés par la *theōrís* et qu'elle avait donc pour cadre les Délia.

[44] Call. *Del.* 314 s. dont les scholies (II, p. 73 Pfeiffer) font elles-mêmes référence à Platon, *Phaed.* 58ab ; voir encore sch. *ad loc.* (p. 8 Greene), Himer. *Or.* 28, 10, *Sud. s.v.* *theōrís* (*Th* 221 Adler) ainsi que le témoignage de Eus. *Praep. Ev.* 5, 18, 6, cité *supra* chap. II n. 40 ; cf. Mineur, 1984, p. 243 s.

[45] Cf. Thuc. 3, 104, 1 ss qui ne cite pas Thésée dans sa description du festival, pas plus d'ailleurs que ne le fait Xen. *Mem.* 4, 8, 2 qui, dans son récit de la cause du retard dans l'exécution de Socrate, attache pourtant l'envoi de la théorie athénienne à la célébration des Délia ; cf. déjà *H.Ap.* 146 ss ainsi que l'allusion de Philoch. *FGrHist.* 328 F 75 ; autres sources chez Nilsson, 1906, p. 144 ss, et chez Gallet de Santerre, 1958 p. 239 ss. : cf. *infra* chap. IV n. 161 et chap. V n. 148.

[46] Plut. *Nic.* 3, 5 ss ; *IG* II², 1635, 34 s. (inscription datant de 377/6). Ces chœurs sont destinés à la célébration des Délia, et non pas à celle des Aphrodisia, comme le rapporte Bruneau, 1970, p. 31 s.

[47] Sur la date attribuée aux Délia et sur leur alternance avec les Apollonia, cf. Nilsson, 1906, p. 144 ss, Deubner, 1932, p. 203 s., Gallet de Santerre, 1958, p. 247 ss, Bruneau, 1970, pp. 82 ss et 87 s., ainsi que Calame, 1977, I, p. 200.

[48] Plut. *Thes.* 21, 3 ; cf. aussi *Quaest. conv.* 724a et Paus. 8, 48, 3, avec le commentaire de Ampolo & Manfredini, 1988, p. 230, qui attachent à la réforme des Délia en 425 la mise en rapport de cet agôn avec la légende de Thésée. On a parfois tenté d'associer ces agrès avec les cordes (cf. *supra* n. 42) semble-t-il utilisées dans l'exécution de la danse de la grue : cf. Mineur, 1984, p. 244 s.

[49] *ID* 1951, 1952 et 1955 ; cf. à ce propos Bruneau, 1970, p. 35.

[50] Call. *Del.* 316 ss avec les sch. *ad loc.* (II, p. 73 Pfeiffer) ; Hsch. *s.v. Dēliakòs bōmós* (*D* 817 Latte) ; l'olivier sacré de Délos est déjà mentionné par Hdt. 4, 34, 2 qui le situait dans le *sêma* de l'Artémision. Cf. Mineur, 1984, p. 247 ss, qui mentione quelques coutumes analogues.

[51] De ce point de vue, je me situe en retrait de ce que j'ai affirmé trop rapidement sans doute dans 1977, I, p. 109 n. 136. Les remarques de Bruneau, 1970, p. 26 et 32 ss, ont su me convaincre ; cf. aussi Gallet de Santerre, 1958, p. 184 ss et 194 s.

[52] Pour ces différents types d'embrayages/débrayages spatio-temporels, on verra Plat. *Phaed.* 58a (description de la théorie délienne), Plut. *Thes.* 18, 2 (rite du 6 Mounichion), 21, 1 (danse de la grue), 22, 4 (héraut des Oschophories), *Sud. s.v. eiresiōnē* (*Ei* 184 Adler ; Pyanopsies), etc., et les réflexions générales présentées au chap. I § 2.4.

[53] Lyc. fr. XIV, 2a Conomis (=*FGrHist.* 401 F 1a) et sch. Aristoph. *Plut.* 1054 (p. 378b, 41 ss Dübner) ; Plut. *Thes.* 18, 3 et *Sud. s.v. eiresiōnē* (*Ei* 184 Adler) ; Plut. *Thes.* 22, 4 et 5 ainsi que Call. *Del.* 314. Cette pratique explicative remonte pour nous en tout cas à Hérodote : cf. *supra* chap. I § 2.3.

[54] Plut. *Thes.* 1, 5.

[55] Sur la saisie linguistique par les Grecs eux-mêmes du sacrifice comme faire et comme acte de mise en relation des hommes avec les dieux par l'intermédiaire de l'offrande, cf. Casabona, 1968, pp. 39 ss et 69 ss, ainsi que Rudhardt, 1958, p. 249 ss, et J.-P. Vernant, « Théorie générale du sacrifice et mise à mort dans la *thusía* grecque » in J. Rudhardt et O. Reverdin (edd.), *Le sacrifice dans l'Antiquité* (*Entretiens Hardt* 26), Genève (Fondation Hardt) 1981, pp. 1-21.

[56] Cf. *supra* chap. I § 2.3.

[57] Voir notamment Ps. Aristot. *Ath. Pol.* 58, 1 ; autres références chez Deubner, 1932, p. 209. Sur l'enjeu idéologique de la reconstruction de l'histoire de Marathon qui devient légende, cf. Loraux, 1981b, p. 157 ss.

[58] Selon un rapprochement qui m'est suggéré par M. Steinrück, qui comparerait volontiers ce processus aux enchâssements de structures annulaires propres aux raisonnements qu'on trouve en particulier dans la poésie homérique.

[59] Dans cette perspective, on pourrait renverser la formule proposée par Ricœur, 1983, p. 113, et parler de structure « post-narrative » de l'expérience !

[60] Sur les différentes expressions définissant en Grèce la notion de « sacré », cf. Rudhardt, 1958, p. 21 ss, Chantraine, 1968, pp. 25 s., 457 s., 831 s. et 992 s., et Benveniste, 1969, II, p. 179 ss. ; la qualification de « profane » ne concerne donc en Grèce que l'espace, par l'intermédiaire de l'adjectif *bébēlos* qui, dans un second sens, ne fait que désigner par la négative l'état d'impureté religieuse (cf. Chantraine, 1968, p. 172) : contradictoire du « sacré » comme *anósios* ou *asebés*, et non pas son contraire !

[61] Plut. *Lyc.* 22, 4 et Plat. *Phaed.* 58ab ; Plut. *Lyc.* 22, 7.

[62] Cf. Plut. *Lyc.* 18, 1 ainsi que 22, 2 et 4 ; Eust. *Il.* 1283, 7 ss (IV, p. 666, 4 ss Van der Valk) et *Sud. s.v. eiresiốnē* (*Ei* 184 Adler).

[63] Avec d'autres, Jeanmaire, 1939, p. 312 ss, a été victime de cette probable projection de la logique du récit légendaire sur le « récit » du rituel : cf. *infra* chap. vi § 3.2.1.

[64] Plut. *Lyc.* 22, 4 et 23, 2 ss ; *Inscr. Sal. SEG* XXI, 257, 91 = 19, 1 *Suppl.* Sokolowski (cf. n. 15) ; Cal. Haghios El. *ap.* Deubner, 1932, p. 249 s., avec la pl. 35, 2 et 3. Deubner, 1932, p. 146, placerait les Oschophories le 7 Pyanopsion ou l'un des jours suivant cette date ; Ferguson, 1938, pp. 27 s. et 4, ainsi que Chirassi Colombo, 1979, p. 31 s., le 6 du même mois ; Parke, 1977, p. 77, Simon, 1983, p. 89, et Ampolo & Manfredini, 1988, p. 230, optent pour le jour des Pyanopsies, c'est-à-dire le 7 ; c'était déjà la solution adoptée par Mommsen, 1898, p. 282 ; voir aussi Jeanmaire, 1939, p. 346 ss. Prudence de bon aloi à ce propos chez Mikalson, 1975, p. 68 s.

Chapitre IV

FIGURES MYTHIQUES
D'UN HÉROS NATIONAL

Thésée n'est pas uniquement le protagoniste d'une intrigue polymorphe, il est également en tant qu'acteur du récit le porteur de figures et de valeurs sémantiques qui évoluent au cours de la narration tout en fondant sa cohérence. Après la mise en intrigue et la syntaxe sémio-narrative, il convient donc de se pencher sur les processus d'actorialisation et de spatialisation ; il faut s'interroger sur les figures qui, à la suite de ces procédures de débrayage et d'embrayage, constituent la couleur sémantique du récit, à l'intersection entre structures discursives et structures sémio-narratives. La réitération de ces figures au cours du récit permettra de dégager les isotopies qu'elle construit et les thèmes qui leur sont sous-jacents. Dans la mesure même où les figures sont tirées du monde naturel et social environnant, l'analyse sémantique proposée est forcément marquée par une perspective historique ; on sera donc essentiellement sensible ici aux valeurs relatives à la période de plein développement de la légende, dans l'Athènes classique.

Les premiers, les héros retiendront l'attention qui se portera sur les qualités prédicatives accumulées dans leur caractérisation (par les énoncés d'état) et dans leurs actions (par les énoncés de faire). Ce sera le tour ensuite des divinités qui, dans leurs modes d'action, occupent la position actantielle du Destinateur de ces actes de héros. Mais les modes de l'action divine sont indissociables en Grèce du champ où ils s'exercent ; que les espaces de réalisation des fonctions divines correspondent à des lieux déjà constitués dans la représentation grecque du monde habité ou qu'ils se construisent dans l'action même de leurs utilisateurs. On suivra donc le dessin de ces espaces à travers le déroulement de l'action des dieux et de celle des hommes qui sollicitent la première. En effet, l'intrigue narrative organise interventions des dieux avec leurs fonctions respectives et espaces de leur exercice en un parcours à l'orientation significative.

1. Les acteurs héroïques et leurs actions

La première isotopie qui traverse la figure de Thésée, à travers la réitération d'éléments concernant l'âge ou le degré de maturité du héros, prend d'emblée une articulation syntaxique ; animée par le processus de la croissance physiologique, l'isotopie sémantique de la maturité assume par définition un déroulement de l'ordre du procès et de la transformation. Apparaît ainsi la vanité de tracer une ligne de démarcation absolue entre ces deux dimensions, sémantique et syntaxique, du récit !

1.1. Les degrés de la maturité

1.1.1. Classes d'âge

Le texte de la *Vie de Thésée* est précisément très attentif à marquer temporellement les étapes de la biographie du héros athénien, donnant de précieuses indications sur la représentation du degré de maturité atteint par le héros athénien au moment de l'expédition crétoise.

D'abord *paîs*, Thésée offre au sortir de l'enfance *(ek paídōn)* les prémices de sa chevelure au dieu de Delphes. Il est donc au seuil de l'adolescence qu'il atteint quand sa mère le juge physiquement assez fort et assez raisonnable pour lui révéler, par les signes de reconnaissance, son identité familiale. Thésée est alors un *meirákion* ; si pour Callimaque il est encore un *paîs*, on sait que ce dernier terme recouvre aussi bien l'enfance que le début de l'adolescence. Mais Pausanias vient ici à notre secours en chiffrant l'âge de Thésée au moment où il franchit ce seuil de l'adolescence que marque la première reconnaissance, à distance, de son père : seize ans.

Et c'est bien un jeune homme dans la première adolescence *(paîs prốthēbos)* que Bacchylide affronte aux êtres monstrueux infestant le cheminement terrestre vers Athènes. Aucune surprise dès lors devant la méprise moqueuse dont le héros est l'objet à son arrivée dans la cité, à travers l'anecdote que rapporte le seul Pausanias. Le long chiton et les cheveux « peignés avec soin » que porte le jeune héros induisent les constructeurs du temple d'Apollon Delphinios à le confondre avec une jeune fille « prête pour le mariage ». En projetant par-dessus le toit en construction les deux bœufs de l'attelage des ouvriers, Thésée renverse les termes de la méprise dont il est l'objet : comparé à une adolescente, il fait démonstration de sa force virile de jeune athlète [1].

En revanche, le jeune homme qui s'embarque pour neutraliser le Minotaure n'est plus exactement un adolescent. La reconnaissance effective par son père d'une part, la liquidation des fléaux qui ravagent l'Attique de l'autre en font un *néos*, ou plus précisément un éphèbe, au sens athénien du terme. Dans sa description de la confrontation opposant Thésée à Minos sur le navire qui les conduit en Crète, Bacchylide abandonne définitivement le terme de *paîs* pour ne plus attribuer au jeune Athénien que la qualité dénotée par le mot *hếrōs*. Or ce n'est en général dans la légende qu'après son éducation ou son initiation que l'on accède au statut de héros ; le héros grec est donc volontiers un éphèbe ou un jeune homme. Plus de quinze siècles après Bacchylide, Eustathe considère encore le volontariat de Thésée dans l'expédition de Crète comme le fait d'un héros devenu un adulte *(andrōtheís)* [2].

1.1.2. *Lutte athlétique et combat hoplitique*

L'iconographie reproduit en général, avec ses moyens expressifs propres, cette transformation dans les qualités que les textes semblent attribuer au jeune Thésée. C'est le cas en particulier de la production iconographique propre au lieu et à la période pertinents pour notre recherche − l'Attique de la fin du VIe et du début du Ve siècle ; Thésée affronté aux différents monstres infestant la route qui conduit du Péloponnèse à Athènes y apparaît sous les traits d'un jeune homme sans barbe et en général nu. Par contre, dans son combat contre le Minotaure, il porte volontiers la barbe

qui marque un degré de maturité majeure. Cette opposition iconique doit cependant être assortie d'une sérieuse réserve : dans les
représentations de l'iconographie attique classique qui dépeignent
dès la fin du VIᵉ siècle l'ensemble du cycle des « travaux » du
héros athénien, Thésée, même affronté au monstre crétois, est
dépourvu de barbe. C'est que, incorporé à une série, ce combat ne
fait désormais que représenter le point culminant et terminal des
hauts faits du héros. Il faut compter de plus, dans l'imagerie
attique du début du Vᵉ siècle, avec la transformation générale de
Thésée en éphèbe. On a voulu voir dans cette métamorphose une
manifestation de la volonté athénienne d'opposer à la force souvent sauvage d'Héraclès l'image plus polie du héros local ; ainsi,
par contraste, les imagiers se seraient inspirés dans sa création de
la représentation du jeune Athénien, rompu aux arts raffinés de la
palestre[3].

Mais l'uniformisation porte essentiellement sur la morphologie
prêtée à Thésée. Au-delà de « l'éphébisation » progressive de
l'apparence générale du héros, les pièces de vêtement qu'il porte,
en combinaison avec les modes de combats qu'il adopte, restent
significatives des qualités distinctives attachées à des étapes précises dans le développement du jeune homme.

Alors que dans l'engagement même contre les monstres harce-
leurs du parcours conduisant de l'Isthme à Athènes, Thésée est
représenté nu, on le voit souvent s'approcher de ses différents
adversaires vêtu de l'équipement typique du voyageur : pétase à
larges bords ou pilos en forme de bonnet, cheveux longs repliés et
retenus par un bandeau, épaules parfois couvertes d'un chiton
court et d'une chlamyde, pieds chaussés d'endromides. Par ailleurs, les postures dans lesquelles l'Athénien est affronté à ses
adversaires correspondent aux schémas positionnels de la lutte
agonale. On rejoint ici la version de la légende connue par les
textes qui fait de Thésée, à l'issue de la lutte contre Cercyon, le
fondateur de la lutte à mains nues ; plus exactement, elle attribue
au héros le passage d'un mode de lutte fondé sur la force à un type
de lutte qui fait appel à la *tékhnē*[4]. Thésée maîtrise donc les êtres
monstrueux qui lui barrent la route d'Athènes dans des combats
de type athlétique où la *sophía* parvient à neutraliser la violence
brute. S'il est par hasard armé, c'est éventuellement d'une
massue, autre attribut du voyageur qui relève de l'assimilation du
héros athénien avec Héraclès. Mais les seules armes dont use

Thésée, ce sont en général les moyens mêmes que ces monstres mettent en œuvre pour anéantir leurs adversaires ; preuve nouvelle de son habileté technique, le jeune homme s'empresse de retourner ces moyens contre leurs utilisateurs. On ajoutera que la maîtrise du taureau de Marathon, lutte à mains nues avec l'aide très éventuelle d'une massue ou d'une sorte de lasso, s'inscrit dans le même type de combat ; et on a vu qu'en Attique même, le combat mené contre les Pallantides, qui fait recours à la ruse et à l'embuscade nocturne, se démarque lui aussi d'une stratégie guerrière traditionnelle.

Par contre, l'attitude et l'équipement de Thésée quand il est affronté au Minotaure le rapprochent du citoyen-hoplite adulte. Certes, déjà dans les combats qui précèdent l'affrontement avec le Minotaure, Thésée porte volontiers l'épée transmise indirectement par son père ; s'il la dégaine, ce n'est qu'à titre de menace à l'approche du monstre. Il en réserve en revanche l'usage direct au combat contre le Minotaure. Ce passage du monde du combat athlétique et rusé, faisant appel à la *sophía*, à une stratégie de lutte proprement militaire est souvent souligné dans l'iconographie par l'équipement que porte le héros dans son affrontement au monstre crétois ; quand il n'est pas nu, il porte soit la jupette hoplitique, soit (plus rarement) une cuirasse. Ce n'est que sur des vases à figures rouges tardifs qu'à l'épée se substitue la massue, engageant Thésée dans un style de combat et lui attribuant un équipement qui le rajeunissent en l'assimilant au type de l'athlète voyageur ; ils sont réservés dans la tradition iconographique plus ancienne aux luttes contre les monstres. De même, les textes tardifs font-ils de la lutte contre le Minotaure un combat à mains nues ; ils donnent ainsi un fondement légendaire à la tradition agonale qui présente Thésée comme l'inventeur du pancrace[5].

Dans cette distinction essentielle entre lutte et style athlétiques d'une part, stratégie et équipement hoplitiques de l'autre, Bacchylide semble répondre à la même tradition que celle suivie par ses contemporains les peintres. Aux êtres monstrueux de l'Isthme, le poète affronte explicitement non pas un jeune lieutenant « équipé d'armes guerrières et conduisant une troupe nombreuse », mais un voyageur *(émporos)* portant suspendue à son épaule une épée, à la main deux lances (que reproduisent parfois les imagiers), un chapeau pour protéger sa chevelure « aux reflets de feu », un chiton sur une poitrine que recouvre une chlamyde de laine thessalienne. En revanche, sur le chemin de la Crète, le même héros qui, désormais descendant par Egée du roi Pandion, revendique encore la légitimité divine face à Minos est équipé d'une cuirasse de bronze et d'une lance ; comme le roi de Crète, il est présenté – rappelons-le – en tant que héros[6].

1.1.3. Parcours éphébique

Dans la biographie canonique du héros athénien, la reconnaissance par le père de la légitimité du fils semble bien marquer la ligne de démarcation entre un avant et un après. Mais cet après correspond lui-même à un stade intermédiaire. D'adolescent imberbe pratiquant les arts de la palestre, Thésée devient en effet un soldat, mais un soldat qui n'est pas encore entièrement équipé et qui ne semble pas intégré à la phalange hoplitique.

Entre le moment de son arrivée à Athènes et le retour de Cnossos, l'équipement et le comportement de Thésée ne correspondent-ils pas en effet précisément à ceux de l'éphèbe athénien tels que les décrit la *Constitution d'Athènes* attribuée à Aristote ? En particulier au cours de la seconde année de ce service passager de deux ans dans lequel étaient enrôlés les tout jeunes citoyens de dix-huit à vingt ans, les éphèbes reçoivent une partie de leur équipement militaire ; ils sont alors envoyés aux frontières pour faire service aux limites de la chôra, portant une chlamyde et – ajoute Pollux – un pétase. Cette assimilation du statut intermédiaire qu'assume Thésée entre Athènes et la Crète avec celui de l'éphèbe athénien est si pertinente qu'elle est explicitement utilisée dans un discours protreptique adressé aux éphèbes et retrouvé sur une inscription du IIe siècle. Au travers des lacunes de ce texte épigraphique, on perçoit que le service des éphèbes et les concours auxquels ils participent sont conçus comme une imitation *(mimeîs-[thai)* de l'entreprise crétoise de Thésée ; lui-même est aussi désigné en tant qu'éphèbe *(éphē[bos ốn)*[7]. Autant le caractère liminal des lieux où s'accomplit le service de l'éphébie que l'aspect mixte de l'équipement éphébique pourraient conduire, par retour comparatif, à dissocier la lutte contre le taureau de Marathon et le combat nocturne contre les Pallantides des combats contre les monstres de l'Isthme pour les intégrer à la période « éphébique » de la biographie de Thésée[8]. Si les premiers combats athlétiques du héros sont attachés à l'adolescence, la reconnaissance de sa légitimité par son père pourrait marquer la fin de cette première période. Les deux entreprises dans les régions écartées de l'Attique et l'expédition en Crète pourraient dès lors correspondre à la période de l'éphébie avec son service paramilitaire aux marges du territoire. Le retour triomphant à Athènes marquerait désormais le deuxième passage : celui de l'éphébie à l'âge adulte. Un fait est certain : au moment de son arrivée en Attique, le héros pouvait être l'objet des remarques moqueuses suscitées par son aspect féminisé d'adolescent. Mais quand il vogue vers la Crète, ce sont deux de ses accompagnateurs qui se prêtent au déguisement féminin répété dans le travesti des Oschophories. L'éphèbe n'est plus marqué par l'ambiguïté sexuelle qui caractérise la représentation grecque de l'adolescence. Et à son retour dans la capitale, Thésée est prêt à succéder à son père.

Thésée n'est donc pas l'unique protagoniste de la confrontation avec le Minotaure. Si du point de vue de l'isotopie de la maturité, il oscille à ce moment entre adolescence et âge adulte, les jeunes filles et les jeunes gens qu'il emmène en Crète sont sans conteste des adolescents. De Bacchylide à Eustathe, la tradition textuelle est unanime pour dénommer les premiers *ēítheoi* et les secondes *parthénoi* ou *koûrai* ; les Atthidographes utilisent également dans la désignation de ce groupe mixte le terme générique de *paîdes*. De plus, dès Hellanicos de Lesbos, on prend soin de préciser que les jeunes gens requis par Minos ne devaient pas porter d'armes guerrières[9].

La tradition iconographique est tout à fait sensible à cette différence, même si elle l'explique par des moyens différents ; quand elle représente Thésée, barbu ou non, en compagnie des jeunes Athéniens, elle s'applique à donner au jeune homme une stature légèrement plus haute qu'aux adolescents qui en effet ne portent pas d'armes. Sans doute, cette distinction désigne-t-elle l'Athénien autant dans sa qualité d'homme jeune que dans son statut de héros. D'ailleurs, dès l'époque archaïque, les peintres aussi bien que la tradition littéraire utilisent un autre trait distinctif pour différencier Thésée des deux fois sept adolescents dans la mesure où ni les uns ni l'autre ne comptent le héros dans leur nombre. Seule exception : la version ancienne remontant à Phérécyde qui inclut Thésée dans le nombre des jeunes gens tirés au sort en privant ainsi le héros de son « auto-destination » ;

sans doute cette formulation narrative n'est-elle que l'effet du résumé à travers lequel cette version nous est connue dans une source tardive [10].

A ces traits distinctifs de la stature et du nombre, l'iconographie en ajoute un troisième dans la mesure où elle met volontiers une lyre dans les mains de Thésée en Crète. Comme on aura encore l'occasion de le souligner, ce nouvel attribut désigne le héros athénien dans une fonction de chorège et le statut attaché à la direction chorale se caractérise précisément du point de vue de l'âge par une maturité légèrement supérieure au degré atteint par les choreutes. On trouvera pour l'instant dans ce trait spécifique de l'imagerie une confirmation du degré de maturité majeure attribué à Thésée au moment de l'expédition à Cnossos [11].

1.2. La légitimité royale

Parallèlement aux signes extérieurs marquant le développement de la maturité, la légitimité se révèle constituer l'une des isotopies essentielles qui, tout en fondant la définition de la figure sémantique de Thésée, assure la cohérence de la séquence des épisodes retraçant la jeunesse du héros jusqu'à son accession au trône d'Athènes. Par le jeu étymologique auquel se livrent volontiers les Grecs à propos de leurs anthroponymes, les biographes de Thésée voient la légitimité doublement inscrite dans le nom même du héros ; soit que son signifiant est référé au dépôt *(thésis)* des signes de reconnaissance par son père, soit qu'il renvoie à l'acte de reconnaissance même par Egée *(thémenos)* [12].

Ce n'est pas la double paternité, humaine et divine, de Thésée qui suscitera la surprise. L'Athénien la partage avec de nombreux héros tels que les Dioscures ou Héraclès, son modèle de comportement. On est davantage étonné par contre de voir le héros contraint, tout au long de sa jeunesse, à démontrer sa légitimité. C'est que, contrairement aux héros précités, Thésée est né d'une jeune fille, à l'extérieur du territoire de l'Attique. Dans un premier temps, marqué spatialement par le terme de son parcours terrestre, le bâtard doit être reconnu par son père humain. Il devient alors l'égal des adolescents envoyés en pâture au Minotaure et le problème de la légitimation est assez important pour induire dans le récit la séquence narrative secondaire que représente le conflit

entre Egée et ses sujets, puis entre Egée et son fils quant à
« l'auto-destination » de ce dernier. Le texte de Plutarque conçoit
explicitement ce conflit dans les termes d'une opposition entre
bâtard/étranger *(nóthos kaì xénos)* et légitime *(gnésios)*[13]. Or,
dans la description que donne la *Constitution d'Athènes* déjà citée
de l'état de l'éphébie attique au IVe siècle, les deux critères déterminant l'admission des adolescents dans le service qui fait d'eux
des citoyens à part entière ne sont autres que l'âge et la légitimité.
A l'occasion de leur inscription comme démotes sur les registres
des dèmes, puis au cours de l'examen de dokimasie par la Boulé,
on examinait en effet si les candidats avaient bien atteint dix-huit
ans et s'ils étaient de condition libre et légitime, c'est-à-dire nés de
père et de mère athéniens. Mais — objectera-t-on — mesuré à
cette aune, jamais Thésée n'aurait passé ses examens éphébiques.
Même si le mythe ne peut de toute façon pas être considéré comme
le miroir d'une réalité sociologique, ce serait oublier que la
légende s'est formée avant 451, avant la date du décret qui a fait
dépendre le droit de cité non plus de la seule origine du père, mais
de celle du père et de la mère[14] !

Au moment de son départ pour la Crète, Thésée semble bénéficier, du point de vue de la légitimité athénienne en tout cas, du
même statut que les adolescents qui s'embarquent avec lui. Mais
la confrontation avec Minos pendant la traversée apporte à ce
statut deux modifications essentielles. Grâce à l'épreuve de reconnaissance imposée par le roi de Cnossos, le héros qui lutte contre
le Minotaure n'est plus seulement le fils d'un homme, mais aussi
celui d'un dieu. De plus, par cette même épreuve, il accède au
statut de filiation qui est celui de son adversaire réel ; il n'est plus
uniquement le fils d'Egée comme Androgée ou le Minotaure sont
les fils de Minos, mais le fils de Poséidon comme Minos lui-même
est le fils de Zeus. Même s'il n'est pas encore tout à fait roi,
Thésée au retour à la demeure d'Amphitrite est, sous l'angle de la
légitimité, l'égal de Minos. Cette manière de se confronter à son
ennemi en se réclamant d'une ascendance divine est d'ailleurs
— on le verra — le propre du héros homérique et c'est en quelque
sorte à ce statut guerrier que Minos fait accéder Thésée par sa prétention provocatoire[15]. Ce que le héros athénien conteste à travers
la figure de la lutte contre le Minotaure c'est le pouvoir royal et
militaire de Minos. Se substituant pratiquement à son père Egée
pour lutter contre celui qui a imposé le tribut des adolescents aux

Athéniens, le jeune athlète voyageur est désormais l'égal d'un roi adulte. Après le parcours maritime, le statut de Thésée rejoint selon l'isotopie de la légitimité le degré supérieur qui conduit à la maturité de l'adulte.

De cet ajustement progressif du statut de Thésée à celui de son adversaire Minos, on trouve une confirmation dans la dimension syntaxique du récit. On se souvient en effet que du point de vue de l'intrigue narrative et de ses motivations, le tribut réclamé pour la troisième fois aux Athéniens ne représente plus la compensation du meurtre d'Androgée, mais un *adíkēma*, une injustice. La tâche de Thésée est donc double : rétablir l'équilibre narratif dans une lutte analogue à celle dans laquelle Androgée remporta la victoire cause de sa mort, mais aussi compenser le manque provoqué par 'la répétition du tribut imposé par Minos avec l'aide de Zeus. Pour le déroulement du récit, il ne suffit pas que Thésée soit simplement le fils d'Egée ; il doit être capable aussi de lutter sur un pied d'égalité avec Minos, protégé par Zeus. De là, dans l'expédition de Crète, sa figure de quasi-roi, fils de Poséidon.

Relatif à l'ascendance, un trait supplémentaire contribue à situer Minos dans une position analogue à celle de Thésée. Le père humain de Minos, le roi de Crète Astérion ou Astérios, n'a en fait pas d'enfants. Mais il épouse Europe, la petite-fille ou l'arrière-petite-fille de Poséidon, qui de ses amours avec Zeus a donné naissance à Minos, Sarpédon et Rhadamante ; Astérion les adopte tout en assumant leur éducation. A la bâtardise de Thésée répond donc la qualité de fils adoptif qui caractérise Minos. La légende invitera d'ailleurs le futur roi, comme le héros athénien, à justifier ses droits sur le royaume de Crète [16]. On en verra les modes plus bas.

Dans cette même perspective de la légitimité, on ne manquera pas de se rappeler encore que si les autres protagonistes crétois de la légende de Thésée sont des enfants nés légitimement de l'union régulière de Minos et de Pasiphaé, en revanche le Minotaure est le produit d'une union monstrueuse. Androgée, Ariane et Phèdre s'opposent donc à leur demi-frère hybride et anthropophage, né des amours de Pasiphaé avec le taureau rendu fou par Poséidon. Union adultère de zoophile accomplie avec la complicité de Dédale, l'artisan athénien qui, en exil en Crète, ne va pas tarder à favoriser les amours prématrimoniales d'Ariane et de Thésée [17]. Le héros fils de Poséidon, mais fils bâtard d'Egée, engage donc le combat contre un être thériomorphe et bâtard pour lutter contre

Minos, le fils de Zeus, mais le fils adoptif d'Astérion. L'issue du combat contre le Minotaure signifie non seulement la victoire contre la bâtardise monstrueuse du gardien du Labyrinthe, mais aussi la domination sur la paternité de Minos, désormais privé de descendants légitimes mâles.

Au long parcours accompli par le héros athénien pour être reconnu dans une légitimité paternelle brouillée par des relations familiales hors de la norme répondent ses errances avant la conclusion de l'union conjugale dans laquelle il pourra fonder sa propre descendance légitime. La réalisation de ces amours matrimoniales construit à travers toute la biographie légendaire de Thésée une isotopie de l'ordre de la sexualité.

1.3. La sexualité

1.3.1. Premières amours

Avant son arrivée à Cnossos, Thésée enfant, adolescent puis éphèbe, a connu et réalisé bon nombre des modes de la relation de l'homme avec la femme. Tout se passe comme si la légende prenait plaisir à les explorer peu à peu par l'intermédiaire de son protagoniste principal. Quoi qu'il en soit, tout commence (presque) dans la norme avec une fille-mère qui a la sagesse de confier l'éducation de son fils à son propre père avant de le remettre au pédagogue Connidas. Dès qu'elle est achevée, Thésée quitte sa ville natale et sa mère Aïthra. Celle-ci lui révèle elle-même son identité athénienne, le précipitant dès lors dans les bras de son père. Manière élégante d'éviter à son fils les conséquences d'un complexe mal résolu... [18]

Au cours de son itinéraire d'adolescent, Thésée connaît ses premières amours. D'abord avec la fille de Sinis, une très belle adolescente qui se comporte comme une enfant en demandant aux fourrés dans lesquels elle a trouvé refuge de la protéger ! De l'union du futur héros avec la jeune effarouchée dans une nature parfaitement inculte naîtra Mélanippe, l'ancêtre des Ioxides, les fondateurs d'une colonie grecque en Carie. Cette fondation coloniale vient donc s'ajouter au nombre de ces cités, telles que Tarente ou Cyrène, habitées par les descendants d'une union « virginale » [19]. A cet amour furtif d'un adolescent pour une adolescente s'oppose la version rationalisante de la légende qui fait de la laie de Crommyon une brigande débauchée ; quelle que soit l'ancienneté − douteuse − de cette version, Thésée n'hésite pas à tuer cette Phaïa anthropomorphe dans le vallon boisé, cadre sauvage où elle sévit [20]. Enfin le catalogue des femmes séduites par Thésée qu'a établi l'historien alexandrin Istros ajoute à cette première série le rapt de la fille de Cercyon. Le héros prendrait ainsi la place de son père Poséidon qui, dans la version la plus courante, est le séducteur de la jeune fille ; le dieu lui donne un fils installé par la suite sur le trône d'Eleusis par Thésée lui-même. Mais l'existence de plusieurs filles de Cercyon rend cette substitution du fils au père plus que discutable. D'autres catalogues encore, plus récents, font débuter les aventures amoureuses de Thésée à Trézène même dont le héros aurait enlevé la jeune Anaxô [21].

1.3.2. Relations avec la mère

Relatives au cours de son voyage soit à une sexualité dévergondée, soit à des amours typiquement adolescentes, les relations de Thésée avec la femme quittent dans les préalables athéniens de l'expédition de Crète le plan de la libido proprement dite pour s'articuler à nouveau autour du problème des rapports du fils avec la mère.

A l'égard de Thésée, Médée représente moins qu'une marâtre puisque sa relation avec le roi d'Athènes n'est pas légitimée par le mariage ; la magicienne prophétesse a quitté Corinthe pour vivre en concubinage avec Egée. A l'emprise de Médée sur Egée et aux *phármaka* dont elle use pour neutraliser son beau-fils, Thésée oppose son épée qu'il feint d'utiliser comme instrument de partage des viandes. D'Ulysse affronté au *phármakon* de Circé, Thésée qui ne dispose pas du *môlu* miraculeux ne reprend que l'arme humaine ; en en faisant d'ailleurs un usage rusé qui est étranger au geste d'Ulysse tentant d'effrayer la magicienne. Au pouvoir usurpé et non légitimé que la reine de Corinthe exerce à Athènes, Thésée répond donc par l'acte du partage social par excellence qu'il réalise avec l'instrument même de la reconnaissance de la légitimité ! Après la force athlétique brute c'est la ruse et la tromperie des charmes féminins que Thésée parvient à maîtriser par sa *sophía*. Le fils « légitime » s'impose au moment où la belle-mère tentait par ses *phármaka* de donner un autre héritier au roi Egée [22].

Avec Hécalé, c'est une figure de grand-mère bienveillante que rencontre le jeune homme athénien. Qualifiée du terme affectueux de *maîa* dans l'un des fragments du poème que lui a consacré Callimaque, Hécalé possède une cabane hospitalière *(philóxenos)* qui s'oppose au palais piégé où Médée reçoit le héros. On a vu que narrativement la mort de la vieille Hécalé permet de renverser la situation de Thésée qui occupe dès lors la position du Destinateur des honneurs rendus à la vieille femme sous la protection de Zeus. En même temps Thésée, encore Destinataire la veille des petits noms affectueux adressés par Hécalé, devient le *néos* que décrit Plutarque : ce jeune homme est maintenant explicitement capable de faire preuve à son tour de *philoxenía* à l'égard d'Hécalé décédée. La vieille femme héroïsée sera en effet désormais l'hôte du sanctuaire de Zeus Hécaléios [23].

Les relations de Thésée avec les femmes plus âgées que lui, tout en relevant du problème de la légitimité de l'adulte, se réalisent selon le mode de l'hospitalité. C'est encore sous cette figure que se manifeste la rencontre du héros avec sa belle-mère divine, Amphitrite. En effet, de même qu'à Athènes la rencontre entre le fils et son père humain est en quelque sorte interceptée par l'intervention de la marâtre, c'est aussi la belle-mère qui reçoit, tout à fait régulièrement, le fils du père divin, dans le palais de celui-ci. Parallèle à l'arrivée de Thésée à Athènes, cette rencontre maritime en retourne cependant les valeurs négatives. Contrairement à Médée qui vit avec Egée en concubinage, Amphitrite est l'épouse légitime de Poséidon. Inspirant le respect *(semná* dit Bacchylide), elle reçoit le jeune Thésée non pas à un banquet trompeur, mais entourée du chœur des Néréides « aux membres étincelants ». Au lieu de tenter d'écarter le héros par des *phármaka*, elle manifeste l'aspect positif de la féminité non seulement en lui offrant un vêtement de lin de couleur pourpre, mais surtout en posant sur sa chevelure la couronne de roses, don d'Aphrodite à l'occasion de son propre mariage ; non plus les poisons perfides et mortels, mais une « trame » *(plókos)* de fleurs rouge sang offertes par une Aphrodite tout aussi rusée *(dólios)* que Médée : le lien d'amour a remplacé, sous l'égide de la déesse de l'éros aux mille ruses, le philtre mortel, anticipant sur l'aspect passionnel de l'aventure crétoise [24].

Cependant, si le plongeur dans la mer semble représenter une première intronisation de Thésée dans le domaine de l'amour adulte, le héros reste dans cette épreuve préalable de l'épisode de Crète le défenseur de la « virginité » des jeunes Athéniennes emmenées avec lui vers Cnossos. Associé par sa belle-mère divine au domaine du mariage protégé par Aphrodite, il est encore solidaire de l'adolescence d'Eriboïa courtisée par le roi adulte Minos. L'iconographie donne de cette ambiguïté une figuration manifeste quand elle offre à Athéna le contrôle sur la rencontre entre Thésée, représenté comme un jeune adolescent, et l'épouse de Poséidon, détentrice des dons d'Aphrodite. La tradition littéraire est sensible à une ambivalence analogue puisque Bacchylide attribue le rôle de Destinateur de la confrontation maritime de Thésée avec Minos aux deux mêmes déesses : Athéna favorise la brise qui dirige la nef de Thésée vers Cnossos tandis qu'Aphrodite inspire à Minos sa passion coupable pour l'adolescente athénienne [25].

1.3.3. *Ariane ou l'amour rusé*

Après la reconnaissance aussi bien de la légitimité familiale que de la maturité sexuelle du héros éphèbe, plus rien ne s'oppose à sa rencontre avec Ariane. Cet amour nous situe néanmoins encore en dehors d'une union légale qui serait sanctionnée par le mariage ; il est en effet le lieu de plusieurs entorses à la règle matrimoniale. C'est d'abord la jeune fille qui s'éprend d'un amour fou pour l'éphèbe athénien (et non pas l'inverse), à l'instar d'une Hélène tombant amoureuse par la volonté d'Aphrodite du beau Pâris. De plus, le don de la pelote de laine destinée à sauver Thésée après le meurtre de Minotaure n'est pas un don gratuit. Le savoir sur le Labyrinthe et le moyen technique de le mettre en pratique ne sont, au terme d'un véritable contrat, qu'une monnaie d'échange pour obtenir de la part de Thésée la promesse qu'il emmènera la jeune femme à Athènes pour l'y épouser. Par l'effet des dons inspirés par Dédale le technicien, artisan des amours adultères de Pasiphaé et du taureau, Thésée est pris au piège du fil d'Ariane. La libération du Labyrinthe a pour contrepartie le lien contractuel avec la jeune fille. Crétoise, la jeune Ariane, comme sa mère Pasiphaé et comme sa sœur Phèdre, réalise amour et sexualité selon des modes bien singuliers [26].

On a dit que, du point de vue de la logique de la narration, l'amour contraignant qu'Ariane conçoit pour Thésée engage une séquence narrative secondaire. Tout en faisant passer, par le contrat qui l'ouvre, Ariane de la position actancielle de l'Anti-sujet à celle de Sujet, cette séquence détourne l'attention de l'auditeur/lecteur du sort réservé aux jeunes adolescents confiés à Thésée pour la centrer sur les rets amoureux dans lesquels le héros éphèbe se trouve pris. Si le départ de Thésée quittant la Crète assume la figure du rapt, c'est que le héros est en quelque sorte contraint à un tel acte. Istros ne s'y est pas trompé qui, dans son catalogue des femmes aimées de Thésée, classe Ariane parmi les jeunes filles objet d'un enlèvement aux côtés d'Hélène et d'Hippolyté, mais aussi dans la même catégorie que les filles de Sinis et de Cercyon[27]. L'isotopie sexuelle de l'épisode crétois assume désormais les figures de l'amour quasi adulte, laissant les jeunes Athéniens et Athéniennes qu'on ne retrouvera, avec le parcours narratif principal, qu'à Délos et surtout au Phalère, au moment du retour sur la terre de l'Attique.

Ainsi, dans cette séquence secondaire, les modes de l'action des protagonistes sont significatifs de la position singulière occupée par chacun d'eux à l'égard de l'isotopie de la sexualité ; l'expression du point de vue n'est donc pas l'apanage du narrateur ! Alors qu'Ariane la séductrice aux liens contraignants fait figure de femme presque adulte proposant au héros le mariage, en revanche Thésée en réalisant son propre désir par un acte d'enlèvement la considère encore comme une *parthénos*, une « vierge ». Dans l'étrange version du mythe attribuée par Plutarque à l'Atthidographe Cléidémos, n'est-ce d'ailleurs pas Ariane qui, en adulte, hérite du pouvoir sur Cnossos après le meurtre par Thésée de son frère Deucalion[28] ?

1.3.4. Noces dionysiaques

Sans vouloir anticiper sur l'analyse sémantique de l'intervention des Destinateurs divins de l'épisode crétois, il faut reconnaître que le partage de leurs fonctions respectives dans la séquence de l'abandon de la jeune Crétoise à Naxos est, à l'égard de l'ambivalence des figures sexuelles de l'ensemble de l'épisode, parfaitement significatif.

Dans la version surprenante que donne Homère des événements

de Naxos, Artémis et Dionysos semblent conjuguer leurs efforts pour achever la mort d'Ariane. Force est de tenir compte des renseignements complémentaires du commentaire tardif d'Eustathe pour comprendre qu'à Dionysos est réservée la fonction d'accuser la fille de Minos d'avoir eu des relations avec un homme dans un sanctuaire d'Artémis alors que c'est Athéna qui intervient pour inviter Thésée à abandonner la jeune fille après qu'il s'est uni à elle. A la faute sexuelle d'Ariane transformée par Dionysos en une offense faite à Artémis, la protectrice de l'adolescence, s'oppose donc le rappel à la raison d'Etat incarné dans l'action de la vierge Athéna. Les figures divines féminines que met en scène cette version indiquent qu'Ariane comme Thésée y sont encore considérés en tant qu'adolescents.

Il en va bien autrement dans la version athénienne qui, remontant à Phérécyde, nous engage à compter avec une réorientation de la légende, largement confirmée dans l'iconographie. Tandis qu'Athéna, accompagnée sur certaines images de Poséidon, rappelle le héros à Athènes, Ariane est séduite par Dionysos dans un amour que l'iconographie place volontiers sous la protection d'Aphrodite ou d'un petit Eros[29]. La légende athénienne a donc strictement distingué les compétences : à Thésée le devoir politique qui, défini à Athènes, domine la conduite du parcours principal du récit ; à Ariane l'achèvement de l'intrigue amoureuse — séquence secondaire — nouée dans la rencontre avec Thésée à Cnossos. D'un côté les dieux tutélaires d'Athènes, Athéna et Poséidon ; de l'autre ceux de la passion amoureuse adulte, Dionysos et Aphrodite, entravés par une Artémis jalouse de la jeune fille non mariée qu'est encore Ariane avec sa figure profondément ambivalente.

Parmi les versions probablement anciennes, il en est encore une troisième à faire intervenir comme Destinateur de Thésée une divinité, Dionysos, et non pas la passion pour une autre jeune fille comme ce sera le cas dans les versions non athéniennes plus tardives. Cette version fait basculer Ariane du côté du statut de la femme adulte ; l'héroïne y devient en effet l'*ákoitis* (comme dit déjà Hésiode), l'épouse de Dionysos. Rien ne s'oppose plus dès lors à attribuer à Ariane devenue femme adulte une nombreuse descendance, née des amours légitimes de l'héroïne avec le dieu[30]. Il appartiendra par ailleurs à la version naxienne d'achever la « désambiguïsation » de la figure d'Ariane en séparant complète-

ment les traits adultes et les quelques traits de jeune fille que
montre l'héroïne par leur attribution à deux actrices tout à fait
distinctes. Le double statut d'Ariane à Naxos fait d'elle le modèle
même de la *númphē*. Complémentairement au terme de *parthénos* qui désigne l'état de la jeune fille nubile avant son premier
accouchement (indépendamment de son éventuel statut matrimonial), le terme de *númphē* renvoie au rapport immédiat que la
jeune fille entretient avec le mariage, que celui-ci soit imminent
ou qu'il vienne d'être célébré. La figure d'Ariane mise en scène
par la légende et vénérée à Naxos est loin de constituer un cas
unique dans la consécration grecque par le mythe, ou par le rite,
d'un certain statut féminin. Le culte spartiate rendu à Hélène
sanctionne une ambivalence qui correspond également aux deux
états départagés par le mariage ; et celui consacré aux Leucippides insère ce moment de passage précisément dans les honneurs
dus à Dionysos [31].

Dès Phérécyde, l'amour que Dionysos éprouve pour la jeune
Crétoise reçoit sa matérialisation dans le don d'une couronne
d'or ; cette deuxième version de l'étape de Naxos la présente
comme un cadeau du dieu lui-même tandis que dans une variante
de la troisième version de la légende, il s'agit d'un don d'Aphrodite et des Heures, les déesses de la beauté achevée. Cela pour ne
rappeler que quelques-unes des variantes analysées [32]. Or l'iconographie place une couronne dans les mains d'Ariane déjà en
Crète, anticipant ainsi largement sur les événements que les textes
situent à Naxos. En effet, dans toutes les représentations de la
lutte de Thésée avec le Minotaure où l'indispensable contribution
du savoir dédalique d'Ariane est figurée par la présence physique
de l'héroïne, très vite la figuration (facultative) de la pelote entre
en concurrence avec celle de la couronne. Les représentations de
la première commencent pour nous vers 650, celles de la seconde
un bon demi-siècle plus tard ; dès le début du VIe siècle aussi il
arrive qu'Ariane tienne à la fois pelote et couronne [33] ! Particulièrement significatif est le déplacement occasionnel de la pelote
et/ou de la couronne du moment où Ariane assiste au combat
entre son aimé et son demi-frère à celui (antécédent ou successif ?)
où elle est affrontée directement à Thésée. C'est le cas sur le
« Vase François » où la Cnossienne accueille Thésée et ses compagnons avec pelote et couronne ; ainsi en allait-il aussi de la représentation que portait le coffre consacré à Olympie par le tyran de

Corinthe Cypsélos : faisant face au héros athénien, Ariane y tenait à la main une couronne. Ces deux objets sont datés de 570 environ. Or la scène dépeinte sur le cratère de Clitias et celle du coffre de Cypsélos connaissent peut-être une anticipation d'une trentaine d'années dans la métope d'un trépied de bronze d'Olympie qui affronte Ariane à la couronne à un Thésée barbu et portant, comme sur les deux images postérieures, une lyre [34].

Autant l'équivalence que certains imagiers semblent établir entre la couronne d'Ariane et la lyre de Thésée que la coprésence sur d'autres images de la couronne avec la pelote et la figuration occasionnelle de la première en dehors de la scène du combat dans le Labyrinthe empêchent d'attribuer à cet objet une signification analogue à celle qu'assume le fil d'Ariane : non point repère destiné (comme le fil) à fournir au héros le moyen intelligent de se dégager des sinuosités labyrinthiques, mais gage de l'amour (adulte) qu'Ariane porte au héros de même que la lyre est l'emblème de l'achèvement de l'éducation musicale de ce dernier. Dans ce sens, on n'a en général pas accordé l'attention qu'elle mérite à la notice d'un certain Timachidas qui dit la couronne d'Ariane tressée d'une fleur appelée *théseion* ; ressemblant à la fleur du pommier, cette fleur serait l'apanage d'une jeune fille particulièrement belle. On se rappellera ici qu'en Grèce aussi croquer la pomme, c'est exprimer le désir d'amour, dans une union conjugale à ses débuts [35].

Force est donc de reconnaître la divergence qui oppose la tradition littéraire faisant apparaître la couronne à Naxos comme un don de Dionysos à sa jeune épouse et la tradition iconographique qui la déplace en Crète pour en faire l'emblème de la relation d'Ariane avec Thésée autour de l'épreuve du Labyrinthe. Opposition d'autant plus frappante que cet emblème semble en particulier l'apanage de l'iconographie attique de la première moitié du Ve siècle. En ce qui concerne la tradition littéraire, seule une version tardive, que l'on aimerait faire remonter au mage crétois Epiménide, opère le déplacement que l'on constate dans l'iconographie archaïque et classique [36]. Mais avec la légende attribuée aux *Crética* d'Epiménide c'est aussi l'amour de Dionysos qui devient premier par rapport à la rencontre d'Ariane et du héros athénien. Et dans ce contexte, la couronne — on le verra — se métamorphose en l'homologue du moyen technique que représente le fil dans les autres versions ; par son éclat, elle sert de marque lumineuse pour qui est égaré par les rebroussements sans nombre de l'itinéraire labyrinthique.

Dans ces conditions, il paraît difficile de voir dans la couronne d'or, attribut d'Ariane assistant Thésée en Crète ou don de Dionysos à Naxos, davantage qu'un gage de la puissance de l'amour dont est investie la fille de Minos. Il convient en tout cas de la distinguer de la couronne plus explicitement matrimoniale que l'épouse de Poséidon donne à son beau-fils à l'occasion de l'étape précédente. Rappelons qu'il faut attendre l'intervention fort tardive d'Hygin, qui se réclame il est vrai de témoignages antérieurs − de nous inconnus −, pour assister à l'identification de ces deux signes érotiques [37]. Dans la légende classique en tout cas, l'introduction symbolique des deux héros dans le domaine de l'amour conjugal connaît des modes et des lieux bien distincts.

Mais sans doute est-ce à travers les cultes fondés à la suite du séjour légendaire d'Ariane que se définissent avec le plus de précision les contours d'une figure héroïque entretenant une relation étroite avec Aphrodite.

Paradoxalement c'est sur le lieu même ayant abrité les amours de Dionysos et d'Ariane que nos renseignements relatifs au culte dont l'héroïne était l'objet sont les plus minces. A s'en tenir au seul rapport de Plutarque, le rite ne fait que reprendre la division opérée par la légende locale : en l'honneur de l'épouse de Dionysos les réjouissances ; pour la jeune fille abandonnée par Thésée un rite marqué par la tristesse [38]. La comparaison avec des cultes héroïques analogues dans d'autres cités peut cependant éclairer le caractère singulier des pratiques de Naxos. L'alternance deuil/réjouissance marque en effet de multiples célébrations festives dédiées à des héros. La plus célèbre d'entre elles est peut-être constituée par le culte rendu à Hyacinthos, associé près de Sparte à Apollon Amycléen. Comme dans la légende d'Ariane, dans le mythe de fondation des honneurs rendus au jeune fils du roi légendaire Amyclas, la relation amoureuse entre le dieu et le héros − un adolescent − est la cause (involontaire) du trépas du futur destinataire du culte héroïque. Comme à Naxos, le festival des Hyacinthies célébré à Amyclées en l'honneur de Hyacinthos et d'Apollon est caractérisé par une alternance entre rituel funéraire et festivité exprimant la joie. A l'opposé des Hyacinthies qui constituent l'une des fêtes officielles majeures des Spartiates, la célébration quasi privée des Adonies athéniennes, réservée aux courtisanes, a probablement pour aïtion la mort de l'amant d'Aphrodite. Le destin du jeune Adonis présente d'étranges analogies avec celui d'Ariane : aimé d'une divinité de la maturité avant d'être lui-même adulte, il meurt au cours d'une chasse par la volonté d'Artémis qu'il a sans doute négligée ; il est alors métamorphosé en anémone ou en rose, fleurs incarnant la puissance d'Aphrodite. Dans la célébration athénienne dédiée au héros malheureux, les lamentations que provoque le rappel de sa mort prématurée sont suivies d'un banquet où le vin coule à flots. Enfin, et pour se limiter à l'isotopie de la sexualité, on peut mentionner la célébration classique du mariage − fête privée − dans sa référence à la légende du jeune Hyménée. L'une des versions de la biographie mythique de ce héros en fait le fils de Dionysos et d'Aphrodite ; encore adolescent, le héros aurait perdu la voix ou trouvé la mort le jour même du mariage de son père avec Ariane, précisément ! Ainsi, à l'occasion de chaque cérémonie nuptiale, la fiancée quitte en pleurant son mode de vie de l'adolescente pour embrasser avec joie le statut de la femme adulte [39].

Les mésaventures d'Ariane vénérée à Naxos s'inscrivent donc dans la ligne de la biographie légendaire de ces héros dont la mort coïncide avec une introduction en général prématurée dans le domaine de la sexualité adulte. De là, par le jeu de l'explication étiologique, le contraste entre deuil et joie marquant les pratiques rituelles placées sous leur contrôle ; que ces célébrations soient publiques ou privées, elles sont toutes en relation avec le problème social que pose la consécration dans la légitimité du passage à la maturité sexuelle adulte.

1.3.5. *Les douleurs de l'accouchement*

A Chypre, plus de doute possible sur la nature du passage incarné dans l'ambivalence de la figure sémantique d'Ariane et dans les pratiques rituelles qu'elle aurait fondées : héroïsée et objet d'un culte, la jeune Crétoise devient Ariane-Aphrodite. Et comme si l'épiclèse n'était pas suffisante pour sceller l'assimilation de l'héroïne avec la déesse de l'amour au terme de son parcours biographique, la pratique rituelle imitative à laquelle se livre le petit jeune homme, en jouant par ses gémissements la femme en couches, associe cette forme de travesti non pas à la période de l'adolescence, mais à la transition vers le statut même de la femme adulte. Grâce à une recherche récente on sait en effet désormais qu'en Grèce la jeune fille abandonne son statut de *parthénos* non pas au moment où elle perd sa virginité, mais dès l'instant où l'on perçoit qu'enceinte, elle est mère en puissance ; paradoxalement le concept d'hymen physiologique est inconnu des Grecs. C'est d'ailleurs dans la mesure même où la réalisation de la maturité sexuelle est associée en Grèce à l'enfantement qu'Aphrodite peut nous apparaître parfois sous les traits d'une « déesse de la fécondité »[40]. A Amathonte de Chypre la figure cultuelle, sinon mythologique d'Ariane atteint un stade supplémentaire dans la transition vers la sexualité adulte : non plus le mariage, mais l'accouchement. Ce qu'ici mythe et rite mettent en question c'est moins l'ambiguïté du statut de *númphē* (comme à Naxos) que le terme de celui de *parthénos*[41]. Si la relation proposée dans le chapitre précédent entre ce culte particulier d'Ariane-Aphrodite et celui d'Aphrodite travestie en homme repose sur une réalité, l'attribution d'une barbe à la déesse prend un relief singulier ; Aphrodite ne peut être que la protectrice de la transition vers l'amour adulte.

Le rapport que l'Ariane-Aphrodite d'Amathonte entretient avec l'accouchement invite d'ailleurs à un bref retour à Naxos. En effet, sans qu'Ariane ne soit explicitement mentionnée dans ce contexte, l'histoire locale situe sur cette île la naissance et la courotrophie de Dionysos. En signe de reconnaissance pour l'hospitalité offerte, à l'instar de Délos abritant la naissance d'Apollon, Naxos aurait reçu le nom de Dionysos ; ajouté à quelques autres bienfaits, les femmes de l'île auraient aussi bénéficié à cette occasion du privilège d'accoucher après une grossesse de huit mois seulement[42]. Comme Ariane à Chypre, la figure du Dionysos légendaire à Naxos semble elle aussi attachée au contrôle de l'enfantement.

1.3.6. *Aphrodite telle qu'en elle-même...*

A Délos la polarité entre jeunesse et âge adulte est directement inscrite dans l'organisation de l'espace cultuel mis en relation avec le mythe de Thésée et dans le déroulement du rite qui y prend place ; et ceci par l'intermédiaire d'Ariane. En effet l'Aphrodision dans lequel Thésée passe pour avoir consacré le xoanon sculpté par Dédale et offert par Ariane se trouve intégré — on l'a

dit − au sanctuaire même d'Apollon Délien[43]. Dans ce don à
Thésée, Ariane apparaît encore une fois en tant qu'hypostase
d'Aphrodite et l'on aimerait en savoir davantage sur la couronne
dont la statue de bois de la déesse était ornée chaque année :
simple couronne dédicatoire, propre à tout acte de culte, ou couronne du mariage et de la fidélité amoureuse telle celle reçue par
Thésée des mains d'Amphitrite ou par Ariane de la part de Dionysos amoureux ?

Mais le rite central des Aphrodisia commencées sur l'initiative
de Thésée et, par procuration, d'Ariane, c'est la célèbre danse de
la grue avec sa localisation mythologique oscillant entre la Crète et
Délos. Son évocation nous engage sur une nouvelle isotopie qui,
complémentaire de la sexualité, traverse l'ensemble de l'épisode
crétois : il s'agit de l'activité musicale. Avant de l'aborder, on a
donc vu l'épisode crétois mettre en scène un héros éphèbe encore
attaché à la sexualité adolescente, ou plus exactement détourné de
la réalisation de la sexualité adulte par le devoir politique. Protégée par Dionysos et assimilée à Aphrodite, sa partenaire exploite
au contraire différents modes de l'accession au statut sexuel
adulte sans réussir à s'y installer par la voie de la norme. Thésée
quant à lui y parviendra, mais il faudra attendre son retour à
Athènes et son intronisation comme roi pour le voir épouser en un
mariage des plus légitimes une autre fille de Minos, Phèdre[44].
Pour l'instant, Thésée est encore sous le contrôle d'Athéna et si
l'on tient à respecter la cohérence sémantique du récit, il est préfé-
rable d'attribuer à cette divinité plutôt qu'à Ariane l'accueil du
héros à son retour de Crète. C'est en particulier la tradition iconographique qui nous invite à résoudre dans ce sens le problème
d'interprétation philologique posé à ce propos par le texte de
Plutarque ; on attribuera donc en définitive à Athéna plutôt qu'à
Ariane les honneurs rendus « aux dieux » par le héros retrouvant
le sol de sa cité[45].

1.4. La musique

Au moment de leur départ d'Athènes, Thésée et les adolescents
qui l'accompagnent sont étrangement muets. Mais les jeunes
Athéniens trouvent à leur mutisme un substitut dans la voix de
leurs propres mères qui, annonçant l'institution du service des

Dipnophores aux Oschophories, se rendent au Prytanée ou au temple d'Athéna pour raconter à leurs enfants des *mûthoi* réconfortants. Par contre au moment où, dans la description du *Dithyrambe* de Bacchylide, Thésée réapparaît sur le navire qui vogue vers la Crète, les adolescents athéniens ont retrouvé l'usage de leur voix. En effet, la reconnaissance de la légitimité divine de leur guide face à l'arrogance de Minos provoque le péan des jeunes gens *(ēítheoi)* qui répond aux refrains de joie entonnés par les jeunes Athéniennes *(koûrai)* les accompagnant. Le héros avait été lui-même accueilli dans la demeure de son père par les accents des danses chorales des Néréides. A la manifestation de stupeur des adolescents athéniens au moment du plongeon de Thésée — stupeur peut-être déjà présente dans le mutisme du départ — répond donc le chant de joie et de reconnaissance quand le héros réapparaît, distingué par les attributs divins[46]. Or il semble que l'art consommé de Bacchylide fait coïncider avec le péan entonné dans son récit par les jeunes Athéniens son propre poème, adressé à Apollon de Délos ; dans un glissement énonciatif fort habile, l'évocation de ce chant choral est en effet immédiatement suivie par l'invocation que le narrateur adresse au dieu de Délos, le maître du péan. Si ce jeu énonciatif est effectif, la légende du plongeon marin de Thésée avec la réaction de ses compagnons se présente en quelque sorte comme l'aïtion, comme le mythe de fondation de cette forme mélique apollinienne[47].

Faisant écho aux cris rituels des jeunes filles, les jeunes Athéniens constituent sur la nef de Minos un groupe choral exclusivement masculin. Ce trait l'oppose au caractère mixte du chœur formé des mêmes adolescents, mais aussi des adolescentes qui, dans l'étape suivante, exécutent la danse de la grue. Que la légende en situe la performance en Crète ou à Délos, elle intervient après la victoire sur le Minotaure, sous le signe d'Ariane ou d'Aphrodite. Or, comme on l'a signalé, Thésée affronté à Ariane, sinon au Minotaure, est souvent représenté dans l'iconographie avec une lyre qui le désigne dans une fonction de chorège. Lyre présente dès les représentations archaïques : simplement posée dans le champ ou tenue par l'un des jeunes compagnons du héros qui assistent volontiers dans la formation d'un chœur mixte à l'affrontement avec le Minotaure, quand elle n'est pas placée dans les mains d'Athéna elle-même qui, faisant face à Ariane, semble encourager le héros dans son combat[48]. Ce conducteur du groupe choral dans lequel adolescents et adolescentes désormais alternent, le « Vase François » le représente donc avec une stature supérieure à celle des choreutes, sous des traits qui le rapprochent étrangement des figurations contemporaines d'Apollon[49]. Cette assimilation est d'autant plus vraisemblable que l'on vient de voir Bacchylide faire des jeunes Athéniens et Athéniennes les initiateurs du péan. Peut-être chœur apollinien paradigmatique, ce groupe de choreutes reçoit en Crète son chorège, avatar possible du dieu du péan.

Quand la danse mixte célébrant la victoire du héros devient à Délos la danse de la grue, c'est encore Thésée qui est le guide d'un chœur dont Plutarque − il est vrai − ne mentionne que les choreutes masculins. Dans cette fonction, le héros préfigure le rôle du *geranoulkós*, le « conducteur des grues » qu'assume le chorège, à l'occasion du rituel exécuté autour de l'Autel aux cornes[50]. Crète, Délos, Athènes : on retrouve la mixité chorale dans la procession du retour du héros au Phalère où, dans le passage de la légende au culte, elle assumera, dans un parcours inverse, la forme rituelle du cortège des Oschophories. La présence dans le cortège de deux adolescents travestis en jeunes filles en désigne implicitement le caractère mixte ; Proclus en décrit explicitement l'aspect choral[51].

Toutes les étapes de l'expédition crétoise sont ainsi marquées par la danse et le chant chorals que dès la Crète Thésée, investi de la fonction du chorège, accompagne sur sa lyre. Même à Naxos, Thésée semble ne pas perdre ses dons de musicien. L'iconographie vient ici au secours des textes, étrangement muets à ce propos. En effet, le peintre de Cadmos représente Thésée au moment où il abandonne Ariane à Naxos, couronné par Athéna qui le rappelle à son devoir sous l'œil vigilant de Poséidon tandis qu'assise de son côté près de Dionysos, Ariane est couronnée par Eros ; développée selon le mode de la bande dessinée, la même image juxtapose à cette scène l'embarquement du héros qui tient alors à la main une lyre[52]. Ainsi les jeunes gens et les jeunes filles qui accompagnent Thésée apprennent au cours de leur périple crétois à se mêler en un chœur mixte tandis que le héros, marqué par une maturité supérieure, devient dans sa rencontre amoureuse avec Ariane et dans sa confrontation avec le Minotaure leur chorège. Et la danse exécutée semble être le symbole explicite de la maîtrise des détours trompeurs du Labyrinthe par un chef de chœur qui assume les traits de son propre Destinateur, Apollon. En suivant

l'isotopie musicale que définit la récurrence de ces formes chorales, on passe progressivement du mutisme qui caractérise le
moment d'embarquement pour la Crète à l'organisation chorale
qui, d'abord sous le signe d'Apollon, puis sous la protection
d'Ariane ou d'Aphrodite, annonce la célébration à Athènes des
Oschophories. A la poursuite de l'initiation amoureuse de Thésée
s'ajoute, pour lui et surtout pour ses compagnons, une formation
musicale complète.

1.5. La sauvagerie de l'animalité

Thésée éphèbe, Thésée fils légitime d'un roi et d'un dieu,
Thésée initié à l'amour, mais échappant de peu aux rets d'Aphrodite, Thésée chorège d'un groupe d'adolescents où jeunes filles et
jeunes gens se mêlent en une alternance ordonnée ; sont-ce là les
seuls bénéfices que le héros tire de la complexe expédition de
Crète ? Ce serait omettre les valeurs mises en scène dans le nœud
même de l'intrigue, c'est-à-dire dans l'affrontement avec ce
monstre mi-humain, mi-animal qu'est le Minotaure. Aux quatre
isotopies que l'on vient de voir traverser l'épisode crétois, son
acmé ajoute donc des valeurs dont le développement narratif plus
ponctuel n'atténue en rien l'importance.

1.5.1. Le monstre taurin

Sur le caractère mixte de la physiologie du fils de Minos, nos
sources n'ont pas la moindre hésitation ; images et textes concordent pour attribuer au Minotaure un corps humain et une tête taurine. Caractère composite conforme à son origine : le Minotaure
est né des amours zoophiles et adultères de Pasiphaé avec le taureau furieux suscité par Poséidon. Seules les images archaïques
représentent volontiers jusque vers le milieu du VIᵉ siècle un Minotaure vêtu d'un vêtement court, serré à la taille et affronté à un
Thésée dépeint quasiment ou tout à fait nu. Mais en général on a
préféré la nudité également pour la représentation de ce corps
monstrueux dont l'aspect sauvage est parfois souligné par la présence de poils ou l'adjonction d'une queue taurine [53]. Quant aux
textes, après avoir insisté dès Euripide sur l'aspect composite de la

physiologie du Minotaure *(súmmikton eîdos, mémikhthai, diplêi phúsei)*, ils relèvent dès Isocrate le caractère monstrueux *(téras)* qu'implique sa qualité à bête sauvage *(thēríon ; ágrion)*. Pourrait-on attendre une autre caractérisation pour un être explicitement anthropophage [54] ?

Minótauros est souvent considéré chez les auteurs anciens comme un surnom, porté par un monstre que l'on désigne en tant que « taureau de Minos » ; et de lui donner dans ce cas le nom propre d'Astérios [55]. Dans la mesure où il correspond à la fois à une épiclèse de Zeus tel qu'il est vénéré en Crète et à une dénomination alternative de Minos, cet anthroponyme n'a pas manqué de polariser l'attention des historiens de la religion grecque, friands d'assimilations. Le Minotaure s'est ainsi tour à tour métamorphosé en un équivalent astral du Typhon-Apopis égyptien, en un dieu du ciel réclamant tel Baal Moloch des offrandes sanguinaires, ou en une forme récente d'un prétendu dieu-taureau vénéré à l'origine par les Crétois [56]. D'un autre côté, la tradition évhémériste antique s'est employée à faire de l'adversaire de Thésée un être anthropomorphe. De ses origines, il ne garde que le nom, Tauros ; et la relation zoophile de l'épouse de Minos avec un taureau se transforme dans la relation adultère que ce général du roi de Cnossos entretient avec Pasiphaé. On a vu que cette transformation permettait à Minos d'assumer le rôle positif du manipulateur/judicateur de la séquence crétoise, provoquant un renversement de la logique du récit [57].

1.5.2. *Le parcours du taureau*

Aussi contestables qu'elles puissent être, ces interprétations ont au moins ceci de commun qu'elles prennent toutes appui sur le caractère taurin du Minotaure. Or cette figure du taureau se développe à travers l'ensemble du récit de l'épisode crétois pour former une véritable isotopie figurative de l'ordre de l'animalité.

La légende crétoise est donc profondément marquée par la présence du taureau. Celui-ci nous invite d'abord à remonter aux origines divines de la famille de Minos. C'est en effet en assumant la forme d'un taureau apprivoisé *(kheiroēthēs)* que Zeus conduit de Phénicie en Crète Europe, la petite-fille de Libyé et de Poséidon. Les trois fils nés de l'union de dieu avec la jeune fille, Minos, Sarpédon et Rhadamanthe, sont adoptés — on l'a dit — par l'époux

humain d'Europe, Astérios, le roi des Crétois. A la mort de son
beau-père, Minos se réclame, pour affirmer ses prétentions légitimes au règne sur la Crète, des relations privilégiées qu'il entretient avec les dieux. Au cours d'un sacrifice offert à Poséidon, le
roi demande au dieu de susciter des profondeurs marines un taureau qu'il fait vœu de lui consacrer. Poséidon obtempère, mais le
souverain s'empresse d'oublier sa promesse, garde pour lui le bel
animal et sacrifie à la divinité un autre bovidé. Poséidon se venge
en rendant sauvage *(exēgríōse)* son taureau et en suscitant chez
Pasiphaé la passion coupable que l'on sait. Grâce à Dédale et à sa
machine, l'épouse de Minos peut assouvir l'amour qui la possède
et dont naît Astérios, surnommé le Minotaure [58].

La famille de Minos semble d'ailleurs destinée à la confrontation avec le taureau. Dans l'une des versions de la légende – on
s'en souviendra –, Androgée trouve la mort dans un affrontement avec le taureau de Marathon. A l'échec du fils de Minos,
programmé par le roi d'Athènes, répond évidemment le succès du
fils d'Egée. Textes et représentations figurées concordent une fois
encore pour faire de la victoire de l'Athénien contre l'animal
déchaîné un acte de maîtrise. Le terme qui le désigne chez Isocrate
et chez Plutarque est un terme technique, *kheiróō* ; il dénote
l'action résultant d'une chasse à la bête sauvage *(thēreúō)*. Cette
chasse qui oppose à la force du quadrupède la « divine vaillance »
et l'engagement physique personnel *(autókheir)* du chasseur,
Platon la valorise par contraste avec la stratégie chasseresse qui
recourt aux filets et aux pièges. Elle correspond exactement à celle
que mettent en scène les imagiers quand ils représentent le chas-
seur-athlète Thésée s'attaquant à mains nues au taureau de Marathon. Ce n'est qu'une fois maîtrisé que l'animal, au lieu d'être mis
à mort, est entravé dans les liens solides que décrit par ailleurs
Sophocle et que son commentateur dit être de gattilier [59]. Le taureau, suscité selon Isocrate par Poséidon lui-même, est alors
conduit à Athènes ; il y est sacrifié, suivant les versions, soit à
Apollon Delphinios, soit sur l'Acropole à Athèna [60]. Ce sacrifice
de l'animal déchaîné avant d'être dominé et entravé, inverse évidemment les termes de la conduite de Minos à l'égard du taureau
domestiqué suscité en Crète par Poséidon ; Thésée rend au dieu la
victime que le maître de Cnossos tente de lui soustraire et qui
devient alors sauvage.

Les mythographes n'ont évidemment pas manqué de mettre en

relation et de confondre ces deux figures animales pour en faire le protagoniste unique d'une narration continue. Transmis notamment par l'antiquaire Pausanías, ce récit enchaîne dès lors les séquences suivantes : refus de Minos en dépit de sa puissance maritime d'honorer Poséidon par des égards particuliers ; envoi par le dieu d'un taureau qui dévaste le pays de Minos ; maîtrise du taureau de Crète par Héraclès ; transfert du taureau sauvage de Cnossos à Argos d'où il s'enfuit en Attique, à Marathon ; meurtre d'Androgée ; institution du tribut des sept plus sept, maîtrise du taureau par Thésée ; sacrifice de l'animal à Athéna, sur l'Acropole[61]. En inscrivant dans la même intrigue la confrontation de Minos et celle de Thésée avec le taureau, le récit ne fait que donner une cohérence narrative à l'opposition entre les modes d'action respectifs des deux héros. Qu'il soit l'incarnation de Zeus emportant Europe ou qu'il soit à la génération suivante l'animal suscité par Poséidon, le taureau de Crète est à l'origine une bête exceptionnelle *(diaprepés)*, un animal de nature divine[62]. L'impiété de Minos le transforme en un animal sauvage auquel ni sa femme Pasiphaé, ni son fils Androgée, chacun à sa manière, ne sont susceptibles de résister. Par contre Héraclès, puis Thésée sont des héros capables de faire de cette bête ensauvagée, proie de chasse, un animal domestique, victime sacrificielle qui peut être partiellement rendue, dans cet acte civilisé par excellence, aux dieux. La version de l'épisode crétois donnée par Phérécyde présente également le Minotaure comme un monstre sauvage maîtrisé par Thésée avant d'être offert, une fois domestiqué, en sacrifice à Poséidon. On connaît les affinités du dieu ébranleur des entrailles de la terre comme des fondements marins avec la force déchaînée que peut manifester le taureau. Il suffit de rappeler que c'est lui qui suscite des flots le taureau sauvage *(ágrion téras)* destiné à détruire le chaste Hippolyte[63]. Comme le cheval, le taureau jugulé est en Grèce métaphore de la civilisation.

Rendu simplement plus cohérent par une tentative de systématisation de la légende, le parcours auquel nous convie l'itinéraire dessiné par l'isotopie taurine est parfaitement jalonné : du don divin au partage civilisé entre les hommes et les dieux par l'intermédiaire du sauvage et de sa domestication. C'est l'échec de ce passage dans la confusion des catégories du divin, du sauvage et du civilisé qu'incarnent les actes des Crétois, qu'ils aient pour noms Pasiphaé, Minotaure ou Minos. Mais le parcours tracé conduit doublement vers la différenciation : du point de vue de l'isotopie animale dans la mesure où la bête devient un moyen de communication entre les dieux et les héros par la maîtrise du sauvage, mais aussi du point de vue spatial puisqu'il nous conduit de la périphérie vers le centre : de la Phénicie à Athènes en passant par la Crète, par le Péloponnèse, par les frontières de l'Attique pour aboutir sur l'Acropole ou au Delphinion. L'animal y fait figure d'intermédiaire, qui met en rapport, par l'effet de Zeus ou de Poséidon, les territoires séparés par l'espace marin ; en attendant que Thésée les franchisse lui-même !

1.6. L'exercice du pouvoir politique

1.6.1. Le plus royal des rois

Mais n'est-il pas surprenant de voir Minos, le fils de Zeus, relégué dans un rôle et dans un lieu intermédiaires, lui le maître de la justice, l'initiateur de la thalassocratie ?

Largement connues, les qualités exemplaires incarnées dans la figure royale de Minos ne requièrent pas un long développement, même si elles s'inscrivent dans l'isotopie politique essentielle à l'épisode crétois des aventures de Thésée. On se limitera ici à l'image du roi qu'offrent les textes classiques jusqu'au milieu du IVe siècle, avec quelques regards portés vers la période archaïque.

La fonction de Minos est donc de régner, et de régner sur les Crétois. Hésiode est à cet égard on ne saurait plus péremptoire : Minos non seulement « régnait » (énasse) sur les habitants des alentours, mais il était « le plus royal » (basileútatos) de tous les rois mortels. Plutarque ne manque pas de reprendre cette même expression pour caractériser le souverain. Cette qualité de roi exemplaire, c'est à Zeus son père que la doit Minos : son sceptre, don du dieu, est la marque évidente de l'origine divine de son autorité. Pouvoir politique, mais aussi pouvoir militaire, comme le précise Bacchylide dans le célèbre *Dithyrambe* déjà mentionné [64].

Son pouvoir royal, Minos le doit donc à la relation privilégiée qu'il a entretenue avec le roi des dieux. Homère la désigne d'un terme et lui attribue une durée qui ont tous deux suscité des interprétations fort diverses, sans livrer le secret de leur signification [65].

Ce n'est guère qu'à partir du dialogue attribué à Platon sous le titre de *Minos* que les rencontres régulières du fils avec son père divin sont interprétées en termes sophistiques d'éducation et d'enseignement. Dans cette interprétation de la tradition homérique, Rhadamanthe devient l'assistant de son frère Minos pour l'administration de la justice et le gardien des lois inspirées par Zeus à son fils roi. Point de surprise dès lors à voir Platon lui-même ouvrir son dialogue consacré aux *Lois*, par une évocation du même passage homérique : ses institutions politiques exemplaires, la Crète les doit à Minos dûment instruit dans ses entretiens avec son père Zeus ; quant à Rhadamanthe c'est aussi la justice que lui assigne ce prologue des *Lois*[66].

Si l'on remonte un peu dans le temps, ce roi législateur aussi exemplaire que légendaire passe pour avoir étendu son pouvoir politique au-delà des limites territoriales de la Crète. En effet, nous dit Hérodote, avant même les prétentions du tyran Polycrate de Samos à *thalassokrateîn*, c'est Minos qui le premier s'assura la maîtrise de la mer. Et Thucydide de renchérir : la mainmise sur la mer Egée − ou plus exactement à cette époque, la mer de Minos, pour reprendre l'expression d'Apollonios de Rhodes − fut pour le roi de Crète l'occasion d'une action pionnière d'élimination des pirates et de colonisation de la plupart des Cyclades. Cette action coloniale, Thucydide l'attache encore à l'expulsion de la population aborigène des îles, traditionnellement considérée comme pré-grecque, et à l'installation par Minos de gouverneurs trouvés dans la personne de ses propres enfants. Œciste du domaine marin, Minos accède ainsi au statut de héros civilisateur. Dans l'image que Thucydide se fait du développement de la civilisation grecque, Minos assume une position décisive puisque l'élimination des populations de pirates grâce à la constitution d'une flotte signifie développement des échanges commerciaux, enrichissement des voisins des rivages marins, construction d'habitations plus solides et de murailles autour des villes, domination des cités les plus riches sur les plus faibles[67].

Dans ses entreprises terrestres, Minos fut moins heureux. Seules des sources postérieures à l'époque classique y ont été attentives. C'est d'abord Androgée qui vient provoquer les Athéniens sur leur territoire, avec les conséquences que l'on sait. Puis, dans son expédition punitive contre Athènes, Minos prend Mégare, dont il tue le roi, Mégareus. Suit l'occupation de l'Attique avec la famine à laquelle met fin l'institution du tribut des adolescents athéniens. Et les tentatives de conquêtes territoriales de Minos se terminent avec l'expédition lancée en Sicile ; le roi de Crète y trouve la mort, assassiné dans son bain par le maître du pays, Côcalos. Attique et Sicile : tous deux des territoires où, suivant les versions de la légende, Dédale, l'artisan de l'adultère de Pasiphaé et de la victoire de Thésée, a cherché refuge [68].

Fils de Zeus, Minos connaît évidemment une destinée *post mortem* et Ulysse, au cours de sa descente aux Enfers, ne manque pas l'occasion de rencontrer le roi de Crète en train de rendre parmi les morts une justice garantie par son sceptre d'or. Mais il faut attendre les premiers grands mythes platoniciens pour voir, parallèlement à l'évocation ouvrant les *Lois*, Minos institué juge de la destinée des morts, siégeant dans la Prairie, au carrefour de la route conduisant vers les Iles des Bienheureux et de celle se dirigeant vers le Tartare. *Mûthos* ayant le pouvoir d'un *lógos* véridique, le récit du *Gorgias* reprend explicitement la représentation homérique pour la développer en un apologue philosophique ; pas nécessairement d'inspiration orphique ou pythagoricienne puisque l'idée d'un jugement dernier prend corps la première fois pour nous chez Eschyle : son exécutant en est Zeus. Pour seconder le souverain de Crète dans sa fonction judiciaire, Platon adjoint ici à Minos deux assistants : le frère du roi, Rhadamanthe, et un autre fils de Zeus, Eaque, que sa nombreuse descendance attache à la fondation d'Egine, de Salamine et de la Thessalie. De l'administration pour les morts de la *thémis*, du droit coutumier homérique, on passe donc, avec la constitution de ce tribunal, au jugement le plus juste qui soit *(dikaiotátē)* sur les qualités morales d'une âme que le mythe platonicien abstrait de son attachement à un corps [69]. Pourvu par le récit socratique du *Gorgias* d'une origine asiatique, Minos immortalisé se limite maintenant à exercer un contrôle impartial sur les jugements portés par Eaque à l'égard des morts d'Europe et par Rhadamanthe sur ceux provenant d'Asie.

1.6.2. *Le plus impie des souverains*

Dans cette image propre au IVe siècle, la Crète est donc retranchée de l'Europe pour être attachée à l'Asie, à l'intérieur d'une conception bipartite très classique du monde habité. Or, ce terri-

toire amovible est contrôlé par une figure dont les traits ne sauraient se réduire aux qualités d'administration du pouvoir royal et
de la justice apparues jusqu'ici. L'aspect fondamentalement contradictoire de la figure classique de Minos, c'est le dialogue platonicien apocryphe déjà mentionné qui le définit avec le plus d'évidence. S'interrogeant sur l'origine des lois qui gouvernent la cité,
les protagonistes de ce libelle attribuent à Minos et à Rhadamanthe la législation la plus remarquable qui soit par son ancienneté et par sa perfection. La mention aux côtés de Rhadamanthe,
un *díkaios*, de Minos étonne l'interlocuteur de Socrate qui voit au
contraire dans le roi de Crète un homme « sauvage, mauvais et
injuste » *(ágrios, khalepós, ádikos)* ; « fable attique propre à la
tragédie » répond Socrate qui oppose à cette image négative celle
d'un Minos instruit par Zeus et éduquant son propre frère : du
pouvoir royal qu'il détenait, Minos aurait donc délégué à Rhadamanthe la fonction judiciaire, faisant de lui un gardien des lois
d'inspiration très platonicienne[70] !

De fait l'image qu'offrent du souverain de Crète les bribes survivantes de la tragédie classique correspond à la représentation
négative que le Socrate du *Minos* attribue à l'animosité nourrie
par le public athénien à l'égard d'un roi qui leur avait imposé le
fameux tribut. Si les *Camicoï* ou le *Minos* de Sophocle sont irrémédiablement perdus, quelques fragments des *Crétois* d'Euripide
donnent en revanche du roi de Crète une image qui coïncide exactement avec celle mentionnée dans le *Minos*[71]. Dans une violente
attaque dirigée contre son époux, Pasiphaé accuse Minos d'être la
cause de son amour adultère pour le taureau de Poséidon ; inspirée par la divinité, cette passion ne représenterait que la punition
divine pour le sacrifice promis, puis escamoté par Minos. En dif-
fusant la nouvelle du forfait de son épouse, Minos a causé sa
perte : la passion morbide imposée à Pasiphaé, c'est le roi de
Crète qui en porte la responsabilité ; autant, désormais, jeter sa
femme à la mer ou, meurtrier, se repaître de sa chair crue. Minos,
l'impie et l'injuste, *androktónos* comme le Cyclope du même
Euripide, pourrait se livrer à l'omophagie – pis encore, à
l'anthropophagie[72]. Réaction de l'accusé : museler l'effrontée,
l'enfermer et ne point différer la punition que son insolence
mérite.

Les accusations de sauvagerie profonde portées par Pasiphaé
contre son époux ne peuvent être dissociées d'un autre fragment

des mêmes *Crétois* où intervient le chœur[73]. Rendant tout d'abord
hommage à l'autorité du fils de Zeus et d'Europe, les choreutes —
ou peut-être le seul coryphée — disent leur volonté de mener une
vie marquée de la pureté qui inspire le respect religieux *(hagnós)*.
Cette volonté se manifeste par le port de vêtements blancs, par
l'abstention de tous les gestes relatifs à la génération aussi bien
qu'à l'ensevelissement, et surtout par un régime purement végétarien. Cette ascèse, le chœur l'attache à trois statuts initiatiques
semble-t-il distincts : myste du Zeus de l'Ida, bouvier de Zagreus
de nocturne, bacchant pour la Mère des dieux en compagnie des
Courètes.

Sans entrer dans le détail des fonctions des figures divines évoquées par le chœur, l'examen de leurs qualités semble les associer,
en dépit de l'apparente diversité des statuts mentionnés, à un
complexe rituel unique. Le Zeus de l'Ida est en effet généralement
entouré des Courètes, parfois identifiés avec les Titans, dans un
culte à mystère où l'on célèbre autant la naissance que la mort
rituelle du grand dieu[74]. D'autre part, qu'on l'assimile à Gé, la
Terre, à Rhéia, la Mère du dieux, ou encore à Déméter, la Méter
Oréia — la Mère de la Montagne — est déjà connue de Sophocle,
et Euripide la fait courir jusque sur les neiges du Mont Ida. Par
ailleurs le chœur de l'*Hippolyte* assimile la possession divine inspirée par Pan, par Hécate ou par les Corybantes à celle que sait
aussi susciter la Méter Oréia[75]. Or dès les textes épiques, les Corybantes semblent souvent se confondre avec les Courètes et en
Crète même, une série d'inscriptions atteste du fréquent recoupe-
ment entre les « éducateurs » de Zeus et les servants de Cybèle-
Méter. Les deux groupes participent en tout cas aux danses extatiques qui justifient la désignation de bacchants que s'attribuent les
choreutes des *Crétois*[76]. Le cercle se referme alors en deux étapes
successives pour confondre les trois états revendiqués par le
chœur euripidéen en un seul statut initiatique. D'une part Pindare
déjà réunit en un groupe unique les suivants de Méter, probablement identifiée avec Cybèle, et le thiase des fervents de Dionysos.
D'autre part, en un contexte de culte à mystère, Zagreus ne représente certainement rien d'autre que l'un des avatars de Dionysos ;
c'est en tout cas ce qu'il est permis d'induire de l'emploi de l'épithète *nuktipólos* qui, qualifiant Zagreus dans le texte d'Euripide,
renvoie d'habitude aux danses nocturnes des Bacchantes ou des
Ménades[77].

Le chœur des *Crétois* d'Euripide met ainsi son auditeur face à l'une des premières descriptions explicites des pratiques d'une association de figures guerrières dans un culte à mystère ; l'image que donne l'auteur tragique est sans doute cultuellement plus cohérente et moins dépendante de la littérature qu'on a voulu l'affirmer. Il n'en reste pas moins qu'il y a une contradiction flagrante entre les festins omophages auxquels disent se livrer les mystes bacchants et leur prétention à l'abstention de toute ingestion d'aliments « animés » *(émpsukha).* Or l'omophagie attachée à la célébration de Zeus de l'Ida, de Zagreus-Dionysos et de Méter constitue évidemment un moment distinct du régime végétarien prôné par les choreutes d'Euripide au terme de leur chant [78]. En les inscrivant dans un ordre de succession, on reconnaîtra dans ces deux moments le dessin d'un parcours initiatique avec son étape de renversement de l'ordre traditionnel dans l'orgiasme avant la phase d'accession au statut nouveau de l'initié caractérisé par les vêtements blancs, la distance à tenir vis-à-vis de la naissance et de la mort, l'abstention de toute nourriture d'origine animale. La différenciation dans les temps verbaux employés par les choreutes dans la description de ce parcours, qui les conduit de la maison « des mystères » à la scène, est là pour marquer sur le plan syntaxique la distinction entre les trois étapes qui le composent. Parler ici de voie initiatique orphique serait prématuré : le végétarisme orphique passe par l'inversion de l'ordre rôti-bouilli et non pas par la manducation de la chair crue [79].

Plus de surprise dès lors à entendre le chœur de mystes prendre position, dans le premier des fragments mentionnés, pour Pasiphaé en recommandant à Minos la retenue et la prudence. Par leur statut d'initiés, les choreutes éprouvent pour l'épouse du roi, dans sa crainte d'être dévorée toute crue par Minos, une sympathie immédiate. Les reproches de Pasiphaé à son époux doivent donc être pris au sérieux ; ils ne représentent en aucun cas, par une critique inverse, une dérision des pratiques mystiques et végétariennes d'un Minos initié, comme l'entendait Wilamowitz [80]. Mais si le Minos des *Crétois* n'est pas un myste, pourquoi son refus de sacrifier à Poséidon l'animal promis, pourquoi d'un autre côté le reproche d'anthropophagie ?

Justice, mais aussi impiété ; administration royale exemplaire, mais goût pour la chair humaine. Seule la figure du tyran est susceptible de réunir, dans la représentation grecque, des traits aussi contradictoires. Strabon ne s'y est point trompé qui oppose l'image fournie par Ephore d'un Minos élève de Zeus à celle des Atthidographes qui, comme les Tragiques, présentent un Minos violent et « tyrannique »[81]. Soucieux de cohérence, Strabon souhaite trancher, tout en relevant que sur un autre point encore la tradition hésite : les uns voient en Minos un étranger, les autres un autochtone. Déjà imbu du principe de non-contradiction, Strabon ne peut comprendre que les traits opposés et en apparence exclusifs qui constituent dans la tradition classique la figure de Minos font partie de l'essence même de la figure classique du tyran.

1.6.3. *Le plus contradictoire des tyrans*

De l'isotopie politique qui traversait le portrait archaïque et classique de Minos, le sacrifice trompeur offert par le fils de Zeus à Poséidon nous a reconduits à ses relations amoureuses. Marquées d'une quadruple déviance : par son impiété à l'égard des dieux de la mer, Minos l'anthropophage provoque l'infidélité de son épouse qu'il précipite dans les bras d'un animal pour lui faire engendrer un monstre. La tradition crétoise ajoute que l'on doit au roi de Crète et non pas à Zeus l'enlèvement de Ganymède. A cette aventure érotique qu'on a voulu attacher à la tradition faisant des Crétois les inventeurs de l'homosexualité masculine, une tradition plus tardive aujoute l'amour conçu conjointement par Minos et par son frère Sarpédon pour Milétos ; il s'agit d'un fils d'Apollon qui, fondateur de Milet, est parfois présenté comme le fils de Minos lui-même. Eraste, Minos est comparable à Laïos, cet autre initiateur des amours pédérastiques dans la passion qu'il éprouva pour Chrysippe, le fils de son hôte Pélops[82]. Pour en revenir à la légende de Thésée, on se souvient aussi des traits de violence que Bacchylide attribue au roi de Cnossos dans sa tentative de séduction de la jeune Eriboïa. Cette violence dans l'ordre de la sexualité trouve donc un correspondant dans l'isotopie alimentaire : il suffit de rapprocher les intentions cannibales que Pasiphaé prête à son époux de la visée anthropophage qu'implique la décision de Minos de livrer les jeunes Athéniens en pâture à son fils le Minotaure. Si elle n'était pas attestée quelque peu tardivement, il faudrait consacrer un développement à la légende qui associe à ces différents comportements sexuels déviants de Minos la stérilité. Une stérilité mortifère puiqu'en éjaculant des serpents, des scorpions ou des scolopendres, le roi de Cnossos aurait provoqué la mort de toutes les femmes auxquelles il a tenté de s'unir. Il faudra la *mēkhanē* de l'Athénienne Procris, l'une des filles d'Erechthée, pour permettre à Minos de concevoir avec Pasiphaé des descendants légitimes [83].

Que ce soit sur le plan politique, sur le plan sexuel ou sur le plan alimentaire, Minos possède exactement les qualités contradictoires mises en lumière par Platon dans la définition qu'il donne dans la *République* de la figure du tyran : d'une part la sagesse *(sophoí)* vantée par les tragiques qui feraient du tyran l'égal des dieux, d'autre part le délire *(manía)* de l'ivresse abolissant toute retenue et libérant le désir dans les domaines sexuel aussi bien qu'alimentaire. La voracité *(leimargía)* du tyran ne va-t-elle pas jusqu'à le pousser à dévorer ses propres enfants [84] ? Suivant le point de vue à défendre, les auteurs du Vᵉ et du IVᵉ siècle n'ont pas manqué de jouer largement sur les jugements contrastés suscités par les figures de tyrans. En dépit des affirmations partiales de Platon soucieux de les exclure de la cité, les Tragiques par exemple mettent en scène surtout leurs aspects négatifs : pouvoir despotique *(krátos)*, impiété *(asébéia)*, goût du gain *(kérdos)*, violence et intempérance *(bía, akolasía)*, crainte *(phóbos)* [85]. S'il est aisé d'insérer dans ce cadre conceptuel la figure légendaire de Minos, il faut ajouter que le pouvoir despotique du tyran de Crète s'incarne essentiellement dans les modes mêmes de son établissement : pour Hérodote déjà, le pouvoir de Minos s'impose *(epekrátēse)* à la faveur de la *stásis*, de la discorde que fait naître entre les fils d'Europe le problème de la succession à la *basileía* d'Astérios. Quant au *phóbos* qui caractériserait les réactions affectives du tyran, les '' préoccupations '' *(phrontídes)* assaillant chez Bacchylide le « stratège de Cnossos » quand Thésée surgit du fond de la mer n'en sont pas très éloignées : pour un tyran, la mise en cause d'un pouvoir souvent purement symbolique signifie la destitution [86] !

Certes l'analyse synchronique peut conduire à un leurre. Ce serait le cas si elle nous faisait croire à l'existence en Grèce d'une image unitaire du tyran ; ce serait aussi le cas si elle faisait abstraction des nombreuses possibilités de projection polémique d'une image idéologique sur des figures politiques, légendaires ou historiques, en général contestées. Ce qui subsiste au-delà de cette variété, c'est l'aspect toujours contradictoire des jugements portés par les Grecs sur les hommes politiques qui ne partagent pas le pouvoir avec leurs concitoyens ; et ce dès l'époque archaïque. Au début du VIᵉ siècle déjà, Alcée accusait Pittacos, dans un contexte de *stásis*, de dévorer la ville comme pourrait le faire une bête alors que, parallèlement, le même Pittacos entrait dans la légende des Sept Sages ; d'ailleurs, après l'élimination du tyran Mélanchros, puis la mort de Myrsilos, Pittacos fut appelé à Mytilène comme *aisumnétēs*, comme « arbitre » élu, et non pas comme tyran[87]. La légende des Sept Sages réserve aussi un accueil favorable à Périandre, le tyran de Corinthe honni d'Hérodote. Le fait que l'historien d'Halicarnasse insinue qu'il avait tué son épouse n'empêche par ailleurs nullement Corinthe de connaître sous son règne sa période de prospérité économique et culturelle la plus éclatante. La qualification d'âge de Cronos attribuée au règne tyrannique des Pisistratides sur Athènes ne serait sans doute pas usurpée si l'on entendait caractériser ainsi également la Corinthe des Cypsélides[88].

Or, dans un passage célèbre de son archéologie — mais peu exploité sous cet aspect —, Thucydide attache le développement des tyrannies à celui des ressources économiques et de la force navale. Exemples : Corinthe et Samos. Dans le modèle d'expansion politico-économique légendaire que Thucydide attache très exactement à la tradition orale, Minos devient — on l'a vu — le paradigme du maître de la mer, notamment par le moyen de la lutte menée contre les pirates ; les Corinthiens en reprirent par la suite le flambeau. Il est de plus marqué par les traits contradictoires de certaines figures de fondateurs qui, tel Battos, doivent franchir l'espace marin avant d'établir un pouvoir politique civilisé sur une terre ferme, mais encore sauvage[89].

En tant que législateur, Minos s'écarte à vrai dire de la figure traditionnelle et ambivalente du tyran. Mais si ce trait singulier le rapproche de Thésée, par contre tous ses caractères proprement tyranniques, de la thalassocratie à l'anthropophagie, l'opposent au héros athénien, future incarnation du souverain « démocratique ». Il est vrai que l'accession au pouvoir royal de Thésée, comme celle de Minos, se détache sur un arrière-fond de *stásis*, de dissensions internes. Selon la reconstruction plutarchéenne, dès le moment où il occupe le trône d'Athènes laissé libre par Egée, Thésée n'aura pas de souci plus pressant que celui de réunir les habitants disséminés de l'Attique en une seule ville *(ástu)* et en un seul Etat *(pólis)*. Mais au lieu d'étendre le pouvoir despotique que pourrait lui accorder cette œuvre d'unification, l'Athénien s'emploie, en l'abandonnant, à en réformer les fondements. Le peuple *(dêmos)* ainsi constitué pourra œuvrer au bien commun *(tò koinòn sumphéron)* pendant que les nobles, les futurs Eupatrides, administreront en « démocratie » un pouvoir sans roi *(abasíleuton)*, partagé de manière égale *(isomoiría)*. Thésée quant à lui ne se serait réservé que les fonctions de « chef de guerre » *(árchōn polémou)* et de gardien des lois. Tel est le sens définitif de la célèbre opération de synécisme entreprise par le héros dès son retour de Crète, précisément après sa confrontation avec le pouvoir despotique de Minos. Mesures de démocratisation d'ailleurs prématurées et passagères puisqu'après la disparition de Thésée, selon l'intrigue dont on aura encore à suivre l'issue, Ménesthée, le petit-fils d'Erechthée, s'empressa de rétablir la royauté, pour plusieurs générations encore [90].

Esquissée probablement dans une *Atthis*, cette image démocratique du grand héros athénien, on la verra évoluer passablement au cours des siècles ; nous en trouverons quant à nous la première esquisse chez Euripide. Dans les *Suppliantes*, représentées en 421/420, le roi d'Athènes se vante d'avoir mis la monarchie dans les mains du peuple en accordant à la cité liberté et suffrage partagé *(isópsēphos pólis)*. A l'organisation politique où le *dêmos* détient le pouvoir *(anássei)* s'oppose désormais très fortement le tyran qui règne *(krateî)* seul, en s'appropriant des lois qu'il soustrait au domaine commun *(nómōi ou koinôi)*. Et pour Isocrate, dans l'*Eloge* que le rhéteur consacre à Hélène au début du IVᵉ siècle et sur lequel on reviendra, Thésée aurait démontré, contre la domination abusive et violente des tyrans, qu'il est possible de concilier exercice du pouvoir et respect de l'égalité souveraine du peuple [91]. C'est ainsi sans doute moins pour « se venger » de l'attitude anthropophage de Minos vis-à-vis de la jeunesse athénienne que par faire-valoir contrastif à l'égard de Thésée que les auteurs tragiques cités par l'auteur du *Minos* ont fait du roi de Crète une figure de tyran, avant d'en faire l'éventuelle image du Roi des Perses [92]. Seule l'ambivalence du légendaire Minos peut faire de lui tour à tour le modèle de l'expansion maritime libératrice des pirates, mais aussi l'incarnation du pouvoir maritime illégitime revendiqué par le Grand Roi. A cet égard, aucun doute n'est plus possible : le Thésée classique est un véritable anti-tyran avant la lettre aussi bien que le précurseur de l'empire athénien sur la mer Egée. Il restera à déterminer dans quelles conditions politiques a pu se constituer cette figure symbolique, support de l'idéologie dominante à Athènes, en tout cas dès la deuxième partie du ve siècle.

A travers les valeurs politiques investies dans la figure de Minos et dans l'image démocratique qu'assume Thésée, par contraste, dans la seconde partie de sa biographie, se dessine davantage qu'une isotopie. Fondant l'ensemble de la légende, le politique marqué, dans le contexte athénien, par la composante civique constitue probablement, à un niveau plus profond, le thème dont dépendent les différentes isotopies dégagées jusqu'ici. En effet au travers de l'aventure crétoise, le jeune Athénien reçoit la formation politico-civique qui va lui permettre de régner, puis de transformer le pouvoir qu'il détient sur ce royaume très singulier que constitue la cité d'Athènes.

2. Des dieux et des lieux

Dans la conception grecque de l'action narrative, la confrontation entre les protagonistes du récit n'adviendrait pas à la réalité narrative si elle n'était pas manipulée par les dieux. En Grèce ancienne donc, pas d'action anthropomorphe sans Destinateur investi des qualités de la divinité. Et les figures divines occupant la position actantielle du Destinateur non seulement agissent selon les attributions et les modes d'action qui, dans un cadre polythéiste, les distinguent les unes des autres, mais elles exercent leurs compétences respectives dans des domaines délimités, notamment par une configuration spatiale spécifique. On parlera donc conjointement, comme on l'a annoncé, des dieux et des lieux.

2.1. Entre terre et mer

2.1.1. Du Péloponnèse vers l'Attique

Les premiers exploits de Thésée adolescent dessinent un parcours qui se donne explicitement comme terrestre ; prenant son origine à Trézène, il trouve son point d'aboutissement au centre de l'Attique après avoir suivi par étapes la route qui mène du Péloponnèse à Athènes et après avoir été assortie d'une exploration complémentaire des trois « régions » qui la composent dès Clisthène : la *mesógeia*, la *paralía* et finalement l'*ástu*, la ville. En revanche, l'aventure crétoise de Thésée éphèbe trace un parcours maritime aux étapes insulaires ; partant du centre d'Athènes, ce périple se termine au centre de la cité, ou presque ! La netteté de cette opposition spatiale semble indiquer que la légende s'en sert comme d'un instrument heuristique. Ne serait-il pas possible dès lors de poursuivre cette indication en cherchant à opposer deux à deux les étapes qui constituent ces deux parcours contrastés en même temps que les dieux qui s'y manifestent ? Mais, dans le détail, l'imaginaire grec répugne souvent à l'opposition binaire et c'est davantage du côté de la complémentarité que s'oriente le travail de la création légendaire.

Même si les limites assignées à cette étude ne permettent de la parcourir qu'à très grands pas, la route que suit Thésée entre Trézène et Athènes passe par les lieux dont la marginalité par rapport au Péloponnèse trouve sa contrepartie dans une relation privilégiée avec Athènes. Jusqu'au début du Vᵉ siècle, dans la tradition littéraire aussi bien que dans la tradition iconographique, la confrontation du héros voyageur et athlète avec les monstres commence à l'Isthme de Corinthe. Ce n'est que plus tard en effet que la légende ajoute l'étape d'Epidaure où le héros athénien enlève à Périphétès son masque ; même si la cité d'Epidaure n'a que des liens très lâches avec Athènes, cette adjonction indique au moins que le parcours du héros suit la côte du Golfe de Saronique, évitant soigneusement l'Argolide et la Corinthe péloponnésiennes [93].

Mais faire débuter sur l'Isthme la séquence des exploits de Thésée, c'est d'emblée situer le héros dans la perspective de l'histoire légendaire d'Athènes. En effet dans l'histoire politique que trace le mythe, l'Attique de l'époque d'Egée étendait précisément son territoire jusqu'à l'Isthme. Elle incluait donc la Mégaride, l'une des quatre régions de l'Attique réparties par Pandion entre ses quatre fils. Devenu roi d'Athènes, Thésée passe d'ailleurs pour l'avoir définitivement placée sous le contrôle de sa cité. C'est sur l'Isthme en tout cas que le héros fera dresser la stèle marquant la frontière entre le Péloponnèse et l'« Ionie ». Tout en confirmant de cette manière les frontières légendaires de l'Attique, Thésée passera aussi pour être le fondateur des Jeux Isthmiques, en l'honneur de son père Poséidon. Il entre ainsi en concurrence avec Sisyphe, le fondateur corinthien et par conséquent péloponnésien des mêmes joutes ; mais il devient aussi dans cette mesure l'égal de son arrière-grand-père maternel, Pélops, le fondateur des Jeux Olympiques [94].

De l'Isthme à Crommyon, Thésée chemine ensuite le long de la route côtière traditionnelle qui conduit aujourd'hui encore du Péloponnèse à Athènes. Il foule désormais le sol de cette Mégaride que la géographie politique de la légende soumet donc, à l'époque même du voyage du jeune héros, au pouvoir du frère d'Egée, Nisos [95]. De même en va-t-il du passage du héros adolescent au-dessus des tristement célèbres roches scironiennes. On verra qu'en relation avec le monstre qui la hante, cette falaise calcaire nous renvoie aux différents mythes de fondation de Salamine, ce territoire liminal et insulaire qui fut au VIe siècle l'enjeu de guerres presque rituelles entre Mégare et Athènes. Salamine ne portait-elle pas à l'origine, par exemple, le nom de *Skirás* [96] ?

Le combat suivant nous emmène, sans passer par Mégare même, à Eleusis où Cercyon le lutteur attend Thésée l'athlète. Eleusis passe pour avoir été intégrée à l'Attique, dont elle formait l'une des trittyes clisthéniennes, à l'occasion de l'une de ces guerres légendaires fondant le territoire contrôlé par Athènes. La légende raconte en effet qu'Erechthée, l'un des rois légendaires de l'Attique, ancêtre de Thésée, réussit à réduire les Eleusiniens conduits par Eumolpe ; originaire de Thrace, celui-ci avait donc pour patrie la région même où se dirigera le mouvement colonial athénien à la fin de l'époque archaïque. Pour vaincre le fils de Poséidon, Erechthée est contraint par l'oracle de Delphes à sacrifier l'une de ses filles avant d'être lui-même rendu à la terre dont il sortait d'un coup de trident du dieu des profondeurs marines et terrestres ! Le roi d'Athènes devient sur l'Acropole Erechthée-Poséidon tandis que son épouse Praxithéa y sera la première prêtresse d'Athéna Polias. Mais cette répétition dans l'institution de cultes du mythe de fondation de l'Attique nous entraîne dans un domaine réservé au chapitre suivant [97]. On se bornera pour l'instant à relever que c'est par la défaite d'un souverain originaire d'un territoire barbare, limitrophe de la Grèce, que le futur lieu de célébration des mystères est intégré au territoire de l'Attique, en un domaine qui fera frontière avec la Mégaride.

Enfin c'est à Erinéos sur le Céphise éleusinien ou à Corydallos dans les contreforts de l'Aïgaléos que la légende, dans ses différentes versions, situe la rencontre du héros athénien avec Procuste. Dans les deux cas, la lutte est attachée à un lieu de la limite : le Céphise d'Eleusis fournit sans doute la ligne de démarcation politique entre le territoire de la bourgade, et plus tard la trittye qui le recouvrit, et la trittye voisine de Thria ; quant à la chaîne calcaire de l'Aïgaléos, elle représente la frontière naturelle entre les territoires géographiques d'Eleusis et d'Athènes [98]. Mais non content d'être aussi le lieu où Pluton passe pour être descendu aux Enfers après le rapt de Coré, Erinéos renvoie, par la signification de son nom, au figuier sauvage. Ce lieu-dit s'oppose ainsi de manière symétrique à l'endroit où la route d'Eleusis traverse le Céphise d'Athènes ; sa désignation parlante le dit « figuier (cultivé) sacré ». C'est exactement en cet endroit marquant la limite de la chôra d'Athènes que Thésée est reçu, après la lutte contre Cercyon, par le génos des Phytalides pour être purifié de ses actes meurtriers sur l'autel de Zeus Méilichios, « le Doux » [99]. Première mention d'un dieu au terme d'un itinéraire où les divinités sont singulièrement absentes. Bacchylide se contente d'évoquer la possibilité de l'appui d'« un dieu » auquel Plutarque substitue le cousin paradigmatique Héraclès. Mais dans cet itinéraire qu'on a voulu depuis longtemps identifier, dans une interprétation ritualiste, avec le parcours d'une initiation tribale, Thésée est essentiellement seul. Tel un héros maoïste, il ne peut compter que sur ses propres forces, prolongées dans le maniement d'une épée et de « deux lances bien polies » dont il n'use d'ailleurs − on l'a vu − qu'à titre de menace [100].

De l'Isthme au Céphise d'Athènes en passant par Crommyon, les Roches Scironniennes, Eleusis et Erinéos, c'est toujours en des lieux de transition, enjeux des différentes définitions frontalières connues par l'Attique au cours de son histoire légendaire, que Thésée l'adolescent se voit confronté aux êtres monstrueux et sauvages qui les hantent. Forêt de pins, buissons, antre ou ruisseau, leurs habitations mêmes désignent leur sauvagerie. Mais si, passant de lieu inculte en domaine de la marge, l'itinéraire de Thésée adolescent aboutit au territoire agricole qui entoure sa future cité, que dire de son point de départ, Trézène ?

2.1.2. *Une Athènes en miniature*

Il suffit de suivre l'itinéraire auquel nous invite Pausanias à travers l'histoire de la fondation de Trézène et les lieux de culte qui lui sont attachés pour s'apercevoir que cette cité offre d'elle-même, dans le domaine même où se cristallise l'idéologie en Grèce ancienne, une image très proche de celle d'Athènes. Il est donc vain d'historiciser le parcours du héros en y trouvant le reflet du déplacement réel de sa légende de Trézène à Athènes, ou de supposer la coïncidence dans la légende des prétentions athéniennes et trézéniennes à l'appropriation du héros [101]. Si Thésée a une place dans la configuration mythologique propre à Trézène, c'est sans doute tout simplement par identification de la légende locale avec le complexe légendaire beaucoup plus prestigieux qui fonde l'idéologie athénienne des origines de la cité.

En suivant Pausanias, on apprend en effet que le premier roi du pays, Oros, est né sur la terre de Trézène, même si le Périégète le croit quant à lui d'origine égyptienne. Le pays de Trézène fut ensuite, comme l'Attique, l'objet d'une dispute entre Athéna et Poséidon qui devinrent, comme à Athènes, les dieux tutélaires de la cité : Athéna Polias et Poséidon Basileus. La noyade du roi Saron lors d'une chasse au daim sur le rivage marécageux consacré à Artémis devient l'aïtion de la dénomination du Golfe de Saronique : Athènes est située en son autre extrémité ! Anticipant sur l'œuvre politique de son petit-fils, Pitthée, un fils de Pélops, opère le synécisme de la région, réunissant plusieurs bourgs en une seule cité, Trézène. Les descendants des rois aborigènes quant à eux furent envoyés en colonisateurs en Ionie ou furent contraints à émigrer en Attique où, en métèques, ils fondèrent les dèmes d'Anaphlystos et de Sphettos, le lieu probable de résidence des Pallantides ! Toute l'histoire de la première Trézène court donc parallèlement à celle d'Athènes, jusqu'au moment du « retour des Héraclides » où Trézène reçoit les « Doriens » établis à Argos [102].

Quant aux cultes héroïques de Trézène, ils sont essentiellement centrés sur la légende de Thésée, et non pas uniquement sur l'épisode de sa naissance. Pitthée a son tombeau sur l'agora, naturellement ; mais devant ce hérôon s'élève le temple d'Artémis Sôtéira, la Salvatrice, construit par Thésée à son retour de Crète. Et près du théâtre c'est Hippolyte qui passe pour avoir fondé un temple consacré à Artémis Lycéia, en souvenir probablement de sa mère Amazone. Mais Hippolyte disposait de son propre sanctuaire auprès duquel les jeunes Trézéniennes venaient consacrer une boucle de leur chevelure avant le mariage. Et non loin de là, on vénérait la tombe de Phèdre. Enfin, et pour en revenir à la légende de Thésée, tout en sortant de l'enceinte de la cité, on rencontrait sur la route d'Hermioné le rocher « de Thésée », un ancien autel de Zeus Sthénios (le Fort), sous lequel Egée déposa les signes de reconnaissance ; puis on passait devant un temple d'Aphrodite Nymphia, élevé à l'occasion du mariage du héros avec Hélène. Enfin sur la route conduisant au port de Trézène, on montrait un temple d'Arès, édifié sur l'endroit où Thésée aurait combattu contre les Amazones, et le lieu de la naissance, le Généthlion, du grand héros [103].

Ce sont donc des épisodes tirés de l'ensemble de la biographie légendaire de Thésée qui sont inscrits dans les lieux de culte de Trézène et de sa chôra. La célébration théséenne à Trézène ne se limite nullement au moment de la naissance du héros − également attachée à l'île déjà évoquée de Sphaïria et au culte d'Athéna Apatouria − ni aux seuls actes de sa première adolescence. L'intervention d'Artémis, Zeus, Aphrodite et Arès, aux côtés des dieux tutélaires de la cité Athéna et Poséidon, est un indice incontournable de l'intégration de la légende de Thésée en son entier à l'ensemble du système cultuel de Trézène. La cité où la légende fait débuter le parcours du grand héros est donc une ville adulte, religieusement autonome, petite Athènes située à l'écart d'Argos et de Corinthe, dans une région marginale du Péloponnèse qui, par sa proximité de l'Isthme et surtout du Golfe de Saronique, se trouve en communication aisée avec son modèle. Les protagonistes de l'*Hippolyte* d'Euripide n'expriment-ils pas parfaitement ce voisinage géographique quand ils vantent la vue qui de l'Acropole d'Athènes porte votre regard jusqu'à Trézène, cet *éskhaton* du Péloponnèse ? La coïncidence est dès lors étonnante entre la réciprocité établie par le mythe, ce sentiment de proximité spatiale et la réalité historique de l'émigration temporaire à Trézène des femmes et des enfants des Athéniens à l'occasion du sac de la cité par les Perses, avant la bataille de Salamine. Authentique ou non, le désormais célèbre « Décret de Thémistocle » ordonnant l'évacuation confirme la fonction de seconde Athènes assumée par Trézène dans cette situation désespérée [104].

2.1.3. *Une marche vers la civilité*

Par contraste, la spécificité du parcours de Thésée adolescent s'impose avec d'autant plus d'évidence : déroulant d'abord ses lieux sauvages et délaissés des dieux dans ce que l'on pourrait appeler l'Attique « extérieure », cette partie de l'Attique qui, incluant Eleusis et Mégare, fut l'objet de guerres légendaires de conquête ; puis explorant à partir de la cité l'Attique proprement dite en des lieux marginaux certes (Gargettos, Hécalé, Marathon), mais où finit par se manifester la puissance de Zeus. Entreprises « extérieures » ou entreprises « intérieures », les hauts faits accomplis par Thésée avant son départ pour la Crète ont ceci de commun, du point de vue spatial, qu'ils s'achèvent tous au sanctuaire d'Apollon Delphinios. En alternance avec la purification par les Phytalides auprès de l'autel de Zeus Méilichios, la légende situe l'acte d'expiation du sang versé par le héros dans le meurtre des monstres de Mégaride au Delphinion. C'est là aussi que se déroule l'épisode isolé du jet par le héros, confondu avec une jeune fille, du bœuf par-dessus le toit du temple d'Apollon en construction. La reconnaissance par Egée de la légitimité du fils de Trézène a lieu sur l'emplacement du même sanctuaire. Et c'est encore au Delphinion que Thésée expie le sang du meurtre des Pallantides de même que c'est à Apollon Delphinios qu'il finit par immoler le taureau de Marathon. Dans un filon au moins de la légende, tous les exploits théséens précédant l'épisode de Crète trouvent leur achèvement et par conséquent leur sanction narrative au Delphinion [105]. Or ce sanctuaire d'Apollon Delphinios constitue justement − on se le rappelle − l'un des points d'origine de l'entreprise crétoise et du parcours maritime du héros athénien. Après l'itinéraire terrestre donc, la traversée maritime pour un Thésée qui a passé du statut d'adolescent à celui d'un éphèbe reconnu par son père humain.

2.2. Athènes et quelques-uns de ses dieux

Avant le moment même de l'embarquement, on a vu que la légende réunissait les adolescents athéniens destinés au Minotaure au Prytanée. Sis dès l'époque archaïque au pied du flanc nord de l'Acropole, le Prytanée n'est pas seulement à Athènes, comme dans d'autres cités, le lieu central de résidence des archontes, en particulier de l'archonte éponyme ; c'est surtout le bâtiment qui abrite avec un autel à Hestia le foyer de l'Etat, symbole de l'autonomie politique de la cité, mais aussi de son hospitalité commensale à l'égard des étrangers en mission officielle [106]. Ce lieu de réunion correspond ainsi à la fois à la qualité de futurs citoyens ou de futures mères de citoyens des jeunes gens et jeunes filles envoyés à Cnossos ainsi qu'au caractère politique de l'entreprise crétoise pour une Athènes menacée, par la répétition du tribut, d'être vidée de ses forces vives et de perdre ainsi son identité.

Comme on le précisera dans la partie du chapitre suivant consacrée aux pratiques rituelles, le culte d'Apollon Delphinios assume une fonction centrale au moment de l'entrée du futur citoyen dans la période de l'éphébie et pour le jugement des meurtres commis en état de légitime défense. Le passage de Thésée par le Delphinion, au sud de l'Acropole, près de la porte qui ouvre vers le Phalère, représente pour ainsi dire la contrepartie religieuse et culturelle du séjour politique au Prytanée (en alternance, suivant les versions, avec le « temple d'Athéna »). Et le choix du sanctuaire d'Apollon Delphinios semble d'autant plus pertinent comme point de départ d'une expédition éphébique à caractère maritime que le jeu étymologisant que les Gecs n'ont pas manqué d'opérer sur l'épiclèse du dieu se réfère à la figure salvatrice et quasi humaine du dauphin [107].

Le double point de départ du parcours spatial décrit par l'expédition crétoise de Thésée engage celle-ci dans les isotopies de la légitimité et du politique actualisées par la mise en cause du droit de cité et de sa perpétuation dans la nouvelle génération : on y perçoit donc d'emblée le thème de la formation politico-civique. De manière concomitante, le récit amorce une isotopie marine qui se manifeste aussi dans les deux versions ne mentionnant pas le Delphinion : dans ces variantes, Apollon intervient soit sur la mer, à l'occasion de la tempête essuyée par le bateau de Thésée au large de Délos, soit comme le Destinataire du vœu de la théorie délienne, acte cultuel maritime par excellence [108].

Beaucoup plus étrange, au premier abord, semble le sacrifice que Thésée offre à la future Aphrodite Epitragia au Phalère même, entre terre et mer. Si la métamorphose légendaire de la victime sacrificatoire de chèvre en bouc semble unique, en revanche

relativement nombreuses sont les représentations plastiques
d'Aphrodite chevauchant le bouc. La plus célèbre d'entre elles
était sans doute celle qu'a encore vue Pausanias dans le sanctuaire
de la déesse à Elis : statue en bronze attribuée à Scopas dont on
retrouve l'image sur les monnaies de la cité [109]. Reprenant le défi
de Pausanias qui laisse à d'autres le soin d'interpréter la fonction
du bouc, les historiens des religions nos contemporains ont en
général rapproché ces représentations de la déesse naissant des
organes génitaux de son père Ouranos ; Aphrodite devient ainsi
l'objet d'un culte phallique [110]. Il suffit cependant dans un premier
temps de situer l'acte cultuel accompli par Thésée au moment de
son embarquement dans la logique sémantique de l'épisode crétois
en rappelant le syncrétisme partiel qu'opère le récit, au moment de
l'étape de Chypre, entre la figure d'Ariane et celle de l'Aphrodite
masculine vénérée sur l'île. Dans les pratiques rituelles auxquelles
ce récit sert d'aïtion, l'inversion des marques sexuelles est mise en
relation avec le passage de la jeune fille au statut de mère, et par
conséquent de femme adulte. Dans cette mesure, la métamorphose qui accompagne le sacrifice de Thésée à Aphrodite, tout en
engageant l'isotopie de la sexualité, est significative de la transition à la maturité amoureuse de l'adulte qui va marquer
l'ensemble de l'épisode crétois [111].

Mais le parallèle offert par le culte d'Elis est d'autant plus frappant que tout en faisant de l'Aphrodite chevauchant le bouc une
Aphrodite Pandémos, il l'associe en un même sanctuaire à Aphrodite Ourania, immortalisée dans une statue chryséléphantine due à
Phidias. Or à Athènes même, la fondation du culte d'Aphrodite la
« céleste » est attribuée à Egée alors que celui d'Aphrodite « de
tout le peuple » passe pour avoir été inauguré après le synécisme
par Thésée lui-même. Si la figure d'Aphrodite Pandémos établie
par Thésée à Athènes semble avoir été associée par Solon à l'introduction des maisons closes, c'est que la forme de prostitution
ainsi instituée s'adressait aux *néoi*, aux jeunes hommes non
mariés. Aphrodite Pandémos assume ainsi une fonction aussi bien
charnelle que politique, relative à l'exercice de l'hétérosexualité ;
c'est en tout cas en invoquant cet aspect que Platon, dans un passage célèbre du *Banquet*, justifie le culte de cette divinité que par
ailleurs il couvre de son mépris en réinterprétant son épiclèse [112].

S'il est vrai qu'Aphrodite chevauchant le bouc est bien la
jumelle d'Aphrodite Pandémos, le sacrifice que lui offre Thésée

au moment de son embarquement pour la Crète peut signifier, par la transformation des marques du sexe, l'intronisation du héros dans le domaine de la sexualité adulte, ou plus exactement dans celui de la sexualité du *néos* ; ce statut coïncide pratiquement avec celui d'éphèbe que Thésée endosse pour l'expédition crétoise. Passage donc de la sexualité adolescente à celle du célibataire adulte, doublé de la transition spatiale du domaine terrestre au domaine maritime sur lequel Aphrodite, par sa naissance même, étend son contrôle.

Mais autant du point de vue des valeurs investies dans le Destinateur que sous l'aspect spatial, cette transition ne peut pas s'opérer sans le passage – indirect – par un territoire intermédiaire. La légende fait encore le détour de l'île de Salamine, cette autre terre calcaire que se disputent Athènes et Mégare. Des analogies phonétiques et sémantiques qui rapprochent Sciras, le nom d'origine de l'île, Sciron, le monstre mégarien, et Sciros, le héros local, on retiendra pour le moment l'intervention que la légende de Thésée réserve à ce dernier comme adjuvant du héros. Pouvait-elle choisir, pour enrôler au bénéfice du héros dépourvu d'expérience maritime le timonier et le pilote indispensables, personne plus appropriée que le héros salaminien, homologue dans sa filiation et dans son rôle politique du héros athénien ? Quant aux honneurs rituels institués en mémoire des deux précieux guides marins, Nausithoos et Phaïax, ils seront associés au culte de Poséidon, au Phalère même [113]. Le port d'Athènes est bien le lieu de la transition spatiale et rituelle entre parcours terrestre et itinéraire marin.

2.3. La mer et la souveraineté de Poséidon

Sans doute la légitimation de Thésée par son père Poséidon ne pouvait-elle prendre place qu'en mer, ou plus exactement dans ses profondeurs ; celles-ci constituent le domaine du dieu qui ébranle la terre et qui soulève les flots depuis le partage du cosmos entre les trois fils de Cronos que signale déjà l'*Iliade*. Ce serait également le lieu d'évoquer ici la figure du dieu tutélaire d'Athènes qui, dans un acte cosmogonique dont il détient le secret, fait jaillir l'eau sur le rocher de l'Acropole et mêle ainsi, par le contrôle qu'il exerce sur les forces primordiales, les éléments différenciés fondant l'ordre du monde. Mais ce Poséidon, partenaire de toute expédition maritime, il hante déjà l'ensemble du parcours terrestre de Thésée [114].

Présent à Trézène comme fondateur du pays et en tant que *Basileús*, Poséidon n'est pas uniquement le père du futur roi paradigmatique d'Athènes, ou celui d'autres souverains fondateurs de dynasties et de royaumes tels Eole, Boïôtos ou Dôros ; il est également le géniteur de figures monstrueuses ou primordiales tels Polyphème, Antée ou Triton [115]. Et dans cette mesure Thésée se voit affronté, entre Trézène et Athènes, à des monstres auxquels la légende accorde volontiers une paternité poséidonienne. C'est le cas à Epidaure de Périphétès et sur l'Isthme de Sinis ; le lieu-dit Crommyon tire sa dénomination de Cromos, un fils de Poséidon ; à Sciron certaines versions de la légende attribuent la même paternité ; de même en va-t-il de Procuste. Et en Attique même c'est encore Poséidon qui intervient, selon Isocrate, pour faire apparaître le taureau de Marathon que la légende rationalisante postérieure identifie − on l'a vu − avec le taureau de Minos [116].

Mais avant de nous rendre en Crète pour y retrouver Poséidon, il faut être encore sensible à la manière de la légende de répartir entre les deux parcours de Thésée les aspects ambivalents du dieu : au parcours terrestre l'affrontement du héros avec les forces primordiales que Poséidon peut déchaîner en revenant à un état de pré-civilisation ; au parcours maritime le bénéfice de son rôle protecteur dans une entreprise qui va conduire son protagoniste à la fonction royale que le dieu assume à Trézène.

2.4. Zeus le Crétois et l'accession à la souveraineté

2.4.1. *Une terre aussi exemplaire que marginale*

Les étapes attiques du parcours spatial de Thésée offrent une coïncidence sémantique remarquable entre les valeurs construites par la légende et la réalité cultuelle ou politique attachée dès l'époque archaïque aux lieux traversés. En mer, la légende n'a aucune difficulté à bâtir sa fiction, tout en se fondant cependant sur la représentation canonique des dieux qui y interviennent. Mais à l'abord de la Crète, ce territoire qui reste à distance des

grands conflits qui ont uni ou opposé les cités grecques au
Ve siècle, se pose avec acuité la question de la relation entre la réalité politique de cette île au moment de l'énonciation de la légende,
la représentation qu'on se fait à cette époque de cette terre
devenue marginale et le rôle que lui fait jouer la légende de
Thésée.

A l'écart de la confrontation des Guerres Médiques aussi bien
que des dissensions internes de la Guerre du Péloponnèse, la Crète
n'aurait été « redécouverte » que dans le courant du IVe siècle. Le
Platon des *Lois* s'intéresserait alors à ses institutions archaïsantes,
auxquels Aristote et Ephore seront aussi sensibles, pour en faire
l'un des modèles à suivre dans la construction d'une cité idéale [117].
Mais en dépit de l'admiration qu'il éprouve pour ses coutumes, ce
territoire reste pour Platon un domaine qui se situe aux marges du
monde grec [118]. Connu de manière lointaine pour le conservatisme
de ses institutions politiques, la Crète, territoire liminal aussi bien
que légendaire, offre un terrain rêvé pour la projection de conceptions sociales idéalisées. Il en va ainsi déjà au Ve siècle où les Spartiates aussi bien que les Athéniens se réclament du modèle crétois.
Hérodote rapporte en effet la tradition lacédémonienne qui
attribue à la Crète l'inspiration dont Lycurgue a tiré sa constitution. Mais à Athènes même quand Périclès, par la plume de
Thucydide, déclare aux citoyens assemblés que la meilleure attitude pour exercer leur pouvoir sur leur empire est de considérer
leur cité comme formant une île, c'est le modèle crétois qui est
implicitement évoqué. Pour l'historien de la Guerre du Péloponnèse en effet − on l'a dit − le fondateur paradigmatique de la
thalassocratie, c'est Minos [119].

2.4.2. *Pouvoir royal et ruses dédaliques*

La Crète : terre marginale, sinon intermédiaire comme c'est le
cas dans les deux versions de la légende de fondation de Cyrène où
la grande île sert alternativement d'indispensable étape marine
entre Théra, la métropole, et le continent libyen et de lieu d'origine de la princesse mère du héros fondateur [120] ; mais terre exemplaire dans la mesure où l'on peut y projeter l'origine, encore
ambivalente, de l'activité politique, qu'elle soit spartiate ou
athénienne ! Paradigmatique par certains de ses aspects, la souveraineté que Minos exerce sur la Crète est en effet loin d'être

affirmée et on en a dit les aspects tyranniques. Plus aucune surprise dès lors à voir ce pouvoir royal encore mal dégrossi tomber
dans tous les pièges mystificateurs que lui tend Dédale. L'artisan à
l'intelligence illusioniste parvient à duper le pouvoir trop entier du
souverain de Cnossos même au moment où celui-ci, pour
dénoncer la présence de Dédale auprès de Côcalos, tente d'utiliser
contre lui la ruse labyrinthique dont il a le secret ; trop tard, le roi
de Crète succombera malgré tout au dernier stratagème que lui
opposera l'habile technicien. Il y a longtemps que l'on a souligné
l'indispensable complémentarité que les Grecs ont figuré à travers
la légende de Dédale entre l'exercice du pouvoir souverain et
l'intelligence technique et rusée incarnée dans la figure de Métis.
Zeus le souverain ne peut lui-même se passer de son savoir [121].

On a par contre été beaucoup moins sensible à la polarité spatiale qu'établit la légende entre Athènes, le lieu d'origine et le premier terrain d'exercice offert à Dédale comme sculpteur, et la
Crète, lieu de réalisation de ses stratagèmes illusoires et trompeurs. Par l'aide astucieuse dont il fait bénéficier Ariane et, par
son intermédiaire, Thésée, Dédale parvient à déjouer le pouvoir
anthropophage que Minos tente d'étendre sur l'Attique : dans la
répétition du tribut, le Minotaure aurait fini par dévorer toute la
relève des citoyens athéniens. Sans l'appui de Dédale, Thésée
n'aurait jamais accédé au trône d'Athènes pour y établir son pouvoir « démocratique », en contraste avec l'autorité de type tyrannique exercée par Minos [122]. Et l'ambivalence de l'intervention de
Dédale en Crète est d'autant plus significative que l'aspect des-
tructeur de l'ordre social inscrit dans l'activité d'illusionniste de
l'artisan se tourne contre Minos tandis qu'Ariane bénéficie de
l'apport positif de son esprit inventif. Comme pour la constitution
de la souveraineté de Zeus, l'indispensable aide technique à l'établissement du pouvoir se porte aussi sur la jeune génération. La
légende tardive de la stérilité de Minos semble s'en être souvenue
quand elle met dans les mains de la fille d'Erechthée le moyen
technique qui permettra au roi de Crète de concevoir malgré tout
des descendants légitimes, parmi lesquels Ariane.

Or, comme Procris, Dédale est athénien ; qui plus est, petit-fils
d'Erechthée, il est pour certaines versions de la généalogie des premiers rois d'Athènes le cousin de Thésée. Dès Métion, l'homme
de la *mêtis*, tous les représentants de cette branche cadette de la
descendance d'Erechthée portent des noms dans lesquels se trouve

inscrite une référence à l'habileté technicienne de l'artisan. Ce lien généalogique qui fait de Dédale l'Athénien un parent de Thésée, il est en particulier valorisé dans la version « particulière et étrange » de la séquence crétoise que raconte au IVe siècle l'Atthidographe Cléidémos [123]. C'est non seulement au nom de ce lien de parenté que Thésée, déjà établi comme roi, accueille à Athènes Dédale qui y cherche refuge fuyant une Crète où il est définitivement compromis. Mais surtout le récit renverse habilement entre ses protagonistes le bon usage de la thalassocratie. Minos pour tenter de récupérer Dédale, Thésée pour intervenir contre le pouvoir de son successeur Deucalion et pour sauver les jeunes Athéniens qu'il détenait en otages enfreignent tous deux la règle commune très ancienne qui interdisait aux cités grecques de faire sortir des trirèmes montées par plus de cinq hommes ; une autorisation spéciale fut accordée à Jason puisque les Argonautes avaient pour fonction de libérer la mer de ses pirates. L'entreprise maritime de Minos, détournée vers la Sicile où le roi de Crète trouve la mort, connaît l'échec le plus cuisant. Celle de Thésée, préparée en secret avec l'aide de Dédale et d'exilés crétois servant de guides, surprend les gens de Cnossos. Deucalion tué, le roi d'Athènes conclut un traité de paix avec la reine de Cnossos, Ariane qui, comme Thésée, apparaît dans cette version sous les traits et dans les fonctions de l'adulte. Le rétablissement de l'équilibre narratif accorde d'emblée la suprématie maritime à Thésée qui dispose du pouvoir du souverain confirmé grâce à la collaboration rusée de Dédale.

Dans la vulgate, Dédale ne peut apporter à Thésée la contribution de son intelligence astucieuse que dans ce territoire liminal qu'est la Crète ; le héros se trouve alors dans la phase qui précède immédiatement son accession au pouvoir royal. Quand Cléidémos au contraire projette dans le mythe une image politique d'Athènes que l'on verra caractéristique du Ve siècle et renverse une partie de l'intrigue du récit pour faire de Thésée un roi adulte, le héros souverain peut susciter les ruses de Dédale sur son territoire même pour en tirer, dans la conduite de sa politique extérieure, un bénéfice direct.

Par ailleurs, il faut ajouter que Minos dispose bien quant à lui aussi d'une sorte d'artisan qui, contrairement à Dédale, contribue à l'établissement de son pouvoir. D'origine spécifiquement crétoise, Talos se chargeait de parcourir chaque année les villages de la Crète en présentant, inscrites sur des tablettes de bronze, les lois établies par le souverain ; il passait aussi pour être le gardien de l'île. Mais assimilé par la légende à un taureau, Talos n'est en fait lui-même, face au technicien Dédale, qu'un produit artisanal, sorte de robot fabriqué par Héphaïstos le forgeron à l'intention de Minos, sinon à celle d'Europe qui l'aurait reçu de Zeus [124]. Produit plutôt que producteur avec son étrange physiologie qui relève de la métallurgie et de la manipulation du feu, Talos ne peut assurer au roi de Crète qu'un appui éphémère, marqué par ce contact avec les forces primordiales qui caractérise par exemple les Cyclopes forgerons. Fondé sur de telles contributions, le pouvoir du souverain crétois ne peut que représenter une préfiguration, mal dégrossie et ambivalente, du pouvoir politique civilisé.

2.4.3. Cité et charmes épiménidiens

C'est ici qu'à Dédale l'Athénien, il convient de confronter, pour en éclairer la figure, Epiménide le Crétois ; personnage tout aussi légendaire même si la tradition le situe à l'époque de Solon. D'Athènes provient l'artisan disposant des moyens techniques variés qui permettent de sortir d'une situation embarrassante ; en Crète réside le poète bénéficiant de cette intimité avec les dieux qui met entre ses mains les moyens de l'action magique. Le premier met son intelligence technicienne au service de certains Crétois, le second fait bénéficier les Athéniens de ses pouvoirs théurgiques. En effet, différents épisodes de la biographie légendaire d'Epiménide attribuent au mage crétois la célèbre purification de la cité après le sacrilège commis par les Alcméonides à l'occasion de la conjuration de Cylon, mais aussi l'érection à Hybris d'un autel, l'introduction d'un nouveau régime alimentaire et la participation à l'institution de l'agriculture par la mise sous le joug du bœuf dès lors laboureur [125]. Or cet « homme divin », pour reprendre la qualification de Platon, parfois compté au nombre des Sept Sages, doit à son origine crétoise une sagesse *(sophía)* qui relève des domaines de l'inspiration divine et de l'initiation. La figure de ce « nouveau Courète », comme dit Plutarque, s'inscrit donc dans les virtualités de passage et de communication (avec l'extra-humain) que l'on a vu définir la spécificité de l'espace crétois [126].

A déchiffrer ainsi la figure d'Epiménide en contraste avec celle de Dédale, on comprendra peut-être mieux la version de la légende de Thésée qui, attribuée à l'aimé des dieux crétois bien qu'attestée tardivement, déplace l'intervention de Dionysos auprès d'Ariane de Naxos en Crète [127]. C'est alors ce dieu de l'extérieur qui, indirectement, donne à Thésée les moyens de trouver l'issue du Labyrinthe : cadeau séducteur du dieu du vin, destiné originairement à Ariane, la couronne ciselée et sertie par les doigts habiles du dieu artisan Héphaïstos oriente de son éclat le héros athénien dans les détours de l'ouvrage dédalique pour le reconduire à Ariane. Gage d'amour, transféré de Naxos en Crète, la couronne dionysiaque devient ainsi, dans la version de la légende attribuée à Epiménide le charmeur, la marque étincelante qui, dans les mains d'une femme, sert de point de repère et de guide au héros égaré dans l'*ápeiron* du Labyrinthe.

2.4.4. *Les passages de Zeus*

Or Dédale, relayé dans le récit d'Epiménide par Dionysos, n'est du point de vue de la syntaxe du récit qu'un adjuvant, sans doute quelque peu oublié jusqu'ici par l'analyse de l'épisode. Quant aux dieux eux-mêmes, Destinateurs des sujets de l'action, ils n'interviennent pas directement dans la confrontation entre Thésée et le Minotaure. Il convient néanmoins de relever que si la figure de Zeus se dessine derrière l'action de Minos, à la fois comme son père et comme son conseiller dans l'administration du pouvoir politique, la biographie légendaire ne situe en Crète que deux moments de la vie de dieu : la naissance et la courotrophie, auxquelles elle ajoute parfois, paradoxalement et tardivement, la mort. Dès la *Théogonie* hésiodique Zeus naît en Crète et plus précisément dans une caverne au flanc de l'une des montagnes de l'île ; c'est là moins un effet de syncrétisme avec un culte préexistant que, dans la logique même de la légende, un jeu sur la représentation attachée à la caverne crétoise : un lieu de refuge pour Rhéia qui tient à sauver son dernier-né de la voracité de son époux Cronos. Quand la légende déplace ce lieu privilégié en Arcadie ou en Troade, elle nous reporte toujours aux confins du domaine marqué par la civilisation grecque. De même en va-t-il de l'éducation du jeune dieu par les Courètes exécutant leurs danses courotrophes soit sur les pentes du Mont Ida de Crète, soit dans les vallons de l'Ida de Troade, soit encore dans les fourrés du Mont Ithôme de Messénie. Et ce troisième passage que représente la mort, après la naissance et l'éducation initiatique, ne peut avoir comme cadre spatial que les régions retirées de la Crète[128]. D'ailleurs quand la croyance religieuse de la légende passe à cet autre moyen d'expression symbolique que constitue le rite, la mort devient mort initiatique dans le culte à mystère auquel Euripide fait allusion dans les *Crétois*. Indépendamment des prédécesseurs locaux, sinon minoens qu'on a voulu lui attribuer, Zeus ne passe ainsi en Crète que les phases de sa vie qui le conduisent au pouvoir souverain de l'adulte. Dès le moment où la légende le fait agir comme tel, c'est pour le charger du contrôle du pouvoir despotique et tyrannique d'un Minos. Et les honneurs rituels que lui rendent les Crétois, loin d'être ceux qui reviendraient au dieu souverain, ont les caractères propres aux cultes à mystère. Naissance, initiation et morts anthropomorphes aux confins du monde hellenisé pour donner au roi des dieux le pouvoir éternel sur l'Hellade civilisée.

Un retour à la légende du roi de Cnossos permet de saisir l'homologie qui traverse, dans sa partie généalogique, les modes d'action respectifs de Zeus et de Poséidon. Il semble que dans ce territoire qui ne bénéficie pas encore de tous les raffinements de la civilisation, les deux divinités ne peuvent intervenir qu'en revêtant un aspect thériomorphe. Mais conformément à la spécificité de leurs figures respectives, Zeus s'unit à Europe sous la forme d'un taureau apprivoisé tandis que le taureau séducteur de Pasiphaé a été rendu sauvage par Poséidon, après le refus de Minos d'en faire l'objet d'un sacrifice civilisé. On se souvient, en suivant la légende rationalisante, que c'est en Attique seulement que ce même taureau, après avoir provoqué la mort du fils de Minos Androgée, sera enfin maîtrisé par Thésée pour être offert en sacrifice à Apollon[129].

2.4.5. *Le Labyrinthe : un enseignement à l'intelligence*

Cible polarisatrice d'un nombre infini de projections allégoricoésotériques jusque dans l'herméneutique la plus récente, le Labyrinthe ne serait-il par simplement l'expression spatiale consacrée, l'emblème de la figure ambivalente que présente dans la légende le domaine crétois ? Demeure de la figure semi-animale incarnant à la fois les excès du pouvoir politique du roi de Crète et le caractère déviant des amours dans lesquelles lui et ses proches sont impliqués ; construction dont il n'y a d'issue que pour le détenteur de l'intelligence rusée dispensée par l'Athénien Dédale qui en a été lui-même l'architecte ! Impossible néanmoins de régler son compte au Labyrinthe en postulant qu'il est simple « *cosa mentale* ». Indépendamment de toutes les relations plus que spéculatives que l'on a tenté d'établir entre l'édifice retors et l'architecture complexe du palais minoen de Cnossos ou une hypothétique *po-ti-ni-ja da-pu-ri-to-jo*, une « Maîtresse du Labyrinthe », voire une originaire caverne crétoise, il est incontestable que dès le vᵉ siècle les monnaies de Cnossos portent sur leur revers une représentation du Labyrinthe [130]. Sans doute s'agit-il par rapport à la légende d'une représentation secondaire qui ne saurait s'inspirer d'une construction existant à Cnossos depuis l'époque minoenne ! Il n'en reste pas moins que le tracé de ces labyrinthes numismatiques éclaire d'une lumière singulièrement vive les quelques descriptions, fatalement elliptiques, des textes.

Kokhlioeidés, « en forme de spirale », glosent les lexicographes anciens. Définition beaucoup trop vague qui a fait croire à une homologie parfaite entre la forme du Labyrinthe conçu par Dédale et la morphologie du bigorneau qui révèle à Minos sa présence auprès de Côcalos [131]. En fait représentations numismatiques et indications littéraires convergent pour figurer un labyrinthe qui contrairement à la coquille percée du bigorneau sicilien n'a qu'une entrée, impliquant pour qui veut en sortir un mouvement de retour sur soi-même. Phérécyde d'Athènes, notre témoin le plus ancien à ce sujet, montre Thésée « retournant en arrière en enroulant *(anelíssonta)* la pelote d'Ariane ». Callimaque dit du Labyrinthe de Cnossos qu'il est à la fois « recourbé » (comme le sont le hameçon ou l'extrémité d'un stade) et « sinueux » (comme le mouvement d'un serpent ou celui des vagues en rouleaux). Pour Apollodore encore, le Labyrinthe comporte une seule voie d'issue que l'on ne peut trouver qu'après plusieurs « rebroussements » *(kampaí)* analogues à ceux décrits par le char parvenant au terme du stade. Au cours de sa visite du labyrinthe d'Egypte, Hérodote est aussi frappé par les « détours » *(heiligmoí)* très complexes auxquels le visiteur est contraint pour retrouver la « sortie » *(éxodos)* du dédale de pièces et de cours dont l'édifice est composé. Quant à eux, la plupart des labyrinthes représentés sur les monnaies cnossiennes dessinent un parcours unique faisant alterner, par une série de retournements successifs, des tracés circulaires jusqu'au

dernier rebroussement qui est celui du retour sinueux vers
l'entrée, unique issue [132] !

Or la séquence de mouvements circulaires alternés quant à leur
direction non seulement décrit le parcours impliqué par les labyrinthes des monnaies, mais surtout elle trouve son exact correspondant dans les mouvements à la fois alternatifs et circulaires
(parálláxeis kaì anelíxeis) qui sont le propre de la danse de la
grue [133] ! Exécutée en Crète sur l'aire de danse façonnée par
Dédale lui-même ou déplacée pour les raisons évoquées à Délos, la
chorégraphie de la grue est bien le *mímēma* du tracé labyrinthique
imaginé dès le Vᵉ siècle par les auditeurs de la légende du héros
athénien. Plus que dans l'existence d'un labyrinthe construit, le
schéma qui donne sa forme autant à l'objet dédalique légendaire
qu'à la danse qu'il est censé avoir inspirée trouve une confirmation étonnante dans la réalité de danses basques impliquant, telles
« la Danse de l'Escargot » ou « la Danse de l'Enlèvement de la
Demoiselle », des évolutions à la fois circulaire et serpentines. Et
l'observateur ethnographe de ces mouvements circulairement
alternés de relever que l'exécution de telles danses demande de
« l'Enseigne », correspondant du chorège grec, « beaucoup de
présence d'esprit pour s'y reconnaître » [134].

En pourvoyant Thésée du moyen technique qui lui permet le
rebroussement salvateur, la légende fait bénéficier le héros,
« Enseigne » du chœur mixte des Athéniens, des qualités de prudence avisée que les Anciens reconnaissaient à la grue ; Platon en
tête pour qui, en regard de cet animal *phrónimos*, « raisonnable »,
tous les autres animaux ne sont que des bêtes sauvages *(thēría)*.
La grue n'est-elle en effet pas capable, par un système de reconnaissance de points de repère, de s'orienter dans ses migrations à
travers un espace non marqué et de joindre ainsi les confins aux
confins ? Et les imagiers attiques ne se plaisent-ils pas, dès la fin
du VIᵉ siècle, à apporter au héros l'appui d'Athéna [135] ? Non seulement la qualité de déesse tutélaire de la divinité poliade, mais surtout ses fonctions dans le domaine de l'intelligence technique et
rusée légitiment sa présence dans cette version iconographique et
athénienne de la légende. En Thésée les jeunes Athéniens, en un
groupe choral où se mêlent pour la première fois adolescentes et
adolescents, trouvent donc un chorège pourvu des qualités d'intelligence avisée qui le destinent à assumer un pouvoir souverain
mesuré et juste. En est-ce assez pour parler, en invoquant le carac-

tère incontestablement pédagogique de l'exercice musical auquel
est assimilé le parcours labyrinthique, d'itinéraire initiatique [136] ?
En ce qui concerne strictement l'espace parcouru, la réponse sera
négative puisque la maîtrise des détours du labyrinthe fait coïncider son issue avec son entrée : au passage transitif, elle substitue
le retour sur soi ! Mais se limiter à la figure spatiale dessinée par le
lieu de l'exploit du héros athénien serait faire fi de ses conséquences, dont on reparlera. Il suffira de relever pour l'instant que
l'épreuve du Labyrinthe s'inscrit du point de vue sémantique dans
le parcours isotopique de la maturité qui, conduisant au pouvoir,
trouve son fondement dans le thème de la formation politico-
civique.

2.5. Naxos ou les plaisirs de Dionysos

Grâce au concours d'adjuvants à mètis, Thésée est donc parvenu à trouver une issue aux sinuosités fallacieuses de l'emblème
de l'espace crétois ; il a ainsi libéré Athènes du lourd tribut qui
était imposé à la cité d'Egée, incarné dans la voracité anthropophage du Minotaure. Après le Labyrinthe, Naxos partage avec
Délos le privilège d'accueillir le héros sur le chemin du retour vers
Athènes. L'étape naxienne constitue non seulement lors de ce
retour l'homologue du séjour dans la demeure d'Amphitrite à
l'aller ; dans la mesure où les adolescentes et les adolescents athéniens n'y prennent aucune part en attendant de faire leur réapparition à Délos, elle correspond aussi, par rapport à cette station
délienne, à une sorte de dédoublement narratif. Naxos et Délos :
deux espaces à considérer sous l'aspect de la complémentarité.
Remarquons encore que l'étape de Naxos elle-même connaît un
réel doublet narratif à travers la version de la légende qui choisit
de faire aborder le couple créto-athénien à Chypre. Le commentaire attaché à l'espace et aux Destinateurs divins ne peut rien
ajouter à cette version peu développée sinon par la comparaison
avec le sacrifice à Aphrodite Epitragia qui marque l'embarquement du héros au Phalère : passage à la sexualité du *néos*, peut-on
hasarder pour tenter de transposer sur le plan des acteurs humains
du rite la métamorphose subie par la victime sacrificielle. A
Chypre, le culte d'Ariane institué par Thésée accomplit un pas
supplémentaire en direction de la réalisation de la sexualité de

l'adulte : immobilisant le processus de la génération sexuée au moment même de l'accouchement, c'est bien sur l'enfantement que se fixe le récit par la figure narrative de la mort en couches subie par Ariane. Le travesti rituel de Chypre est répété en l'honneur d'une Ariane associée à une Aphrodite cypriote dont la figure réunit les marques des deux sexes ; en accomplissant le geste inaugural de ce rite, Thésée semble consacrer tout le phénomène de la conception jusqu'à l'instant de l'accouchement [137].

2.5.1. Insularité dionysiaque

Mais de Chypre, détour occasionnel, il faut revenir à Naxos et mettre ainsi le pied sur un territoire essentiellement réservé à Dionysos, de même que Chypre apparaît comme l'île consacrée par excellence à Aphrodite. Comme Zeus en Crète, Dionysos naît et est élevé à Naxos. C'est en tout cas ce qu'affirme l'une des versions de la légende polymorphe de la naissance et de la courotrophie du dieu. Aux bienfaits dispensés par les nymphes nourricières de Naxos répondirent les faveurs découlant de l'amitié que Dionysos ne tarda pas à éprouver pour les habitants de l'île : prospérité économique et qualité des crus produits sur l'île. La tradition de l'histoire locale va même jusqu'à faire de Naxos une terre merveilleuse, digne de l'Age d'Or ; le vin y surgirait du sol, sans viticulture *(autómaton)* pour s'écouler, pur, dans ses ruisseaux ! Quant à la légende de fondation du pays, le dieu du vin y tient un peu la place qu'occupe Athéna dans le mythe de création de l'Attique puisqu'il dispute à Poséidon la possession de cette terre insulaire pour la rendre prospère. Monnaies naxiennes et inscriptions donnent pleine confirmation de la position privilégiée occupée par Dionysos dans la représentation légendaire et dans les pratiques cultuelles des gens de Naxos [138].

L'histoire de l'île semble quant à elle faire de cette terre une étape privilégiée pour un héros athénien. En effet, Naxos bénéficiait sous la tyrannie de Lygdamis, un allié de Pisistrate, d'une puissance navale qui semble préfigurer celle dont Athènes disposera un demi-siècle plus tard. L'histoire panhellénique classique ne va-t-elle pas jusqu'à attribuer à Lygdamis une thalassocratie d'une durée de dix ans ? De plus, en ce même VIe siècle, on voit Naxos entretenir des relations privilégiées avec Délos. Au Ve siècle, l'île, toujours prospère, est naturellement intégrée à la

Ligue de Délos ; ses tentatives de rébellion lui vaudront le statut
de clérouchie d'Athènes [139]. Toucher Naxos, c'est donc pour
Thésée à la fois mettre le pied sur un territoire d'obédience athénienne et se mesurer avec une puissance que son histoire rapproche par un trait au moins de la Crète.

2.5.2. *Consommation prématurée de la sexualité*

Quel rôle attribuer dès lors à celui qui est à la fois Destinateur et
acteur de l'étape naxienne, dans l'île même qui, pénétrée de sa
figure, vit de son culte ? La légende, par la manipulation dont on
tentera d'analyser les mobiles, fait donc aborder à Naxos le seul
couple des nouveaux amants. Mais on a vu que sinon dès Homère,
en tout cas dès les versions classiques, Ariane se trouve très rapidement seule sur l'île de Dionysos, abandonnée par un Thésée
obéissant − l'iconographie le confirme pleinement − aux injonctions d'Athéna. Plus encore que les textes, les images montrent
que, désormais opposée au héros athénien rappelé à son devoir
civique, Ariane est alors tout entière livrée à l'empire d'Eros ;
cette séparation reçoit une représentation iconographique parfaite
dans la scène du cratère en calice de Syracuse qui oppose Thésée
couronné par Athéna sous le regard de Poséidon à Ariane couronnée par Eros avec l'appui de Dionysos [140].

A Naxos donc, Ariane la *númphē*, par l'intermédiaire de la relation sexuelle et matrimoniale, est introduite dans le domaine dionysiaque tandis que Thésée en est explicitement soustrait. Mais
dans la plupart des versions de la légende, si ce n'est sous l'aspect
de l'intervention d'Aphrodite incarnée dans la puissance d'Eros,
l'union du dieu et de l'héroïne présente une figure très différente
de celle qu'offre l'alliance conjugale paradigmatique unissant
Zeus à Héra. Les interprètes modernes ont été volontiers sensibles
à la relation que, par le mythe ou par le rite, elle semble entretenir
avec le monde des morts ; ils ont oublié le rôle essentiellement narratif et superficiel que joue la mort dans nombre de légendes
parallèles [141]. Ce qui frappe plutôt dans la séquence naxienne de la
légende de Thésée, c'est en effet l'analogie du destin connu par
Ariane avec celui de ces nombreuses jeunes filles qui encourent la
vengeance d'Artémis parce qu'elles ont cédé de manière prématurée aux séductions de l'amour charnel. Ainsi Callistô séduite par
Zeus et transformée par Héra ou par Artémis en ours, puis dans la

constellation du même nom ; mais la métamorphose laisse à la nymphe le temps de devenir mère et de mettre au monde Arcas, l'un des rois fondateurs de l'Arcadie et son héros éponyme. De même, poursuivie par Zeus, la nymphe Taygété est-elle contrainte à subir la violence du dieu ; sa métamorphose en biche par la volonté d'Artémis ne l'empêche nullement de mettre au préalable au monde Lacédaïmon, le roi de Sparte éponyme de la cité ; elle est de plus appelée à donner son nom à la chaîne de montagnes qui la surplombe quand elle ne devient pas l'une des Pléiades [142].

Comme ces nymphes, Ariane s'unit à Thésée avant la conclusion et la célébration du contrat matrimonial ; comme elles, l'héroïne paie ses amours précoces d'une mort violente et prématurée. Mais à marquer la différence il y a non seulement l'attitude provocatrice d'Ariane mais aussi l'action de Dionysos : dans la version homérique, il est le complice d'Artémis ; dans les autres versions de la légende, le séducteur de la jeune héroïne après qu'elle a elle-même séduit Thésée. Quelle que soit la version prise en considération, c'est bien la conjonction de l'union sexuelle avec l'intervention négative ou positive de Dionysos qui fait la spécificité de cette séquence de la légende.

Dans la légende homérique, la mort, simple opérateur narratif, met un terme au destin d'Ariane dès son union avec Thésée. Elle fixe ainsi l'attention sur l'union sexuelle alors que la version cypriote la focalisait sur le moment précis de l'accouchement ; l'absence de fertilité de l'union des deux héros dans la version homérique n'est peut-être que l'effet de son caractère elliptique. Quoi qu'il en soit, la complicité de Dionysos avec Artémis, dans cette version ancienne proche des belles histoires de nymphes séduites, peut se justifier par le territoire que le dieu du vin partage avec la déesse de la chasse. Ce domaine montueux et sylvestre correspond en effet en grande partie aux traits que présente l'île de Naxos en alternance avec la plaine côtière livrée à la culture de la vigne. Dieu de l'œnologie, Dionysos est aussi susceptible de faire jaillir pour ses servants, dans le territoire même de la chasse artémisienne, des ressources dignes de l'Age d'Or. Objet des soins vinicoles auxquels semble être consacrée une partie de la terre de Naxos, le vin peut à son tour, sous l'impulsion dionysiaque, sourdre d'un seul coup dans le bouillonnement d'une source spontanée, qui réfère son bénéficiaire aux temps précédant l'introduction du travail agricole. On trouve d'ailleurs dans ces deux modes

– viticole et spontané – de la production du vin l'ambivalence du produit lui-même dans ses effets sur l'homme : apaisant, mais aussi enivrant, comme on le précisera encore [143].

Or les lieux privilégiés de ces miracles dionysiaques, ce sont des terres des confins ou des îles, Cyclades propices aux épiphanies du dieu. Avec son territoire en partie consacré à la culture de la vigne et en partie couvert de forêts, Naxos se prête donc particulièrement bien à l'intervention conjuguée d'Artémis et de Dionysos. Que cette Cyclade constituait effectivement dans la représentation antique un territoire de la marge est montré par une possibilité de permutabilité avec la Crète qui s'ajoute à celle déjà offerte par la thalassocratie de type tyrannique ; la légende en effet n'a pas hésité à déplacer naissance et courotrophie de Zeus des contreforts sauvages de l'Ida sur l'île de Naxos. Et de manière converse, les Argiens honoraient un Dionysos qu'ils disaient originaire de Crète en lui rendant un culte à l'endroit même où le dieu aurait enseveli la belle Ariane [144].

2.5.3. *Naissances œnologiques*

Les autres versions de la séquence naxienne laissent cependant le destin d'Ariane se poursuivre en transformant l'intervention mortifère de Dionysos en un désir amoureux qui conduit l'héroïne jusqu'au mariage, sinon jusqu'à la maternité. La mort d'Ariane reste une disparition prématurée qui vient sanctionner une réalisation précoce de la sexualité, mais elle immobilise l'attention sur l'union matrimoniale ou sur sa conséquence dans la génération d'héritiers légitimes. Dans cette mesure le catastérisme n'apparaît que comme la figure qu'assume pour Ariane la métamorphose connue par les nymphes prématurément devenues mères dans les légendes mentionnées.

Commençons par la maternité. En remarquant tout d'abord qu'à Naxos en particulier, le mariage était du point de vue du rite explicitement placé sous le signe de la génération ; si du moins c'est bien dans ce sens qu'il faut interpréter la coutume à laquelle fait allusion Callimaque dans son récit du mariage d'Acontios et de Cydippé ; à Naxos, le rite voulait en effet que la fiancée passe la nuit précédant les noces à côté d'un enfant *amphithalés*. Or l'iconographie de l'abandon d'Ariane à Naxos nous présente précisément des images où la jeune femme est couchée aux côtés d'un jeune enfant[145]. Il semble donc que dans cette version l'union d'Ariane avec le dieu est d'emblée placée sous le signe de la fécondité.

Par ailleurs, dans les légendes parallèles que l'on a résumées, la maternité appartient au déroulement même de l'intrigue et il est de coutume que les rejetons nés de ces unions « virginales » reproduisent certaines des qualités de leur père. Ainsi en va-t-il, pour ajouter un exemple, des deux fils de Polyphonté, la naïade petite-fille d'Arès. Punie par Artémis pour s'être laissé entraîner par Aphrodite, jalouse, dans une passion aveugle pour un ours, la jeune fille met au monde les géants Agrios et Oréios, le « Sauvage » et le « Montagnard » avant d'être elle-même métamorphosée en hibou par Arès[146]. Qu'ils soient deux, quatre ou six, les enfants d'Ariane portent aussi dans leurs noms quelques-unes des fonctions de leur père : Oïnopion, « le Vineux », Thoas, « l'Impétueux », Staphylos, « le Raisin », Latramys, « le Servant du dieu » (ou « le Glouton » ; en alternance avec Paréthos, « le Filtreur »), Euanthès, « le Florissant », Tauropolos, « la Taurine »[147]. Dans ce contexte, la version isolée qui fait d'Oïnopion le fils de Thésée et non pas de Dionysos ne peut être comprise que comme une manipulation de la légende ; le vers de Ion de Chios sur lequel s'appuie Plutarque dans la mention de cette variante est en effet issu d'un poème élégiaque qui « avait pour sujet la patrie du poète ». Quoi de plus normal pour qui récite la légende de fondation d'une île soumise au ve siècle à l'influence athénienne que de rattacher, par le jeu de la généalogie, la figure de l'œciste à la légende de la cité souveraine ? Une autre version de la légende de fondation de Chios rattache l'installation d'Oïnopion sur l'île à l'intervention de Rhadamanthe et par conséquent à cette préfiguration de l'expansion athénienne en mer Egée que représente la thalassocratie de Minos[148]. La version de Chios se singularise d'ailleurs d'autant plus et on l'isole en conséquence d'autant mieux que dans ses nombreuses figurations d'Ariane mère, l'iconographie de la fin du ve siècle représente régulièrement l'héroïne avec un couple de deux garçons, dans un contexte qui est d'ailleurs toujours dionysiaque[149]. Comme dans les maternités « virginales » de nymphes séduites par des dieux, les qualités des enfants ne font donc que refléter celles de leurs parents tout en les attachant à une configuration spatiale définie. Ainsi quand Dionysos séduit Ariane sur une île montagneuse dont la plaine côtière est essentiellement consacrée à la viticulture et qu'il lui donne plusieurs enfants attachés par leurs noms à ses propres fonctions, il agit avec sa pleine identité de dieu susceptible, par le double aspect de la consommation du vin, d'intégrer l'homme à la cité par l'intermédiaire de la convivialité ou au contraire de le faire sortir de lui-même pour le livrer à ses instincts les plus aveuglément sauvages.

2.5.4. *Epousailles éphémères*

Mais on a dit que certaines variantes de la version racontant les amours divines d'Ariane s'arrêtaient à son mariage. Que dire dès lors de cette relation amoureuse qui, en principe fugitive même si elle est féconde, se transforme dans le cas de la rencontre entre Dionysos et Ariane en une union conjugale ? C'est qu'Ariane, tout d'abord, n'est pas tout à fait la nymphe effarouchée mise en scène dans les mythes qui viennent d'être évoqués. On pourrait tirer un premier argument des hésitations de l'interprétation contemporaine vis-à-vis des scènes citées et dépeignant face à Dionysos une femme tenant dans ses bras deux enfants : Ariane mais aussi peut-être Aphrodite (et non pas Artémis !) [150]. Il est vrai que l'iconographie classique présente volontiers la déesse de la sexualité adulte comme la garante privilégiée du couple formé par Ariane et Dionysos ; et, en l'absence de l'héroïne, dès la poésie archaïque, la divinité de l'amour est souvent convoquée au banquet avec Dionysos pour faire en particulier chorus avec les Muses [151]. Sans doute est-ce dans la mesure où Dionysos intervient auprès des femmes adultes et où il sollicite en particulier l'épouse et la mère qu'il est susceptible non seulement d'entretenir avec Aphrodite une relation d'élection, mais aussi de proposer à Ariane une union consacrée par le mariage [152]. De ce lien conjugal, non seulement la couronne en est l'emblème, mais aussi le *péplos* tissé par les Charites ; c'est le manteau dans lequel, selon les mots d'Apollonios de Rhodes, « le seigneur de Nysa s'était endormi, ivre à demi de vin et de nectar en serrant la belle poitrine de la fille de Minos ». Le manteau divinement parfumé est ici aussi le lieu de l'initiation nuptiale, mais sous le signe de l'ivresse [153]. Union matrimoniale donc, mais dans l'ivresse d'un amour peut-être excessif : elle a toujours pour contexte la célébration du dieu dans la consommation du vin. Sur ces images où, au milieu des pampres et des différents récipients nécessaires au service du vin, le couple idéal est volontiers accompagné de satyres et de ménades, il est d'ailleurs souvent difficile de donner une identité précise à la femme qui est entraînée à la fête des thiasotes ou des banqueteurs : Ariane ou Aphrodite, proposent de nouveau tour à tour les lecteurs de cette riche iconographie [154].

Seul ce cadre de la célébration viticole et vinicole est pertinent pour qui veut tenter de comprendre le rôle joué par le fameux rite athénien de la « hiérogamie » de Dionysos et de la *basílinna*, présenté par de nombreux interprètes comme l'homologue cultuel de l'union mythique entre le dieu et Ariane [155]. Cette étrange union entre la femme de l'archonte-roi et le dieu, fort probablement incarné par son prêtre plutôt que par l'archonte lui-même, était célébrée à l'occasion du festival des Anthestéries ; il faut donc anticiper pour ce rite singulier sur la description d'une festivité qui, développant ses actes de culte sur trois jours, sera réservée au chapitre suivant.

Mais comment suivre le déroulement d'une union rituelle que le secret religieux relègue dans le domaine de l'indicible *(tà árrēta hierá)* ? En effet l'auteur du discours dirigé contre Néaïra dont la fille était parvenue à épouser par l'entremise d'un ruffian le plus haut magistrat de la hiérarchie politique athénienne insiste à longueur d'argumentation sur le respect religieux qu'inspire ce rite *(hágia kaì semná)* dans la mesure même où il en va des fondements de la cité et des coutumes ancestrales *(hupèr tês póleōs, tà pàtria)*. Profaner cet acte de culte institué à la suite du synécisme de Thésée et garanti par une loi gravée sur une stèle déposée dès l'époque archaïque au temple « très saint » de Dionysos aux Marais, c'est commettre la plus honteuse des impiétés. Fille d'une hétaïre et non pas d'un citoyen athénien, considérée par conséquent comme une « étrangère », jamais la fille de Néaïra n'aurait dû être autorisée à prêter le serment des quatorze *gérairai* ; les « vénérables » ou « vénérantes du Dieu », citoyennes, promettaient en effet de se vouer au service de Dionysos à l'écart de toute souillure et notamment de tout contact avec les hommes. On sait seulement qu'au cours de ce rite marqué du sceau du secret comme ceux d'un culte à mystère, l'épouse de l'archonte-roi, après avoir exécuté des sacrifices au nom de la cité et avoir vu l'indicible, devenait la femme de Dionysos. En dépit du caractère adultère de cette relation, peut-être compensé par la stricte chasteté des quatorze matrones, tout le vocabulaire employé par l'auteur du discours pour la désigner en fait une union matrimoniale. Par d'autres sources on apprend que ce mariage *(gámos)* était célébré à côté du Prytanée, dans le Boucoléion, c'est-à-dire dans le lieu de résidence de l'archonte-*basileús*[156].

Mariage donc, mais épousailles d'un jour entourées d'interdits peut-être destinés à éviter la divulgation de leur caractère adultère. Le temple de Dionysos aux marais n'était en effet ouvert que le 12 du mois Anthestérion ; on verra que cette date correspond à la journée de la célébration du vin dans le rite des Choès. Ce jour-là, au cours d'une procession dont on croit pouvoir identifier la représentation dans l'iconographie, Dionysos était introduit au cœur même de la cité, à bord d'un navire qui, bien que monté sur des roues, dit bien l'origine extérieure du dieu. Son union conjugale avec la Basilinna, renforce doublement son intégration à la cité : par l'institution qui constitue le pivot du système de reproduction du corps des citoyens et en faisant du dieu le substitut de l'archonte-roi. Mais, marquée du secret, l'union est éphémère ; comme le vin des Anthestéries, elle porte en elle la possibilité, que Dionysos offre en Grèce aux femmes des citoyens, de la fuite vers l'extérieur, à l'écart des contraintes imposées par la vie de la société civique[157].

L'amour que Dionysos porte à Ariane est marqué de la même ambivalence : il confère à la fille de Minos l'identité de la femme adulte tout en la plaçant sous le pouvoir d'une Aphrodite susceptible, par la passion aveugle dont elle détient le contrôle, de la faire sortir d'elle-même. Vin et puissance d'éros, moyens de la possession divine, offrant les mêmes possibilités de délire et d'aliénation dans la passion. Le profil d'Ariane est bien différent de celui de l'ancienne « divinité de la végétation » dont le caractère égéen ou minoen a pu sembler confirmé par la mention dans les tablettes en linéaire B d'un *Di-wo-nu-so-jo* et surtout d'une hypothétique *po-ti-ni-ja Da-pu-ri-to-jo*[158]. Emmenée dans le thiase dionysiaque par l'intermédiaire de la cérémonie matrimoniale, Ariane incarne la duplicité de l'éros conjugal de la femme adulte, amour consacré par l'institution, mais susceptible de dépassement. Thésée détient désormais seul, dans la retenue protégée par Athéna, les moyens techniques de juguler le déchaînement de ces forces sauvages[159].

2.6. Délos ou la sublimation apollinienne

A quelques milles marins de Naxos, l'île de Délos accueille les sept jeunes gens et sept jeunes filles compagnons de Thésée, gommés de l'étape précédente par la focalisation du récit sur la fille de Minos ; sans cependant qu'Ariane ne soit à son tour la victime de cette réapparition. L'amour de l'héroïne pour le jeune Athénien perdure en s'incarnant dans le xoanon d'Aphrodite sculpté par Dédale, transmis à Ariane et finalement consacré par Thésée probablement dans le sanctuaire d'Apollon.

Le légende de fondation fait de Délos un territoire entièrement consacré à un dieu qui, voyageur à l'instar de Dionysos, porte comme lui une affection particulière aux îles. Son domaine, c'est celui de la mer Egée et de son pourtour en un périple qui débute en Crète pour s'achever tout près de Naxos, à Délos. Au centre géographique de cette étendue marine, cette terre rocailleuse et battue par les vents est précisément disposée à accueillir la naissance du dieu ; le sol de la petite île ne se prête en effet ni à l'élevage, ni à l'agriculture, ni à l'arboriculture ou à la viticulture. Mais parmi ces activités civilisatrices de l'homme va se développer sur le territoire de Délos la plus haute d'entre elles : le culte rendu aux dieux, en particulier à Apollon. Ce culte est constitué non seulement de sacrifices, mais surtout de concours musicaux animés par les Ioniens réunis sur l'île une fois tous les quatre ans ; réjouissances dans le chant et la danse, par la suite assez nombreuses pour susciter la création d'un chœur permanent de jeunes Déliades qui deviennent les servantes d'Apollon. Apanage du dieu, l'activité chorale et musicale imprègne Délos à tel point qu'un poète héllénistique en fait l'expression métaphorique de sa position géographique : conformément à leur dénomination les Cyclades entourent Délos comme d'un chœur circulaire [160].

En communion constante par les sacrifices et par les concerts choraux avec les réjouissances des dieux, Délos l'odorante se trouve donc au centre du domaine apollinien, mais aussi du territoire cultuel ionien. Et l'histoire nous apprend qu'à mesure qu'Athènes étend sa domination sur ces anciennes fondations égéennes, Délos est élevée au rang de centre religieux de « l'empire » ; elle en devient en quelque sorte l'Acropole. Thucydide l'a bien perçu, lui d'habitude si peu sensible aux manifestations religieuses. Ainsi la purification de Délos, probablement à la suite de la peste qui a ravagé Athènes, trouve sa place parmi les événements politico-militaires qui ont marqué l'année 425. Occasion pour Thucydide non seulement de préciser que l'île avait été purifiée une première fois à l'instigation de Pisistrate qui en avait déjà éliminé les tombes, mais de décrire aussi la réunion gymnique et musicale des Ioniens et des insulaires voisins, transformée par les Athéniens dans le festival des Délia. Et de citer à l'appui de cette brève histoire de la grande festivité délienne les vers de l'*Hymne homérique à Apollon* attestant du caractère musical du culte, en particulier dans la présence du chœur des Déliades [161]. La mainmise progressive d'Athènes sur le culte d'Apollon délien est évidemment à mettre en relation avec la constitution de la Ligue maritime ; son trésor est déposé à Délos dès 478 pour être transféré à Athènes en 455, par l'intermédiaire du collège des amphictyons, tous Athéniens. Le contrôle de la cité sur l'île se traduit en 425 par la purification mentionnée et en 422 par l'expulsion de tous les Déliens ; il se poursuit après l'effondrement de l'empire à l'issue de la guerre du Péloponnèse puisqu'en 399 en tout cas, les Athéniens envoyaient encore à Délos la théorie qui, attachée à la légende de Thésée, retarda de quelques jours la mort de Socrate et que dès 394, on les voit reprendre l'administration du sanctuaire d'Apollon [162].

La légende est donc doublement habilitée à faire de Délos une étape capitale dans l'itinéraire du héros athénien. Elle ne pouvait en effet pas omettre de faire séjourner Thésée en un lieu de culte qui, au moment même où le récit se développe (on y reviendra), est pratiquement intégré au territoire cultuel d'Athènes. Dès le milieu du vᵉ siècle, les Délia sont une étape essentielle du cycle des festivités de la cité comme le prouve l'interdit rituel qui accompagnait l'envoi annuel de la *theōrís*. Or, à Délos on honore essentiellement le Destinateur même de l'expédition crétoise, cet Apollon qui, en un site purifié de toute trace de mort, est aussi bien l'instigateur du crime que le purificateur du sang versé [163]. Délos représente ainsi la première étape du retour vers le domaine d'Athènes, sous la houlette du dieu protecteur par excellence, en un territoire non plus partagé entre vignes et forêts, mais tout entier voué à la vénération sacrificielle et musicale des dieux : entre danses et banquets, à l'écart des marques de la mort, on y partage périodiquement le mode de vie de la divinité. A Naxos, on se trouvait encore sur un territoire de la marge ; à Délos on rejoint un premier centre, privilégié par les dieux. Du point de vue narratif, ces deux étapes de l'itinéraire théséen sont à la fois alternatives et complémentaires.

Quelle est la place réservée à Aphrodite en ce site consacré à la communication ordonnée et contrôlée entre hommes et dieux olympiens ? Cela a été précisé, légende et rite s'accordent pour insérer les honneurs déliens rendus à la déesse de l'amour, aussi bien du point de vue spatial que dans leur déroulement rituel, dans le culte d'Apollon. Destinateur du héros athénien après ce dieu, l'Aphrodite assise sur le bouc au Phalère avec son ambivalence sexuelle, l'Aphrodite bisexuée de Chypre et l'Aphrodite de l'amour fou consacrant à Naxos les noces d'Ariane avec le dieu du vin semblent toutes trois tomber à Délos sous le contrôle du dieu de la mesure rythmée. La légende s'est employée à tisser des liens étroits entre Aphrodite telle qu'elle est vénérée à Délos et l'itinéraire théséen : œuvre de Dédale, son xoanon est un cadeau d'Ariane dont la proximité avec la déesse n'est désormais plus à dire ; et la danse de la grue, après le déplacement spatial que l'on a analysé, ne fait que célébrer la victoire de l'Athénien sur le Minotaure et les méandres trompeurs de sa demeure.

Intégrée de manière très exceptionnelle dans un cadre apollinien, l'institution par Thésée du festival des Aphrodisia marque à Délos la fusion des deux isotopies, sexuelle et musicale, que l'étape de Naxos avait disjointes. Elle introduit donc dans le récit une continuité entre deux moments qui, fondamentalement, entretiennent l'un par rapport à l'autre une relation d'alternance. Laissant à Naxos, aux mains de Dionysos, l'aspect de possession que peut présenter la sexualité adulte, la légende consacre à Délos, à travers les honneurs que Thésée et ses compagnons rendent à Aphrodite, son aspect ordonné et intégrateur, sous l'œil vigilant d'Apollon [164]. Si consommation du vin et pratique de la musique sont comprises en Grèce comme deux formes de l'enthousiasme inspiré par la Divinité, la première est susceptible de débrider dans la sexualité les pulsions que la seconde soumet au contraire à la stricte ordonnance du rythme. De cette mesure imprimée à l'instinct sexuel adulte dans l'organisation civique garantie par Apollon, l'alternance des jeunes filles et des jeunes gens du chœur mixte de Thésée donne une image visuelle frappante. A Naxos, il s'agissait de faire l'amour ; à Délos on célèbre l'achèvement de sa formation dans la danse et la musique.

Pratiquement au terme de son parcours, Thésée rend ainsi à deux de ses Destinateurs un hommage qui le désigne dans sa qualité de quasi-adulte, mais aussi de quasi-roi. La transformation des valeurs sémantiques ainsi opérée par le mythe est en quelque sorte confirmée sur le plan cultuel par l'institution mentionnée des Théséia déliennes. Ce processus de report à Délos du culte consacrant l'héroïsation du protagoniste de la légende fait bien de l'étape dans l'île une préfiguration de son retour triomphal à Athènes.

2.7. Athènes et la configuration polythéiste

Sans qu'il soit vraiment possible de déterminer lequel est premier par rapport à l'autre, il est probable que la singularité de la réalité rituelle délienne avec son intégration des Aphrodisia dans le culte d'Apollon a permis dans la légende la coïncidence au niveau sémantique profond des isotopies qui semblaient diverger sur le plan superficiel des acteurs du récit. En retour, c'est peut-être la diffusion de la légende et du culte dont Thésée est peu à peu l'objet qui est à l'origine de la célébration à Délos même de Théséia. Mais il faut attendre le retour sur le sol d'Athènes pour assister à la véritable synthèse, par fonctions polythéistes interposées, des valeurs sémantiques mises en jeu par les différentes versions de l'épisode crétois. En dépit des incohérences logiques repérées dans la relation de la légende avec le culte, on constate qu'à l'exception d'Aphrodite, le récit réunit pour le retour du héros dans la cité de son père tous les dieux ayant participé à l'action qu'il a mise en scène[165].

Mais déroulement des séquences proprement rituelles et développement de la syntaxe narrative de la légende sont, par le jeu de l'aïtion, à tel point dépendants l'un de l'autre tout en divergeant fondamentalement que l'étude des fonctions divines mises en jeu par cette ultime étape de l'épisode mythique doit être renvoyée à l'analyse du complexe rituel qui lui a été rattaché. En attendant d'aborder par le biais du culte la configuration contrastée des divinités associées au retour de Thésée, c'est provisoirement l'organisation de l'espace, point de rencontre entre les acteurs et leurs

Destinateurs, qui fournira le terrain le plus propice pour nourrir quelques remarques conclusives sur le développement sémantique de la légende.

3. Les deux versants d'une biographie

Étrange itinéraire que celui suivi par ce périple théséen ! C'est en tout cas celui d'un héros destiné dès l'adolescence au voyage et aux incursions en terre étrangère. Car l'expédition maritime de Thésée se distingue non seulement de sa contrepartie terrestre, mais aussi des nombreuses expéditions au-delà des frontières de la patrie qui marquent la seconde partie de la biographie du héros. Ce contexte narratif fournit donc encore une fois à l'analyse contrastive des conditions privilégiées dans la définition de la spécificité spatiale de l'entreprise crétoise. Ce sera le prétexte d'un retour sur les valeurs spatiales du trajet de l'adolescent de Trézène à Athènes − cela va sans dire −, mais également celui d'un parcours projectif dans la biographie de l'adulte : occasion, en bonne méthode structurale, de présenter la narration biographique dans l'ensemble de son déroulement. Les figures spatiales de l'épisode crétois ne peuvent se définir qu'en relation avec son avant et son après.

3.1. Premier volet : cheminement et circuit convergents

La circularité du parcours crétois s'oppose vivement à la linéarité de sa contrepartie terrestre, ou en tout cas de sa première séquence. De Trézène à Athènes, ce premier cheminement conduit un Thésée adolescent d'une cité où il était éduqué par sa mère au futur emplacement du sanctuaire d'Apollon Delphinios où son père, le roi, reconnaît sa légitimité [166]. De bâtard, Thésée accède au statut d'Athénien qui lui permettra de succéder à son père, et cela après une confrontation, à travers des régions marginales et ensauvagées d'une Attique étendue, avec la force brute de monstres inhumains. La projection sur la conduite de la biographie légendaire du héros du schéma tripartite propre aux rites de l'ini-

tiation tribale semble indéniable, si l'on se contente de la simplifi-
cation que signifie une telle représentation. On le verra, la construction légendaire est en réalité plus subtile qui fait franchir à
Thésée, jusqu'au cœur d'Athènes incarné dans le palais de son
père, non pas une, mais plusieurs frontières [167]. Le récit de l'accession du héros à la légitimité, loin de se laisser réduire au schéma
d'un rite d'initiation, se transforme en une réflexion sur les limites
légendaires du royaume, et par conséquent sur les frontières de la
cité. Déjà dans cette phase du récit, sous les figures des degrés de
maturité, de la légitimité et peut-être du drame initiatique, c'est le
thème de la formation politico-civique par contraste avec la sauvagerie qui se trouve fonder les valeurs sémantiques mises en jeu
par la narration légendaire. On relèvera d'ailleurs que cette transition de l'extérieur vers l'intérieur pour aboutir à une légitimation
civique et politique, incarnée selon l'expression de Plutarque dans
le « cheminement pédestre du Péloponnèse à Athènes », est
encore inscrite dans la généalogie même du héros. Si la double
paternité dont bénéficie Thésée fait du héros à la fois le fils du roi
d'Athènes et le fils du fondateur divin de la terre de l'Attique,
l'ascendance de sa mère Aïthra en fait — rappelons-le — un
arrière-petit-fils de Pélops, le héros éponyme du Péloponnèse [168].

Après la linéarité transitive du voyage terrestre, la circularité du
périple doublée de la circularité du parcours à l'intérieur du Labyrinthe lui-même. L'épisode crétois trace en effet un itinéraire spatial qui, après l'étape du Prytanée, prend son point de départ religieux au sanctuaire d'Apollon Delphinios pour reconduire les
jeunes Athéniens et leur héros à Athènes, dans un temple
d'Apollon que sa relation avec le rite du Pyanopsies permet
d'identifier avec le Delphinion. Après les frontières légendaires,
réelles ou supposées des territoires continentaux contrôlés par
Athènes, c'est l'une des limites de l'« empire » maritime de la cité
qui fait l'objet de l'exploration mythique, avec un passage par son
centre religieux, Délos, où l'on retrouve Apollon. Etant donné le
statut d'éphèbe désormais atteint par le héros, les figures de la
maturité prennent dans cet épisode une couleur plus nettement
sexuelle, marquée par les touches qu'y apportent Aphrodite et
Dionysos. Mais la présence constante d'Apollon est là pour
affirmer le rôle fondamental joué par le thème de la formation
politico-civique ; un thème qu'incarne aussi la réception des rescapés par Athéna (sur terre) et la reconnaissance de la légitimité

du héros par Poséidon (dans la mer). Les figures transitives évoquant l'initiation sont définitivement abandonnées au profit de la confirmation d'un statut déjà présent en puissance dans la reconnaissance du fils par son père ; et ce par le passage dans un territoire qui, même situé en pleine mer, reçoit une figure certes fruste et ambivalente, mais qui est loin d'incarner les valeurs de la sauvagerie absolue [169].

Et entre ces deux parcours s'insèrent les incursions de Thésée vers les limites du territoire de l'Attique proprement dite et de ses trois parties constitutives. Entre itinéraire linéaire transitif et voyage circulaire s'insèrent donc les trajets rayonnant à partir du même point, centre de la reconnaissance civique : le sanctuaire d'Apollon Delphinios. Nouvelles confirmations des valeurs politico-civiques acquises dans le parcours transitif et reconnues dès l'arrivée au centre d'Athènes.

3.2. Le moment du passage : le suicide d'Egée

Au-delà des isotopies figuratives de la maturité physiologique, de la légitimité, de la sexualité ou de l'éducation dans l'exercice de la musique et de la lutte athlétique, sans doute est-ce sur le plan spatial que s'expriment le mieux les transformations dont le thème de la formation civico-politique est le support dans l'épisode crétois. Et l'acte le plus significatif de ce point de vue, après l'affrontement avec Minos par l'intermédiaire du Minotaure, c'est le suicide d'Egée. Ouvrant de fait au héros l'accès au pouvoir royal sur Athènes, la mort du père réalise en particulier sa valeur politique dans le parcours spatial que dessine son accomplissement. En se jetant soit du haut de l'Acropole, soit dans la mer à laquelle il donne son nom, Egée laisse à son fils le règne sur la partie terrestre du royaume et sur le lieu qui constitue son centre politico-religieux en ce temps de la légende. En admettant la version attestée tardivement du suicide « maritime » d'Egée, on pourrait même aller jusqu'à penser qu'en rejoignant symboliquement le domaine de Poséidon, le vieux roi permet à son fils d'étendre son pouvoir sur terre, aux côtés d'Athéna.

Mais si le suicide d'Egée représente sans aucun doute le faire opératoire qui insère l'épisode crétois dans la catégorie des mythes de succession, pourquoi est-il provoqué par l'oubli du fils ? On ne peut indiquer ici qu'une direction de recherche. Tout en atténuant les modes du meurtre opérant la succession et en effaçant la responsabilité directe de Thésée dans un acte pour lequel Cronos, puis Zeus nous ont habitués à davantage de violence, l'oubli semble intervenir parfois dans les légendes de fondation de terres et de villes nouvelles [170]. N'est-ce pas précisément à la fondation sinon d'une cité, en tout cas d'un régime révolutionnaire que va se consacrer le héros dès son retour de Crète ? Quoi qu'il en soit, par la substitution spatiale qu'il implique, le suicide de l'ancien roi exprime la complémentarité de la terre et de la mer, sous l'égide d'Athéna et de Poséidon, dans le pouvoir qui s'exerce du haut de l'Acropole d'Athènes.

Que le retour de Crète marque bien le terme d'un parcours et le début d'une ère nouvelle, c'est aussi l'institution des Théséia qui le marque fortement : non seulement dans cette sanction du héros par lui-même, non seulement dans la coïncidence de leur date avec le jour consacré à Poséidon, mais surtout dans un processus d'héroïsation attaché à un exploit avant d'être consacré – apparemment plus régulièrement – par la mort du nouveau roi. Toute la première partie de la carrière athénienne de Thésée était centrée sur le Delphinion, l'un des points névralgiques du développement ancien, « mycénien », d'Athènes. La situation de son tombeau, dont l'érection marque la transition vers la seconde partie de la biographie, nous transporte du côté du centre de l'extension nouvelle de la ville, extension solonienne, pisistratide, puis clisthénienne [171]. Cette apparente coïncidence entre le déplacement spatial marqué par le passage de la jeunesse de Thésée à l'âge adulte et la mutation locale effective que subit le centre d'Athènes dans le courant du vie siècle se retrouvera à l'ordre du jour du dernier chapitre.

3.3. Second volet : divergences internes et externes

La situation exceptionnelle de la consécration de Thésée au centre du nouvel espace civique athénien trouve donc en quelque sorte son correspondant dans l'articulation en diptyque de sa biographie. Le retour de Crète, commémoré avant même la mort du héros sur l'aire qui constituera le centre politique de la ville dès la fin de l'époque archaïque, marque en effet l'apogée de sa carrière héroïque. Parvenus à ce sommet, la bonne méthode sémio-narrative nous invite à suivre, même si le caractère restreint de cette étude contraint aux grandes enjambées, la seconde partie de la biographie théséenne ; on privilégiera comme au début le parcours élaboré par Plutarque tout en montrant à l'occasion les singularités de son tracé. Donc, avant l'approche sémantique des cultes et pour mieux engager l'analyse historique des multiples strates d'une légende complexe, bref retour à la syntaxe narrative destiné à achever l'itinéraire proposé par la vulgate théséenne ; sans oublier la dimension sémantique considérée essentiellement dans ses valeurs spatiales.

3.3.1. Le partage du pouvoir

Dans l'institution de sa compétence d'acteur narratif, Thésée s'est révélé être le champion de l'auto-manipulation. Le deuxième volet du récit légendaire reprend le même mode d'engagement ; avec la manipulation par Thésée lui-même d'une séquence portant sur la réorganisation politique d'Athènes.

Mais, alors que les séquences précédentes concouraient toutes à mettre dans les mains du héros le pouvoir royal détenu par Egée, la séquence nouvelle va précisément procéder à la redistribution de la puissance politique que l'on a déjà mentionnée. Et ce en un double mouvement d'unification, puis de dispersion, retraçant en somme l'inverse du parcours dans le Labyrinthe : à l'opération de synécisme engagée par Thésée succèdent dans le récit plutarchéen l'abdication du héros en tant que roi et la cession de son pouvoir politique aux aristocrates. A l'unification des bourgs de l'Attique en une seule cité, à l'édification d'un Prytanée et d'un Bouleutérion communs (situés dans la même zone que le Théséion !) et à la consécration religieuse de cet acte politique par l'institution des Panathénées et des Synoïkia, la légende reprise par Plutarque fait donc succéder l'*isomoiría* ; Thésée procède à la répartition des charges politiques et religieuses entre plusieurs responsables qu'il accompagne d'une hiérarchisation du corps des citoyens [172]. Unification spatiale donc pour mieux diviser le pouvoir. A la mort d'Egée se substitue la mort de la royauté, en faveur d'un premier régime démocratique destiné à tourner court avant de connaître, beaucoup plus tard, les réalisations plus durables dont on a parlé ; cet épisode de la légende, qui ne semble pas connaître d'attestation avant la deuxième moitié du ve siècle, n'en est d'ailleurs que la projection. La démocratie théséenne n'aura donc pas de descendance directe de même que le héros lui-même ne trouvera pas parmi ses héritiers de successeur apte à assurer la continuité du système politique qu'il a élaboré. A l'intégration succède donc immédiatement le morcellement ; le passage narratif entre ces deux phases de l'action politique du héros est marqué dans le récit de Plutarque par l'auto-sanction que représente l'abdication du héros, immédiatement suivie de la manipulation incarnée dans sa consultation volontaire de l'oracle de Delphes. Mais pour l'ensemble de la séquence, pas de sanction ; attendons !

3.3.2. *Les extensions territoriales*

Après la création d'une cité unique, mais au pouvoir partagé, l'extension du territoire ; en un développement narratif qui se dédouble et qui, autant spatialement que dans la sanction qui l'achève, inverse celui de la première partie du récit. Dans ce double mouvement narratif sont d'abord intégrés à l'Attique les territoires au statut marginal traversés dans le parcours terrestre suivi par Thésée pour parvenir à Athènes. Après l'accession de Thésée au pouvoir, la frontière entre « le Péloponnèse et l'Ionie », comme le précisait la stèle qui s'y dressait, est fixée à l'Isthme ; elle reçoit sa consécration dans l'institution par le héros athénien des Jeux Isthmiques, pendant poséidonien des Jeux Olympiques célébrés en l'honneur de Zeus[173].

Puis, parallèlement au mouvement spatial imprimé à la première partie du récit, les tentatives d'élargissement du territoire sous contrôle athénien, d'abord terrestres, se poursuivent sur le plan maritime. Poètes et imagiers s'ingénient en effet à faire participer Thésée à la fameuse expédition qu'Héraclès lance dans le Pont-Euxin contre les Amazones ; le héros athénien apporte ainsi son concours à l'Amazonomachie qui se déroule sous les murs de Thémiscyra, la capitale établie par les femmes soldates près du Thermodon. C'est de là que le héros emmène Antiope par un acte de rapt dont le récit a probablement connu un développement autonome, antérieur à l'intégration du héros athénien au combat conduit par Héraclès[174]. Quoi qu'il en soit de la variété des versions de cet épisode, l'incursion théséenne dans le Pont-Euxin tend à inscrire dans la légende la limite nord du futur « empire » athénien ; de même a-t-on vu l'expédition de Crète coïncider avec sa limite méridionale.

De plus, en créant un manque narratif, le rapt d'Antiope joue le rôle de mobile, de motivation (*próphasis*, dit Plutarque) à la fameuse expédition des Amazones contre Athènes ; de là une seconde Amazonomachie. Peut-être issu d'un récit antérieur à la formation de la légende spécifiquement athénienne de Thésée, il s'agit en tout cas d'un épisode que l'iconographie et les textes centrent peu à peu sur Athènes. Le mouvement semble prendre naissance dans les années qui suivent Salamine, quand l'Amazonomachie d'Attique devient l'emblème même de la lutte des Athéniens contre l'envahisseur perse. Analogie forcée sur le plan des « faits » puisqu'au contraire des Athéniens de 480, Thésée ne réussit à l'issue de la bataille qu'à conclure un traité avec les soldates venues du nord pour faire de l'Aréopage un camp fortifié. La plupart des Amazones tombées suivant la légende au cours de l'expédition contre l'Attique furent d'ailleurs l'objet d'honneurs funéraires dans les différents territoires où elles avaient combattu et trouvé la mort ; ainsi à Athènes même la célébration des Théséia était précédée d'un sacrifice destiné aux Amazones [175]. Au lieu d'une victoire franche aboutissant à la destruction du monstre comme en Crète, le combat mené par Thésée adulte se solde par la conclusion d'un contrat ; la forme équilibrée qu'assume ainsi la sanction de l'épisode représente le correspondant sur le plan de la politique extérieure des mesures de partage du pouvoir prises sur le plan intérieur. Pour Thésée, elle marque la poursuite du reflux politique.

3.3.3 Echecs amoureux

Comme dans le premier versant du récit, thème civico-politique et isotopie de la sexualité constituent chaîne et trame fabriquant le tissu sémantique de son second versant. Victime d'un rapt, mais aussi − suivant les versions − don de reconnaissance ou objet de l'amour réel du héros dans l'établissement de relations hospitalières, l'Amazone Antiope connaît de la part du héros adulte le traitement que le jeune homme n'a pas été en mesure d'accorder à Ariane la Crétoise : ni abandon, ni refus du mariage, mais une liaison stable, au centre d'Athènes, dont naît un fils, Hippolyte. On peut, comme semblait le faire la *Théséide* lue par Plutarque, opérer une inversion syntaxique et faire précéder l'invasion de l'Attique par les Amazones du mariage de Thésée avec la sœur d'Ariane : avec la jalousie, on donne alors aux femmes guerrières un mobile nouveau à leur expédition contre Athènes. Quoi qu'il en soit de leur ordre de succession, la liaison adulte de Thésée et son mariage entretiennent une relation étroite puisque, par l'intermédiaire d'Hippolyte, le caractère fécond de l'une entraîne la ruine de l'autre. Sanction : la mort d'Hippolyte, par la volonté d'Aphrodite si l'on en croit la version euripidéenne, et pour Thésée, la disparition de son premier héritier direct [176].

Et même du côté de la légitimité du mariage, les versions classiques et athéniennes de la légende gardent un silence étrange sur Acamas et Démophon, les deux fils légitimes qui seraient nés de l'union de Thésée avec Phèdre. Les poèmes du cycle épique les font pourtant participer à la guerre de Troie en même temps que Ménesthée, le roi rival du héros de la démocratie ; d'autre part, Acamas connaît une fortune cultuelle et légendaire extraordinaire dès la fin du VIᵉ siècle grâce à sa promotion comme héros éponyme de l'une des tribus instituées par Clisthène. Mais ni Acamas, ni Démophon ne semblent avoir repris l'œuvre de leur père, même si le second sera appelé à succéder à Ménesthée [177].

Par ses liaisons successives avec Antiope et avec Phèdre, Thésée unit dans la réalisation amoureuse et matrimoniale de l'adulte les limites septentrionale et méridionale du futur « empire » athénien ; mais les tentatives théséennes pour s'assurer une descendance sont appelées à connaître les mêmes difficultés que ses interventions sur le plan politique et civique. Ces échecs du héros amoureux finissent par porter atteinte à la transmission de la légitimité péniblement acquise dans le premier volet de la légende.

3.3.4. Amitié par le rapt

Les rédacteurs et les récitants successifs de *Théséides* semblent s'être employés à insérer Thésée dans la plupart des entreprises héroïques du moment : chasse au sanglier de Calydon, expédition des Argonautes, campagne des Sept contre Thèbes, installation des Héraclides dans le Péloponnèse. Ces collaborations diverses reçurent la sanction de deux dictons emblématiques : « rien sans Thésée », qui représente « un second Héraclès » [178]. C'est dans cette succession que se situe la participation de Thésée à la

Centauromachie ; plus encore que l'Amazonomachie, il s'agit d'un épisode extérieur, attesté déjà dans l'*Iliade* et l'*Odyssée*, et probablement intégré à la légende théséenne par l'intermédiaire de la séquence de l'amitié avec Pirithoos, le roi du peuple légendaire des Lapithes. Amitié qui est encore une fois le résultat d'une procédure de partage et de conciliation après l'incursion provocatoire de Pirithoos sur le territoire de Marathon et sa tentative d'enlever les bœufs de Thésée. Des fresques de l'hérôon consacré à Thésée dès 475 au programme iconographique du Parthénon conçu par Phidias, Amazonomachie et Centauromachie ont en tout état de cause contribué pendant tout le ve siècle athénien à figurer la lutte héroïque du peuple d'Athènes contre l'envahisseur barbare [179].

Ainsi, le manque provoqué par l'incursion de Pirithoos sur le territoire de l'Attique définit à nouveau la compétence du héros athénien sur le mode de la conciliation et par conséquent dans la modalité du savoir-faire plutôt que selon celle du pouvoir. De ce type de compétence, les conséquences sur le plan de la performance vont se révéler à la longue funestes. Après la victoire remportée sur les Centaures qui voulaient empêcher le mariage de Pirithoos avec Hippodamie, le contrat fiduciaire passé entre le Lapithe et l'Athénien conduit en effet les deux héros à deux actes d'*húbris* : l'un est commis à l'égard des Lacédémoniens par l'enlèvement d'Hélène, alors une petite fille non pubère ; l'autre à l'égard des dieux par la tentative du rapt de Coré, la fille de Déméter. Même dans l'effort réel d'atténuation évhémériste présenté par Plutarque qui humanise Coré en faisant de la jeune vierge la fille du roi des Molosses Aïdôneus, la réciprocité de ces deux coups de main présomptueux est assurée par une nouvelle promesse d'aide mutuelle passée entre l'Athénien et le Lapithe. Parions que si les deux actes formant cette nouvelle séquence sont déjà présents dans les poèmes du cycle épique et si, dans l'iconographie comme dans la littérature, ces deux moments connurent une diffusion panhellénique, l'incursion de Thésée à Lacédémone, avec les conséquences qui s'en suivirent, prit probablement dans le contexte du conflit qui pendant tout le ve siècle opposa Athènes à Sparte un relief singulier [180].

Dans ce même mouvement d'insertion de séquences légendaires de portée panhellénique dans une perspective plus strictement athénienne, on peut s'imaginer que faire dépendre la participation du héros à la Centauromachie et le rapt d'Hélène d'un contrat d'amitié passé avec Pirithoos revenait à donner à la légende athénienne de Thésée une dimension nouvelle, d'ordre historique davantage que spatiale. Les Lapithes constituent en effet ce peuple thessalien d'origine ancienne dont les représentants interviennent dans toutes les grandes entreprises précédant la guerre de Troie, de la chasse au sanglier de Calydon à l'expédition des Argonautes en passant par les joutes pour Pélias et les entreprises d'Héraclès. Combattre aux côtés des Lapithes, c'est acquérir les titres de noblesse dont se réclamèrent aussi bien les Cypsélides de Corinthe que les Philaïdes d'Athènes en rattachant la généalogie de leur *génos* à un Lapithe [181].

La double tentative de rapt auprès de jeunes filles sur lesquelles ils n'ont aucun droit se solde pour les deux héros engagés dans un contrat d'assistance mutuelle par un double échec. Dans une première phase de la sanction, Thésée et Pirithoos sont retenus dans les Enfers, prisonniers d'Hadès. Que Pirithoos ait été condamné à rester enchaîné sur son trône infernal ou qu'il ait été donné en pâture à Cerbère, Thésée ne dut quant à lui son salut qu'à l'intervention d'Héraclès [182]. Dès l'époque classique en effet, la nécessité s'impose de confronter le héros athénien, avant sa disparition, à la sanction de sa propre présomption.

3.3.5. *Mort et héroïsation*

C'est ainsi que l'enlèvement de la petite Hélène provoque non seulement l'invasion de l'Attique par les Dioscures, mais surtout à la faveur du séjour de Thésée aux Enfers, le retour de Ménesthée : ce petit-fils d'Erechthée n'aura rien de plus pressé que de rétablir le pouvoir des seigneurs aristocrates dans chaque dème de l'Attique tout en s'attribuant implicitement quant à lui le pouvoir central, abandonné par Thésée à peine l'eut-il constitué. C'est en effet sur ce double renversement contradictoire de l'œuvre politique de Thésée que débouche la biographie rationalisante construite par Plutarque : sans doute l'historiographe est-il obligé de tenir compte du fait que l'*Iliade* présente Ménesthée comme le roi unique de l'Attique et le chef du détachement des combattants athéniens sous les murs de Troie [183]. Et à l'anéantissement des mesures de synécisme et de partage du pouvoir promulguées par le roi démocratique s'ajoute la mise en cause de sa politique d'expansion du territoire national puisqu'à l'issue de leur invasion et de la destruction d'Aphidnaï, les Dioscures, peut-être appelés par Ménesthée lui-même, sont accueillis au centre d'Athènes où ils furent désormais l'objet d'honneurs cultuels [184].

Le rapt d'Hélène conduit donc à l'échec de Thésée sur les deux plans fondant la cohérence sémantique de l'ensemble de sa biographie légendaire ; échec amoureux, mais aussi échec d'une politique tant dans son aspect extérieur qu'intérieur. Sanction pour Thésée qui, ramené des enfers par Héraclès, tente de reprendre la direction d'un peuple désormais en proie à la *stásis* : l'exil. L'une des versions de la légende n'hésite pas à en accentuer le caractère dramatique en faisant de Thésée la première victime de la procédure d'ostracisme dont (anachroniquement) la légende lui attribuait l'initiative. Au champion de l'auto-manipulation, au champion du retournement contre eux-mêmes des moyens criminels mis en œuvre par ses adversaires les monstres, au champion du renoncement qui, parvenu au terme de sa carrière, consacre à Héraclès une partie de ses propres sanctuaires revient donc une sanction qui prend à son tour la figure du revirement. Sa mort n'est dès lors plus qu'un accident et on ne s'étonnera pas de la voir déplacée sur l'île très exotique de Scyros dès que, vers 475, dans l'opération d'héroïsation sur laquelle on va revenir, Cimon eut fait rapporter de ce lieu des confins les ossements supposés du grand homme. Associée par l'étymologie de sa dénomination à la pierre à chaux, Scyros risque bien de n'être que la métaphore lointaine de ces terres calcaires que sont les Roches Scironiennes, l'île de Salamine ou le Sciron et que l'on verra, aux limites du territoire de l'Attique ou d'Athènes, en relation avec le culte d'Athéna Sciras. Involontaire ou provoqué, le trépas du héros ne pouvait sans doute qu'assumer la figure de celui de son père : Thésée meurt en tombant d'un rocher escarpé [185].

Ainsi s'achève la biographie de Thésée, suivant la ligne descendante amorcée dès le retour triomphal de Crète et l'occupation du trône laissé vacant par Egée. L'évidente coïncidence tracée par la légende entre les modes de la disparition du grand Athénien et la marginalité de l'endroit où elle s'accomplit empêche − on s'en rend bien compte − la réalisation de l'habituel processus d'héroïsation à partir d'une mort en pleine gloire. Rien de surprenant donc à voir la légende rattacher l'élévation de *sêma* et l'institution des jeux funéraires destinés à Thésée à la sanction de l'épisode central de sa biographie et non pas à celui qui la clôt. A cette relation du processus d'héroïsation avec le centre narratif de la légende du héros correspond le « recentrement » spatial engagé par la sanction rituelle que représente le déplacement des ossements du héros de l'île de Scyros vers l'Agora d'Athènes : c'est là qu'il sera désormais célébré.

De la mort légendaire, il ne reste qu'un aspect positif : l'assimilation du héros à son père divin Poséidon marquée par la coïncidence de la célébration des Théséia avec le jour consacré, le 8 Hécatombaïon, au dieu des assises de la terre. Thésée, venu de l'extérieur et mort sur l'un des *éskhata* du territoire contrôlé par Athènes, finit par connaître dès le deuxième quart du ve siècle une sorte de renaissance autochtone ; il est désormais ancré dans le sol de l'Attique, en son centre, dans ce sol dont Poséidon assure la stabilité ; et en concomitance, le culte qui lui est rendu en ce centre territorial et politique opère un retour sur le centre narratif de la biographie légendaire, au moment où, au retour de Cnossos, le thème de la formation politico-civique atteint son sommet. Mais on verra cet ancrage autochtone *a posteriori* assumer les aspects les plus singuliers [186].

NOTES

[1] Plut. *Thes.* 4 ; 5, 1 ; 6, 2 ; Call. *Hec.* fr. 236 Pfeiffer ; Apoll. 3, 15, 7 *(païs)* ; par contre la *Dieg.* 10, 23 *ad* Call. fr. 230 Pfeiffer désigne Thésée au moment de son arrivée à Athènes du terme de *meirákion.* Paus. 1, 27, 8 (qui se fonde sur une histoire locale : *FGrHist.* 607 F 4 ; cette tradition trézénienne situe la rencontre d'Héraclès et de Thésée au moment où ce dernier avait atteint l'âge significatif de sept ans) ; Bacch. 18, 56 s. : Merkelbach, 1973, p. 57 s., commet une erreur quand il assimile l'équipement que Bacchylide attribue à Thésée au moment où il arrive à Athènes avec celui des éphèbes ; ceux-ci portaient en effet un bouclier (Ps. Aristot. *Ath. Pol.* 42, 4 : cf. *infra* n. 7) ; cf. aussi Herter, 1973, col. 1065. Cette même interprétation éphébique est proposée par G. Ieranò, « Osservazioni sul Teseo di Bacchilide (*Dyth.* 18) », *Acme* 40, 1987, pp. 88-103. Paus. 1, 19, 1 : il semble difficile de suivre Graf, 1979, p. 14 s., quand il fait de l'anecdote du Delphinion l'aïtion du rite éphébique de l'élévation des bœufs (cf. Pélékidis, 1962, p. 223) ; le récit est attaché à une classe d'âge différente.

[2] Bacch. 17, 47, 73 et 94 ; cf. Brelich, 1958, p. 127 ss, et Burkert, 1977, p. 319. Eust. *Od.* 1689, 2.

[3] Selon la proposition formulée par Nilsson, 1951, p. 51 ss, et reprise par Taylor, 1981, p. 84 ss ; voir à ce propos les remarques de prudente sémiotique formulées par C. Bérard, « Héros de tout poil. D'Héraklès imberbe à Tarzan barbu » in F. Lissarrague et F. Thélamon, *Image et céramique grecque*, Rouen (Université) 1983, pp. 110-118.

Sur la constitution du cycle, cf. *infra* chap. VI § 1.2. Les aspects qui, pour chaque combat, relèvent de la fable ont été relevés par Radermacher, 1943, p. 268 ss.

⁴ Paus. 1, 39, 3 ; voir aussi sch. Plat. *Leg.* 796a (p. 328 Greene) ainsi que Soph. fr. 730c, 20 Radt (avec l'apparat *ad loc.*).

⁵ La représentation iconographique de Thésée dans ses combats est traitée par Herter, 1973, col. 1064 ss ; pour le détail, voir Brommer, 1982, p. 3 ss avec les pll. 11, 12 et 13. Pour la tradition littéraire tardive, voir Apoll. *Epit.* 1, 9, Stat. *Theb.* 12, 669 ss et *Anth. Lat.* 732, 21. Thésée inventeur du pancrace : sch. Pind. *Nem.* 3, 27 (III, p. 46, 18 ss Drachmann) et 5, 89 (III, p. 98, 12 ss Drachmann).

Pour le combat contre le taureau de Marathon, également accompli à mains nues, cf. Herter, 1973, col. 1986 ss, et Brommer, 1982, p. 28 ss ; une rare mise à mort du taureau par l'épée est réservée à l'époque archaïque. Lutte contre les Pallantides : cf. *supra* chap. II § 1.3.7. Quant à la spécificité du combat contre le Minotaure, cf. Herter, 1973, col. 1118 ss, et Brommer, 1982, p. 42 ss.

On remarquera que dans les scènes classiques figurant la réception qu'à Athènes Egée réserve à son fils, celui-ci est en général représenté avec la chlamyde et le pétase : cf. *LIMC Aigeus* 29, 31, 33, 36 et 37 (ces deux dernières scènes étant aussi à interpréter comme des représentations de l'arrivée et non pas du départ du héros). Sur l'éphébisation de Thésée dans l'iconographie, voir Herter, 1939, p. 312 s.

⁶ Comparer Bacch. 18, 31 ss à 17, 14 s., 47 et 94. Le sens particulier du chapeau auquel renvoie le terme de *kunéa* est étudié par Herter, 1973, col. 1065, et par Barron, 1980, p. 5 n. 4. Il est vrai par ailleurs que les imagiers représentent Thésée en visite chez ses parents divins comme un *païs*, vêtu d'un chiton court serré à la taille, quand il n'est pas figuré nu : cf. S. Kaempf-Dimitriadou, « Amphitrite », *LIMC* I. 1, Zürich - München (Artemis) 1981, pp. 723-735, et Herter, 1973, col. 1108. Pour la signification du chiton court, cf. M. Bieber, *Entwicklungsgeschichte der griechischen Tracht*, Berlin (Mann) ²1967, p. 29.

⁷ Ps. Aristot. *Ath. Pol.* 42, 4, avec le commentaire de Pélékidis, 1962, p. 113 ss, et de Rhodes, 1981, p. 508 ; cf. aussi Antid. fr. 2 (II, p. 410 Kock) et Poll. 10, 16. Sur l'ambiguïté du statut de l'éphèbe, voir Vidal-Naquet, 1983, p. 151 ss ; le caractère mixte de l'équipement de l'éphèbe correspond mieux à celui de Thésée pendant l'expédition de Crète qu'à celui qu'il porte dans le parcours entre Trézène et Athènes : *pace* Merkelbach, 1973, p. 57 ss.

IG II/III², 2291a, 41 ss ; ce texte semble citer aussi les hauts faits de Thésée dans sa lutte contre les monstres de l'Isthme.

⁸ A la suite du corpus des images réunies par Brommer, 1982, p. 28 ss, on peut cependant remarquer qu'intégrée au cycle des travaux, la représentation du combat contre le taureau de Marathon dépeint un Thésée adolescent : cf. *supra* chap. ii n. 16.

⁹ Bacch. 17, 124 ss, Eust. *Od.* 1689, 34, Philoch. *FGrHist.* 328 F 17a et 183 ; cf. aussi Eus. *Praep. Ev.* 5, 18, 5 qui emploie le terme plus précis de *énēbos* signifiant la première jeunesse (dès quinze ans : sch. Theocr. 8, 3, p. 204, 5 s. Wendel, avec le commentaire de Pélékidis, 1962, p. 59 s.). Eur. *HF* 1326 emploie le terme collectif de *kóroi* (cf. encore Bacch. 17, 3) alors qu'Isocr. *Hel.* 27 et Plut. *Thes.* 15, 2 emploient celui de *paîdes* ; autres références chez Herter, 1973, col. 1100 s. et chez Poland, 1932a, col. 1914 s., qui signale que seule la tradition tardive « vieillit » les « deux fois sept » en faisant d'eux des éphèbes.

On remarquera que Servius, traduisant Sappho fr. 206 Voigt, utilise les termes de *pueri* et *puellae* pour rendre *ēítheoi* et *parthénoi* que l'on trouve chez Plut. *Thes.* 15, 1. Les sch. Plat. *Minos* 321a (p. 295 Greene) constituent le seul document qui mentionne un âge précis : dix ans. On verra aussi Eust. *Il.* 1166, 34 ss (IV, p. 268, 22 ss Van der Valk) qui, en commentant le fameux passage du 18ᵉ chant de l'*Iliade* où est décrit un chœur analogue à celui de Thésée, précise que *ēítheoi* et *parthénoi* sont des adolescents qui, mûrs pour le mariage, ne sont cependant pas encore mariés.

Sur le sens de ces termes désignant des adolescents, cf. Calame, 1977, I, p. 63 ss ; sur celui de *parthénos* en particulier, cf. G. Sissa, *Le corps virginal. La virginité féminine en Grèce ancienne*, Paris (Vrin) 1987, p. 97 ss.

Pour l'absence d'armes, cf. Hellanic. *FGrHist.* 4 F 164 = 323a F 14 et Diod. Sic. 4, 61, 3.

[10] Sur les représentations littéraires de Thésée avec son groupe de compagnons, cf. *supra* chap. II n. 22. Quant à la fiabilité de la version de Pherec. *FGrHist.* 3 F 148 dans la forme où elle nous a été transmise, cf. *supra* chap. II § 3.2.

[11] Cf. Calame, 1977, I, p. 108 ss ; pour l'iconographie, cf. *infra* n. 53. A propos des dénominations que certains de ces documents attribuent aux compagnons du héros, cf. *infra* chap. VI n. 14.

[12] Plut. *Thes.* 4, cf. aussi *EMag.* 451, 36 ss Gaisford ; ces jeux étymologisants sur les anthroponymes ont la faveur des Grecs : références chez Calame, 1986, p. 153 ss.

[13] Plut. *Thes.* 17, 1 ; cf. *supra* chap. II § 3.3.

[14] Ps. Aristot.*Ath. Pol.* 26, 4 et 42, 1 s., cf. encore *Pol.* 3, 1278a 34 et 1275b 21 : voir Pélékidis, 1962, p. 97 ss. A propos du décret de 451/50 sur les conditions mises au droit de cité athénien, cf. Rhodes, 1981, pp. 331 ss et 496 s.

[15] Cf. *infra* chap. VI § 3.1.3. On remarquera que dans l'effort qui a été entrepris par les chronographes pour faire coïncider les différentes chronologies légendaires, et dont le *Marmor Parium* est un témoin privilégié, Minos devient en 1294/3 − un peu moins d'un siècle avant la prise de Troie− le contemporain d'Egée : *FGrHist.* 239 A 19. On ne s'étonnera pas de voir cette chronique faire régner Minos dès 1430 ; la légende n'hésite pas par exemple à attribuer à son frère Sarpédon une vie longue de trois générations (Apoll. 3, 1, 2).

[16] La tradition concernant l'adoption de Minos par Astérios est ancienne : Hes. fr. 140 Merkelbach-West, Bacch. fr. 10 Snell-Maehler, cf. encore Apoll. 3, 1, 1 et 3.

[17] Pour ces différentes unions, cf. Eur. *Cret.* fr. 82 Austin, Apoll. 3, 1, 3 et 15, 8 ; Diod. sic. 4, 77. Cf. Frontisi-Ducroux, 1975, p. 135 ss. Autre références littéraires et iconographiques chez L. Scherling, « Pasiphae », *Realenc. Alt.-Wiss.* XVIII, Stuttgart (Metzler) 1949, coll. 2069-2082.

[18] Plut. *Thes.* 4 et 6, 2. C'est ainsi que commence pour Thésée, dans l'interprétation psychanalytique de la légende proposée par Green, 1980, p. 120 ss, « la quête du père ».

[19] Plut. *Thes.* 8, 3 ss et Paus. 10, 25, 7 ; pour les deux légendes de fondation de colonie mentionnées, voir en dernier lieu Calame, 1990, p. 313 ss.

[20] Plut. *Thes.* 9, 2 ; Phaïa est aussi le nom porté par la nourrice de la laie : Apoll. *Epit.* 1, 1. Sur les versions rationalisantes de cette séquence, cf. Herter, 1973, col. 1071 s., et Ampolo & Manfredini, 1988, p. 207.

[21] Istr. *FGrHist.* 34 F 10 transmis par Ath. 13, 557a. La version canonique de la légende a été traitée par Euripide dans son *Alôpé* (dont l'action est résumée par Hyg. *Fab.* 187, cf. Eur. p. 389 s. Nauck[2]) : voir Herter, 1973, col. 1077. Plut. *Thes.* 29, 1 s., avec la tendance moralisatrice qui lui est propre, donne un catalogue des unions qu'il tend à rejeter de la biographie du héros athénien ; cf. aussi *Rom.* 35, 1 et 5. Ces deux catalogues plutarchéens sont probablement repris à Istros : cf. Jacoby, 1954, I, p. 635, et II, p. 511 s. A propos de l'enlèvement d'Anaxô, voir les mêmes passages d'Athénée et de Plutarque. Pour les représentations figurées, cf. Herter, 1973, col. 1211 s.

[22] Plut. *Thes.* 12, 2 ss ; cf. aussi Call. frr. 232-234 Pfeiffer. Représentations figurées : U. Kron, « Aigeus », *LIMC* I, 1, Zürich - München (Artemis) 1981, pp. 359-367 ; les scènes susceptibles de représenter l'affrontement de Thésée à Médée ont été évaluées par Sourvinou-Inwood, 1979, p. 35 ss (cf. à ce propos *supra* chap. II n. 8). Médée et Aithra (!) assistent parfois au départ du héros pour la Crète : cf. par exemple la coupe Bologna Mus. Civ. PU 273 (*ARV²* 1268, 1). Pour les modes de l'affrontement entre Ulysse et Circé, cf. Hom. *Od.* 10, 287 ss et 320 ss.

Pour désigner la cohabitation de Médée avec Egée, Pausanias, 2, 3, 8, emploie aussi le terme de *sunoikéō* qui peut impliquer le lien matrimonial. Chassée d'Athènes, Médée l'étrangère aurait fui dans le pays auquel elle aurait donné son nom, celui des Mèdes. La tradition lui attribue même un fils né de son union avec Egée ; il est précisément nommé

Médos (cf. aussi Apoll. 1, 9, 28 et Diod. Sic. 4, 55, 4 ss). Mais selon la tradition ancienne représentée par Hellanic. *FGrHist*. 4 F 132, ce fils avait pour père Jason. Selon Apoll. *Epit*. 1, 6 (qui emploie le même verbe que Pausanias), Médée aurait été chassée d'Athènes par Thésée lui-même ; sources plus tardives chez Herter, 1973, col. 1083. Ces associations de Médée avec les Mèdes semblent confirmer l'hypothèse qui fait de cette figure d'étrangère l'incarnation de la puissance perse repoussée par les Athéniens dès 490 : cf. *infra* chap. VI § 2.1. Mais une autre hypothèse attribue à Euripide, *Med*. 663 ss, l'introduction de Médée à Athènes : cf. Ampolo & Manfredini, 1988, p. 213.

[23] Call. frr. 239 ss, 263 et 194, 77 Pfeiffer, cf. également la *Dieg*. 10, 29 ss ; Plut. *Thes*. 14, 2 s. = Philoch. *FGrHist*. 328 F 109. Green, 1980, p. 127 ss, va naturellement beaucoup plus loin en voyant dans le couple antithétique que forment selon lui Hécalé et le taureau de Marathon la dissociation de la féminité et de la bestialité condensées dans les figures superposées de la laie de Crommyon et de Médée !

[24] Cf. essentiellement Bacch. 17, 97 ss, vers dans lesquels Segal, 1979, p. 34 ss, a reconnu que Thésée recevait des mains d'Amphitrite les objets symbolisant la connaissance de la sexualité adulte et institutionnelle ; voir encore Ieranó, 1989, p. 164 ss, qui souligne aussi les valeurs érotiques du manteau offert par Amphitrite ; ces dons associés au mariage s'opposent au désir insidieux qu'Aphrodite inspire à Minos au début du poème. Cf. aussi Hyg. *Astr*. 2, 5 et Paus. 1, 17, 3 qui décrit la peinture de Micon ornant le Théséion : voir *infra* chap. VI § 1.3. On remarquera que le caractère médiat de la réception de Thésée dans la demeure de son père Poséidon a dans le poème de Bacchylide également une raison narrative : il répond au fait que Zeus ne se manifeste lui aussi qu'indirectement à son fils Egée, par un coup de tonnerre (v. 67 ss). Dans les représentations figurées de l'époque classique (cf. *supra* chap. II n. 46), Poséidon assiste à la réception de Thésée, sans toutefois gratifier forcément son fils d'un salut direct ; Brommer, 1982, pp. 78 et 80, doute que les images représentant le héros et Poséidon en tête à tête se réfèrent à la scène du plongeon marin. Sur la couronne donnée par Amphitrite, cf. Blech, 1982, p. 265 s. Remarquons qu'Amphitrite disposait à Naxos d'un culte : sch. Hom. *Od*. 3, 91 (p. 127, 16 ss Dindorf) = *IG* XII. 5, test. 1423.

[25] Bacch. 17, 5 ss. La présence d'Athéna à l'occasion de l'accueil de Thésée dans la demeure de Poséidon est attestée dans les images citées par Herter, 1973, col. 1108 ; voir en particulier la coupe d'Euphronios Louvre G 104 (*ARV²* 381, 1). On relèvera que selon Ath. 13, 557a, Phérécyde d'Athènes, *FGrHist*. 3 F 153, ajoutant Eriboïa (sous le nom de Phéréboïa) au catalogue des femmes séduites ou épousées par Thésée ; la biographie de cette figure féminine connaît de nombreuses variantes : cf. *infra* chap. V n. 124.

[26] Pherec. *FGrHist*. 3 F 148, Apoll. 3, 1, 4 et *Epit*. 1, 8 s. ; *supra* chap. II n. 50. Prononcé sous serment, le contrat avec Ariane est déjà mentionné par Hes. fr. 298 Merkelbach-West. La relation singulière que Phèdre entretient avec le domaine d'Aphrodite est mise en scène notamment dans l'*Hippolyte* d'Euripide où l'on insiste sur sa qualité de Crétoise (v. 752 ss) ; pour confondre le fils de Thésée, Phèdre utilise aussi, dans cette seconde version euripidéenne, un moyen technique.

[27] Istr. *FGrHist*. 334 F 10 (cité − rappelons-le − par Ath. 13, 557a).

[28] Cf. *supra* chap. II § 5.3. avec n. 62.

[29] Sur les deux versions principales du passage de Thésée à Naxos, cf. *supra* chap. II §§ 6.1.1. et 2. ; pour l'iconographie, voir *infra* n. 140.

[30] Hes. *Theog*. 948, cf. aussi Eur. *Hipp*. 339 ; autres références *supra* chap. II § 6.1.3. avec n. 67.

[31] Analyse sémantique du terme *númphē* chez P. Chantraine, « Les noms du mari et de la femme, du père et de la mère en grec », *Rev. Et. Grecques* 59/60, 1946/47, pp. 219-250 (p. 228 ss) ; voir aussi M. Detienne, « Orphée au miel » in J. Le Goff et P. Nora, *Faire de l'histoire* III, Paris (Gallimard) 1974, pp. 56-75 (p. 65 ss). Sur le statut de la *parthénos*, cf. *supra* n. 9. J'ai tenté de mettre en valeur l'ambivalence des cultes rendus à Sparte à Hélène et aux Leucippides dans mes recherches de 1977, I, pp. 339 ss et 330 ss.

[32] Pherec. *FGrHist.* 3 F 148 ; Eratosth. *Cat.* 5 (III. 1, p. 5 s. Olivieri) : cf. *supra* chap. II nn. 65 et 72.

[33] On comparera le scyphos béotien à figures noires, Paris Louvre MNC 675 reproduit par Dugas & Flacelière, 1958, p. 1 (*LIMC Ariadne* 35 avec pl.) et l'amphore à relief, Basel Antikenmuseum Kä 101 reproduite par Schefold, 1964, p. 25a (cf. p. 37 où Schefold identifie l'objet qui se trouve aux pieds du Minotaure avec la pelote ; *LIMC Ariadne* 36) avec le brassard d'un bouclier de bronze, Olympia Mus. Arch. B 1643 (*LIMC Ariadne* 43 avec fig.) ; les représentations conjointes de la pelote et de la couronne commencent pour nous avec la coupe à figures noires, München Antikenslg. 2243 (*ABV* 163, 2 ; *LIMC Ariadne* 28 avec pl.).

[34] Cratère à volutes à figures noires, Firenze Mus. Arch. 4209 (*ABV* 76, 1 ; *LIMC Ariadne* 48 avec pl.) ; Paus. 5, 19, 1 (*LIMC Ariadne* 47a), cf. Schefold, 1964, p. 68 s. ; trépied de bronze, Olympia Mus. B 3600 (*LIMC Ariadne* 49 avec fig. ; cf. Schefold, 1964, p. 70 s.) : l'identification de Thésée et d'Ariane sur cette scène a été remise en doute récemment par Blech, 1982, p. 263 s., qui propose à la suite d'autres interprètes d'y voir Apollon (barbu ?) et Artémis. Ces scènes ne peuvent cependant avoir que la Crète comme cadre : cf. Friis Johansen, 1945, p. 46 ss, et Brommer, 1982, p. 83 ss ; mais Herter, 1973, col. 1143 s., situe à Délos la scène dépeinte sur le Vase François.

On remarquera que sur une amphore attique à figures rouges, London Brit. Mus. B 246 (*LIMC Ariadne* 40, cf. aussi la gemme-scarabée 41 avec pl.), Ariane semble porter un sceptre. En dépit de sa date ancienne (env. 500), cette image pourrait constituer une confirmation de la version littéraire qui fait d'Ariane la détentrice du pouvoir en Crète : cf. *supra* chap. II § 5.3.

[35] L'usage de la couronne comme gage d'amour notamment dans le contexte du mariage est analysé par Blech, 1982, p. 76 ss, et par Segal, 1979, p. 32 ss ; même interprétation chez Bernhard & Daszewski, 1986, p. 1066, qui voient également dans la couronne « le symbole de la victoire sur le Minotaure » ; cette seconde interprétation est présentée par Blech, 1982, p. 264, à propos du document *LIMC Ariadne* 28 (cf. *infra* n. 49) ; c'est aussi celle pour laquelle opte Brommer, 1982b, p. 74 ss.

Timach. *ap.* Ath. 15, 684f : il s'agit de l'unique attestation d'un tel usage du *théseion* (qui correspond à deux plantes différentes : Theophr. *HP* 7, 12, 3 ainsi que Plin. *HN* 21, 107 et 22, 66 ; cf. aussi Hsch. *s. v. Théseion* (*Th* 554 Latte)) ; sur cette citation obscure, cf. Murr, 1890, p. 230, et Brommer, 1982, p. 149 s. Sur les qualités aphrodisiaques attribuées à la pomme, souvent confondue comme attribut d'Aphrodite avec le coing, cf. Murr, 1890, p. 55 ss, et A.R. Littlewood, « The Symbolism of the Apple », *Harv. Stud. Class. Philol.* 72, 1967, pp. 147-181.

[36] Voir les cinq objets de céramique cités par Bernhard & Daszewski, 1986, p. 1054 (= *LIMC Ariadne* 29-33). Cette version, attribuée à Epiménide par Eratosthène est mentionnée *supra* chap. II § 6.1.5. avec n. 76 ; pour son exégèse, cf. *infra* § 2.4.3.

[37] Hyg. *Astr.* 2, 5, cité *supra* chap. II § 6.1.5. ; on verra à ce sujet Herter, 1973, col. 1113 ss.

[38] Plut. *Thes.* 20, 8 s. = *FGrHist.* 501 F 1 ; cf. *supra* chap. II § 6.1.8.

[39] Sur les Hyancinthies, voir essentiellement Ath. 4, 138c ss = Polycr. *FGrHist.* 588 F 1 et Polem. Hist. fr. 86 (III, p. 42 Müller) avec le commentaire que j'en ai donné en 1977, I, p. 305 ss. Pour les Adonies, cf. Aristoph. *Lys.* 389 ss et Plut. *Alcib.* 18, 5 ainsi que Deubner, 1932, p. 220 ss, W. Atallah, *Adonis dans la littérature et l'art grecs*, Paris (Klincksieck) 1966, p. 93 ss, et Detienne, 1972, p. 191 ss. La légende de la mort d'Adonis est donnée par Nic. fr. 65 Schneider et Apoll. 3, 14, 3 s. : cf. Atallah, *op. cit.*, p. 53 ss. Les différentes versions de la légende d'Hyménée sont traitées par J. Platthy, *The Mythical Poets of Greece*, Washington (Fed. Intern. Poetry Assoc.) 1985, p. 90 s. Sur le caractère funéraire de ces différents cultes héroïques, voir Brelich, 1958, p. 80 ss. Dans une relation inverse entre jeune et adulte, ce même mélange de joie et d'affliction marque les gestes rituels initiateurs accomplis par Thésée quand, à son retour de Crète, il apprend la mort de son père : cf. *supra* chap. III § 1.2.1.

[40] Cf. Sissa, *loc. cit.* n. 9, qui malheureusement ne prend pas en compte le statut intermédiaire correspondant à celui de la *númphē* (cf. *supra* n. 31). Les attributions de fécondité d'Aphrodite notamment dans le contexte du mariage sont énumérées par Nilsson, 1954, I, p. 524 s. ; pour les pratiques rituelles cypriotes, cf. *supra* chap. III § 2.2.

[41] Les ethnographes grecs eux-mêmes n'ont pas manqué de relever chez d'autres peuples du pourtour de la Méditerranée l'existence de coutumes analogues ; ainsi chez les Corses, chez les Basques et auprès d'une peuplade scythe : Diod. Sic. 5, 14, 2, Strab. 3, 4, 17, Ap. Rhod. 2, 1011 ss. Mais les auteurs contemporains qui ont explicitement comparé le rite d'Amathonte avec les coutumes de ces peuples par le biais du rite fort répandu de la couvade ont été un peu rapides en besogne : cf. déjà R. Wagner, « Ariadne », *Realenc. Alt.-Wiss.* II, Stuttgart (Metzler) 1896, coll. 803-810 (col. 808).

[42] Steph. Byz. *s.v. Náxos* (p. 468, 7 ss Meineke) = *FGrHist.* 501 F 4 et Diod. Sic. 5, 52, 1 ss = *FGrHist.* 500 F 5 ; cf. encore Hyg. *Astr.* 2, 17 = Aglaosth. *FGrHist.* 499 F 3.

[43] Voir *supra* chap. III § 2.3.1. On remarquera qu'à Argos, le sanctuaire du Dionysos crétois, qui passait pour abriter le tombeau originaire d'Ariane, jouxtait un temple consacré à Aphrodite Ourania : Paus. 2, 23, 7 ; Nonn. 47, 665 ss établit de plus une relation légendaire entre Ariane, Dionysos et Persée.

[44] Pour le mariage de Thésée avec Phèdre, qui nous est essentiellement connu par la relation adultère de cette dernière avec son beau-fils Hippolyte, cf. Herter, 1973, col. 1183 ss.

[45] Problème évoqué *supra* chap. II § 8.3.3. avec la n. 102.

[46] Plut. *Thes.* 23, 4 (cf. *supra* chap. II § 3.4.) ; Bacch. 17, 92 ss, 107 s. et 124 ss ; cf. Calame, 1977, I, p. 149 ; voir aussi, dans le même sens, D. E. Gerber, « Bacchylides 17, 124-29 », *Zeitschr. Pap. Epigr.* 49, 1982, pp. 3-5.

[47] Sur la correspondance entre le péan décrit dans le poème de Bacchylide et le chant même du poète (un péan à forme de dithyrambe), cf. Burnett, 1985, p. 35 ss, Ampolo & Manfredini, 1988, p. XXVIII, et *infra* chap. V n. 144. Pour le péan comme forme poétique consacrée à Apollon, cf. Calame, 1977, I, p. 147 ss.

[48] Voir *supra* chap. II § 7.2. Seule l'image donnée par le Vase François (cité *supra* n. 34) semble situer la mixité du groupe choral que forment jeunes gens et jeunes filles à l'instant du débarquement en Crète. Mais les interprètes ne sont pas unanimes quant au moment décrit sur cette scène : cf. Brommer, 1982, p. 83 s.

[49] La coupe d'Archiclès (München Antiken Slg. 2243, *ABV* 163, 2, *LIMC Ariadne* 28 avec pl. = *Athena* 536) date de 550 environ et le cratère à volutes dit « Vase François » (cité *supra* n. 34) de 570 à peu près. Thésée face à Ariane : coupe d'Oltos de 520 environ (London E 41, *ARV*[2] 58, 51 et 1622, *LIMC Ariadne* 48a) ou la représentation qu'offrait le Coffre de Cypsélos (Paus. 5, 19, 1 ; cf. *supra* n. 34 avec le document *LIMC Ariadne* 49). Autres représentations citées par Friis Johansen, 1943, p. 38 ss, et par Herter, 1973, col. 1127 s.

Pour la figuration d'Apollon citharède, voir W. Lambridunakis, « Apollon », *LIMC* II. 1, Zürich - München (Artemis) 1984, pp. 183-327 (pp. 199 ss, 261 ss et 314 ss).

[50] Plut. *Thes.* 21, 1 s., Call. *Del.* 310 ss, Poll. 4, 101 ; sur la danse de la grue, cf. *infra* § 2.4.5.

[51] Plut. *Thes.* 23, 2 ss et Procl. *ap.* Phot. *Bibl.* 322a 13 ss ; cf. *supra* chap. III § 1.2.

[52] Cratère en calice à figures rouges cité *supra* chap. II n. 66.

[53] Les innombrables représentations figurées de cette scène du combat contre le Minotaure sont mentionnées par Schefold, 1964, p. 37, et par Brommer, 1982, pp. 37 ss et 62. Les seules exceptions probables à la représentation canonique du monstre datent du VIIe s. ; elles lui confèrent une tête humaine et un corps bestial : voir le pithos à relief de Basel Antikenslg. (Schefold, 1964, p. 37 et pl. 25a ; les adolescents accompagnant Thésée y sont représentés par couples) et le fragment cité par Brommer, 1982, p. 39.

[54] Eur. frr. 996 et 977 Nauck[2] cités par Plut. *Thes.* 15, 2 (le fr. 997 a pu être intégré au fr. papyrologique 81, 29 ss Austin extrait des *Crétois*). Voir déjà Isocr. *Hel.* 27 (cf. aussi

28), Philoch. *FGrHist.* 328 F 17b, Call. *Del.* 310, Diod. Sic. 4, 77, 3 s., Paus. 1, 24, 1, etc. Sur l'anthropophagie du Minotaure, cf. par exemple Diod. Sic. 4, 61, 3 et Apoll. 3, 15, 8.

[55] Diod. Sic. 1, 61, 3 et 4, 77, 3, Paus. 1, 27, 10, Apoll. 3, 1, 4, etc. ; cf. aussi Paus. 2, 31, 1 : Astérios/Astérion comme fils humain de Minos.

[56] Références chez Poland, 1932b, col. 1932.

[57] Voir *supra* chap. II § 5.3.

[58] La légende est résumée par Apoll. 3, 1, 1 ss et 2, 5, 7 ; cf. aussi Diod. Sic. 4, 77, 2 ss, 5, 78, 1 ss et Mosch. 2, 77 ss ainsi que les sch. Stat. *Theb.* 5, 431. Dans les *Crétois* d'Euripide (fr. 82, 23 ss Austin), Pasiphaé offre déjà un résumé de la légende quand elle justifie l'amour morbide qu'elle a éprouvé pour l'animal en le présentant comme une punition divine.

[59] Sur Androgée affronté au taureau de Marathon, cf. *supra* chap. II § 2.1. Thésée et le taureau : Isocr. *Hel.* 25, Plut. *Thes.* 14, 1 ; sur la chasse : Plat. *Leg.* 824a, cf. également *Euthyd.* 290b ; pour l'iconographie, cf. Brommer, 1982, p. 27 ss. Soph. fr. 25 Radt. La séquence du taureau de Marathon a semblé à ses interprètes historicisants former l'un des noyaux les plus anciens de la légende de Thésée : cf. Herter, 1936, p. 190 s.

On remarquera que dans l'iconographie archaïque, il arrive que le héros tue le taureau au lieu de le capturer ; cette version de la mise à mort de l'animal sauvage disparaît à l'époque classique pour faire sa réapparition, mais dans les textes, à l'époque hellénistique ; dans un cas isolé, les deux versions de la légende sont présentes sur un même vase : cf. Brommer, 1982, p. 28 s.

Sur la maîtrise des forces sauvages incarnées aux yeux des Grecs dans le cheval, voir Detienne & Vernant, 1974, p. 176 ss.

[60] Apollon (Delphinios) : Diod. Sic. 4, 59,6 (sacrifice offert par Egée) et Plut. *Thes.* 14, 1 (taureau directement sacrifié par Thésée) ; Athéna : Paus. 1, 27, 10. Cf. encore Call. fr. 260, 9 s. Pfeiffer.

[61] Paus. 1, 27, 9 ss ; voir aussi Diod. Sic. 4, 59, 6 et surtout Apoll. 2, 5, 7 qui précise qu'Acousilaos d'Argos (*FGrHist.* 2 F 29) identifie le taureau maîtrisé par Héraclès avec celui qui transporte Europe alors que d'autres le font coïncider avec celui que Minos refuse de sacrifier à Poséidon.

[62] Voir la description qu'en donne Mosch. 2, 80 ss en opposant le taureau de Zeus à celui qui, domestiqué, est asservi aux travaux agricoles ; dans la bouche d'Europe, il devient un *theótauros* (v. 135). Cette domestication du taureau rendu sauvage s'inscrit dans la maîtrise des monstres attribuée aussi bien à Héraclès qu'à Thésée. Pour Euripide, les combats de ces deux héros visent à l'institution de l'ordre de la cité : cf. F. Turato, *La crisi della città e l'ideologia del selvaggio nell'Atene del V secolo a. C.*, Roma (Ateneo) 1979, p. 49 ss.

[63] Pherec. *FGrHist.* 3 F 148 : cf. *supra* chap. II § 4.2. On relèvera de plus que dans son *Egée* (fr. 19 Radt), Sophocle citait une « boisson taurine », allusion probable à un fleuve Tauros qui s'écoulait non loin de Trézène. Selon Podlecki, 1975, p. 23 avec n. 63, cette expression contiendrait une allusion politique à la mort de Thémistocle qui aurait succombé à la consommation de sang de taureau. Sur Poséidon taurin, cf. Hes. *Scut.* 103, Eur. *Hipp.* 1213 ss et Hsch. *s. v. Tauros* (T 72 Schmidt) avec le commentaire de C. F. Russo, *Hesiodi Scutum*, Firenze (La Nuova Italia) 1965, p. 98, qui donne notamment le texte de la scholie commentant ce passage du poème attribué à Hésiode.

[64] Hes. fr. 144 Merkelbach-West, cf. Plut. *Thes.* 16, 3. Voir aussi Hom. *Od.* 19, 178 s. ; Bacch. 17, 39 *(polémarkhos)* et 121 *(stratagétas)* ; 26, 13 *(strata[gétan* ou *strata[látas)* et 1, 124 *(basileús)*. Cf. encore Aristot. *Pol.* 7, 1329b 26 *(basileía)* et Isocr. *Panath.*, 43 qui parle de la *dunasteía* de Minos sur la Crète. Autres références chez Poland, 1932a, col. 1898. Il est évident que pour toute la tradition archaïque et classique, Minos est le roi des Crétois (Eur. fr. 475 Nauck[2] emploie aussi le terme *anásson*) et que Cnossos est sa résidence.

[65] Autant le terme *oaristés*, « le compagnon », utilisé par Hom. *Od.* 19, 179 pour désigner la relation de Minos avec Zeus, que celui de *ennéoros*, « de neuf ans », qui en précise

la durée, sont obscurs : cf. Poland, 1932a, col. 1902 s., qui donne les interprétations proposées par les commentateurs anciens, et J. Russo, *Omero. Odissea* V, Milano (Mondadori) 1985, p. 234 s.

[66] Ps. Plat. *Min.* 319c, interprétant le passage cité de l'*Odyssée* ; Plat. *Leg.* 624b et 630c ; voir aussi, presque à la même époque, Eph. *FGrHist.* 70 F 149. Le déroulement de ce processus historique d'interprétation homérique est fort bien décrit par Poland, 1932a, col. 1903 ss ; sur le rôle dévolu dès lors à Rhadamanthe, cf. Ps. Plat. *Min.* 320ac.

[67] Hdt. 3, 122, 2, cf. aussi 1, 171, 2 s. ; Thuc. 1, 4 et 8. Voir également, un peu plus tard, Arist. *Pol.* 2, 1271b 37 ss et Isocr. *Panath.* 43 ; Ap. Rhod. 4, 1564.

[68] Voir essentiellement Apoll. 3, 15, 7 s. et *Epit.* 1, 13 ss ainsi que Diod. Sic. 4, 60, 4 ss et 79, 1 ss. L'expédition contre la Sicile est déjà mentionnée par Aristot. *Pol.* 2, 1271b 39 s. et Hdt. 7, 170, 1 y fait une brève allusion. Cet épisode de la légende de Minos a été traité par Sophocle dans les *Camicoï* (fr. 323 ss Radt) et par Aristophane dans la comédie intitulée *Côcalos* (fr. 359 ss Kassel-Austin).

Les relations qui existaient au ve siècle entre la Crète et la Sicile (van Effenterre, 1948, p. 26 s.) peuvent expliquer un rapprochement entre deux territoires que d'autres, probablement avec raison, attribuent à l'imaginaire de la légende : Prinz, 1979, p. 139 ss.

Voir à ce propos Frontisi-Ducroux, 1975, pp. 171 ss et 185 ss, qui montre que cet épisode sicilien représente, par l'intermédiaire de Côcalos, une nouvelle victoire de Dédale l'artisan sur Minos le souverain : l'exercice de la souveraineté ne peut décidément se passer de la ruse !

[69] Hom. *Od.* 11, 568 ss ; Plat. *Gorg.* 523a ss et 526bc, cf. déjà *Apol.* 41a et, plus tard, Ps. Plat. *Ax.* 371b ss ; Aesch. *Suppl.* 230 s. et *Eum.* 273 ss ; cf. aussi, dans un contexte éventuellement orphique, Pind. *Ol.* 2, 58. Sur le mythe du *Gorgias*, on lira le commentaire de E. R. Dodds, *Plato. Gorgias*, Oxford (Clarendon Pres) 1959, p. 372 ss.

[70] Ps. Plat. *Min.* 318c ss.

[71] Soph. fr. 323 ss et 407 Radt ; Eur. *Cret.* fr. 82 Austin, avec le commentaire de A. Rivier, *Etudes de littérature grecque*, Genève (Droz) 1975, p. 43 ss. Selon G. J. Giesekam, « The Portrayal of Minos in Bacchylides 17 », *Papers Liverpool Lat. Sem.* 1, 1976, pp. 237-252, cette image négative de Minos est une invention athénienne de la fin du vi^e siècle ; elle aurait été reprise par le poète dans son dithyrambe.

[72] On remarquera que la Phèdre mise en scène par Sophocle dans la tragédie du même nom (fr. 680 Radt) utilise des termes identiques à ceux qu'Euripide place dans la bouche de Pasiphaé pour qualifier la passion coupable qui la saisit : c'est une maladie voulue et envoyée par les dieux. Il faut relever par ailleurs que dans les récits mythiques des Grecs, l'inceste est volontiers associé à un acte d'anthropophagie : exemples cités et analysés par A. Moreau, « A propos d'Œdipe : la liaison entre trois crimes – parricide, inceste et cannibalisme » in S. Saïd *(et al.)*, *Études de littérature ancienne*, Paris (Presses de l'ENS) 1979, pp. 97-127. Déjà dans l'*Iliade* l'état de la colère qui met hors de soi est mis en relation avec un désir de dévorer celui qui la provoque : Hom. *Il.* 4, 34 s. et 22, 346 s.

[73] Eur. fr. 472 Nauck^2 = 79 Austin ; bibliographie chez Burkert, 1977, p. 419 n. 23.

[74] Epim. fr. 3 B 24 Diels-Kranz = *FGrHist.* 457 F 18 ; Istr. *FGrHist.* 334 F 48 ; cf. aussi Ant. Lib. 19, avec le commentaire de M. Papathomopoulos, *Antoninus Liberalis. Les Métamorphoses*, Paris (Belles Lettres) 1968, p. 111 ss. Sur le caractère relativement tardif du mythe de la mort de Zeus, on lira les remarques prudentes de Verbruggen, 1981, p. 55 ss ; sa reconstruction de « la cérémonie de l'Ida » (p. 71 ss) est en revanche plus suspecte. Cf. pourtant à ce propos *IC* IV, 80, 1 ss, et Willetts, 1962, p. 239 ss.

[75] Soph. *Phil.* 391, Eur. *Hel.* 1301 ss, cf. déjà *Phoron.* fr. 2 Bernabé ; Eur. *Hipp.* 141 ss, cf. Barrett, 1964, p. 189 s. Sur les différents avatars connus par la figure de Méter, voir Burkert, 1977, p. 276 s. On remarquera qu'une Méter du Mont Ida en Phrygie est connue d'Eur. *Or.* 1453 et d'Ap. Rhod. 1, 1128 : cf. O. Jessen, « Idaia (1) », *Realenc. Alt.-Wiss.* IX, Stuttgart (Metzler) 1916, coll. 864-865 ; cette Méter Idaia est parfois confondue avec la Méter « de la montagne » : cf. sch. Nic. *Alex.* 220 (p. 99, 6 s. Geymonat). De plus, selon Diod. Sic. 3, 61, 2, la mère des dix Courètes avait pour nom Idaïa.

[76] *Phoron.* fr. 3 Bernabé ; cf. aussi *Danais* fr. 3 Bernabé et Hes. fr. 123 Merkelbach-West qui associe les Courètes aux nymphes et aux satyres. Voir surtout le témoignage de Strab. 10, 3, 19. Pour les inscriptions crétoises, les références sont données par O. Immisch, « Kureten und Korybanten », *Roscher* II, Leipzig (Teubner) 1894, coll. 1587-1628 (col. 1596). Platon, *Phaedr.* 228b et 234d, voit des affinités précises entre la « cure » orgiastique des Corybantes et l'orgiasme dionysiaque : cf. M. Linforth, « The Corybantic Rites in Plato », *Univ. of Calif. Publ. Class. Philol.* 13, 1946, pp. 121-162 ainsi que Dodds, 1965, p. 84 ss, et R. Velardi, *Enthousiasmòs. Possessione rituale e teoria della comunicazione poetica in Platone*, Roma (Ateneo) 1989, p. 73 ss.

[77] Pind. frr. 70b, 8 ss et 80 Snell-Maehler ; pour les danses nocturnes en l'honneur de Méter, cf. aussi *Pyth.* 3, 77 ss. Pour l'emploi de l'épithète *nuktipólos*, voir Heracl. fr. 22 B 14 Diels-Kranz et Eur. *Ion* 718. Les hypothèses historicistes ou assimilatrices, aussi nombreuses qu'invraisemblables, suscitées par le fr. des *Crétois* d'Euripide sont énumérées par W. Fauth, « Zagreus », *Realenc. Alt.-Wiss.* IX A, Stuttgart (Druckenmüller) 1967, coll 2221-2283 (col. 2226 ss) ; voir aussi Verbruggen, 1981, p. 113 ss.

[78] Contrairement à ce qu'a tenté de prouver toute une génération d'historiens de la religion grecque qui ne connaissait pas les *Crétois* euripidéens, Zagreus est bien une figure distincte de Zeus : cf. à ce sujet Verbruggen, 1981, p. 121 ss. En revanche on peut rappeler à propos de l'omophagie attribuée à Minos qu'une source tardive fait du petit-fils de Minos Idoménée le meurtrier de son propre fils : Serv. *in* Verg. *Aen.* 3, 121 et 11, 264 (I, p. 121, 6 ss, et II, p. 510, 16 ss Thilo). Et dans le domaine du rite, les Crétois passaient pour exécuter pour Zeus des sacrifices humains : Anticl. *FGrHist.* 140 F 7.

[79] A propos du mythe qui justifie le régime végétarien prôné par les adeptes d'Orphée, voir Detienne, 1977, p. 163 ss. Les hypothèses avançant le caractère orphique de ce passage des *Crétois* sont résumées par R. Cantarella, *Euripide. I Cretesi*, Milano (Ist. edit. italiano) 1964, p. 66 ss.

[80] U. von Wilamowitz-Moellendorff, *Der Glaube der Hellenen*, Basel (Schwabe) ²1956, I, p. 111.

[81] Strab. 10, 4, 8 citant Eph. *FGrHist.* 70 F 147.

[82] Minos amoureux de Ganymède : Echem. *FGrHist.* 459 F 1 et Dosiad. *FGrHist.* 458 F 5, tous deux auteurs (hellénistiques ?) de *Crética* ; cf. aussi *Sud. s. v. Mínōs* (M 1092 Adler). Tout en mentionnant le fr. d'Echéménès, Ath. 13, 60lf ajoute une citation tirée de Zénis de Chio (*FGrHist.* 393 F 1) qui décrit l'amour éprouvé par Minos pour Thésée lui-même !

Sur l'attribution aux Crétois de coutumes homosexuelles, cf. Tim. *FHG* fr. 44 (I, p. 208 Müller) ; sur l'amour de Minos pour Milétos, cf. Apoll. 3, 1, 2 et Ant. Lib. 30. La passion de Laïos pour Chrysippe est décrite par Apoll. 3, 5, 5, Ath. 13, 602f et les sch. Eur. *Phoen.* 1760 (I, p. 414, 3 ss Schwartz). Ces deux dernières relations font l'objet de l'étude de B. Sergent, *L'homosexualité dans la mythologie grecque*, Paris (Payot) 1984, pp. 227 ss et 84 ss, qui relève également la relation homosexuelle que dès Ibyc. fr. 309 Page, on attribue à Rhadamanthe (p. 231 ss).

[83] Cette légende nous est connue par les résumés d'Ant. Lib. 41 et de Ps. Erat. *Cat.* 33 ; autre version chez Apoll. 3, 15, 1 qui pourvoit Procris du *mólu* circéen ; sur cette figure de manipulatrice de *phármaka*, cf. R. Muth, « Urin », *Realenc. Alt.-Wiss. Suppl.* XI, Stuttgart (Druckenmüller) 1968, coll. 1292-1303 (col. 1302 s.).

[84] Plat. *Resp.* 567ab, citant Soph. fr. 14 Radt et Eur. *Tr.* 1169, ainsi que 573bc et 619bc ; cf. Detienne, 1977, p. 143 ss, qui montre que le tyran confond les catégories du divin et de l'animal, se laissant entraîner de ce fait même à l'inceste, au parricide et à l'endocannibalisme.

[85] Voir l'analyse synchronique (valable pour la « culture de la polis ») présentée par D. Lanza, *Il tiranno e il suo pubblico*, Torino (Einaudi) 1977, p. 232 ss.

[86] Hdt. 1, 173, 2 ; voir aussi les développements de la légende que l'on trouve chez Apoll. 3, 1, 2 (Minos chasse son frère Sarpédon, son rival dans l'amour éprouvé pour Milétos) ainsi que Strab. 12, 8, 5 et Paus. 7, 3, 7. Bacch. 17, 119 s.

[87] Alc. frr. 70, 4 ss et 129, 21 ss Voigt, Strab. 13, 2, 3 et Diog. Laert. 1, 74 ss (cf. aussi 13 et 81) = Alc. test. 1 et 2 Campbell. Pour la figure de Pittacos, voir H. Berve, *Die Tyrannis bei den Griechen*, München (Beck) 1967, I, p. 92 ss, et II, p. 572 ss. Le large spectre sémantique couvert par la figure du tyran est décrit par L. Gernet, *Anthropologie de la Grèce antique*, Paris (Maspero) 1968, p. 344 ss, et par J.-P. Vernant, « Le Tyran boiteux : d'Œdipe à Périandre », *Le Temps de la réflexion* 2, 1981, pp. 235-255 ; sur le tyran « dévoreur du peuple », cf. M. G. Fileni, « Osservazioni sull'idea di tiranno nella cultura greca arcaica », *Quad. Urb. Cult. Class.* 43, 1983, pp. 29-35.

[88] Hdt. 3, 50, 1 et 5, 92 ē ; Nic. Dam. *FGrHist*. 90 F 58, 2 ajoute que Périandre aurait couché avec sa femme morte. Diog. Laert. 1, 13, 41 s. et 94 ss. Sur la figure de Périandre, voir C. Mossé, *La tyrannie dans la Grèce antique*, Paris (PUF) 1969, p. 32 ss. Pour Pisistrate, cf. Ps. Aristot. *Ath. Pol.* 16, 7, avec le commentaire de Rhodes, 1981, p. 217 s.

[89] Thuc. 1, 13, 1 ainsi que 1, 4, 1 et 1, 8, 2, avec le commentaire de Veyne, 1983, p. 13, sur cette étonnante référence de l'historien à la tradition orale. Sur l'initiative thalassocratique attribuée à Minos, voir aussi Hdt. 3, 122, 2 et Arist. *Pol.* 2, 1271b 38 s. ; autres références chez Poland, 1932a, col. 1907 ss. Thucydide signale que pour établir sa domination sur les Cyclades nouvellement colonisées, Minos y installe ses fils comme *hēgemónes* ; cette procédure correspond exactement au moyen utilisé par Cypsélos, le tyran de Corinthe, pour contrôler les nouvelles colonies de sa cité : Nic. Dam. *FGrHist*. 90 F 57, 7. Sur la figure de Battos, voir l'étude que j'ai présentée dans « Mythe, récit épique et histoire : le récit hérodotéen de la fondation de Cyrène » in Calame (éd.), 1988, pp. 105-125.

[90] Cette image idéalisée d'un Thésée souverain démocratique, on la doit à Plutarque, mais à travers une réflexion qui remonte au ve siècle et qui est loin d'être homogène : Plut. *Thes.* 24, 25 et 35, 7 s. (sur l'état de *stásis*, cf. 12, 2) avec le commentaire de Jacoby, 1954, I, p. 309 ss ; voir la n. suivante.

[91] Eur. *Suppl.* 349 ss, 404 ss et 429 ss ; Isocr. *Hel.* 32 ss. Cette image du souverain démocratique pouvait déjà être représentée dans le *Thésée* de Sophocle (p. 239 Radt, voir également *OC* 911 ss) ou dans l'*Atthis* de Hellanicos (*FGrHist*. 4 F 163-172 = 323a F 13-26), sinon dans le *Thésée* d'Achaïos (fr. 18 Snell-Kannicht) ; par contre, dans son archéologie d'Athènes, Thuc. 2, 15 n'attribue au nouveau roi d'Athènes que les mesures unificatrices du synécisme : cf. Davie, 1982, p. 30 ; Ampolo & Manfredini, 1988, p. xxxii, y voient deux images contrastées du héros, l'une d'inspiration démocratique, l'autre de coloration oligarchique. Pour Hérodote, l'auteur de la démocratie athénienne, c'est Clisthène : cf. Jacoby, 1949, p. 221 ss.
Sur la fortune de la transformation de cette image au ive siècle, voir *infra* chap. vi § 1.4. ainsi que les nn. 33 et 44.

[92] Ps. Plat. *Min.* 321a. Barron, 1980, p. 4, voit une allusion au Grand Roi déjà dans la qualification de Minos par Bacch. 17, 29 ss.

[93] Pour la formation et la fortune du cycle des « travaux » dans la tradition littéraire et dans l'iconographie respectivement, voir infra chap. vi § 1.2. D'Epidaure on sait surtout que la fille de son tyran épousa au vi^e siècle Périandre de Corinthe et qu'en 459/8 les Epidauriens se trouvèrent impliqués dans les luttes opposant aux Athéniens Corinthe et Egine : Hdt. 3, 50 ss et 5, 92 avec Paus. 2, 28, 8 : cf. Musti & Torelli, 1986, p. 307 s. ; Thuc. 1, 105 et Diod. Sic. 11, 78.

[94] Philoch. *FGrHist*. 328 F 107 cité par Strab. 9, 1, 6 et sch. Aristoph. *Lys.* 58 (p. 249a, 52 ss Dübner) ; Plut. *Thes.* 25, 4 ss ; voir également *Marm. Par. FGrHist*. 239 A 20. Dans l'*Egée* de Sophocle (fr. 24 Radt), le roi d'Athènes déclare lui-même que son père Pandion a confié à son frère Nisos la Mégaride ; cf. également Paus. 1, 39, 4 ss, A. E. Raubitschek, « Theseus at the Isthmus » in M. A. Del Chiaro (ed.), *Corinthiaca. Studies in Honour of*

D.A. Amyx, Columbia (Univ. Missouri Press) 1986, pp. 1-20, Kearns, 1989, p. 115 ss, et Ampolo & Manfredini, 1988, p. 214, sur l'ancienneté de cette tradition. La version mégarienne des événements est commentée par Piccirilli, 1975, p. 85 ss, et Ampolo & Manfredini, 1988, p. 210, donnent des références bibliographiques complémentaires sur cette tradition locale. Mais Andron, *FGrHist.* 10 F 14, limitait déjà le territoire de l'Attique contrôlé par le fils de Pandion à Eleusis ! Pour la confrontation de ces données légendaires avec l'histoire des relations entre Mégare et Athènes, voir *infra* chap. vi § 3.1.1.

Sur la double légende de fondation des Jeux Isthmiques, cf. Herter, 1973, col. 1222, et Musti & Torelli, 1986, p. 207.

[95] Sur la localisation de Crommyon, cf. Strab. 8, 6, 22 ; Paus. 2, 1, 3 ; Steph. Byz. *s. v. Kremmuốn* (p. 382, 21 ss Meineke) et Musti & Torelli, 1986, p. 207 s.

[96] Références *infra* chap. v § 3.2. ; pour la localisation des Roches Scironiennes, cf. Herter, 1973, col. 1972 s., Piccirilli, 1975, p. 99 ss, et Ampolo & Manfredini, 1988, p. 208.

[97] Cette légende était mise en scène notamment par Euripide dans son *Erechthée*, frr. 39-65 Austin ; l'intrigue en est résumée notamment par Lyc. *Leocr.* 98 ss ; cf. aussi Thuc. 2, 15, 1, Eur. *Ion* 277 ss, Paus. 1, 38, 1 et *infra* chap. v § 4.1.1. Dans l'*Iliade* (2, 547 s.) Erechthée, auquel la légende substitue ensuite Erichthonios, passe pour être né de la terre. Sur la légende de la lutte entre Erechthée et Eumolpe avec le rite qu'elle fonde, cf. Burkert, 1972, p. 166 ss, Richardson, 1974, p. 197 s., et R. Parker, « Myths of Early Athens » in Bremmer, 1987, pp. 187-214. Pour le rôle joué par Praxithéa, voir Sissa & Detienne, 1989, p. 238 ss.

[98] Céphise/Erinéos : Plut. *Thes.* 11, 1 (texte corrigé) et Paus. 1, 38, 5 ; Corydallos/Aïgaléos : Diod. Sic. 4, 59, 5, avec le bref commentaire de Ampolo & Manfredini, 1988, p. 211. Sur la localisation d'Erinéos, cf. Beschi & Musti, 1982, p. 411 s. ; pour le rôle de limite géographique attribué à l'Aïgaléos, Thuc. 2, 19, 2 et Istr. *FGrHist.* 334 F 17.

[99] Plut. *Thes.* 12, 1 et Paus. 1, 37, 4. Sur le rôle cultuel joué par ce point-frontière, cf. *infra* chap. v § 3.2.2.

[100] Bacch. 18, 41 ss ; Plut. *Thes.* 6, 8 ss ; Xen. *Cyn.* 1, 10 et Isocr. *Hel.* 25 insistent également sur la solitude de Thésée pendant ses exploits. Dans l'iconographie en revanche, Athéna semble de temps en temps apparaître aux côtés du héros pour le seconder : cf. Herter, 1973, col. 1065 (qui se trompe en référant Call. fr. 253, 2 Pfeiffer à l'ensemble des combats menés par l'adolescent). Sur l'interprétation ritualiste et initiatique du parcours de Thésée, cf. *infra* chap. vi § 3.2.1.

[101] Cette dernière thèse a en effet été soutenue récemment encore par Herter, 1973, col. 1052 s. Dans la tradition légendaire telle que nous la connaissons, Thésée est présenté d'emblée comme un Athénien (Hom. *Od.* 11, 322 s.) et non pas comme un Lapithe ainsi que l'affirme Herter, 1973, col. 1045 s., en se fondant sur Hom. *Il.* 1, 265 ; ce vers, qui ne précise d'ailleurs pas l'origine du héros, est sans doute l'objet d'une insertion postérieure : voir *infra* n. 179. Ce n'est à vrai dire qu'à l'époque hellénistique que nous percevons l'insertion de la figure de Thésée dans l'histoire légendaire de Trézène : Hegias *FGrHist.* 606 F 1 ; voir aussi les fragments d'histoire locale *FGrHist.* 607 F 4 et 5 cités par Paus. 1, 27, 7 s. et 1, 22, 1.

[102] Paus. 2, 30, 5 ss ; cf. encore Strab. 8, 6, 4 qui signale aussi l'existence d'une amphictyonie regroupant autour du culte de Poséidon notamment Epidaure, Egine et Athènes. Sur l'éventuelle relation de l'Amphictyonie de Calauréia avec la formation de la légende de Thésée, cf. Sourvinou-Inwood, 1979, p. 20 ss. Sphettos correspond au dème et à la trittye dont partent les Pallantides pour tenter de prendre le pouvoir d'Egée : Plut. *Thes.* 13, 2 et *supra* chap. ii § 1.3.2. ; sur le dème attique d'Anaphlystos, cf. Strab. 9, 1, 21.

[103] Paus. 2, 31, 1 ss et 32, 1 ss ; le sanctuaire d'Hippolyte est aussi mentionné en 1, 22, 1 = (*FGrHist.* 607 F 5). Sur le parcours de Pausanias et la topographie de Trézène, cf. Musti & Torelli, 1986, p. 315 ss.

[104] Eur. *Hipp.* 30 s. et 373 s. ; Hdt. 8, 41, 1 (cf. aussi 7, 143, 3) et Paus. 2, 31, 7 ; sur le « Décret de Thémistocle », cf. en dernier lieu N. G. L. Hammond, « The Narrative of

Herodotus VII and the Decree of Themistocles at Troizen », *Journ. Hell. Stud.* 102, 1982, pp. 75-93 ; autres références chez Musti & Torelli, 1986, p. 318 s.

[105] Pour rappel : Poll. 8, 119 ; Paus. 1, 19, 1 ; Plut. *Thes.* 12, 6 ; Paus. 1, 28, 10 ; Plut. *Thes.* 14, 1. Cf. *supra* chap. II § 1.3.2. avec n. 12, ainsi que Graf, 1979, p. 13 ss. Les fonctions civiques du culte rendu à Athènes à Apollon Delphinios sont analysées *infra* chap. v § 1.5.3. Il est aisé de lire dans la version tardive du bœuf projeté par Thésée un transfert dans la légende du rite de « l'élévation du bœuf » accompli par les éphèbes athéniens avant plusieurs sacrifices officiels : cf. *supra* n. 1.

[106] Sur le rôle politique du Prytanée d'Athènes, cf. Thuc. 2, 15, 2 (qui en attribue la création à Thésée ! Cf. aussi Plut. *Thes.* 24, 3) et Ps. Aristot. *Ath. Pol.* 3, 5, avec le commentaire de Rhodes, 1981, p. 105 ; sur le rôle religieux du Prytanée en général : Aristot. *Pol.* 6, 1322b 26 ss. Voir à ce propos L. Gernet, « Sur le Symbolisme Politique en Grèce Ancienne : Le Foyer Commun », *Cahiers Intern. Sociologie* 11, 1951, pp. 21-43 (repris dans *Anthropologie de la Grèce antique*, Paris (Maspero) 1968, pp. 382-402) ainsi que M. Detienne, « La cité en son autonomie. Autour d'Hestia », *Quad. Storia* 22, 1985, pp. 59-78, qui donne aux nn. 9 et 20 toute la bibliographie suscitée par les recherches récentes sur les Prytanéia.

Il ne faut pas confondre le Prytanéion avec le Prytanicon qui bordait l'Agora, à côté du Bouleutérion : Travlos, 1973, pl. 5 et p. 577 ; sur d'autres propositions de localisation du Prytanéion, cf. Rhodes, 1981, p. 103 s.

[107] Cf. *infra* chap. v § 1.5.3. Sur l'emplacement du Delphinion, cf. *ibid.* n. 3.

[108] Cf. *supra* chap. II § 3.5.

[109] Plut. *Thes.* 18, 3. Paus. 6, 25, 1 (= LIMC *Aphrodite* 975) ; cf. Ampolo & Manfredini, 1988, p. 220. Un catalogue de ces représentations d'Aphrodite Epitragia a été dressé par E. Mitropoulou, *Aphrodite auf der Ziege*, Athinai (Pyli) 1975, voir aussi *LIMC Aphrodite* 847-976 ; la mauvaise qualité des objets repertoriés ne permet souvent pas de déterminer le sexe de l'animal sur lequel est assise la déesse. Hésitant entre le bouc et la chèvre, parfois accompagnée de deux chevrettes, ces représentations placent en général Aphrodite sous le signe d'Eros. Dans l'iconographie, Eros est aussi représenté chevauchant le bouc ou la chèvre : *LIMC Eros* 245 bis-252.

[110] Voir en dernier lieu Burkert, 1972, p. 84, et G. Devereux, *Femme et mythe*, Paris (Flammarion) 1982, p. 101 ss, qui a tort de voir dans le terme *mêdea*, que l'on croit retrouver dans l'épiclèse *philommeidês*, une référence à la seule verge : cf. Hes. *Theog.* 180, 188 et 200 avec le commentaire linguistique de M. L. West, *Hesiod. Theogony*, Oxford (Clarendon Press) 1966, pp. 85 s. et 88. Ce terme pluriel désigne les organes génitaux mâles en général : cf. notamment Hom. *Od.* 18, 67 et 87 ainsi que Call. fr. 43, 70 Pfeiffer.

[111] Cf. *supra* chap. III § 2.2. Dans la même ligne du lien qu'établissent les Grecs entre le renversement sexuel et le passage au statut adulte, Ant. Lib. 17, 6 raconte la métamorphose par Letô de la fille de Galatée en un homme auprès de la statue duquel les femmes de Phaïstos couchent la veille de leur nuit de noces ! Jeanmaire, 1939, p. 320 ss, voit plus généralement dans « le miracle de la déesse changée en bouc » la manifestation d'un rite de puberté, et Brûlé, 1987, p. 196 s., rapproche l'épiclèse de la déesse du verbe *tragízein* qui se réfère à la maturité sexuelle adulte.

[112] Paus. 1, 4, 7 et 1, 19, 2 ; sur la localisation de ces deux lieux de culte athéniens d'Aphrodite Ourania, cf. Travlos, 1971, p. 79 ss, et Beschi & Musti, 1982, p. 313 s.

Pour le culte de Pandémos, cf. Paus. 1, 22, 3, Apoll. Ath. *FGrHist.* 244 F 113 et *IG* II², 659, 20 ss ; cf. Simon, 1983, p. 48 ss ; Plat. *Symp.* 180d ss. Il n'est pas exact de parler à propos d'Aphrodite Pandémos de simple prostitution comme le fait encore Burkert, 1977, p. 242 ; voir le commentaire d'Ath. 13, 569 de qui cite, à propos de la mesure solonienne, le comique Philémon (fr. 3 Kassel-Austin = Sol. test. 460a Martina) et Nicandre (fr. 9 Schneider) ; cf. encore Harp. *s.v. Pándēmos Aphrodítē* (p. 143, 28 ss Bekker) qui cite Nic. fr. 10 Schneider (= Sol. test. 460b Martina). On verra à ce sujet les remarques éclairantes de E. Simon, *Die Götter der Griechen*, München (Hirmer) 1965, p. 251 ss, qui tout en donnant une série de représentations figurées d'Aphrodite Epitragia, insiste sur la valeur politique du culte d'Aphrodite Pandémos ; l'analyse de V. Pirenne-Delforge, « Epithètes cultuelles et interprétation philosophique. A propos d'Aphrodite Ourania et Pandémos à Athènes », *Ant. Class.* 57, 1988, pp. 142-157, va dans le même sens.

[113] Sur le rôle de Sciros dans la légende de Thésée, cf. Philoch. *FGrHist.* 328 F 111 utilisé par Plut. *Thes.* 17, 6 s. Autres références sur Sciros *infra* chap. v § 3.2.1. Pour le culte rendu à Nausithoos et Phaïax, cf. *supra* chap. iii § 1.3. Les relations légendaires et cultuelles établies par les Athéniens au moment du rattachement de Salamine à leur territoire son mentionnées *infra* chap. v § 4.1.2.

[114] Hom. *Il.* 15, 187 ss ; Hdt. 8, 55 et Apoll. 3, 14, 1 ; Hom. *Il.* 9, 362 ou *Od.* 9, 518. Pour ces différents aspects de l'action de Poséidon, cf. Burkert, 1977, p. 215 ss.

[115] Paus. 2, 30, 6 ; Eole et Boïôtos : Eur. fr. 492 Nauck², cf. aussi Diod. Sic. 4, 67, 2 ; Dôros : Steph. Byz. *s.v. Dôros* (p. 255, 15 Meineke) ; Polyphème : Hom. *Od.* 9, 527 ss et Eur. *Cycl.* 262 ; Antée : Pind. *Isthm.* 4, 52 ss ; Triton : Ap. Rhod. 4, 1558 ss ; liste des innombrables fils de Poséidon chez E. Wüst, « Poseidon », *Realenc. Alt.-Wiss.* XXII, Stuttgart (Metzler) 1952, coll. 446-557 (col. 468 ss).

[116] Périphétès : Hyg. *Fab.* 38, 1 ; Sinis : Bacch. 18, 20 ss, autres versions chez Herter, 1973, col. 1069 ; Cromos : Paus. 2, 1, 3 ; Sciron : Apoll. *Epit.* 1, 2, cf. Herter, 1973, col. 1074 ; Procuste : Hyg. *Fab.* 38, 3 ; pour Cercyon, cf. les hypothèses mentionnées par Herter, 1973, col. 1075 s. ; taureau du Marathon : Isocr. *Hel.* 25.

[117] Sur l'attitude de neutralité de la Crète pendant les Guerres Médiques, cf. Hdt. 7, 169 ; et pendant la Guerre du Péloponnèse : Thuc. 2, 9 *(ex silentio).* Sur l'état intérieur de la Crète au vᵉ siècle, cf. E. Kirsten, *Das dorische Kreta* I, *Die Insel Kreta im fünften und vierten Jahrhundert,* Würzburg (Triltsch) ²1942, p. 10 ss, et van Effenterre, 1948, p. 26 ss. A propos de la supposée « redécouverte » de la Crète au ivᵉ siècle., cf. Kirsten, *op. cit.,* p. 63 ss, ainsi que van Effenterre, 1948, pp. 19 ss et 45 ss.

[118] Le jugement que porte Platon sur la Crète a été explicité par van Effenterre, 1948, p. 72 ss.

[119] Hdt. 1, 65, 4, Thuc. 1, 142, 5, cf. aussi Plut. *Lyc.* 4, 1 ss ; sur cette tradition, cf. Kirsten, *op. cit.* n. 117, p. 13 ss, et E. N. Tigerstedt, *The Legend of Sparta in Classical Antiquity* I, Stockholm - Uppsala (Almquist & Wiksell) 1965, pp. 70 s. et 376 s.

Thuc. 1, 143, 5 (cf. déjà 142, 5 ss) et 1, 8, 2 s., voir aussi 1, 4 et les références à des textes successifs données *supra* n. 67 sur la thalassocratie attribuée à Minos ; la même idée est explicitée par Ps. Xen. *Ath. Pol.* 2, 14 ss ; cf. J. de Romilly, *Thucydide et l'impérialisme athénien. La pensée de l'historien et la genèse de l'œuvre,* Paris (Belles Lettres) 1947, p. 104 ss. Dans ce cadre idéologique créé par la nécessité de fonder la politique expansionniste d'Athènes au vᵉ siècle, peu importe de déterminer si la thalassocratie attribuée au légendaire Minos trouve un correspondant dans la politique réelle de la Crète à l'époque de bronze, même si la question peut servir de prétexte et de thème à un colloque de savants : cf. R. Hägg and N. Marinatos, *The Minoan Thalassocracy. Myth and Reality,* Stockholm (Svenska Institutet i Athen) 1984.

[120] Hdt. 4, 151, 2 s. et 154, 1 s. ; voir l'analyse que j'ai présentée de ce récit dans l'étude mentionnée n. 89. Sur d'autres aspects marginaux de la Crète, voir encore Plat. *Leg.* 680c et 886b.

[121] Voir surtout Hes. *Theog.* 886 ss, commenté par Detienne & Vernant, 1974, pp. 61 ss et 104 ss ; cf. déjà H. Jeanmaire, « La Naissance d'Athéna et la royauté magique de Zeus », *Rev. Arch.* 48, 1956, pp. 12-39, ainsi que 1939, p. 314 s. La fuite de Dédale en Sicile, à la cour de Côcalos, est à mettre entièrement au compte de la légende ; elle est sans rapport avec un quelconque processus historique de pré-colonisation : cf. Prinz, 1979, p. 145 ss.

[122] Le caractère indispensable de la contribution de l'intelligence technique et rusée de Dédale à l'établissement du pouvoir de Thésée sur Athènes a été bien décrit par Frontisi-Ducroux, 1975, p. 177 ss ; elle montre que la collaboration de Dédale à l'exercice du pouvoir de Côcalos en Sicile relève de la même complémentarité (p. 185 ss).

[123] Cf. notamment Pherec. *FGrHist.* 3 F 146 (qui rappelle que le peuple d'Athènes recevait la dénomination de *Daidalídai*), Apoll. 3, 15, 8 et sch. Plat. *Alc.* 121a (p. 98 Greene) qui fait descendre Socrate de Dédale !). Autres références chez Ampolo & Manfredini, 1988, p. 222 s., et analyse de tous ces anthroponymes chez Frontisi-Ducroux, 1975, p. 89 ss. Le lien familial qui unit Thésée à Dédale est notamment relevé par Plut. *Thes.* 19, 9 qui cite la version très particulière de la légende que l'on trouve chez l'Atthidographe Cléidémos (*FGrHist.* 323 F 17) : cf. *supra* chap. II § 5.3. La différence de génération existant entre Thésée et Dédale ne saurait être utilisée comme argument à l'appui de l'absence de la collaboration de ce dernier dans les versions les plus anciennes de la pelote de fil comme le pense Prinz, 1979, pp. 144 s. et 149.

[124] Voir notamment Ps. Plat. *Min.* 320c, Apoll. 1, 9, 26, Ap. Rhod. 4, 1639 ss, mais aussi Sim. fr. 568 Page et Soph. frr. 160 et 161 Radt qui a mis en scène Talos précisément dans son *Dédale* ! Cette figure crétoise ne doit pas être confondue avec le Talos athénien, neveu et rival de Dédale : cf. Frontisi-Ducroux, 1975, p. 123 ss, et Willetts, 1962, p. 100 ss, qui rapprochent ces deux figures.

[125] Cf. notamment Diog. Laert. 1, 109 ss = Epim. *FGrHist.* 457 T 1, *Sud. s.v. Epimenídēs* (*E* 2471 Adler) = T 2 qui en fait un *epopoiós*, Plut. *Sol.* 12, 6 ss = T 4c, Clem. Alex. *Protr.* 2, 26 = T 4e, Plut. *Sap. Conv.* 157d = fr. 3 A 5 Diels-Kranz, Paus. 1, 14, 4 = T 4d et Hsch. *s.v. Bouzúgēs* (*B* 889 Latte) = fr. 3 A 8 Diels-Kranz, avec le commentaire de Beschi & Musti, 1982, p. 310, et celui de M. L. West, *The Orphic Poems*, Oxford (Clarendon Press) 1983, p. 45 ss, qui reprend le problème de la relation d'Epiménide avec le génos des Bouzyges.

[126] Plat. *Leg.* 642d = Epim. *FGrHist.* 457 T 4a, Plut. *Sol.* 12, 7 = T 4c ; cf. aussi fr. 3 B 22 Diels-Kranz. Sur les affinités d'Epiménide avec l'inspiration divine, voir Dodds, 1965, p. 141 ss, et M. Detienne, *Les maîtres de vérité dans la Grèce archaïque*, Paris (Maspero) 1967, p. 129 ss.

[127] Cette version est citée avec tout apparat philologique *supra* chap. II n. 76 ; cf. aussi ce chap. § 1.3.4. Sans relever tout le poids sémantique de son attribution à Epiménide, Frontisi-Ducroux, 1975, p. 144, a bien vu qu'il s'agit d'une version alternative, mais elle a oublié de mentionner sa probable origine. Detienne, 1989, p. 16 s., semble déceler une lumière analogue dans la dénomination, par le même anthroponyme *Astérios*, du père de Minos et de son fils le Minotaure. Le rapprochement qu'opère Borgeaud, 1974, p. 8 s., d'Astérios avec Ouranos me paraît néanmoins plus judicieux dans la mesure où il assimile, par analogie généalogique, Minos à Cronos ; cette assimilation correspond bien à la nature en quelque sorte « pré-souveraine » du roi de Cnossos.

[128] Hes. *Theog.* 468 ss ; sur les différents lieux proposés par la légende antique pour la naissance du roi des dieux et pour les tentations d'identification des modernes, cf. West, 1966, p. 297 s. En bon poète alexandrin, Callimaque (*Jov.* 6 ss) n'hésite pas à confronter les localisations crétoise et arcadienne de la naissance de Zeus ; voir à ce propos Verbruggen, 1981, pp. 27 ss et 46 ss, qui — dans une perpective encore historiciste — montre comment s'est opérée la confusion, par Corybantes interposés (cf. *supra* § 1.6.2.), entre l'Ida de Crète et le mont homonyme en Troade. Pour la légende messénienne, cf. Paus. 4, 33, 1. Sur la mort supposée de Zeus, cf. Verbruggen, 1981, p. 55 ss.

[129] Cf. *supra* § 1.5.2.

[130] Les différentes spéculations étymologiques auxquelles le Labyrinthe a donné le prétexte sont résumées par Santarcangeli, 1974, p. 63 ss, et par P. Scarpi, « *Daidalos* e il *Labyrinthos* », *Boll. Ist. Filol. Greca (Padova)* 1, 1974, pp. 194-210 ; cf. aussi Rademacher, 1943, p. 280 ss ; pour les tentatives d'identifications archéologiques, cf. Borgeaud, 1974, p. 1 ss, et F. Cordano, « Il Labirinto come simbolo grafico della città », *Mél. Ecole fr. Rome, Ant.* 92, 1986, pp. 7-15 ; références complémentaires chez Ampolo & Manfredini, 1988, p. 222 ss.

[131] Hsch. *s.v. labúrinthos* (*L* 33 Latte) et *Sud. s. eodem v.* (*L* 11 Adler). L'homologie supposée entre la morphologie du Labyrinthe et la spirale d'une coquille en colimaçon a été

défendue en dernier lieu par Duchemin, 1970, p. 47 s., et par Detienne, 1989, p. 23 ss ; mais l'application même du terme *labúrinthos* à des escaliers en colimaçon démontre l'existence d'un autre type de « labyrinthes », en effet homologue au bigorneau de Minos, percé en son extrémité supérieure pour que la fourmi puisse le traverser de part en part (voir la description d'Apoll. *Epit.* 1, 14 s.), sans impliquer le moindre rebroussement.

[132] Pherec. *FGrHist.* 3 F 148 ; Call. *Del.* 311, commenté par Mineur, 1984, p. 241 ; Apoll. 3, 1, 4 : sur ce passage, cf. Duchemin, 1970, p. 35 ; Hdt. 2, 148, 1 ss. Les monnaies de Cnossos présentent deux types de figuration du labyrinthe : il y assume soit la forme d'une croix gammée dont les branches forment chacune un méandre, soit le schéma de sinuosités imbriquées dessinant, en carré ou en rond, un parcours unique : cf. W. Wroth, *Catalogue of the Greek Coins of Crete and the Aegean Island*, Bologna (Forni) 1963, p. 18 ss avec les pll. IV-VI, et G. Le Rider, *Monnaies crétoises du IIe au Ier siècle av. J.-C.*, Paris (Geuthner) 1966, pll. VI-VII notamment. De ces deux types, qui apparaissent tous deux au Ve siècle, seul le second peut être mis en relation avec la réalité d'un parcours ; le premier ne comporte pas d'entrée et ne peut être considéré que comme l'emblème de ce qui reste une construction symbolique ! Quant aux représentations de la céramique, elles figurent l'entrée/sortie du labyrinthe comme un petit bâtiment précédé d'un portique ; voir à ce propos l'étude ancienne de P. Wolters, « Darstellungen des Labyrinths », *Sitzb. Akad. Wiss. München, philos.-philol. u. hist. Klasse*, 1907, pp. 113-132, qui n'hésite pas à voir dans les motifs à entrelacs dont l'extérieur de ces bâtiments est en général décoré une figuration des méandres du Labyrinthe ! Des descriptions anciennes, plus floues, sont encore mentionnées par Frontisi-Ducroux, 1975, p. 141 ss, qui définit avec raison le labyrinthe comme « une forme symbolique sans référent architectural » ; mais une forme qui a reçu, *a posteriori*, des représentations iconographiques ! Sur la spécificité du tracé labyrinthique de type cnossien, cf. Santarcangeli, 1974, pp. 57 et 116 ss. La comparaison avec le labyrinthe utilisée par Platon (*Euth.* 291 b ; cité par Detienne, 1989, p. 27) pour décrire l'impossibilité de parvenir au fond de chaque science insiste précisément sur le « rebroussement » *(perikámpsantes)* auquel est contraint l'enquêteur, ainsi ramené au début de sa recherche.

[133] Plut. *Thes.* 21, 1 s. qui se réfère à Dicaearch. fr. 85 Wehrli et Poll. 4, 101 qui précise que le chœur exécutant cette danse était conduit par deux chorèges. Sur les différentes interprétations qu'on a pu donner de cette double direction chorale, cf. Calame, 1977, I, p. 108 ss, où l'on trouvera les indications bibliographiques sur les nombreuses figures sous lesquelles on a cherché à se représenter la danse de la grue ; on y ajoutera Detienne, 1989, p. 20 ss, et Mineur, 1984, p. 242 s. En employant également à propos du schéma chorégraphique de cette danse les termes de *períodos* et de *diéxodos*, Plutarque exprime bien la complémentarité du circulaire et du rebroussement vers la sortie qu'implique l'image classique du Labyrinthe crétois : grâce au fil donné par Ariane, Thésée ne fait rien d'autre qu'apprendre comment sortir des détours du Labyrinthe (*toùs eligmoùs diexeltheîn : Thes.* 19, 1). D'autre par Mar. Vict. *Ars gramm.* 1, 16, 14 (VI, p. 60, 1 ss Keil) voit dans ces mouvements circulaires alternés, par l'intermédiaire de l'étymologie, l'origine de la strophe et de l'antistrophe ; pour d'autres, la danse de la grue représenterait une imitation humaine des révolutions des planètes.

[134] G. Hérelle, *Etudes sur le théâtre basque. Le théâtre comique*, Paris (Champion) 1925, p. 52, cité par Duchemin, 1970, p. 40 ss (avec les schémas reproduits p. 39). Sur la localisation de la danse de la grue, cf. *supra* chap. II § 7.2. et *infra* chap. VI § 3.1.2.

[135] Plat. *Polit.* 263d ; Aristot. *HA* 597a 4 ss ; voir à ce propos le dossier repris et explicité par Detienne, 1989, p. 21 ss ; voir aussi M. Verzár, « Pyrgi e l'Afrodite di Cipro », *Mél. Ecole fr. Rome, Ant.* 82, 1980, pp. 35-86. Sur l'insertion d'Athéna dans les représentations attiques du combat contre le Minotaure, cf. Brommer, 1982, p. 43 ss.

[136] Voir par exemple la thèse extrême défendue par P. Faure, *Fonctions des cavernes crétoises*, Paris (De Boccard) 1964, p. 66 ss, pour ne pas parler de celle formulée par H. Damisch, « La danse de Thésée », *Tel Quel* 26, 1966, pp. 60-68, qui voit dans le Laby-

rinthe de Crète le dépassement de l'opposition esthétique entre figure et fond par la fusion entre dionysisme et apollinisme ! Beaucoup plus prudemment, Borgeaud, 1974, p. 22, parle de « l'espace imaginaire de l'initiation elle-même », et Willets, 1962, pp. 102 ss et 123 ss, après avoir tenté d'identifier le Labyrinthe de Crète avec une orchestra et avec le labyrinthe égyptien consacré au soleil, fait de la danse censée s'y dérouler une ordalie à caractère prématrimonial. L'interprétation initiatique du parcours labyrinthique remonte en tout cas à J. Frazer ; elle a connu une destinée remarquable dont Frontisi-Ducroux, 1975, p. 148 s., retrace les étapes principales : voir en dernier lieu Moreau, 1988, p. 12 ss ; références complémentaires chez Ampolo & Manfredini, 1988, p. 229 et *infra* chap. VI § 3.2.1.

[137] Comme l'a bien dit Delcourt, 1958, p. 25 s., le rite d'Amathonte n'est en tout cas pas l'équivalent d'une couvade (pour un rite de ce type à Naxos, cf. *infra* n. 145).

[138] *H. Bacch.* 1 ss ; Diod. Sic. 3, 66 et 4, 52 ; cf. aussi Archil. fr. 290 West et Hdt. 5, 31 ; Plut. *Quaest. Conv.* 741a ; de plus Pindare (fr. 115 = 71 Snell-Maehler) présente Naxos comme l'un des lieux d'origine du dithyrambe. Sur la tradition locale, cf. Aglaosth. *FGrHist.* 499 F 5, voir aussi F 4 et Andrisc. *FGrHist.* 500 F 3. Pour les attestations numismatiques et épigraphiques, cf. R. Herbst, « Naxos », *Realenc. Alt.-Wiss.* XVI, Stuttgart (Metzler) 1935, coll. 2079-2095.

[139] Sur la puissance navale de Naxos et sur sa maîtrise des Cyclades à la fin du VIe siècle, cf. Hdt. 5, 28 et 31, et Gallet de Santerre, 1958, p. 283 ss. ; une thalassocratie naxienne de dix ans est aussi mentionnée dans la liste des puissances maritimes reproduite par Eus. *Chron.* p. 225, 33 Schoene ; cette succession de règnes sur la mer Egée peut-être été construite pour remplir le « trou » chronologique laissé par l'histoire traditionnelle entre la thalassocratie de Minos et celle d'Athènes : cf. L. H. Jeffery, *Archaic Greece. The City-States c. 700-500 B.C.*, London (Methuen) 1976, p. 252 s. Pour le rôle joué par Naxos dans l'enrichissement glyptique de Délos à l'époque archaïque, voir Bruneau & Ducat, 1983, pp. 19 s. et 56 ss. La défection de Naxos au sein de la Ligue de Délos est mentionnée par Thuc. 1, 98, 4 et 137, 2. Pour la figure de Lygdamis, voir Hdt. 1, 61, 4 et 64, 2 ainsi que Ps. Aristot. *Ath. Pol.* 15, 2 s., avec le commentaire de Rhodes, 1981, p. 208 ss. ; cf. aussi Aloni, 1989. p. 47 ss.

[140] En plus des représentations citées *supra* chap. II n. 66, on verra la coupe à figures rouges, Tarquinia Mus. Naz. RC 5291 (*ARV²* 405, 1 ; *LIMC Ariadne* 53 avec pl.), le fr. de cratère en calice à figures rouges, Tübingen Univ. 5439 (*ARV²* 1057, 97 ; *LIMC Ariadne* 111 avec pl. = *Dionysos* 823) et la péliké à figures rouges, London Brit. Mus. 1901.7. - 10.5. (*ARV²* 1472, 3 ; *LIMC Ariadne* 112 avec pl.) ; sur ces vases, qui s'échelonnent de 480 à 350 environ, Ariane est toujours représentée dans un contexte dionysiaque. Ce portefeuille légèrement enrichi, est décrit par S. Kaempf-Dimitriadou, *Die Liebe der Götter in der attischen Kunst des 5. Jahrhunderts v. Chr.*, Bern (Francke) 1979, p. 30 ss ; pour les représentations du groupe Dionysos-Ariane-Eros, voir encore *LIMC Dionysos* 708-784 et *Eros* 865-869.

[141] Cf. par exemple Jeanmaire, 1951, p. 345 ss, Otto, 1969, p. 164 ss, Burkert, 1977, p. 255, ou Daraki, 1935, p. 97 ss.

[142] Le destin de Callistô est raconté par Eur. *Hel.* 375 ss, Paus. 8, 3, 6 ou Eratosth. *Cat.* 1 ; voir G. Arrigoni, « Il maestro del maestro e i loro continuatori », *Ann. Scuola Normale Sup. Pisa (Cl. Lett. e Phil.)* III. 14, 1984, pp. 937-1019 ; pour celui de Taygété, cf. Apoll. 3, 10, 3, Paus. 3, 1, 2, Ps. Plut. *Fluv.* 17, 3 et Pind. *Ol.* 3, 29, avec les sch. *ad loc.* (I, p. 120, 22 ss Drachmann).

Tout en suivant le destin analogue connu par les jeunes filles protégées par Artémis et les femmes séduites par Dionysos, R. A. S. Seaford, « The eleventh ode of Bacchylides : Hera, Artemis and the absence of Dionysus », *Journ. Hell. Stud.* 108, 1988, pp. 118-136, a montré la complémentarité de ces deux divinités.

[143] Pour l'identité du territoire placé sous l'influence complémentaire d'Artémis et de Dionysos ainsi que pour les affinités de ces deux divinités, cf. Pind. fr. 70b, 16 ss Snell-

Maehler et Alcm. fr. 56 Page, avec le commentaire que j'ai présenté en 1983, p. 520 s. La croissance spontanée de la vigne et le jaillissement insulaire du vin sont attestés dans la documentation réunie par Detienne, 1986, p. 63 ss ; Naxos en particulier jouissait d'une source de vin : Steph. Byz. *s.v. Naxos* (p. 468, 13 s. Meineke) ; voir à ce propos Nilsson, 1906, p. 278 ; sur l'ambivalence des effets de la consommation du vin, cf. *infra* chap. v n. 29.

[144] Aglaosth. *FGrHist.* 499 F 2, cf. Verbruggen, 1981, p. 36 s. ; Paus. 2, 23, 7 s., cf. Musti & Torelli, 1976, p. 289. On relèvera aussi qu'une variante probable de la légende de fondation de Naxos fait du héros éponyme de l'île un fils d'Apollon et d'Acacallis, la fille de Minos : Alex. Polyhist. *FGrHist.* 273 F 30.

[145] Call. fr. 75, 1 ss Pfeiffer, voir aussi sch. Hom. *Il.* 14, 296 (III, p. 635, 41 ss Erbse) et Poll. 3, 40, avec les parallèles à cette coutume cités par E. Samter, « Ein naxischer Hochzeitsgebrauch », *Neue Jb. klass. Altertum* 35, 1915, pp. 90-98, et Robert, *art. cit. infra* chap. v n. 67. Pour l'iconographie correspondante, cf. *supra* chap. II n. 66.

[146] Ant. Lib. 21.

[147] Plut. *Thes.* 20, 2 et 8 avec la version locale *FGrHist.* 501 F 1 (deux fils) ; Apoll. *Epit.* 1, 9 (quatre fils) ; sch. Ap. Rhod. 3, 997 (p. 245, 2 ss Wendel ; six enfants).

On peut faire à propos de ces différents anthroponymes les remarques suivantes : Bücheler a proposé pour le texte d'Apoll. *Epit.* 1, 9 de corriger la leçon *Párethos* en *Pepárēthos* qui correspond au nom (féminin) de Scopélos, « l'Apparente ». Dans la légende de fondation de Chios (cf. *infra* n. 148), Euanthès est présenté comme le fils d'Oïnopion ; mais ce nom correspond aussi à celui porté par le père de Maron, le détenteur du vin fameaux (Hom. *Od.* 9, 197) ; il s'agit par ailleurs d'une épiclèse de Dionysos lui-même (Ath. 11, 465a). A la graphie *Taurópolis* (que donnent les sch. Ap. Rhod. ; la légende nomme ainsi une jeune Mégarienne, petite-fille de Lélex : Paus. 1, 42, 7) il faut probablement préférer celle de *Tauropólos*, mieux attestée ; ce nom féminin correspond alors à l'épiclèse de l'Artémis de Tauride honorée en Attique, à Halaï, à l'occasion des Tauropolia : cf. Eur. *IT* 1456 ss, Aristoph. *Lys.* 447, ainsi que Deubner, 1932, p. 208 s., et H. Lloyd-Jones, « Artemis and Iphigeneia », *Journ. Hell. Stud.* 103, 1983, pp. 87-102 (p. 96 s.). Rappelons dès lors que Thoas correspond non seulement au nom du fameux roi de Lemnos (Hom. *Il.* 14, 230), mais aussi à celui du roi de Tauride qui détient la statue d'Artémis Tauropolos !

Sans doute est-ce par erreur que les sch. Hom. *Od.* 11, 321 (p. 505, 23 s. Dindorf) attribuent à Ariane Acamas et Démophon, les enfants issus de l'union de Thésée avec Phèdre (cf. *infra* § 3.3.3.). Selon Paus. 1, 3, 1, Céramos, le héros éponyme, serait fils d'Ariane et de Dionysos et les sch. Hom. *Il.* 9, 66 (II, p. 539, 10 ss. Erbse) attribuent à Enyeus, le fondateur de Scyros, la même filiation. Pour d'autres fils issus du couple divin, voir encore Hyg. *Fab.* 14, 10 et 19.

[148] Plut. *Thes.* 20. 2 parle de versions attribuant deux fils, Oïnopion et Staphylos, à Thésée ; mais dans le vers de Ion de Chios qu'il cite (Ion. Eleg. fr. 7 Gentili-Prato), seul Oïnopion est mentionné. Lui seul en effet passe pour être le fondateur de Chios : cf. Diod. Sic. 5, 79, 1 qui dit qu'Oïnopion, installé à Chios par Rhadamanthe, apprit de son père Dionysos l'art de faire du vin, ainsi que Paus. 7, 4, 8 (= Ion *FGrHist.* 392 F 1 = fr. 8 Gentili-Prato), qui fait également venir Oïnopion de Crète (cf. aussi 7, 15, 13) ; cf. encore Ath, 1, 26bc = Theop. *FGrHist.* 115 F 276, sch. Arat. 636 (p. 349, 18 ss Martin) et l'inscription citée par Ampolo & Manfredini, 1988, p. 226. Herter, 1973, coll. 1132 et 1148, commet encore l'erreur d'associer Staphylos à Oïnopion dans la légende de fondation narrée par Ion de Chios. Sur la *Khíou ktísis* de Ion, cf. *FGrHist.* 392 T 2 = T 2b Gentili-Prato. Tout en niant l'appartenance du vers cité par Plutarque à la *Khíou ktísis* qu'il veut rédigée en prose, F. Jacoby, « Some Remarks on Ion of Chios », *Class. Quart.* 41, 1947, pp. 1-17 (= *Abhandlungen zur griechischen Geschichtsschreibung*, Leiden (Brill) 1956, pp. 144-168), estime que le rattachement de la légende de fondation de Chios au mythe athénien de Thésée est légèrement antérieur à la publication du texte de Ion (vers 460 ?) ;

l'historien poète aurait été par ailleurs un ami de Cimon : Plut. *Cim.* 9, 1 et 16, 10. La
composition poétique a trouvé récemment un avocat en G. Cerri « La *Ktisis* di Ione di
Chio : prosa o versi ? », *Quad. Urb. Cult. Class.* 26, 1977, pp. 127-131. Tout en faisant
état de la légende qui attribue à Rhadamanthe l'installation d'Oïnopion à Chios, Diod.
Sic. 5, 79, 1 s. et 84, 3, montre qu'une version crétoise fait de Thoas, d'Enyeus, de Staphylos et d'Euanthès des généraux du frère de Minos ; ceux-ci deviennent respectivement les fondateurs de Lemnos, Cyrnos, Péparéthos et Maronéia ! Ce mythe trouve un écho
dans le *P. Hamb.* 118 *b*, col. II où, dans un même contexte, sont cités Péparéthos, Chios
et Lemnos, ainsi que Staphylos et peut-être Thoas, présentés probablement comme les fils
de Dionysos : cf. H. Lloyd-Jones, « Addendum » in G.W. Bond, *Euripides. Hypsipyle*,
Oxford (Univ. Press) 1963, pp. 157-160.

[149] Voir notamment l'amphore à figures noires, London Brit. Mus. B 168 (*ABV* 142, 3 ;
LIMC Ariadne 156 avec pl. = *Dionysos* 787) ainsi que les documents *LIMC Ariadne* 155-
161, qui étrangement datent tous de 530 environ ; sur le document 159 Ariane tient dans
ses bras un seul enfant. On verra encore *LIMC Dionysos* 369, 370, 372, 785, 786 et 806
(Dionysos sans Ariane, mais avec Oïnopion, nommé ou non).

[150] C'est là l'interprétation que donne des images citées n. 149 par exemple Th. H. Car-
penter, *Dionysian Imagery in Archaic Greek Art. Its Development in Black-Figure Vase
Painting*, Oxford (Clarendon Press) 1986, p. 24 ss ; ce savant se réclame du fragment
Athinai Mus. Acr. 2526 (pl. 9 B ; cf. aussi *LIMC Aphrodite* 1255 avec pl.) sur lequel on voit
une femme tenant dans ses bras deux enfants nommés *Hímeros* et *É[rōs]* ; cf. aussi le fr.
London Brit. Mus. 601.17 (*ABV* 38, 3) où, dans une figuration analogue, la femme est explicitement nommée Aphrodite. Dans le cadre de la relation matrimoniale qui unit Dionysos
à Ariane, il est difficile d'interpréter en tant que départ de l'héroïne avec Thésée la scène
du scyphos à figures rouges Wien Kunsthist. Mus. IV 1773 (*ARV²* 972, 2 ; *LIMC Ariadne*
51 = *Akamas et Demophon* 1, puisque l'auteur de l'article correspondant, consacré aux
deux fils de Phèdre, commet la même erreur que les sch. *Od.* citées *supra* n. 147 !) ; l'une
des faces de ce scyphos représente Thésée en face d'Athéna alors que sur l'autre Ariane
confie ses deux enfants à une nymphe ; c'est pourtant l'interprétation présentée, à propos
des documents cités ici, par Bernhard & Daszewski, 1986, p. 1069 s. Cette double image
est sans doute à référer plutôt à la divergence des destins respectifs des deux héros : destinée politique de Thésée et maternité interrompue par une mort prématurée pour Ariane.
Parmi d'autres, la variante d'Hes. *Theog.* 947 ss ne présente du destin d'Ariane que son
mariage avec Dionysos, suivi de son immortalisation (cf. aussi Eur. *Hipp.* 339) ; raccourci
d'autant plus surprenant que la mention de cette union est intégrée dans un catalogue de
naissances survenues à la suite d'unions du même type ; faut-il dès lors athétiser ce passage
comme le proposaient déjà les sch. *ad loc.* ? Cf. West, 1966, p. 416 s.

[151] Sur la relation d'Aphrodite avec Dionysos dans l'iconographie, cf. *LIMC Aphrodite* 1356-1364 ; pour la littérature archaïque et classique voir Sol. fr. 26 West = 24 Gentili-Prato, Anacr. frr. 357 Page et 56 Gentili, Panyas. fr. 17 Bernabé, Prax. fr. 752 Page,
puis Eur. *Bacch.* 234 ss, etc. ; Privitera, 1971, p. 110 ss, montre bien que dans cette conception une même polarité négatif/positif unit vin et amour : ils sont tous deux aussi bien
susceptibles d'accabler que de libérer.

[152] Le mythe et le rite attachés au culte d'Artémis Triclaria à Patras figurent avec clarté
la limite séparant le domaine adulte attribué à Dionysos et celui de l'adolescence réservé à
Artémis, même si ces deux divinités peuvent agir dans le même cadre sauvage : cf. Paus. 7,
19, 1 ss, et Calame, 1977, I, p. 244 s.

[153] Sur la valeur matrimoniale de la couronne, cf. *supra* n. 24 ; pour le manteau conjugal de Dionysos et d'Ariane, cf. Ap. Rhod. 4, 423 ss et 3, 1205 ss, avec les parallèles littéraires et iconographiques commentés par G. Arrigoni, « Amore sotto il manto e inizia-
zione nuziale », *Quad. Urb. Cult. Class.* 44, 1983, pp. 7-56.

[154] Se développant dès la fin du VIIe siècle, l'iconographie figurant Dionysos et une
femme dans le cadre propre au dieu de la vigne est très variée : cf. *LIMC Dionysos* 708-

776. Les témoignages littéraires sur les amours emportés de Dionysos sont énumérés par Otto, 1969, p. 185 ss ; ni dans l'une, ni dans les autres on ne trouve les aspects funéraires que Daraki, 1985, pp. 93 et 97 ss, attribue à cette union. Par contre la violence, sinon l'excès des amours inspirées par Aphrodite, qui peuvent faire des jeunes filles de véritables Bacchantes, conduisent parfois à la mort : cf. Eur. *Hipp.* 545 ss.

[155] Rapprochement proposé par exemple par Borgeaud, 1974, p. 18, ou par Burkert, 1977, p. 255.

[156] Ps. Dem. 59, 72 ss, avec le commentaire de P. Carlier, *La royauté en Grèce avant Alexandre*, Strasbourg (AECR) 1984, p. 331 ss, qui voit dans cette hiérogamie le symbole de l'union de la cité avec Dionysos. Ps. Aristot. *Ath. Pol.* 3, 5, avec les explications de Rhodes, 1981, p. 103 ss ; voir aussi *An. Gr.* I, p. 231, 32 ss Bekker et *EMag.* 227, 35 ss Gaisford ; autres sources chez Deubner, 1932, p. 100 ss, et Burkert, 1972, p. 257 ss.

[157] Ps. Dem. 59, 76 ; à partir de l'étude contestable de E. Simon, « Ein Anthesterien-Skyphos des Polygnotos », *Ant. Kunst* 6, 1963, pp. 6-22, on a pensé pouvoir interpréter plusieurs représentations de la confrontation de Dionysos avec une femme (Ariane ?) comme la rencontre du dieu avec la *basílinna : LIMC Dionysos* 820-826 (= *Ariadne* 110-111 : cf. Bernhard & Daszewski, 1986, p. 1068). On verra aussi l'oïnochoé attique à figures rouges, New York Metr. Mus. 06.1021.183 (*LIMC Dionysos* 781) : Burkert, 1972, p. 258, interprète cette scène comme la représentation du mariage de Dionysos et d'Ariane qui seraient entourés des célébrants du jour des Choès (autres documents interprétés dans ce sens cités n. 12) ; compléments au dossier chez K. Lehnstadt, *Prozessionsdarstellungen auf attischen Vasen*, München (Diss.) 1970, p. 92 ss. Quant au dossier des images qui pourraient représenter la procession d'introduction de Dionysos à l'occasion des Anthesté-ries, il est présenté dans *LIMC Dionysos* 827-829 (cf. aussi 825 qui, selon Deubner, 1932, p. 104 s., représenterait le cortège nuptial de Dionysos et de la *basílinna* vers le Boucoléion) ; les éléments qui permettent cette mise en relation sont exposés par Deubner, 1932, p. 102 s. ; cf. encore Simon, 1983, p. 93 ss avec n. 25. Le masque politique que revêt Dionysos en pénétrant dans le Boucoléion, selon Detienne, 1986, p. 81 ss, ne lui enlèverait rien de ses fonctions extatiques. E. Keuls, « Male-Female Interaction in Fifth-Century Dionysiac Ritual as shown in Attic Vase Painting », *Zeitschr. Papyrol. Epigr.* 55, 1984, pp. 287-296, a raison d'opposer la théogamie de Zeus et d'Héra célébrée au mois Gamélion (Deubner, 1932, p. 177 s.) à la hiérogamie de Dionysos et de l'épouse du roi fêtée aux Anthéstéries le mois suivant ; pour un parallèle rituel égyptien, voir M. Guarducci, « Dioniso sposo della regina », *Numism. Antich. Class.* 11, 1982, pp. 32-46.

[158] C'est là l'interprétation classique, largement représentée depuis Jeanmaire, 1951, p. 223 (avant le déchiffrement du linéaire B) jusqu'à Bernhard & Daszewski, 1986, p. 1068 ; voir en particulier à ce propos G. Van Hoorn, « Dionysos et Ariadne », *Mnemo-syne* IV. 12, 1959, pp. 193-197. Les rapports de Dionysos avec la sexualité féminine sont analysés par A. Henrichs, « Changing Dionysiac Identities » in B. F. Meyer and E. P. Sanders, *Jewish and Christian Self-Definition* III. *Self-Definition in the Graeco-Roman World*, London (SCM Press) 1982, pp. 137-160 et 213-236. Le double aspect de l'amour qu'Ariane porte à Dionysos est parfaitement exprimé dans la double scène qui orne le cratère à volutes dit « Vase de Pronomos », Napoli MN 3240 (*ARV*[2] 1376, 1 = *LIMC Dionysos* 719 et 835 ou *Eros* 803) ; alors que la face A représente le couple amou-reux dans le contexte de la représentation civique d'un drame satyrique, la scène B le dépeint dans un cadre sauvage avec les traits de la possession; cf. Calame, 1986, p. 101 ss.

Sur l'emplacement du Boucoléion et sur sa fonction, cf. C. Wachsmuth, « Bukoleion », *Realenc. Alt.-Wiss.* II, Stuttgart (Metzler) 1986, coll. 996-997, et Travlos, 1971, p. 2.

[159] C'est dans la bouche de Thésée que T. B. L. Webster, « Myth of Ariadne from Homer to Catullus », *Greece and Rome* 13, 1966, pp. 21-31, place les vers fameux du fr. 388 Nauck[2] d'Euripide (extraits du *Thésée*) qui opposent à l'éros inspiré par Cypris l'amour d'une âme tempérée. Selon Simon, *art. cit.* n. 157, p. 14 s., ces mots seraient pro-noncés par Thésée au moment de la séparation avec Ariane, scène elle-même illustrée par le

cratère en calice de Syracuse cité *supra* chap. II n. 66. On remarquera de plus que pour Webster la version homérique de la légende d'Ariane présentait l'héroïne comme ayant abandonné le dieu Dionysos pour Thésée le mortel ! C'est aussi la reconstruction de la version homérique que propose Barrett, 1964, p. 222 s. (cf. encore Otto, 1969, p. 197), en se fondant sur Sen. *Phaedr.* 759 s., mais en ignorant les compléments donné par le commentaire d'Eustathe : cf. supra chap. II § 6.1.1.

[160] Le mythe de fondation de Délos est raconté dans l'*HAp.* 25 ss et 146 ss ; voir aussi Call. *Del.* 11 ss et 300 ss, avec le commentaire de Mineur, 1984, p. 235 ss ; sur forme et fonctions du chœur des Déliades, cf. Calame, 1977, I, pp. 70 ss et 194 ss.

[161] Thuc. 3, 104 ; en 1, 8, 1, la même purification de Délos est mise en relation, par les équipements cariens qu'aurait permis de découvrir le transport des tombes de Délos à Rhénéia, avec la protohistoire du bassin de la mer Egée. La purification de Délos par Pisistrate est aussi mentionnée par Hdt. 1, 64, 2 ; cf. *infra* chap. v n. 148.

[162] Le rôle cultuel de Délos en rapport avec Athènes est décrit pour l'époque classique par Bruneau & Ducat, 1983, p. 20 ss, et pour le IVe siècle et les siècles suivants par Bruneau, 1970, p. 657 ss. Pour l'envoi de la théorie, cf. *supra* chap. II § 7.3. avec n. 90.

[163] Ce double aspect d'Apollon, M. Detienne l'évoquera sous peu, dans un ouvrage à paraître ; voir déjà *infra* chap. v n. 53.

[164] Depuis longtemps on a rapproché la graphie *Ariágnē* que présente le nom d'Ariane sur certains vases et l'épithèse de *hagnē* que reçoit Aphrodite dans une inscription de Délos où elle est honorée avec Apollon : cf. Nilsson, 1906, p. 382, Otto, 1969, p. 192, et Calame I, 1977, p. 226 n. 106 ; voir aussi la glose d'Hsch. *s.v. hadnón* (A 1159 Latte) : *hagnón Krêtes*. Pour Jeanmaire, 1939, p. 319, l'orthographe iconographique d'Ariane rapprocherait plutôt l'héroïne d'Artémis : les hésitations constantes de Jeanmaire quant à l'identité artémisienne ou aphrodisiaque d'Ariane sont le signe même de l'ambiguïté de cette figure ! En poussant plus loin encore la spéculation, on pourrait hasarder que la qualification de *hagnē* renvoie au respect inspiré par l'aspect sage et intégré que prend à Délos l'amour d'Aphrodite-Ariane.

[165] Plut. *Thes.* 23, 4 et 22, 1 et 4 ; sur ces interférences entre la syntaxe des rites décrits par Plutarque et celle de la légende qu'il reconstitue, cf. *supra* chap. II § 8.3. et chap. III § 3.4.

[166] Cf. *supra* chap. II § 1.

[167] Cf. *infra* chap. VI § 3.2.1.

[168] Cf. *supra* chap. II n. 1.

[169] J'ai tenté en 1986, p. 169 ss, de mettre en lumière l'exploration des différents degrés d'une progression vers la civilisation que représente le parcours maritime de Thésée.

[170] L'assimilation d'Egée à Poséidon proposée par certains interprètes friands d'enchassements de ce type (Radermacher, 1943, p. 266 s. ; Kron, 1976, p. 122 s. ; autres références chez Herter, 1973, col. 1145) a sans doute été induite par l'image classique où Poséidon assiste à la réception de Thésée par son père humain Egée : amphore à figures rouges, London Brit. Mus. E 264 (*ARV*[2] 579, 1 = *LIMC Aigeus* 29 ; cf. aussi 38). La prégnance dans la légende de Thésée du thème civico-politique, avec les figures spatiales qu'il assume, me fait préférer cette interprétation politique du suicide d'Egée aux interprétations ritualiste (mise à mort rituelle) ou psychologisante (suppression de l'impuissance et de la stérilité du roi) proposées par Jeanmaire, 1939, p. 363 ss (cf. aussi Herter, 1936, p. 207 s.), et par Green, 1980, p. 134 ss, respectivement ; tous deux mettent en relation le meurtre du père et la substitution du fils devenu adulte avec la transformation initiale de la chèvre en bouc sous les auspices d'Aphrodite.

Quant à la localisation du suicide d'Egée et l'aïtion tardif relatif à la dénomination de la mer Egée, voir *supra* chap. II n. 91. La tradition hésite également à propos de la situation de l'hérôon consacré au roi : cf. Kron, 1976, p. 124 ss, et Ampolo & Manfredini, 1988, p. 230. C. Lévi-Strauss, « Mythe et oubli » in *Langue, discours et société. Pour Emile Benveniste*, Paris (Minuit) 1975, pp. 294-300, a relevé le rôle joué par l'oubli en particulier dans les mythes de communication entre les générations ; pour les récits de fondation, cf. Calame, 1990, p. 285 ss. Quant au symbolisme blanc/noir, objet de l'oubli dans la légende de Thésée, cf. *supra* chap. II n. 34.

[171] Cf. Boersma, 1970, pp. 15 ss, 23 s. et 29 ss, ainsi que Travlos, 1971, pp. 234 et 578 s., ou Shapiro, 1989, p. 5 ss.

[172] Plut. *Thes.* 24, 1 ss, avec le commentaire circonstancié de Ampolo & Manfredini, 1988, p. 235 ss ; on a déjà dit (*supra* § 1.6.3. avec les nn. 90 et 91) que cette image d'un Thésée démocratique remonte pour nous en tout cas aux *Suppliantes* d'Euripide ; celui-ci n'enlève pas au héros sa fonction de roi. Les contours de la figure politique du héros et le caractère des réformes qui lui ont été attribuées ont en effet subi au cours des siècles quelques modifications notables : cf. *infra* chap. VI § 1.4. avec n. 35.

[173] Plut. *Thes.* 25, 4 ss qui tire son information de Hellanic. *FGrHist.* 4 F 165 = 323a F 15 ; autres sources mentionnées par Ampolo & Manfredini, 1988, p. 240. Sur la frontière entre le Péloponnèse et l'Attique dénommée Ionie, cf. Strab. 3, 5, 5 et 9, 1, 6, commenté par Jacoby, 1954, I, p. 427 ss, et II, p. 336 s. Cette séquence pourrait remonter au VIᵉ siècle et représenter une projection des campagnes successives lancées à cette époque par Athènes contre Mégare : cf. *infra* chap. V § 3.2.3. et Herter, 1973, col. 1215, qui donne la liste des différentes hypothèses historiennes échafaudées à ce propos. On en trouve en tout cas la trace chez l'Atthidographe Androtion *FGrHist.* 324 F 61.

[174] Ces versions du rapt d'Antiope sont en partie résumées par Plut. *Thes.* 26, 9 ss ; elles sont cataloguées par Brommer, 1982, p. 110 ss, et soumises à une analyse chronologique par Tyrrell, 1984, p. 4 ss ; voir également A. Kaufmann-Samoras, « Antiope II », *LIMC* I.1, Zürich - München (Artemis) 1981, pp. 857-859, et *infra* chap. VI n. 69. Pour le Vᵉ siècle, cf. Pind. fr. 175 Snell-Maehler, Pherec. *FGrHist.* 3 F 151, Hellanic. *FGrHist.* 4 F 166 et 167 (= 323a F 16 et 17), etc. Selon Schefold, 1978, pp. 109 ss et 157 ss, la première version de la participation de Thésée à l'Amazonomachie de Thémiscyra serait due à un hypothétique poète épique de Trézène, Agias ou Hégias (cf. Huxley, 1969, p. 162), qui aurait travaillé dans le cercle des Alcméonides en exil à Delphes, puis au profit de Clisthène. Connue par le seul témoignage de Paus. 1, 2, 1 et réservant à Antiope dans la prise de Thémiscyra par Héraclès un rôle analogue à celui d'Ariane à Cnossos, cette version prouverait, selon Radermacher, 1943, p. 256 ss, l'origine trézénienne de cet épisode. Mais Brommer, 1982, p. 115 ss, fait remarquer que la participation de Thésée au siège de Thémiscyra n'est pas attestée avant Eur. *Heracl.* 215 ss (tragédie représentée en 430) ; dans l'iconographie attique, qui traite de l'Amazonomachie de Thémiscyra dès le deuxième quart du VIᵉ siècle, jamais la coprésence d'Héraclès et de Thésée dans le combat n'est attestée de manière certaine : cf. Schefold & Jung, 1988, p. 272 ss ; de là l'hypothèse que l'épisode du rapt d'Antiope s'est développé de manière autonome avant de servir de moyen d'intégration de Thésée à l'Amazonomachie de Thémiscyra : Boardman, 1982, pp. 8 et 27 s. ; hypothèse différente chez Ampolo & Manfredini, 1988, p. 270 s.

[175] C'est encore une fois à Plut. *Thes.* 27, 1 ss que nous devons la compilation des différentes versions classiques de l'Amazonomachie attique et de ses conséquences cultuelles. Le biographe tire ses renseignements en particulier de l'*Atthis* signée par Cléidémos (*FGrHist.* 323 F 18). C'est pour nous Aesch. *Eum.* 685 ss qui le premier attribue à Thésée la cause de l'incursion des Amazones jusqu'au centre d'Athènes ; sur la relation de motivation qu'établit la légende entre l'Amazonomachie attique et celle de Thémiscyra, cf. Jacoby, 1954, I, p. 437 ss, et Herter, 1973, col. 1149 s. L'Amazonomachie attique joue un rôle central dans les grands programmes iconographiques de l'époque classique : cf. *infra* chap. VI § 1.3. Pour les différentes versions de la légende, voir Herter, 1973, col. 1157 ss, et Ampolo & Manfredini, 1988, p. 240 s.

[176] Le prude Plutarque, *Thes.* 28, 3, passe très rapidement sur les conséquences de la double union de Thésée, renvoyant aux textes tragiques ; voir en effet Eur. *Hipp.* 5 ss et 1296 ss, ainsi que Barrett, 1964, p. 6 ss, sur le traitement archaïque, puis tragique de la légende. Avant Barrett, H. Herter, « Theseus und Hippolytos », *Rhein. Mus.* 89, 1940,

pp. 273-292, avait déjà émis l'hypothèse que la légende de Phèdre et d'Hippolyte avait une origine trézénienne. Boardman, 1982, p. 11, estime que la version de la *Théséide* utilisée par Plutarque est tardive.

[177] Participation des fils de Thésée à la guerre de Troie : *Il. parv.* fr. 20 Bernabé et p. 108, 10 s. Allen, *Il. Pers.* fr. 6 Bernabé ; cf. aussi Stes. fr. 193, 17 ss. Page ainsi qu'Eur. *Tr.* 31 et la version iconographique traitée par Polygnotos dans la lesché de Delphes : Paus. 10, 25, 7 et 26, 2 ; cf. encore *infra* n. 183. Les autres versions imagées sont citées par Brommer, 1982, pp. 128 s. et 131. Acamas comme héros éponyme de l'une des dix tribus clisthéniennes : Paus. 1, 5, 2 et Kron, 1976, p. 141 ss, ainsi qu'*infra* chap. VI § 3.3.2. ; de plus s'élevait au Phalère un autel consacré aux Théséides : Paus. 1, 1, 4.

La version athénienne qui tente de réduire la contradiction que présente la participation conjuguée de Ménesthée et du fils de Thésée à la guerre de Troie se trouve tardivement chez Paus. 1, 17, 6 et Plut. *Thes.* 35, 7 : c'est en tant que réfugiés auprès de l'Eubéen Elpénor que les deux fils de Thésée se seraient rendus à Troie ; voir cependant déjà la tentative d'Hellanic. *FGrHist.* 4 F 143 = 323a F 21a (reprise par Dion. Sam. *FGrHist.* 15 F 5), avec le commentaire de Ampolo & Manfredini, 1988, p. 258. Pindare quant à lui, fr. 176 Snell-Maehler, fait de Démophon le fils d'Antiope ; ce serait une preuve, selon Barrett, 1964, p. 8 ss, que la figure de Phèdre n'aurait été introduite dans la légende athénienne qu'au Vᵉ siècle pour légitimer Acamas et Démophon. Pour le règne de Démophon : *Marm. Par. FGrHist.* 239 A 26 s. et Diod. Sic. 4, 62 ; cf. Cantarelli, 1974, p. 478 ss.

[178] Plut. *Thes.* 29, 4 ss ; déjà Isocr. *Hel.* 31 dressait une liste de ce genre, qu'il intégrait à celle de combats contre les monstres marquant la première partie de la biographie du héros. Cf. aussi *Sud. s.v. ouk áneu ge Thēséōs* (O 849 Adler). L'aide apportée par Thésée à Adraste pour la récupération et l'ensevelissement du corps des héros tombés sous les murs de Thèbes est déjà traitée dans les *Eleusiniens* d'Eschyle (p. 175 s. Radt) ; autres références chez Ampolo & Manfredini, 1988, p. 247 s.

[179] La Centauromachie est évoquée par Hom. *Il.* 2, 742 ss et *Od.* 21, 295 ss, sans que ne soit mentionné Thésée comme c'est par contre le cas dans *Il.* 1, 265 ; il y a longtemps que l'on a reconnu dans ce vers (repris par Ps. Hes. *Scut.* 182 dans le même contexte) une interpolation athénienne datant probablement du VIᵉ siècle : références chez Herter, 1936, p. 222 ss, et 1973, col. 1159 ; voir aussi Radermacher, 1943, p. 249 s., Jacoby, 1949, p. 393 ss, et G. S. Kirk, *The Iliad. A Commentary* I, Cambridge (Univ. Press) 1985, p. 80 ; par contre, du côté de l'iconographie, Thésée apparaît confronté aux Centaures dès le Vase François : cf. Brommer, 1982, p. 104 ss ; les représentations monumentales du Vᵉ siècle font probablement référence à la Centauromachie improvisée qui a lieu à l'occasion des noces de Pirithoos, cf. *infra* chap. VI § 1.3.2. Pour les textes littéraires, cf. *infra* chap. VI § avec n. 13.

[180] Le rapt d'Hélène par Thésée était narré dans les *Cypria* (fr. 13 Bernabé), puis à Sparte même par Alcman (fr. 21 Page) et chez d'autres poètes méliques comme Stésichore (fr. 191 Page) ou Pindare (frr. 243 et 258 Snell-Maehler) ; voir aussi Hdt. 9, 73. Ce rapt est sans doute présupposé par la mention d'Aïthra chez Hom. *Il.* 3, 144 (cf. Plut. *Thes.* 34, 1, avec le commentaire de Ampolo & Manfredini, 1988, p. 255) ; autres attestations, iconographiques également : cf. Cantarelli, 1974, p. 484 ss, Calame, 1977, I, p. 281 ss, et Brommer, 1982, p. 98 ss. C. Sourvinou-Inwood, *Studies in Girls' Transitions*, Athinai (Kardamitsa) 1988, p. 52 ss, a tenté de montrer que la poursuite dont Hélène est l'objet de la part de Thésée est une métaphore pour l'acte de mariage ; voir aussi Brûlé, 1987, p. 365 s. Quant à la tentative d'enlèvement de Coré avec la descente aux Enfers des deux héros, elle était racontée dans la *Minyade* (fr. 1 Bernabé, avec le commentaire de Huxley, 1969, p. 118 ss), par Hésiode (fr. 280 Merkelbach-West), puis par Hellanic. *FGrHist.* 4 F 134 = 323a F 20 ; dans la *Nékyia* odysséenne (Hom. *Od.* 11, 631) Pirithoos et Thésée sont cités ; mais déjà dans l'Antiquité, en particulier chez les historiographes de Mégare (!), le vers concerné passait pour avoir été interpolé : Hereas *FGrHist.* 486 F 1. Autres références littéraires : Herter, 1973, col. 1174 ss ; pour l'iconographie, voir Brommer, 1982,

p. 99 ss. L'ensemble du récit est rationalisé par Diod. Sic. 4, 63, 4 et Plut. *Thes.* 31, 1 ss ; une autre version à tendance évhémériste est rapportée par Paus. 1, 17, 4 s. et 18, 5 : cf. Ampolo & Manfredini, 1988, pp. xiii s. et 252 s.

[181] Hdt. 5, 92 *b* ; Steph. Byz. *s.v. Philaîdai* (p. 665, 15 ss Meineke), cf. aussi Phot. *s.v. Peirithoîdai* (II, p. 80 Naber). Sur l'histoire des Lapithes, cf. Prinz, 1979, p. 270 ss. Selon G. Arrigoni, « Atalanta e il cinghiale bianco ». *Scripta Philologica* I, Milano (Cisalpino) 1977, pp. 9-47, l'insertion de Thésée dans la légende de la chasse au sanglier de Calydon pourrait remonter à la fin du vɪᵉ s.

[182] Les différentes versions de la libération de Thésée sont données par Diod. Sic. 4, 63, 4 et Hyg. *Fab.* 79 ; cf. Brommer, 1982, p. 97 ss, et *infra* chap. vɪ n. 70.

[183] Si ce n'est dans le *Catalogue des Vaisseaux* en tant que chef du détachement athénien, Ménesthée joue dans l'*Iliade* un rôle très secondaire : cf. Hom. *Il.* 2, 552 ss ainsi que 1, 326 ss ; 12, 331 s ; 13, 195 s. et 687 s. ou 14, 329 ss, avec le commentaire de Cantarelli, 1974, p. 460 ss ; voir aussi Paus. 2, 25, 6. Ménesthée et les fils de Thésée étaient figurés parmi les occupants de la statue du cheval de Troie exposée dans le sanctuaire d'Artémis Brauronia sur l'Acropole : Paus. 1, 23, 8 ; voir Kron, 1976, p. 151 s.

[184] Comme le relève Herter, 1973, col. 1167, qui répertorie à la suite de Plut. *Thes.* 32, 1 ss les nombreuses versions de l'expédition punitive des Dioscures contre Aphidnaï où Hélène était retenue prisonnière, la version à laquelle se réfèrent Hdt. 9, 73 et Hellanic. *FGrHist.* 4 F 168 (= 323a F 18), en élargissant à toute l'Attique l'intervention spartiate, porte le reflet des événements du début de la Guerre du Péloponnèse ; pourtant, Ampolo & Manfredini, 1988, p. 253 s., préfèrent la référer à l'intervention spartiate en faveur d'Isagoras à la fin du vɪᵉ siècle. Pour le sanctuaire et la fête dont les Dioscures étaient effectivement gratifiés à Athènes, cf. Paus. 1, 18, 1, avec Beschi & Musti, 1982, p. 322 s., et Deubner, 1932, p. 216.

[185] Les différentes versions de la mort de Thésée sont résumées par Paus. 1, 17, 4 ss et par Plut. *Thes.* 35, 3 ss ; voir le commentaire de Herter, 1936, p. 226 ss, et 1973, col. 1197 ss. La version de l'ostracisme est donnée par Teophr. fr. 131 Wimmer, cf. aussi *Char.* 26, 6 ; autres références indiquées par Herter, 1973, col. 1198. Déjà chez Eur. *HF* 1322 ss, Thésée cède à Héraclès une partie des terres et des honneurs qui sont dus au héros athénien, comme geste de reconnaissance pour avoir assuré son salut : cf. Ampolo & Manfredini, 1988, p. 256. Pour Scyros et la terre à chaux, cf. Hsch. *s.v. Skûros* (S 1185 Schmidt) et *infra* chap. v § 3.2.1. N'oublions pas la tradition qui fait de Scyros le lieu de l'éducation (initiatique) et du travesti d'Achille : Apoll. 3, 13, 8 ; autres références chez J. Bremmer, « Heroes, Rituals and the Trojan War », *Studi Stor.-Rel.* 2, 1978, pp. 5-38.

[186] Cf. Plut. *Thes.* 36, 5 s. avec le commentaire de Ampolo & Manfredini, 1988, p. 261, sur les fonctions de Poséidon Gaiéochos. Pour la renaissance « autochtone » que le héros connaît à Athènes, voir *infra* chap. vɪ § 3.3.1.

Chapitre V

CYCLE ET ESPACE CULTUELS ATHÉNIENS

Comparés dans leurs structures narratives avec les épisodes de la légende censés les justifier, les rites dont Thésée passe pour être le fondateur font preuve — on l'a remarqué — d'une relative retenue dans le développement de leurs actions constitutives. Cette réserve, effet possible des descriptions fragmentaires dont dépend notre information, est néanmoins compensée par l'intérêt que suscitent les objets manipulés à l'occasion de ces rituels, les qualités et fonctions des dieux qui sont les destinataires ou les garants de ces manipulations et la configuration des espaces qui en sont le lieu. L'impression de faim sur laquelle a pu nous laisser une étude syntaxique du rite à cours d'aliments peut donc être comblée par une analyse sémantique qui s'attachera avant tout aux valeurs investies par la description du rituel dans les Prédicats ainsi que dans les acteurs occupant les positions actantielles de Sujet et de Destinateur.

A Athènes donc, le retour de Thésée et des adolescents soustraits à l'avidité monstrueuse du Minotaure fait coïncider, probablement à une même date, Pyanopsies et Oschophories ; deux festivals qui ont pour protagonistes différentes catégories d'adolescents ; deux festivités qui, d'une part par la consommation d'une bouillie et par le port de l'éirésiôné avec les nourritures qui y sont suspendues, d'autre part par le port des *ôskhoi* et par l'absorption des aliments contenus dans les *pentaplóai*, semblent développer leur action dans un même domaine végétal et alimentaire ; deux festivals qu'opposent pourtant, en un couple célèbre, les dieux qui en sont les Destinateurs : Apollon d'un côté, Dionysos de l'autre. Mais l'investigation qui suit l'isotopie alimentaire fondant quelques-unes des valeurs de ces deux rites est rapidement conduite vers les deux festivals constituant respectivement le complémentaire des Pyanopsies et celui des Oschophories ; on a nommé les Thargélies et les Anthestéries. De plus, en complément aux Pyanopsies, le rituel du 6 Mounichion, attaché lui aussi à la légende théséenne, est là pour rompre ce qui pouvait apparaître comme un bel ordonnancement binaire. De même en va-t-il quand on poursuit la piste que nous offrent les Destinateurs divins de ces rituels : la célébration des Oschophories nous renvoie à Dionysos, mais aussi, dans un couple pour le moins surprenant, à Athéna Sciras. L'élucidation des étranges fonctions auxquelles réfère cette non moins étrange épiclèse de la divinité poliade renvoie, après un nouveau parcours rituel passant par les Scirophories, au second lieu de célébration des Oschophories : le Phalère où nous rencontrons, par l'intermédiaire des gestes rituels des Cybernésia, Poséidon, le deuxième dieu tutélaire de la grande cité. Il est enfin impossible de parcourir les festivités du mois Pyanopsion sans trouver sur son chemin Déméter et ses servantes, les Thesmophores. Après l'utilisation comme métaphore du voyage auquel nous invitent Pyanopsies et Oschophories, c'est effectivement en termes de spatialité que l'on pourra tenter, en conclusion et comme dans le chapitre précédent, de faire la synthèse des fonctions complémentaires de cette constellation de festivals et de leurs différents acteurs.

Une fois tracée à grands traits l'hypothèse d'un cycle cultuel athénien faisant collaborer dans une configuration spatiale précise non seulement Apollon et Dionysos, mais aussi Athéna, Poséidon et Déméter, sinon peut-être Aphrodite, il faut aborder l'analyse sémantique des rituels mentionnés ; en portant donc son attention aux Prédicats et par conséquent aux objets manipulés à chacune de ces occasions, aux acteurs qui les portent, enfin aux divinités à qui ils les destinent en relation avec l'espace qu'elles organisent.

1. Apollon aux Pyanopsies

Du côté apollinien pour commencer, le rite des Pyanopsies célébré à la fin octobre semble répondre au festival des Thargélies consacré à Apollon également, à la fin du mois de mai (le 6 Thargélion exactement). Autant dans la division de l'année en trois saisons que connaissent les Grecs de l'époque archaïque que dans la bipartition de l'année en un hiver et un long été se subdivisant à son tour en trois périodes en vigueur à Athènes à la fin du Ve siècle, le mois Thargélion marque en mai/juin le début du plein été, après un bref printemps ; le terme de l'été coïncide avec le moment de la maturation des fruits *(opóra)* au mois Pyanopsion, qui recouvre la fin de notre mois d'octobre et le début de novembre. Ce n'est qu'exceptionnellement que l'on donne à l'*opóra* comme automne le statut d'une saison autonome [1].

L'affinité des Pyanopsies avec les Thargélies n'a d'ailleurs pas échappé aux héortologues anciens eux-mêmes. Elle les a à vrai dire frappés à tel point que l'on a fini par reporter sur les Thargélies le rite de l'éirésiôné. Or ce report est localisable dans un filon bien précis de la tradition tardive. Autant les allusions d'Aristophane lui-même, relatives à son utilisation annuelle, que la composition de cet objet rituel, auquel on suspendait les fruits de la saison, montrent que l'on ne clouait l'éirésiôné aux portes des maisons d'Athènes qu'une fois l'an, à l'occasion de l'achèvement des récoltes. C'est d'ailleurs le même filon tardif de la tradition qui réfère aux Pyanopsies et aux Thargélies un sacrifice au Soleil et aux Heures dont on aura à montrer la relative autonomie [2]. Reconnaissons tout de même que la confusion entre ces deux célébrations était d'autant plus aisée que toutes deux comportaient la consommation d'une bouillie ; sa composition ne va pas tarder à retenir notre attention. Néanmoins, le rattachement étiologique exclusif de la bouillie des Pyanopsies au mythe de Thésée de même que la correspondance du port de l'éirésiôné avec le rituel du 6 Mounichion doivent nous garder d'une assimilation rapide et schématique entre Pyanopsies et Thargélies.

1.1. Les aliments de l'opôra en Pyanopsion

Des Pyanopsies on vient donc de rappeler les deux énoncés narratifs fondamentaux quant aux valeurs véhiculées dans les actions constitutives du rituel : la consommation d'une bouillie et le port de l'éirésiôné consacrée dans un sanctuaire d'Apollon que l'on peut avec quelque vraisemblance identifier avec le Delphinion[3]. Si cette identification est exacte, cela signifie que la procession de l'éirésiôné aboutit dans le sanctuaire apollinien dont l'emplacement est supposé coïncider avec celui du palais d'Egée. Au-delà de la légende, le Delphinion s'élevait dans le quartier d'Athènes sis au pied sud-est de l'Acropole, non loin du temple de Zeus, mais dans la proximité immédiate également du temple de Dionysos aux marais.

1.1.1. Jeux étymologiques sur une bouillie de fèves

Plutarque offre à son lecteur la recette exacte de la bouillie des Pyanopsies : il s'agit de faire bouillir *(hépsēsis)* des légumes à cosses *(óspria)* tout en répétant les gestes des adolescents sauvés par Thésée ; rappelons qu'à leur retour à Athènes, ceux-ci passaient pour avoir fait bouillir *(hepsḗsantes)* dans une marmite de terre cuite *(khútra)* les restes des vivres *(sitía)* emportés pour l'expédition de Crète. Toutes nos sources s'accordent pour préciser la nature les légumes bouillis à l'occasion des Pyanopsies en référant le nom de la fête, dans sa variante *Puanépsia*, aux termes *púana* (« les fèves ») et *hépsein* (« bouillir ») : par l'intermédiaire de deux phènomènes successifs de substitution phonétique (puisque le mot courant pour dénoter la fève est *kúamos* et que le terme originaire décrivant le festival est *Puanópsia*), les Pyanopsies/Pyanépsies se désignent dans leur dénomination même comme le festival de la bouillie de fèves. La tradition lexicographique byzantine élargit quelque peu le sens que l'on peut conférer au terme *púana* en le référant à toutes les légumineuses comestibles (pois, lentilles, fèves) et en l'identifiant avec l'*étnos*, une purée de pois ou de fèves très populaire en Grèce antique[4].

Le problème de la réalité de l'étymologie proposée par les Anciens ne doit pas nous préoccuper outre mesure. Si les inscriptions semblent bien attester d'une forme originaire *Puanópsia*, en revanche on constate que l'explication étymologique a fini par rejaillir sur la morphologie de cette dénomination qui devient, dans les textes plus récents, *Puanépsia*[5].

Mais la fête de la bouillie de fèves a également été comprise comme *panópsia* : pour Lycurgue déjà, le festival ainsi dénommé devait permettre aux Grecs de « voir *(eîdon têi ópsei)* tous les fruits *(pántas toùs karpoús)* »[6]. Cette seconde étymologie, en dépit de la modification morphologique qu'elle implique dans la dénomination de la fête, nous renvoie à la seconde pratique qui, dans le déroulement des Pyanopsies, relève du domaine de l'alimentaire : le port de l'éirésiôné.

1.1.2. Un « arbre de mai » automnal !

La composition de cet objet destiné à rappeler le rameau de suppliant *(hiketēría)* déposé par Thésée au Delphinion le 6 Mounichion au moment de son départ pour la Crète est donnée par le chant même qui accompagnait sa consécration : hampe d'olivier entourée de laine, comme l'*hiketēría*, mais à laquelle on a accroché « des figues, des pains gras, un petit pot de miel, une fiole d'huile à oindre, une coupe pour le vin qui enivre et qui endort ». L'orateur Lycurgue en donnait quant à lui une description plus générale : un rameau orné des produits de saison, fruits considérés comme les prémices des produits de la terre[7].

Par des sources plus tardives et sans doute moins dignes de foi puisque leurs informations ne peuvent plus être fondées sur une observation directe, on apprend encore que la hampe de l'éirésiôné pouvait aussi être faite d'un rameau de laurier ou qu'en plus des brins de laine, elle était entourée de bandelettes de tissus de lin. On y aurait suspendu de préférence des fruits à écale, tels les noix ou les châtaignes. Cette version conduit un lexicographe à assimiler ces fruits à des *katakhúsmata* ; les fruits suspendus à l'éirésiôné correspondraient ainsi aux noix et aux figues sèches que l'on jetait sur le foyer domestique pour marquer l'intégration dans l'*oîkos* de la jeune épouse ou l'accueil d'un nouvel esclave. Une autre tradition lexicographique ajoute enfin que l'on accrochait à l'éirésiôné des petits gâteaux ronds appelés *diakónia*. Relevons à ce propos qu'une partie de la tradition dessinée par les commentateurs d'Aristophane paraphrase le chant de l'éirésiôné en faisant des « pains gras » dont ces vers chantent la qualité pré-

cisément des petits gâteaux ovales et plats *(kollûrai plakountikaí)*
et en remplaçant les figues par une catégorie plus générale de
fruits « croquants » (noix, amandes, etc.) [8].

A propos du terme *eiresiốnē*, le goût ressenti par les Grecs
pour l'étymologie n'a d'ailleurs pas non plus manqué de se
manifester ; avec des suggestions toutefois moins intéressantes
que celles relatives à la dénomination de la fête où l'on portait
cette étrange hampe. *Eiresiốnē* est ainsi rapproché de *éria* ou
eíria, « la laine », présente dans ce cas particulier sous forme de
bandelettes blanches et rouges ; mais le terme est aussi référé à
eíresthai, « attacher ensemble (des fruits) » ; c'est par exemple la
suggestion proposée par les *Etymologica*.

1.1.3. La fève, nourriture primordiale

Mais pourquoi, dans une fête dédiée à Apollon, la présentation
et la consommation de ces nourritures essentiellement végétariennes ?

La bouillie de fèves pour commencer, avec les représentations
dont elle fait l'objet dans la nomenclature grecque des aliments
dont se nourrit l'homme civilisé. Les auteurs comiques semblent
en général associer la purée de fèves avec des personnages du
peuple : ce brave Télémaque d'Acharnes, par exemple, qui se
nourrit de marmites entières de fèves et qui (ajoute Athénée) finit
par faire des Pyanopsies ce que le traducteur anglo-saxon transcrit
par « *a windy holiday* », c'est-à-dire, dans une traduction plus
crue, mais plus exacte, un véritable festival du pet... A l'époque
romaine encore, la bouillie de fèves passait pour un mets consis-
tant, apprécié des paysans, des forgerons et des gladiateurs [9]. Plus
précisément, dans la Sparte du VIIe siècle avant notre ère, le poète
Alcman mentionne déjà une purée de fèves *(puánion pólton)* que
l'on accompagne d'épis de froment bouillis et de miel. La désignation métaphorique du miel, dans ce contexte, comme *kērína
opóra*, « le fruit mûr de la cire », dénote peut-être le moment
automnal de sa consommation ; à moins que celle-ci n'ait pris
place à l'occasion du banquet qui marquait le festival des Hyacinthies, le célèbre rituel dédié à Apollon Amycléen, probablement
en été [10].

Sur le sol de l'Attique lui-même, la fève disposait d'un statut
particulier, incarné dans le héros Cyamitès. Sur la voie sacrée qui

conduisait d'Athènes à Eleusis s'élevait en effet un petit temple
dédié au héros qui, selon Pausanias, soit avait semé pour la première fois des fèves, soit portait dans sa dénomination le nom du
seul légume *(óspria)* qui ne saurait être attribué à Déméter. On
constate ainsi que la fève connaissait dans la taxinomie attique des
légumes une place singulière. Orphiques et Pythagoriciens ne
manqueront pas de s'en souvenir dans leur élaboration d'un
régime alimentaire renversant les valeurs de la culture traditionnelle. Ce n'est par ailleurs pas un hasard si le sanctuaire du héros
de la fève était voisin aussi bien de l'autel où Thésée fut purifié à
son arrivée de Trézène par les Phytalides que du lieu où Déméter
fit don du figuier au fondateur de ce génos ; on aura encore à
déterminer les nombreuses valeurs de culture alimentaire attachées à ce complexe spatial [11].

Mais ce sont précisément les transpositions métaphoriques dont
la fève est l'objet dans la pensée pythagoricienne qui nous font
sans doute saisir avec le plus de clarté, à travers le renversement,
les qualités alimentaires spécifiques attribuées à cette légumineuse
pour le moins singulière. Associée au processus de la pourriture,
la fève pythagoricienne devient tour à tour, après un temps
d'incubation, représentation d'une tête d'enfant, incarnation du
sexe féminin ou symbole du sang. C'est que la fève est en général
assimilée chez les Pythagoriciens au processus de la génération.
Nul étonnement dès lors à la voir incarner dans la tradition cosmogonique du pythagorisme le premier homme né de l'état primordial de putréfaction et de germination. Cœur, œuf, fève
comme « principes de naissance » *(genéseōs arkhḗ)* sont marqués
chez les Pythagoriciens d'un même interdit alimentaire qui associe
ces éléments dans leur qualité commune de lieu d'origine de la
génération et de la vie ; manger des fèves revient finalement à se
comporter en véritable cannibale. Et si l'on détourne le bœuf de la
légende pythagoricienne des jardins de fèves pour lui faire goûter
la nourriture des hommes, c'est que l'on entend le faire passer
d'un état cannibale et sauvage à la civilisation humaine [12]. C'est
donc sur les qualités de nourriture primordiale attribuées à la fève
que s'appuient les Pythagoriciens pour la transformer en un aliment frappé d'interdit : manger des fèves, c'est consommer « la
tête des parents », c'est se nourrir de sa propre origine. D'ailleurs,
à l'écart de toute perspective pythagoricienne, Isidore de Séville,
dans son intérêt pour l'étymologie, ne manque pas de faire

remonter le terme latin *fava* à la forme grecque *phageîn* ; et de justifier ce rapport morphologique par le fait que la fève aurait été la première nourriture de l'humanité. Pour un commentateur byzantin d'Homère, les premiers hommes, ceux de l'âge de Cronos, utilisaient précisément les fèves pour fabriquer leur pain primordial[13].

1.1.4. *Les aliments mûrs de l'éirésiôné*

Les différents produits de la terre suspendus à l'éirésiôné ne nous éloignent guère des valeurs de nourriture essentielle, primordiale, mais ambiguë qu'incarne la bouillie de fèves consommée au même festival. Suivons dans l'analyse de ces produits l'ordre indiqué par le chant de l'éirésiôné.

Des figues fraîches *(sûka)* on sait qu'elles constituent dès l'époque classique l'un des produits essentiels de l'Attique, avec le miel et le pain ; ce n'est qu'à leur suite que l'un des protagonistes de la comédie moyenne mentionne le bétail, la laine, le myrte, le thym, le froment et l'eau ! La figue est même un produit si apprécié qu'elle devient la métaphore d'un homme « bon et doux » ; produit tellement essentiel que les sycophantes tireraient leur nom des citoyens qui dénonçaient aux autorités les pratiquants de la contrebande des figues sèches *(iskhádes)* au-delà des frontières de l'Attique. Par un autre rapprochement étymologique, le sycophante pourrait être aussi celui qui, avant l'introduction de la monnaie, prélevait des contraventions en nature : figues, vin et huile[14].

Produit essentiel et aliment fondamental en Attique, la figue passe de plus, selon le témoignage d'Athénée, pour être l'expression même de la vie civilisée, de la vie « pure » *(katháreios bíos)*. Preuve en soit, toujours par l'intermédiaire du jeu étymologisant, le nom du gâteau de pâte de figue *(hēgētēría)* que l'on portait en tête de la procession des Plyntéria et que l'on offrait probablement à Athéna après le bain de sa statue ; preuve en soit surtout, toujours selon l'auteur des *Déipnosophistes*, le fait que les Athéniens n'ont pas hésité à nommer « Figuier sacré » l'endroit où aurait été trouvée la première figue. La figue passerait ainsi en Attique pour être le premier composant de la nourriture civilisée *(hémeros trophé)*[15].

Mais sur le « Figuier Sacré », on sait davantage. La figue,

réputée être le plus utile des fruits arboricoles et le plus propice aux nouveau-nés, était considérée en Attique comme un don de Déméter. Plus précisément, la légende raconte que le lieu-dit « Figuier Sacré » correspond à l'endroit où Phytalos − héros et prince athénien que son nom désigne réellement comme héros de la végétation (!) − accueillit Déméter au moment où elle révéla aux hommes le premier fruit du temps de la maturation et de la récolte : la race des mortels s'empressa de nommer ce don béni « figue sacrée ». Cette belle histoire passe pour s'être déroulée dans un faubourg d'Athènes, sur la voie sacrée qui conduit à Eleusis, non loin de l'endroit déjà mentionné où était honoré Cyamitès, le héros de la fève. Or Phytalos n'est personne d'autre que le héros fondateur et éponyme du génos des Phytalides qui, tradition de famille aidant, accueillit le jeune Thésée à son arrivée à Athènes. Et en cet endroit doublement attaché, par l'alimentation et l'hospitalité, à l'émergence de la civilisation, Déméter était vénérée non seulement avec sa fille, mais aussi − comme on le verra − avec Athéna et Poséidon, les deux fondateurs de l'Attique [16]. Légende et culte situent donc la figue au fondement même de la civilisation attique, en l'associant aussi bien à la saison de la récolte qu'aux premiers comportements civilisés.

Mais la figue, la figue noire, c'est aussi − selon la formule d'Hipponax − « la sœur du vin ». Nourriture élémentaire et simple, mais « qui vaut davantage que de l'or », elle est également volontiers associée à l'olive. Figues fraîches et sèches, vin doux et olives, c'est la triade se trouvant fonder dans l'alimentation végétarienne la vie simple que dispense Déméter ; vie d'autrefois à laquelle aspire Aristophane dans sa nostalgie utopique d'un paradis campagnard perdu [17]. Dans l'*Odyssée* déjà, le verger du vieux Laërte se distingue par ses figuiers, ses vignes, ses oliviers auxquels s'ajoutent poiriers et légumes. En revanche les Perses d'Hérodote font preuve de leur qualité de barbares à l'égard des biens dont Grecs et Lydiens ont la jouissance en ce qu'ils ne connaissent ni le vin, ni les figues. Quant à la terre des Babyloniens, ces autres étrangers auxquels Hérodote a rendu visite, elle se caractérise par le fait que si elle porte avec une abondance inconnue en Grèce les fruits traditionnellement attribués à Déméter, c'est-à-dire les céréales, en revanche elle ne peut nourrir aucun arbre : ni figuier, ni vigne, ni olivier [18].

La figue, don de Déméter, mais don qui précède celui des

céréales, don que la déesse partage dans le culte avec le dieu du vin. Dionysos et la figue, une relation qu'attestent en effet aussi bien certaines épiclèses du dieu que la pratique cultuelle. Diodore de Sicile n'hésite pas quant à lui à faire de Dionysos non seulement l'inventeur du pressurage du raisin et celui de la vinification, mais également le protecteur des figues et des autres fruits qui poussent sur les arbres *(akródrua)* et qu'il est possible de conserver pendant l'hiver. Et plus près de l'époque et de la région qui nous intéressent, en Attique classique, le festival des Dionysies campagnardes était l'occasion d'une procession où l'on portait à Dionysos une amphore de vin et un sarment, un bouc, une corbeille de figues et un phallus. Le premier prix attribué à Sousarion au début du ve siècle à l'occasion du premier concours de comédies à Athènes consistait en un panier de figues et une mesure de vin [19]. Cette attribution rend compte à la fois de la qualité dionysiaque de ces produits et de leur valeur de nourriture archaïque, précédant l'introduction de la monnaie.

Le pain quant à lui nous entraîne entièrement du côté de Déméter. *Artos* est malheureusement un terme trop général pour nous donner une indication sur le type de céréales dont étaient faites les galettes suspendues à l'éirésiôné ; les précisions fournies par d'autres sources que le chant de l'éirésiôné ne se réfèrent guère — on l'a vu — qu'à la forme de ces galettes [20]. Mais qu'il soit fait de froment ou d'orge, le pain attique passait en tout cas pour être d'une qualité exceptionnelle. Sous la plume d'auteurs athéniens, cette réputation n'a sans doute rien de très surprenant ; ce qui importe c'est que leurs éloges portent sur ce produit céréalier en particulier. Par ailleurs, rappelons-nous Platon se moquant, par la bouche du Socrate mis en scène dans le *Gorgias*, de la manière propre à Calliclès de prendre les questions qu'on lui pose au pied de la lettre ; il mentionne comme maîtres des soins physiques un boulanger, un cuisinier et un cabaretier : le pain, la viande et le vin seraient donc les éducateurs du corps ! Mais on fera mieux encore sans doute en relisant l'épitaphios que Platon également met ironiquement dans la bouche d'Aspasie dans le *Ménexène* : mère de ses habitants revendicateurs de l'autochtonie, la terre de l'Attique ne peut que nourrir les enfants qu'elle a elle-même engendrés en produisant, avant l'huile, le blé et l'orge, « la plus belle et la meilleure des nourritures pour l'espèce humaine » [21].

Avec le miel, nous goûtons encore à l'un des produits les plus réputés d'Athènes et de sa région, un produit d'une renommée telle qu'il devient chez Aristophane le symbole même de l'Attique destinée à être pilée dans le mortier de la guerre ! Le miel fait aussi partie, avec le fromage, la farine d'orge et le vin, de ces aliments de base que Circé sert aux compagnons d'Ulysse non sans y avoir mêlé les drogues destinées à effacer le souvenir de leur patrie. Mais à peine les malheureux se transforment-ils en porcs qu'on leur jette à manger, en opposition à ces nourritures éminemment humaines, glands, farines et fruits du cornouiller. Ce miel tombé du ciel que les abeilles recueillent sur les fleurs baignées de rosée et que l'on récolte au printemps et en automne, Aristote en désigne le goût sucré, dans sa forme inférieure de la cérinthe, comme rappelant celui d'une figue ; dans sa qualité la plus parfaite au contraire, il équivaut, selon Ibycos, à un dixième d'ambroisie quant à la douceur [22].

Cela pour ne mentionner que les qualités alimentaires du miel en omettant sa relation métaphorique avec l'inspiration poétique et la divination, largement exploitée par les Grecs dès l'époque archaïque : si la Muse pindarique a une voix de miel, la Pythie de Delphes est elle-même comparée à une abeille. Mais c'est avant tout le mythe de Mélissa qui donne au miel sa place parmi les premières nourritures de l'homme civilisé. La jeune Nymphe passe en effet pour avoir la première goûté aux rayons de miel et pour avoir bu de cette liqueur après l'avoir mélangée avec de l'eau. Elle s'empressa d'enseigner à ses compagnes le goût de cette nouvelle nourriture tirée des arbres. Les Nymphes la proposèrent à leur tour aux hommes qui cessèrent dès lors de consommer de la chair et de se manger les uns les autres. Au changement de régime suggéré par les Nymphes, le mythe associe les coutumes du vêtir et du mariage. La consommation du miel devient, sous le signe de Déméter, la marque du passage à l'état de civilisation que symbolisent par ailleurs le port de vêtements tissés, l'union conjugale et les devoirs de piété envers les dieux désormais imposés aux hommes. La présence des abeilles caractérise à son tour le règne de la justice hésiodique avec − dans une progression vers le plus civilisé − l'abondance des glands, la toison des brebis, la fécondité humaine et la prospérité agricole [23].

Les célèbres dispositions prises par Solon pour en favoriser

l'exportation au contraire des autres produits agricoles de
l'Attique désignent la place centrale qu'occupaient les olives et
l'huile qui en est tirée dans l'économie d'Athènes dès l'époque
archaïque. Les autres dispositions soloniennes relatives à l'agriculture et à sa réglementation visent d'ailleurs, en plus de l'olivier,
le figuier et l'apiculture[24]. Si l'olive semble bien constituer, à travers une série d'allusions chez Aristophane, l'une des nourritures
de base de l'Athénien moyen, l'huile qui en est extraite
connaît quant à elle un usage premier dans le cadre des exercices
du gymnase, comme onguent. Une anecdote relative à Démocrite
ajournant son suicide par grève de la faim après la célébration des
Thesmophories montre le philosophe recommandant pour les
soins intérieurs le miel et pour l'extérieur l'huile d'olive ! D'ailleurs quand en période de guerre survient la disette, c'est aussi
bien des figues sèches (substitut de notre sucre, comme le miel)
que de l'huile que les Athéniens ressentent le manque[25].

Quant au rôle joué par l'olivier dans l'avènement de la civilisation politique athénienne, il suffit de renvoyer à la longue tradition mythologique qui fait d'Athéna l'inventrice de l'arbre qui lui
sera consacré sur l'Acropole. Présent de la déesse dans la lutte qui
l'oppose à Poséidon pour la possession de l'Attique, l'olivier est à
la fois le symbole du début de la vie cultivée dans la cité et celui de
la pérennité du groupe politique qui en tire sa subsistance. N'est-
ce pas l'olivier sacré du Pandroséion, sur l'Acropole, qui le premier annoncera par une jeune pousse, au lendemain même de
l'incendie et des dévastations perses et avant l'issue favorable
connue par la bataille de Salamine, la renaissance de la cité[26] ?
Mais dans la perspective adoptée ici, il nous importe peut-être
davantage de trouver l'olivier et ses produits à l'origine même de
la constitution d'une Attique cultivée et civilisée.

C'est également par l'intermédiaire du mythe que la vigne et le
vin, produits qui sont l'objet dans la représentation hellène d'une
importation de l'extérieur, viennent s'enraciner dans le sol de
l'Attique. Il faut signaler d'emblée que la tradition légendaire
mettant en scène l'introduction de la vigne et du vin en Grèce connaît une extrême diversification. A l'époque classique déjà un
Théopompe de Chios pouvait à la fois affirmer que le vin avait été
découvert à Olympie, sur les rives de l'Alphée mais qu'Oïnopion,
le fils de Dionysos fondateur de la cité de Chios, avait pour la pre-

mière fois enseigné la vinification aux habitants de cette île ; pour
Hellanicos de Lesbos au contraire le vin fut l'objet d'une première
découverte en Egypte tandis que le médecin Philonidès en fait, par
l'intermédiaire de Dionysos, une importation des bords de la mer
Rouge[27].

Mais les Athéniens n'ont pas manqué d'élaborer leur propre
tradition légendaire sur la vigne et le vin ; ils se sont empressés de
rattacher l'introduction en Attique de la viniculture et de la vinification au règne de l'un des premiers rois du pays, Pandion. Voici
donc Dionysos à son tour hôte des habitants de l'Attique et l'hospitalité dont le dieu bénéficie en Attique sous le règne de Pandion
trouve sa contrepartie dans les honneurs dont Déméter est l'objet
à Eleusis à la même époque légendaire. Don de la vigne et introduction de la culture céréalière en échange de l'hospitalité offerte
par les hommes sont donc l'objet d'une coïncidence chronologique dans l'une des premières étapes de la constitution de la civilisation attique. Si Déméter est reçue par Céleus à Eleusis, Dionysos est l'hôte d'Icarios, probablement dans le dème attique
d'Icaria. Après avoir reçu le dieu, le héros fait partager dans sa
générosité le goût du vin à quelques bergers de l'endroit qui le boi-
vent pur, sans le mélanger d'eau. Rapidement ivres, les bergers se
croient ensorcelés par Icarios qu'ils tuent. Découvrant le cadavre
de son père au pied d'un arbre, la fille d'Icarios, Erigoné, s'y
pend. Pour expier ce double crime puni d'une épidémie de pendai-
sons, les jeunes filles d'Athènes instituèrent à l'occasion du festival des Anthestéries, consacré à Dionysos, le rite de la balançoire
appelé *Aiŏra*. On reviendra sur ce rituel rappelant chaque année
l'ambivalence du don de Dionysos[28].

Voici donc les Athéniens, au prix d'une double mort et de son
expiation, en possession du vin ; ce vin qui, selon l'expression
d'Euripide, « fait cesser les peines de l'homme dans la réjouissance puis le sommeil de l'ivresse »[29]. On rejoint ainsi la maxime
qui conclut le bref chant de l'éirésiôné.

1.1.5. *Un premier menu civilisé*

Suite au paradigme, le syntagme. Pour quelles raisons les légumineuses d'une part, les figues, le pain, le miel, l'huile d'olive et le
vin de l'autre cohabitent-ils dans une même célébration rituelle à
l'exclusion d'autres aliments tels que le poisson, la nourriture

carnée ou les fruits frais ? L'amalgame alimentaire auquel procède la célébration du Pyanopsies est en fait attestée, avec des
variations, dans plusieurs manifestations de la représentation
grecque des nourritures consommées par un genre humain en train
de se civiliser.

C'est d'abord la narration mythologique qui se livre à ce jeu de
la composition d'un menu ; ce faisant, elle met en rapport, par
l'intermédiaire du récit généalogique, Dionysos et Apollon. On
raconte en effet que l'un des fils de Dionysos, Staphylos (autrement dit Raisin) avait une fille, Rhoiô (Grenade), qu'Apollon
aimait. De ces amours illicites naquit Anios, le futur roi de Délos,
prêtre sur l'île de son père Apollon. Le mythe attribue à Anios
trois filles, les Oïnotropes, appelées respectivement Oïnô, Spermô
et Elaïs : Vinée, Grainière et Olivette ; à chacune d'elles Dionysos
passe pour avoir accordé le pouvoir de susciter le produit que
chacun de leurs noms désigne. Le récit est ancien puisque déjà les
Cypria font état de l'offre faite par Anios d'assurer par l'intermédiaire de ses filles le ravitaillement des guerriers grecs combattant
sous les murs de Troie [30]. Vin, céréales et olives deviennent ainsi
les nourritures des guerriers de l'âge des héros.

Après le passé légendaire, l'utopie du paradis perdu : les Gymno-
sophistes de l'école cynique se représentaient l'Age d'Or comme le
temps bienheureux où coulaient des fleuves d'eau, de lait, de miel,
de vin et d'huile alors qu'à la poussière se substituait farine d'orge
et mouture de froment. Cette image d'un Age d'Or où les liquides
les plus précieux ruissellent sans l'intervention de l'homme trouve
sa contrepartie d'une part dans une nature possédée par Dionysos,
le maître de l'humide qui sait faire jaillir sous les coups du thyrse
de ses Bacchantes les sources d'eau, de vin, de lait ou de miel,
d'autre part dans l'utopie alexandrine d'un paysage pastoral où,
dans les rivières, s'écoulent les liquides les plus délectables [31].

On retrouve un paradigme identique dans le domaine de la pratique religieuse et plus précisément dans l'acte de la libation ; faire
une libation de vin, de miel et d'huile, c'est non seulement montrer que l'on honore un défunt, mais c'est aussi se rattacher à une
forme archaïque, première, de pratique cultuelle. Par ailleurs, sur
le plan de l'observation anthropologique, l'admirable système
d'irrigation organisé par les Babyloniens d'Hérodote semble favoriser la croissance des mêmes produits : sans doute les Babyloniens – on l'a signalé – ne connaissent-ils ni le figuier, ni la

vigne, ni l'olivier, mais en plus d'épis de froment et d'orge beaucoup plus gros ils disposent d'une huile tirée du sésame, d'un vin
produit par le palmier et d'un miel tiré du fruit de cet arbre. A ces
palmiers dattiers les Babyloniens – ajoute Hérodote – apportent
autant de soins que les Grecs aux figuiers ; c'en est assez pour
faire de ce peuple aux coutumes souvent jugées très sages des
hommes pratiquement civilisés [32].

Platon lui-même ne manque d'ailleurs pas de se référer à un
paradigme analogue pour illustrer le passage d'un état sauvage où
les hommes, comme les animaux, se mangent les uns les autres à
une alimentation correspondant à un premier état de civilisation.
Dans les *Lois* en effet, vin, céréales (dons de Déméter et Coré) et
olives apparaissent en tant que nourritures d'un état intermédiaire
entre l'allélophagie qui assimile l'homme primitif à un animal sauvage et la civilisation marquée par le sacrifice sanglant et l'alimentation carnée. Cet état de transition diététique coïncide par ailleurs avec le *bíos orphikós*, avec le régime alimentaire prôné par
les Orphiques : abstention à l'égard des aliments à base d'êtres
animés *(émpsukha)* pour se limiter aux nourritures « inanimées »
(ápsukha) [33].

Mais la nostalgie d'un état premier de la civilisation et de son
alimentation spécifique peut prendre une forme plus concrète ;
c'est le cas de l'utopie chez Aristophane qui assume les traits du
retour à la bonne diète campagnarde d'autrefois et dont on a déjà
mentionné une description en évoquant la *Paix* et son aspiration
au retour à la « vie de Déméter ». Dans les *Nuées* aussi, Strepsiade
aspire à abandonner sa citadine de femme. Aux plaisirs délétères
et dispendieux des parfums, du safran et des baisers, ce citadin
malgré lui oppose la vie campagnarde en compagnie des abeilles,
des brebis et du marc d'olives ; odeurs de vin nouveau, de figues et
de laine, voilà les parfums qu'exhale un vrai paysan. C'est d'ailleurs un régime analogue que Platon, dans son projet de cité
idéale, réserve à la classe des producteurs ; céréales – orge et blé
– sous forme de bouillies *(pépsantes)* ou sous forme de galettes
(mâza, ártos) et vin, relevés de sel, d'olives, de fromage, d'oignons
et de légumes, de ceux que l'on mange bouillis *(hepsémata)* ; et
comme friandises des figues, des pois chiches, des fèves, des baies
de myrte et des glands grillés, nourriture équilibrée, garantie de
paix et de bonne santé, à l'écart des morceaux de bouilli et du
fumet du rôti comme dans la cité juste et pacifique d'Hésiode [34].

L'inscription d'Acharnes qui nous a livré le célèbre serment
prêté par les jeunes éphèbes athéniens, probablement au moment
de leur inscription comme citoyens sur le registre des dèmes, nous
permet même de quitter les différentes projections dans le mythe
ou dans l'utopie d'un régime alimentaire idéal pour retrouver le
plan très concret du rite. En effet, en prononçant le serment qui
marque leur intégration définitive dans l'armée et dans la cité par
la promesse du respect des lois, des magistrats et des dieux ances-
traux, les éphèbes athéniens prenaient à témoin plusieurs divinités
parmi lesquelles Zeus, Arès et Athéna, mais aussi Thallô et Auxô,
déesses de la floraison et de la croissance. Après ces garants divins
on prenait à témoin les bornes de la patrie, les blés, les orges, les
vignes, les oliviers et les figuiers[35]. Abstraction faite du miel, les
éphèbes athéniens devenant citoyens à part entière se placent au
moment de leur assermentation sous le pouvoir des plantes mêmes
dont les produits sont montrés aux Pyanopsies et dont une partie
est également présente aux Oschophories. Avec sa double référence aux nourritures végétariennes qui ont permis le passage de
l'homme d'un état de sauvagerie à une première alimentation civilisée et à la consommation des produits de base qui attachent la
terre attique à la production même de cet état primordial de civilisation, la construction symbolique de l'éirésiôné n'est décidément
pas le résultat d'une sémiotique arbitraire !

1.1.6. L'échelle de la cuisson alimentaire

Fèves bouillies, froment moulu, pétri et cuit sous forme de
galettes, miel, huile d'olive et vin. Les nourritures des Pyanopsies
se réfèrent donc toutes à une première étape de l'établissement de
la civilisation humaine et plus spécifiquement attique ; cela avec la
collaboration des dieux susceptibles d'assumer la transition entre
le haut et le bas ou l'extérieur et l'intérieur : Déméter et Dionysos,
respectivement ; mais pour l'instant, ni Apollon, ni Athéna !
Nourritures si proches encore de l'état de sauvagerie qu'il suffit
qu'on y ajoute, comme dans l'utopie platonicienne, des glands
pour que Socrate y voie une alimentation digne des pourceaux[36] !
Régime alimentaire dont la laine représente la contrepartie vesti-
mentaire en ce qui concerne le passage de l'homme d'un état sauvage où il vivait nu à un premier mode de civilisation où il est
invité à couvrir sa nudité. On a vu que dans la cité juste d'Hésiode

aussi bien que dans le bon vieux mode de vie campagnard tant vanté par Aristophane, les brebis portent, comme signe de prospérité, une épaisse toison [37].

Mais pour en revenir aux Pyanopsies et au régime alimentaire qui y est célébré, les nourritures montrées, sinon consommées à cette occasion ont ceci de commun qu'elles sont toutes l'objet, dans la représentation que s'en font les Grecs, du fameux processus de la *pépansis*, de la maturation comprise comme coction *(pépsis)*. En réunissant une série de données éparses, Detienne a pu montrer qu'en tout cas dès le Vᵉ siècle, on se représente les végétaux prêts à la consommation par l'homme civilisé comme ayant été au préalable l'objet d'une triple cuisson ; Aristote la désigne du terme général *pépsis*. La maturation des fruits de la terre est d'abord conçue comme *pépansis*, c'est-à-dire en tant que processus d'ébullition interne de leur humidité propre sous l'effet de la chaleur du soleil (mélange de feu et d'humidité qui est le propre de l'*opóra*) ; cette maturation est favorisée dans un second temps par l'action de l'agriculture saisie comme éducation *(paideúein)* et nouvelle coction *(péttein)* destinée à rendre les fruits « domestiqués » *(hémeroi)* et par conséquent propres à la consommation ; intervient enfin la cuisson culinaire proprement dite avec ses deux modes distincts de coction *(pépsis)* : l'ébullition *(hépsēsis)* et le rôtissage *(óptēsis)*. Quel qu'en soit le mode, la coction culinaire ne peut s'appliquer qu'à des produits ayant déjà subi les deux premiers processus de la coction alimentaire et civilisante [38].

Ces trois stades d'une cuisson alimentaire qui s'oppose à la crudité des végétaux sauvages sont eux-mêmes encadrés par deux processus complémentaires. En aval, la digestion est elle-même assimilée par les Grecs à une coction : c'est notamment le terme de *pépsis* qui en désigne le cours, quand ce n'est pas celui de *hépsēsis* qui la réfère plus précisément à une coction par ébullition [39]. Et en amont, le labourage même de la terre nourricière peut être conçu comme une action qui permet de soumettre la future porteuse des fruits à l'effet rôtissant *(optân)* du soleil. Si donc les labours visent à un rôtissage, en revanche les deux stades de la maturation et son éventuel complément de cuisson culinaire coïncident avec une ébullition *(hépsein)* ; ainsi le processus de production de l'alimentation végétale est représenté en quelque sorte comme l'équivalent de l'alimentation carnée où, dans l'opération du sacrifice, la cuisson des viandes par ébullition dans le chaudron *(hépsēsis)* fait suite à la grillade *(óptēsis)* des viscères. N'oublions pas que pour Aristote la *hépsēsis*, la coction par ébullition dans la marmite, et la *óptēsis*, la cuisson sur le gril ou dans le four, ne sont que deux modes de la même *pépsis*, de la coction [40]. En Grèce ancienne, dans la diète végétarienne aussi bien que dans l'alimentation carnée, le rôti, puis le bouilli se combinent pour opposer le mûr et le cuit au cru.

En ce qui concerne la nourriture végétale, le modèle tracé par Detienne peut être complété de la manière suivante :

	COCTION *(pépsis)*					
TERRE	PRODUITS ALIMENTAIRES					HOMME
Labours	Maturation	Agriculture	Compléments éventuels	Cuisson *(pépsis)*		Digestion
optân	*pépansis*	*péttein/ paideúein*	mouture pressurage fermentation	rôtir *óptēsis*	bouillir *hépsēsis*	*pépsis/ hépsēsis*

Avec ces nombreux termes formés sur la même racine *pep-* les Grecs ont donc fixé phonétiquement, dans la langue, l'assimilation conceptuelle qu'ils opèrent entre les labours, la maturation, la culture, la cuisson et la digestion des produits nourriciers, fondements de la civilisation des hommes. Ce ne sont pas seulement les fèves ou le grain qui cuisent sous l'action du soleil, puis sous celle du feu culinaire. Le miel lui-même est soumis au mûrissement *(pettómenon)* qui lui conférera en vingt jours sa consistance à partir de son état originaire d'ordre aqueux ; à moins qu'il ne soit l'objet, comme dans la représentation de Théophraste, d'une ébullition sous l'effet de la chaleur du soleil, en particulier pendant la période des moissons. Et quand le miel est extrait du dattier comme chez les Babyloniens d'Hérodote, c'est un insecte qui fait mûrir *(pepaínei)* la datte de l'intérieur comme mûrissent en Grèce des figues tardives. Tardives ou non, les figues connaissent selon Aristophane trois états distincts : « crues » *(ōmós)*, mûres *(pépōn)* ou en train de mûrir *(mḕ pépōn)* ! De même la fermentation du jus de raisin en train de devenir vin peut-elle être désignée en Grèce du terme de *pépsis*, la coction, alors que le raisin mûrit *(pepaínetai)* sous l'effet du feu du soleil et que le vin lui-même passait pour contribuer à la digestion *(péssei)* des aliments. Quant à l'huile, provenant des olives d'un olivier « civilisé » *(hēmérē)* que l'on distingue de l'olivier sauvage, on peut seulement supposer que son pressurage était l'objet d'une désignation métaphorique analogue. Restent la bouillie de fèves et les « pains gras » : fèves qui se transforment en met consommable par ébullition *(hépsēsis)* alors que le pain le devient par rôtissage *(optân)* [41].

La coction par maturation, ébullition et/ou fermentation, puis éventuelle cuisson qui caractérise les produits mis en scène aux Pyanopsies nous renvoie en définitive à la configuration sémantique que désigne selon les Anciens le nom même du festival : Pyanopsies, la fête des fèves bouillies *(hépsein)*. Il n'en va pas autrement dans les rituels apolliniens analogues célébrés chaque année dans d'autres régions de Grèce, comme à Samos. Certes la manifestation de surface du rite y assure une forme différente de celle des Pyanopsies puisque l'éirésiôné y désigne le chant qui, attribué à Homère, célébrait cette occasion festive. Il aurait été exécuté à l'origine par l'aède de Chios lui-même, accompagné d'adolescents de l'endroit, devant les maisons des citoyens les plus aisés. Au centre de ce chant, non pas les produits suspendus au rameau d'olivier, mais la *mâza*, la galette ou la bouillie d'orge, symbole de richesse, de bien-être et d'hospitalité. Ce produit des différentes étapes de la coction alimentaire placé au centre du foyer domestique n'a décidément rien à voir avec l'arbre de mai [42]. A l'occasion des Pyanopsies, il s'agit donc de célébrer la maturation des fruits et la cuisson des produits végétaux qui, telles les légumineuses ou les céréales, ont besoin d'une ébullition ou d'un rôtissage supplémentaires pour être comestibles. Mais en même temps que le terme de la maturation, c'est aussi sa phase préalable que l'on célèbre. On verra en effet que l'une des légendes expliquant l'institution du rite le présente aussi, à la suite de la célébration de bonnes récoltes, comme un geste de propitiation à l'égard des labours qui leur succèdent immédiatement. Les Pyanopsies, c'est donc le festival de tout le processus de la coction végétale, des labours à l'ébullition culinaire ; c'est le festival de l'abondance alimentaire avec les produits frais de l'automne qui passaient pour susciter l'appétit en ce mois Pyanopsion qui est celui des dernières récoltes, mais aussi celui des semailles [43]. Articulant son développement sémantique selon les isotopies du végétal et de la matura-

tion, les Pyanopsies ont pour fondement le thème de l'alimentation et plus précisément, de l'alimentation civilisée.

1.2. Se nourrir aux Thargélies

La coïncidence des Pyanopsies avec le double moment du terme
des récoltes et du début des labours nous renvoie, en continuant à
suivre Apollon, à la phase intermédiaire de ce cycle du travail
agricole : le moment où, entre labourage et cueillette, les jeunes
pousses sont sorties de la terre, promettant une abondante
moisson. Ce moment est marqué à Athènes et dans certaines cités
de Ionie par la célébration du festival des Thargélies, à la fin du
mois de mai. A Athènes, une partie en tout cas des pratiques
constitutives de cette célébration avaient pour cadre — on le verra —
non pas le Delphinion, mais le sanctuaire voisin d'Apollon
Pythios.

1.2.1. Expulser les boucs émissaires...

Se déroulant sur deux jours, les 6 et 7 du mois Thargélion, ce
culte débutait par l'expulsion des *pharmakoí*, par le bannissement
des boucs-émissaires. L'infinité des études dont ce rite a été
l'objet de Frazer à Burkert ou Vernant nous dispense d'une analyse détaillée. On se bornera à relever, en suivant de près les descriptions relativement tardives de cet acte d'éviction de la victime
émissaire et en se concentrant sur Athènes, que l'interprétation
ancienne en fait un rite de purification *(kathársia)* de la cité. A
cette occasion deux hommes adultes étaient chassé de la ville, l'un
au nom des hommes, l'autre en celui des femmes. Au moment où
on les chassait, ces deux étrangers qu'Aristophane désigne comme
ponēroí, comme « méchants », portaient autour du cou un collier
de figues sèches, blanches pour l'un, noires pour l'autre. De là
probablement le nom qui désignait à Athènes les deux victimes
émissaires : les *súbakkhoi*[44]. Cette dénomination combine le nom
des figues portées par les pharmacoï avec celui des suivants de
Dionysos, sinon avec celui du dieu lui-même. Elle fait donc des
deux boucs-émissaires chassés d'Athènes à l'occasion de la première journée des Thargélies des représentants de Dionysos à
double titre : assimilés à des bacchantes, les boucs-émissaires

portent aussi dans leur dénomination et dans la réalité rituelle l'un des fruits de Dionysos. Mais la figue n'apparaît plus ici dans la fraîcheur du moment de sa cueillette comme c'était le cas aux Pyanopsies ; on la consomme séchée à l'issue d'un hiver où elle a constitué un aliment de base.

Quelques fragments extraits de la poésie d'invective d'Hipponax et relatifs à un rite analogue d'expulsion du bouc-émissaire à Colophon en Ionie permettent de préciser les valeurs assumées par la présence des figues aux Thargélies. Cités dans un développement de Tzétzès sur la fonction rituelle de la victime émissaire, ces vers décrivent la manière dont on frappait le pharmacos avec des scilles et des rameaux de figuier en visant probablement ses parties sexuelles ; ce rite était censé éviter sécheresse et famine en opérant une purification de la Cité. On apprend de plus que les victimes émissaires étaient nourries de figues sèches, de pain d'orge et de fromage. D'autres fragments d'Hipponax nous présentent d'ailleurs les figues de la dimension la plus faible et les petits pains d'orge comme une nourriture simple, une nourriture d'esclave, mais une nourriture tout de même précieuse dans le caractère élémentaire qu'on lui attribue [45].

Du rituel de Colophon avec sa manière de renchérir à l'occasion des Thargélies sur la valeur primordiale, mais civilisée des nourritures associées à l'expulsion du pharmacos, revenons à Athènes ; à Athènes où la légende rattache la famine que l'on tient à conjurer dans le rite du pharmacos à l'événement mythique de la mort d'Androgée, le fils de Minos. Les Athéniens auraient en effet pris cette habitude de purifier chaque année leur cité après la première famine envoyée par les dieux comme punition à l'assassinat du jeune prince crétois [46]. Tout en laissant pour le développement suivant le problème de cette référence à un épisode préalable de la légende crétoise de Thésée, on peut au moins remarquer pour l'instant que les Anciens ont attribué aux Thargélies, à travers l'aïtion, une fonction analogue à l'une de celles qu'ils attribuaient aux Pyanopsies : geste pour conjurer le risque de famine.

1.2.2. ... et consommer des pousses bouillies

Mais après avoir rejeté les pharmacoï hors d'une cité désormais pure et après avoir par ce geste écarté le danger de la disette, il est possible de célébrer l'annonce d'une récolte prometteuse. C'est pourquoi le 7 Thargélion était consacré à la cuisson par ébullition *(hépsein)* dans la marmite de terre dénommée *khútra* et utilisée notamment aux Pyanopsies et aux Anthestéries les prémices des produits désormais sortis de terre et en train de parvenir à maturation. Selon nos sources, le terme *thárgēlos*, à l'origine de la dénomination et de la fête et du mois où elle était organisée, était censé désigner soit la marmite contenant les « semences » bouillies à cette occasion, soit les produits de la terre qui en constituaient le contenu ; ce rite de la cuisson (prématurée !) des prémices était célébré non seulement en l'honnour d'Apollon, mais également − ajoutent certains de nos informateurs − pour honorer sa sœur Artémis. Une troisième branche de la tradition fait du *thárgēlos* un pain fabriqué avec ces premiers produits de la récolte. De plus, même si le texte de notre source principale d'information est sans doute victime à cet endroit d'une corruption, le *thárgēlos* − marmite, bouillie ou galette − semble être associé à l'espoir d'une année de production abondante *(euetēría)* [47].

On trouvera une confirmation du caractère intermédiaire de la phase du cycle de la croissance agricole marquée par les Thargélies dans le sacrifice à Déméter qui coïncidait avec le premier jour du festival. Sans doute y a-t-il en effet correspondance entre les produits à demi mûrs consommés aux Thargélies et la Déméter Chloé, la Déméter Verte qui recevait le 6 Thargélion, probablement au pied de l'Acropole, les honneurs du sacrifice d'un bouc. Cette Déméter Verte était d'ailleurs honorée en différents endroits de l'Attique, notamment à Marathon, à Thoricos et à Eleusis où l'on organisait en son honneur un festival, les Chloïa, qui tire sa dénomination de l'épiclèse de la déesse. Il était attaché, soit au mois Elaphébolion, soit en Anthestérion, à la célébration du printemps et des jeunes pousses [48].

Les actes rituels symboliques constitutifs des Thargélies sont donc fortement attachés au processus de croissance d'une végétation vue dans ses potentialités alimentaires. Récolte anticipée et récolte achevée placent Thargélies et Pyanopsies, à travers les isotopies du végétal et de sa maturation, dans la perspective du même thème de l'alimentation civilisée. Celle-ci nous invite à envisager le rituel tant commenté de l'expulsion des pharmacoï sous ce profil sémantique précis. Les *súbakkhoi* sont expulsés pour faire place aux nourritures fraîches de l'été.

1.3. Les supplications du 6 Mounichion

On a vu que dans la logique narrative induite par le rattachement de la légende de Thésée au festival des Pyanopsies, ce ne sont
pas les Thargélies, mais bien les gestes de supplication du 6 Mounichion qui sont mis en correspondance avec la fête de la fin de
l'été. On a déjà eu l'occasion de déplorer le laconisme de Plutarque dans la description d'un rituel dont nous n'avons pas
d'autre attestation ; nous savons seulement qu'exécuté par des
jeunes filles un mois exactement avant les Thargélies, il avait pour
cadre le Delphinion, comme c'est probablement le cas des Pyanopsies. Du point de vue de l'analyse sémantique, on en est réduit
à supputer que les supplications adressées à Apollon par les jeunes
filles s'appuyaient sur la consécration du même rameau de suppliant *(hiketēría)* que celui que la légende met entre les mains de
Thésée. D'après Plutarque − rappelons-le − ce rameau consistait en un rameau enlevé à l'olivier sacré et entouré de laine.

Sans vouloir forcer une éventuelle manifestation symbolique
fondée sur un témoignage unique, on peut néanmoins s'imaginer
que ce rameau de suppliant ne fait pratiquement que préfigurer au
printemps celui qui à la fin de l'été sera chargé des produits de la
terre pour être présenté à l'Apollon des Pyanopsies sous la forme
de l'éirésiôné. On pourrait voir par conséquent dans la métamorphose que subit la hampe d'olivier entre le 6 Mounichion et le 7
Pyanopsion une métaphore de la croissance, entre le printemps et
le terme automnal de l'été, des nourritures végétales, propres à la
consommation humaine et au maintien de l'état civilisé.

Parmi les plantes porteuses de ces différents produits alimentaires, seul l'olivier reste vert toute l'année, associé dans cette
mesure aux brebis productrices de laine ! De là, peut-être, leur
double présence au rituel du 6 Mounichion [49]. Dans la mesure où il
n'y a pas d'abus méthodologique à reconstruire un cycle rituel sur
un témoignage unique, centré davantage sur une biographie légendaire que sur la description d'un culte, le rite du 6 Mounichion
pourrait donc marquer le point zéro dans la maturation des fruits
propres à la consommation humaine.

A travers les valeurs attachées aux nourritures présentées dans
les rituels qui lui sont consacrés à Athènes, Apollon vient de nous

faire parcourir le cycle de la production des fruits requérant un
travail agricole : des labours à la récolte en passant par la maturation et sans oublier le supplément de coction que confèrent aux
fruits prêts à être consommés les deux modes de la cuisson –
l'ébullition et le rôtissage. Les Pyanopsies automnales célèbrent le
terme et le début de ce cycle ; le rite du 6 Mounichion marque
éventuellement le moment précédant le début de la maturation ;
les Thargélies en propitient la phase intermédiaire. La présence
d'Apollon est appelée à chacun de ces moments de transition, particulièrement délicats, pour en détourner le risque de fléau et de
famine. Cycle de la production de la nourriture végétarienne et
non pas simple cycle de la croissance de la végétation selon la définition canonique qui s'est imposée dès la fin du XIXe siècle ; cycle
dont le résultat représente un premier état de civilisation, fixé à
chaque maison d'Athènes pour une année complète par l'intermédiaire de l'éirésiôné et par la protection du dieu garant de la
culture des hommes.

1.4. Récits symboliques apolliniens

En voilà assez pour les valeurs attribuées dans la représentation
grecque aux objets manipulés par le rituel. Laissons donc les Prédicats des énoncés narratifs constituant la description de ces cultes
pour nous concentrer sur leurs Sujets et sur leurs Destinateurs ;
autrement dit sur les acteurs du rite. Mais on a dit que ces acteurs
du culte sont eux-mêmes « manipulés », au sens narratif du
terme, par les acteurs des légendes étiologiques fondant les actes
rituels en question. Donc avant les acteurs du rite, les aïtia dans
leur fonction narrative de manipulation. Cette priorité s'impose
d'autant plus que, loin d'être rattachés à la seule légende de
Thésée, les actes cultuels des festivités dont on vient de parler se
trouvent fondés dans la tradition étiologique par d'autres récits ;
des récits qui mettent tous en scène des actes de mort, mais qui
sont susceptibles de distinguer les différentes célébrations cultuelles que l'on va continuer à mettre en résonance.

1.4.1. Ombres et lumières des Pyanopsies

Distinction d'abord dans l'aïtion attaché aux Pyanopsies. Pour
l'orateur Lycurgue déjà, la consécration de l'éirésiôné non seule-

ment dans le sanctuaire d'Apollon, mais aussi devant chaque porte des foyers d'Athènes était un rite destiné à rappeler le geste qui avait su mettre un terme à une période de stérilité *(aphoría)*. Des sources beaucoup plus tardives étendent ce fléau – on cite aussi une épidémie – à toute la terre habitée tout en faisant de la consécration de l'éirésiôné un rite qui précède le labourage. Pour remercier les Athéniens de l'efficacité de leur geste, conseillé par l'oracle d'Apollon à Delphes, les habitants de l'*oikouménē* auraient envoyé à cette occasion à Athènes les prémices de fruits de la terre ; et ce par l'intermédiaire de la venue en Grèce du théore hyperboréen Abaris. Mis par sa légende de fondation dans la perspective d'une période de famine, le rite de l'éirésiôné apparaît à la fois comme un geste apotropaïque pour le retour des fruits et comme un rituel propitiatoire pour le début des labours [50]. Pour être plus précis et pour reprendre la définition sémio-narrative du rite donnée à la fin du chapitre précédent, Apollon, par le conseil divinatoire donné, devient le premier Destinateur du rite, suivi par Abaris l'Hyperboréen qui accomplit dans la légende le premier geste de consécration des prémices de la récolte. En revanche la légende ne donne aucune raison à l'apparition de la situation de famine. La compétence de l'acteur du rite de l'éirésiôné instituée par ces Destinateurs est à la fois positive et négative ; il accomplit ainsi des actes aptes à célébrer dans la réalité sociale une récolte désormais assurée, mais destinés aussi à protéger des labours que peut menacer un futur fléau.

L'existence de ce premier aïtion n'empêche nullement Plutarque d'un côté, Pausanias le lexicographe de l'autre d'insérer – on l'a dit – la consécration de l'éirésiôné dans la légende du retour de Thésée victorieux à Athènes. Le héros devient ainsi à son tour le Destinateur du rite et de ses conséquences sur le plan déroulement du quotidien. Et à ce deuxième aïtion l'auteur de la *Vie de Thésée* n'hésite pas à en ajouter un troisième en faisant encore de la consécration de l'éirésiôné un rappel de l'hospitalité nourricière dont les Athéniens firent bénéficier les Héraclides à l'occasion de leur séjour dans la cité [51]. La compétence qu'instituent quant aux acteurs du rituel ces différents actes légendaires est donc traversée par leur aspect plutôt favorable et positif : famine certes, mais aussi terme de la stérilité, action de grâce, retour victorieux, hospitalité. Ces trois aïtia actualisent donc différentes pratiques qui se réfèrent toutes au thème fondamental de l'alimentation civilisée ; stérilité et disette n'en sont que la négation.

Reste le rite de la bouillie, uniformément référé quant à lui au retour de Thésée et de ses compagnons. Il est marqué, en ce qui concerne la compétence de ses acteurs, de la même valeur positive induite par la manipulation que représente la victoire légendaire du héros.

1.4.2. Le meurtre symbolique des Thargélies

A l'instar des Pyanopsies, les Thargélies représentent, dans la vision des Anciens, un geste apotropaïque, en particulier contre les maladies épidémiques. Mais leur légende de fondation en fait, contrairement au festival d'automne, un rite de purification et d'expiation. Nos sources ne racontent aucun aïtion pour « expliquer » l'association de la bouillie de semences des Thargélies à l'espoir d'une récolte heureuse. Par contre, on vient d'indiquer que pour les Athéniens l'expulsion des deux boucs émissaires n'est rien d'autre que la répétition rituelle d'une mesure de purification après l'épidémie (Plutarque ajoute la sécheresse et la stérilité) envoyée par les dieux aux Athéniens pour les châtier du meurtre d'Androgée[52]. En termes sémio-narratifs, cela signifie qu'outre les dieux, ce sont les Athéniens meurtriers d'Androgée qui incarnent le Destinateur du geste répété dans le culte. La performance rituelle que représente l'expulsion des pharmacoï aux Thargélies dépend donc d'une compétence marquée négativement par le crime et la nécessité d'en effacer la souillure.

En plus de raisons relatives à l'histoire, on peut sans doute trouver une motivation d'ordre structural au rattachement du rite de l'expulsion de deux pharmacoï à l'une des séquences légendaires préalables à l'expédition crétoise de Thésée. Par l'intermédiaire de moyens d'expression symbolique différents, l'homologie est frappante entre d'une part le parcours tracé à partir d'un acte cultuel célébrant la phase intermédiaire de la maturation jusqu'à une fête qui en sanctionne l'achèvement et d'autre part la ligne narrative qui unit la situation de déséquilibre décrite et provoquée par le meurtre d'Androgée à l'imposition du tribut, puis à la victoire finale de Thésée sur le Minotaure. Des Thargélies aux Pyanopsies, le rite semble refaire sur le plan du processus de production de l'alimentation végétarienne des hommes le parcours que la

légende trace de l'assassinat du fils de Minos et de l'épidémie qui
s'en suivit au retour triomphant du fils d'Egée à Athènes.

De ce point de vue, il est parfaitement significatif qu'on ait pu
situer les deux rites essentiels des Pyanopsies – l'éirésiôné et la
bouillie – dans la perspective d'une période légendaire de stérilité
et d'un retour victorieux respectivement. Ce double aïtion dit le
double aspect de célébration de la récolte constitutif du festival,
mais aussi de propitiation du danger de famine à l'occasion des
labours. Mais, contrairement à ce qui se passe pour les Thargélies
au début de l'été, on se garde bien, dans le cadre des Pyanopsies
automnales, de rattacher ce risque de stérilité à un meurtre ou au
mythe de Thésée, parvenu ici à son équilibre narratif.

1.4.3. *L'acte propitiatoire du 6 Mounichion*

S'il n'est pas un simple dédoublement des Pyanopsies pour
répondre à la logique narrative imposée par le récit légendaire et
qu'il n'est donc pas simplement voulu par Plutarque pour obtenir
un correspondant rituel au moment du départ de Thésée, le rite du
6 Mounichion s'inscrit dans la même ligne propitiatoire que celle
définie par les Thargélies. Propitiation pour le succès d'une entreprise dont Plutarque se dispense malheureusement de nous indiquer la contrepartie sur le plan de l'action sociale. En faisant abstraction des manipulations narratives dont mythe et rite ont été
historiquement l'objet, on pourrait à titre d'hypothèse mettre en
parallèle la dédicace propitiatoire de l'*hiketēría* « nue » à la fin
avril avec la reconnaissance de l'état de réplétion célébré ensuite à
l'occasion des Pyanopsies, à la fin octobre. On remarquera en
tout cas que le rite du 6 Mounichion, anticipant sur le futur pour
chercher à en influencer le déroulement, n'est attaché qu'à l'acte
sanguinaire « juste » qu'incarne le meurtre du Minotaure.

A travers les légendes censées en expliquer l'institution, les
Thargélies comme les Pyanopsies sont orientées à la fois vers le
passé et le futur du cycle agricole. Mais au seuil de l'été on purifie
la cité des souillures de l'hiver tout en souhaitant d'heureuses
récoltes (geste que répète éventuellement le rite du 6 Mounichion),
alors qu'en son terme, on célèbre ces récoltes tout en exprimant
l'espoir qu'elles se renouvelleront l'année suivante. Le mythe peut
dire cette opposition en termes symboliques par le meurtre dans le

premier cas, par l'hospitalité, la reconnaissance ou la victoire dans le second.

1.5. Les jeunes et leur dieu

Si les Thargélies se distinguent fonctionnellement des Pyanopsies tout en ayant une figure sémantique fondée sur la même isotopie, il est temps de s'interroger sur les raisons de la consécration commune de ces deux célébrations à Apollon. Mais sonder les qualités du dieu, Destinateur et Destinataire de la fête, c'est aussi mettre en question les qualifications qui distinguent les célébrants eux-mêmes. Accomplissant le rite pour permettre l'intervention du dieu, avec ses modes d'action propres, dans l'un de ses domaines d'intervention coutumiers, les acteurs du culte font en quelque sorte partie intégrante de ce territoire d'intervention ; des affinités sémantiques rapprochent donc, par cet intermédiaire, les acteurs du culte de la divinité à laquelle ils adressent leurs actions et qu'ils instituent comme leur Destinateur.

1.5.1. Apollon « dieu de la végétation »

Pourquoi donc, aux Thargélies puis aux Pyanopsies, offrir à Apollon des nourritures qui passent dans la légende pour être des dons de Déméter, sinon de Dionysos ? Pourquoi montrer des aliments dont la production définit le domaine d'intervention par excellence de ces deux divinités ?

Ce sont encore essentiellement les légendes attachées aux actes de culte de ces festivals qui soufflent la réponse à ce paradoxe. On a dit en effet que ces mythes de fondation mettent la plupart des gestes rituels accomplis en relation avec la propitiation de la stérilité et de la disette. Si l'on s'adresse à Apollon pour conjurer le risque de famine ou d'épidémie, c'est sans doute qu'on le considère comme le dieu qui détient sous son contrôle les fléaux naturels. On sait qu'Apollon est aussi bien susceptible de susciter la peste qu'il est capable d'en libérer les hommes ; il est à la fois le dieu qui inflige la maladie, souvent dans une intention punitive, et celui qui guérit, notamment par le moyen de l'oracle, de l'impureté qu'elle représente. En dépit de ce que l'on a pu affirmer encore tout récemment avec des accents frazériens, Apollon n'intervient pas dans les festivals décrits comme « dieu de la végétation »[53] ; cette qualité lui appartient d'ailleurs d'autant moins que les rites étudiés ici n'ont rien à voir avec la végétation au sens large, mais qu'ils sont centrés sur la production de plantes bien précises, propres à la consommation de l'homme civilisé après avoir été soumises au processus long et différencié des phases successives de la coction qui en fait des aliments. Et dans ce domaine lui-même, Apollon ne peut passer pour un dieu de la fertilité ou de la fécondité : la présence prépondérante de Déméter dans le calendrier cultuel du mois Pyanopsion, que l'on aura à décrire, empêche absolument d'attribuer au dieu les fonctions de la déesse. Si l'on demande à Apollon d'intervenir dans les rites marquant les étapes essentielles de ce processus complexe de l'élaboration de l'alimentation végétarienne, c'est donc essentiellement parce qu'il appartient au pouvoir du dieu d'en contrecarrer le déroulement souhaité par un fléau naturel. C'est peut-être aussi parce que la consommation de ces nourritures correspond à un premier état de civilisation.

Mais au-delà de ce dénominateur commun, les épiclèses du dieu célébré aux Thargélies d'une part, aux Pyanopsies de l'autre risquent de circonscrire des champs d'action plus spécifiques que celui défini par la fonction à la fois punitive et apotropaïque du dieu. Pausanias en tout cas met beaucoup de soin à distinguer le sanctuaire d'Apollon Pythios avec sa statue de celui consacré à Apollon Delphinios ; et cela en dépit de la proximité spatiale de ces lieux de culte, tous deux situés dans le voisinage du temple de Zeus Olympien, près de l'Ilissos. Sans citer le Delphinion, Thucydide associe déjà le Pythion non seulement au sanctuaire du Zeus de l'Olympe, mais aussi au sanctuaire de la Terre et à celui de Dionysos aux marais, tout en précisant que ce quartier s'étendant au « sud » de l'Acropole représente, avec l'Acropole elle-même, la partie la plus ancienne de la cité. Des fouilles récentes semblent confirmer ce voisinage qui situe les deux sanctuaires à la périphérie de la cité classique, à l'intérieur de la muraille élevée par Thémistocle, mais tout près de la porte désignée du nom du père de Thésée, Égée[54].

1.5.2. L'Apollon Pythien des Thargélies

Or c'est à Apollon Pythios qu'était explicitement consacrée l'une des pratiques des Thargélies qu'à dessein on n'a pas encore mentionnée jusqu'ici. Parallèlement à la confection de la bouillie de prémices se déroulait en effet, le deuxième jour du festival, un concours de dithyrambes analogue à celui qui marquait la célébration des grandes Dionysies. Cette joute musicale affrontait successivement cinq chœurs d'hommes adultes et cinq chœurs d'adolescents représentant chacun deux des dix tribus de l'Attique ; nombre inférieur de moitié à celui des chœurs cycliques qui se mesuraient aux Dionysies citadines, mais dans un concours civiquement aussi important que celui-là puisque l'archonte éponyme entrant en charge en juillet, au début de l'année civile, avait pour première tâche de choisir aussi bien les chorèges des tragédies, des comédies et des chœurs dithyrambiques des Dionysies que ceux assumant la charge financière des chœurs des Thargélies. Et une victoire à l'occasion de l'un et l'autre de ces concours était marquée par la consécration d'un trépied[55].

L'Apollon Pythios auquel sont dédiées les Thargélies avec leur concours de dithyrambes n'est autre que l'Apollon de Delphes ; son épiclèse ne fait que reprendre en effet l'antique dénomination du site avant qu'elle n'ait été transmise, de manière tardive, au dragon censé hanter le lieu. Ephore raconte d'ailleurs que le dieu de Delphes était originairement venu d'Athènes pour libérer les gens du Parnasse, une population autochtone, des ravages commis par Tityos, un homme violent et injuste, et par Python ; et de préciser que cette intervention, puis cette installation apollinienne à Delphes s'inscrivent dans le parcours du dieu à travers toute la terre habitée pour « apprivoiser » les hommes *(hēmeroûn)* en les habituant à une nourriture et un genre de vie civilisés *(hémeroi)*[56]. Il est particulièrement intéressant de relever le jeu auquel s'est livré à ce sujet l'étiologie, même quand elle est dans l'erreur ! En commentant le vers des *Euménides* d'Eschyle qui fait passer par Athènes le trajet d'Apollon de Délos à Delphes, un scholiaste attribue à Thésée l'élimination des brigands qui, selon lui, infestaient ce cheminement ; Thésée deviendrait ainsi à la place d'Érichthonios le premier de ces porteurs de hache qui précédaient la procession des Athéniens vers Delphes et qui, eux aussi, « civilisaient cette terre sauvage » *(khthóna anémeron tithéntes hēmeroménēn)*[57]. Ce détournement d'itinéraire et cette substitution, elles se fondent sur les affinités rapprochant dans le cheminement Apollon défrichant et délimitant un territoire de Thésée civilisant l'Attique en la délivrant de ses êtres monstrueux.

C'est ainsi que se confirme la valeur civilisatrice que l'on vient d'attribuer au contrôle d'Apollon sur le processus de la production alimentaire célébré aux Thargélies et aux Pyanopsies. Or le culte athénien d'Apollon Pythios nous renvoie non seulement à l'art divinatoire et à la « folie » dont la Pythie vaticinante est saisie selon Platon, mais aussi à la cohabitation du dieu de Delphes avec Dionysos. L'alternance delphique des deux divinités semble prendre tout d'abord à Athènes les traits d'un bon voisinage festif : concours de dithyrambes au théâtre de Dionysos Eleuthereus à l'occasion des grandes Dionysies célébrées au début d'Élaphébolion (fin mars), agôn analogue pour Apollon Pythios aux Thargélies au début de Thargélion (à la fin mai) ; ces relations de bon voisinage sont matérialisées épigraphiquement dans l'inscription parallèle des listes de chorèges aux Dionysies et aux Thargélies [58]. Esquisse à Athènes même d'une alternance cultuelle de type delphique ? Piste à suivre !

1.5.3. L'Apollon delphinien des Pyanopsies

Au pôle opposé aux Thargélies, festival du début des récoltes, c'est Apollon Delphinios et non plus Apollon Pythios qui, pour les automnales Pyanopsies, est au centre des honneurs. Cette épiclèse renvoie de manière paradoxale moins à Delphes qu'au dauphin et à son domaine en Grèce, la mer Egée. Honoré sur tout le pourtour de la mer à laquelle le roi d'Athènes a donné son nom, Apollon Delphinios ou Delphidios l'est en particulier en plusieurs lieux de Crète, Cnossos inclus. D'autre part l'aïtion destiné à expliquer l'origine de cette épiclèse met en scène l'intervention d'Apollon, sous la forme du dauphin, auprès des marins crétois de Cnossos destinés à devenir les prêtres du dieu à Delphes. Avant de l'établir dans son sanctuaire montagnard pour y être ses serviteurs, les Crétois élèvent au dieu un autel « sur le rivage de la mer », consacrant ainsi sur l'ordre du dieu lui-même l'intervention miraculeuse d'Apollon et par là sa future épiclèse de Delphinios [59].

Mais les rapports d'Apollon Delphinios avec le domaine maritime semblent s'arrêter à la légende. Comme le relève avec pertinence Graf, dans les cités de la mer Égée qui l'honorent, son sanctuaire est intégré à l'espace de la cité ; et conformément à cette localisation citadine, Apollon Delphinios assume essentiellement une fonction dans l'établissement et la garantie des droits du citoyen. C'est par exemple par Apollon Delphinios que prêtent serment les Athéniennes qui sont mises en demeure d'attester que leur fils est bien né d'un citoyen et le même dieu est invoqué avec Zeus, Hestia et Athéna dans le serment prononcé par les éphèbes de Dréros. D'autres témoignages égéens confirment le rôle que semble jouer Apollon Delphinios au moment de l'entrée de l'adolescent dans la période d'accès au statut d'adulte que recouvre l'éphébie. Enfin la dédicace des Pyanopsies de Thoricos, un dème de l'Attique, à un certain Néanias montre qu'Apollon Delphinios assumait fort probablement dans ce cadre rituel la figure d'un jeune homme, d'un statut équivalent à celui de l'éphèbe. Par ailleurs, le Delphinion d'Athènes abritait un tribunal où étaient jugés à l'époque classique les meurtres commis en état de légitime défense, qu'ils fussent intentionnels ou non. C'est en définitive au mythe, et singulièrement au mythe de Thésée, que revient le rôle d'intégrer l'une à l'autre ces deux fonctions associées au culte d'Apollon Delphinios : on a vu certaines versions de la légende constituer le Delphinion en passage obligé pour la purification du sang versé par un Thésée assumant sa défense légitime face aux monstres de Mégaride, contre les Pallantides ou à l'égard du Minotaure ; mais chacun de ces passages marque aussi un pas de plus dans la reconnaissance de la légitimité civique et politique du futur souverain démocratique, successeur de son père Egée [60].

Ces traits constitutifs de la figure d'un Apollon Delphinios intervenant sur mer dans le récit mythique pour se porter au secours des marins désorientés, mais intéressé rituellement à la signification civique du passage des adolescents par la période de l'éphébie trouvent leur correspondant dans l'image que les Anciens se faisaient du dauphin. Si l'on fait abstraction de l'effort qui le sous-tend d'attribuer à tout prix à Apollon au dauphin une origine minoenne, un dossier récent nous montre un dauphin grec qui, partageant de nombreuses qualités génériques avec l'homme, sauve les voyageurs des dangers de la mer quand il n'éprouve pas pour de jeunes adolescents une affection teintée d'amour. A preuve la célèbre légende du poète Arion, l'inventeur du dithyrambe, sauvé des eaux où l'avaient précipité des matelots assassins par des dauphins sensibles à la musique jouée par le poète. Pindare, en attribuant au dauphin une même attirance pour l'art des

Muses, n'hésite pas à rapprocher ce poisson presque anthropomorphe d'Apollon lui-même. Une autre légende met en scène
l'amour d'un dauphin pour une jeune garçon de l'île de Iasos ; tel
Hyacinthe victime d'Apollon dont il est l'éromène, le jeune
homme finit par être tué, de manière parfaitement involontaire,
par son ami le dauphin. Mais c'est surtout Dionysos lui-même
qui, adolescent, est enlevé par des pirates qu'il métamorphose en
dauphins bienfaisants non sans avoir transformé leur navire en
une vigne envahissante ; et c'est aussi Thésée qui, dans le *Dithy-*
rambe 17 de Bacchylide, est porté par des dauphins dans la
demeure de son père divin [61].

Associé au dauphin, à un dauphin que son affection pour les
jeunes gens et son goût de la musique rendent très proche de lui,
Apollon élargit bel et bien son domaine d'intervention à l'étendue
marine, mais le dieu y garde sa fonction apotropaïque et
salvatrice ; c'est en tant que tel qu'il est d'ailleurs invoqué par
Thésée dans la tempête qu'une version de la légende suscite au
large de Délos. De ce monde extérieur et sauvage qu'il humanise
en quelque sorte en y agissant par l'intermédiaire d'un poisson
doué de qualités civilisées, il ramène à bon port, à l'intérieur de la
cité, les hommes en danger, quand ce n'est pas Dionysos en
personne ! N'est-ce pas à Delphes ou à Amyclées que Jason, surpris sur la mer de Crète par une nuit abyssale et « sépulcrale »,
promet de consacrer des offrandes pour l'Apollon qui a fait briller
pour les Argonautes en perdition la lumière salvatrice ? Et l'épisode du dernier port sûr touché par ces mêmes aventuriers n'a-t-il
pas été utilisé comme aïtion pour le rite de l'hydrophorie, concours éginète célébré en l'honneur d'Apollon Delphinios, au mois
du même nom [62] ?

Apollon Pythien et Apollon Delphinien sont donc bien distincts. A Athènes en tout cas, le premier semble intervenir au
début des moissons, sur terre et plus précisément dans la cité,
pour en expulser par l'intermédiaire des pharmacoï les marques
impures et dangereuses. Le second, au terme de la période des
récoltes, ramène à bon port les fils et les filles des citoyens envoyés
par-delà la mer au Minautore ; par le rite de l'éirésiôné, il fait
aussi porter les fruits de la récolte devant chaque foyer de la ville.
Mais ces activités sont complémentaires. Pythios ou Delphinios,
dieu de la pénalité qui redresse et qui tend à l'accomplissement
heureux, Apollon règle en définitive les rapports de l'intérieur

avec l'extérieur[63] ; après avoir expulsé vers l'extérieur les pharmacoï et avoir purifié la cité de ses souillures, c'est lui qui intègre à l'intérieur, dans l'ordre civique, aussi bien les produits de la culture arboricole et céréalière que, sur le plan du mythe, les adolescents destinés à devenir éphèbes, puis citoyens. De là sa présence cvilisatrice aux Thargélies et aux Pyanopsies.

1.5.4. Fidèles d'Apollon et classes d'âge

On a donc postulé entre les acteurs du rite et leur Destinateur une parenté du point de vue de la qualification des uns et de l'autre. Or, en dépit de la jeunesse attribuée à Apollon, ce sont moins des adolescents que des adultes qui sont les protagonistes des actes de culte des Thargélies. Les pharmacoï sont incarnés par deux adultes représentant − rappelons-le − l'un les hommes *(ándres)*, l'autre les femmes *(gunaîkes)* de la cité. Les scholiastes à Aristophane leur attribuent de plus des qualités totalement négatives : de basse extraction, bons à rien, vulgaires, vils, etc.[64]. Quant à la Thargélie elle-même, cuisson du brouet constitué des prémices des fruits de la terre en train de parvenir à maturation, son sujet ne correspond qu'aux différentes formes de *on* anonyme assumant en général les actes de rite dans les descriptions de nos informateurs. Par contre adolescents *(paîdes)* et hommes adultes *(ándres)* interviennent de manière distincte dans le concours de dithyrambes organisé le second jour du festival. De plus un orateur fait coïncider les Thargélies avec la cérémonie de présentation d'un fils adoptif à la phratrie de son père. Il semble donc que l'inscription du fils adoptif était distinguée de la présentation aux phratries des fils légitimes ; cette dernière avait lieu quant à elle en Pyanopsion, à l'occasion de la célèbre fête des Apatouries[65].

Ainsi pratiquement toutes les classes d'âge masculines, des adolescents aux adultes, prenaient part aux Thargélies printanières. Sans doute n'est-ce pas une surprise dans un festival dédié à un Apollon Pythios que Démosthène identifie avec Apollon Patrôos, le dieu du lignage patrilinéaire. Une inscription du IIe siècle avant notre ère confirme d'ailleurs pleinement le caractère de cette occasion cultuelle en énumérant les sacrifices honorant au Pythion, peut-être à l'occasion des Thargélies, Apollon Pythios, Patrôos et Alexicacos. L'Apollon de Delphes, garant de la patrilinéarité athénienne, sinon de l'autochtonie, est aussi susceptible, en une période délicate et instable, d'écarter le malheur[66] !

Par contre, en automne, l'Apollon Delphinien des Pyanopsies semble être l'objet d'honneurs dont les dispensateurs correspondent essentiellement à cette catégorie large d'adolescents que désigne le terme de *paîdes*. On a vu que la tradition lexicographique attribue le port de l'éirésiôné et sa consécration à la porte du temple d'Apollon à un *paîs amphithalés*, à un « enfant » qui a père et mère. Les mêmes textes attribuent à un groupe de *paîdes* l'exécution du chant de l'éirésiôné. Mais le rite parallèle adressé à chaque foyer de la cité n'a pour sujet, dès Lycurgue, qu'un *hékastos* très général. Quant à la bouillie de laquelle la fête tire son nom, sa fabrication et sa consommation sont de nouveau attribuées à ce « on » abstrait propre à la description grecque du rituel. L'essentiel du rite des Pyanopsies semble donc être assumé par de très jeunes adolescents dont l'âge correspond vraisemblablement à celui des *kórai*, des adolescentes à qui l'on assigne l'acte cultuel du 6 Mounichion[67].

Le rôle joué en particulier par les *paîdes* sur la scène rituelle des Pyanopsies est peut-être en relation avec l'autre rite dont ces adolescents sont les protagonistes principaux à Athènes en ce mois Pyanopsion. Les différentes pratiques qui marquaient les trois journées constitutives des Apatouries avaient en effet pour fonction principale l'inscription des adolescents sur les listes des phratries ; pratiques qui s'adressaient aux adolescents ayant atteint l'âge de seize ans, désignés dans nos sources des termes de *paîdes* ou de *koûroi/kórai* ; pratiques à distinguer d'une première présentation à la phratrie à l'âge de trois ans à l'occasion des Anthestéries ; pratiques à distinguer aussi de l'inscription des futurs citoyens sur les listes des dèmes qui concernait les adolescents ayant atteint l'âge de dix-huit ans et qui consacrait leur entrée dans la période biennale de l'éphébie, c'est-à-dire leur « majorité »[68]. Ce premier pas vers la reconnaissance du droit de citoyen franchi dans les Apatouries n'est évidemment pas étranger à l'une des fonctions qu'il a été possible d'attribuer à Apollon Delphinios.

Patrôos, l'Apollon Pythios des Thargélies semble recevoir les honneurs de toutes les classes concernées par le lignage patrilinéaire tandis qu'aux Pyanopsies et à l'occasion du rite du 6 Mounichion, Apollon Delphinios ne réunit guère que les jeunes

adolescents. C'est que le jour de célébration des Pyanopsies coïncide fort probablement avec la date des Oschophories qui mobili-
sent autour de Dionysos et d'Athéna d'autres forces et d'autres
classes d'âge.

2. Dionysos aux Oschophories

Tout en nous invitant à quitter pour l'instant Apollon pour
aborder Dionysos, la coïncidence temporelle qui associe, au-delà
de la relation montrée par la légende de Thésée, Pyanopsies et
Oschophories se double d'une coïncidence spatiale.

2.1. S'alimenter aux Oschophories

Pendant que la probable procession des Pyanopsies conduit ses
protagonistes des différentes maisons de la cité jusqu'au temple
du Delphinion consacré à Apollon, celle qui constitue le même
jour l'acte central des Oschophories nous donne rendez-vous dans
le même quartier d'Athènes ; il y a en effet tout lieu de croire que
l'Oschophorie débutait au sanctuaire de Dionysos « dans les
marais ». Ce sanctuaire déployait donc son enceinte dans cet
ancien quartier devenu extérieur, un quartier inclus dans le pourtour dessiné par la muraille de la cité, mais baigné par les eaux de
l'Ilissus, près de la porte dite « Porte d'Egée ». Cette porte a été
identifiée à titre d'hypothèse avec la Porte de Dioméia qui donnait
accès au Cynosarge. Toutefois sa proximité avec le sanctuaire de
Dionysos aux marais la rapproche plutôt de la porte voisine, dite
« Porte de la mer » *(hálade)* ; cette dernière donnait en effet accès
à la route du Phalère qu'empruntait certainement la procession
des Oschophories dans son parcours du Limnaion dionysiaque au
sanctuaire d'Athéna Sciras qui, quant à lui, n'a pas encore fait
l'objet de fouilles [69].

2.1.1. *Du raisin mûr...*

Des Atthidographes Philochore et Istros jusqu'aux lexicographes byzantins, tous nos informateurs s'accordent pour décrire les

ōskhai ou *ôskhoi* portés par les Oschophores du sanctuaire de Dionysos vers le Phalère comme des sarments garnis de grappes de raisin ; des sarments nouveaux précise l'un des rédacteurs de *Lexica* [70]. Cet accord ne porte toutefois ni sur l'orthographe de ce terme rare, attaché à la seule fête des Oschophories, ni sur celle du rituel qui tire sa dénomination de ce terme. Oscillant entre forme masculine et forme féminine, entre l'omicron et l'ôméga, entre la forme oxytone et l'accentuation propérispomène, ce terme connaît les variations morphologiques d'un mot qui n'était utilisé que dans la langue orale. La dénomination des Pyanopsies/Pyanépsies connaît des hésitations analogues, impliquées par un usage écrit flottant. Sans doute est-ce la raison pour laquelle, en l'absence de son attestation chez les Atthidographes, il faut considérer comme tardif et secondaire le jeu de mot auquel ces lexicographes semblent s'être livrés en assimilant les *ôskhai* aux *óskhea*, les testicules ; en dépit d'un rapport métaphorique possible, les grappes attachées à leur sarment ne paraissent pas avoir été appelées à signifier les parties intimes de ces adolescents en train d'atteindre, comme le raisin qu'ils portent, le terme de la maturation [71].

En revanche Plutarque — comme on pouvait s'y attendre — associe explicitement le port des *ôskhai* avec le temps de la récolte des fruits *(opôra)* qui coïncidait elle-même avec le moment où Thésée et ses compagnons auraient regagné Athènes sains et saufs. Or ces produits de la saison de la maturité, ils sont présents aux Oschophories, mais dans la deuxième phase du rituel, celle qui se déroule non plus à Athènes, mais au Phalère sous l'égide d'Athéna Sciras. D'emblée il faut envisager la festivité dans sa polarité cultuelle et spatiale.

2.1.2. ...aux aliments cuits

Dans le mythe, ce sont des aliments au blé moulu accompagnés de nourritures carnées *(sitía* et *ópsa)* que confectionnent les mères des enfants destinés au Minotaure au moment où ceux-ci sont enfermés « dans le temple d'Athéna ». Il y a tout lieu de penser que dans l'acte de culte que ce mythe est censé instituer, les Dipnophores préparaient également, à l'intention des Oschophores et de leur suite, des aliments cuits sur le feu, aliments carnés et céréaliers. L'inscription des Salaminiens vient en tout cas au secours de cette hypothèse en mentionnant la distribution à l'occasion des Oschophories de viandes et de pains fournis par la cité ; ces mets sont reçus par les Salaminiens non seulement des mains des Dipno-phores, mais aussi de celles des Oschophores eux-mêmes [72].

Mais on se souvient aussi que l'éphèbe (ou les éphèbes) vain-queur à la course à pied qui faisait suite à la procession oschopho-rique vers le temple d'Athéna Sciras avait le droit de mouiller ses lèvres à une coupe rituelle appelée *pentaplóa* ; cette cylix « aux cinq ingrédients » contenait un mélange de vin, de miel, de fro-mage, de farine d'orge et d'un peu d'huile [73]. On retrouve donc dans ce mélange, à quelques variations près, le paradigme des nourritures présentées aux Pyanopsies sur l'éirésiôné.

La présence explicite de l'orge et surtout celle du fromage, qui semble se substituer aux figues de l'éirésiôné, confirment en la précisant la référence de ce mélange au premier stade, végétarien, du régime alimentaire civilisé. Par opposition au froment, l'orge passait dans l'Antiquité pour avoir été la première des céréales cultivées ; de là son utilisation « dès les temps les plus anciens » dans le cadre du sacrifice, avec la possibilité, quand les *oulo-khútai* (les grains d'orge) manquent, de leur substituer des feuilles de chêne. La *mâza*, une bouillie composée d'orge et de lait ou de vin, devait d'ailleurs représenter la nourriture de base à l'époque de Solon, alors que le pain passait encore pour un luxe ; la *mâza* est aussi à l'honneur chez Aristophane et elle forme l'aliment de base des rituelles syssities spartiates. Les recherches archéologi-ques semblent d'ailleurs donner une confirmation historique au caractère primordial attribué dans l'Antiquité à l'orge que l'on voit progressivement céder le pas au froment pour devenir une nourriture davantage destinée aux animaux [74].

Quant au fromage, associé à l'activité pastorale, non seulement il constitue un autre aliment de base dans la réalité du régime quo-tidien des Grecs, mais comme le lait, il est surtout caractéristique, dans la représentation hellène de la culture, de cet état intermé-diaire entre état sauvage, Age d'Or et civilisation qui est par exemple celui connu par les Cyclopes de l'*Odyssée*. Le fromage est donc le signe d'une première activité de la production alimentaire civilisée, encore susceptible de basculer du côté de la « nature ». Hipponax, dans un fragment déjà mentionné, ne fait-il pas de la *mâza* d'orge et du fromage, accompagnés de figues, l'alimenta-tion même du bouc émissaire [75] ?

Les grappes de raisin attachées à leur sarment nous avaient fait quitter, au départ du sanctuaire de Dionysos dans les marais, le plan des nourritures cuites et recuites des Pyanopsies pour un fruit parvenu à maturation par le seul effet du soleil. Descendus au temple d'Athéna Sciras au Phalère, nous retrouvons donc les produits de l'agriculture sous forme d'aliments, objets de la cuisson culinaire ou soumis à ce travail de l'homme qu'impliquent le pressurage, la mouture ou la fermentation. Le parcours des Oschophories nous fait passer par trois étapes différentes de la coction de la nourriture civilisée : placée sous l'égide de Dionysos voisin des marais, on rencontre d'abord la célébration avec les grappes de raisin et les pampres de la maturation de la fin de l'été ; puis le mélange auquel goûtent dans la *pentaplóa* les éphèbes vainqueurs à la course à pied actualise une première élaboration des fruits mûrs par pressurage ou mouture, étape nouvelle et intermédiaire entre la maturation par le soleil et les deux modes de la cuisson alimentaire ; enfin les mets servis par les Dipnophores se réfèrent à la cuisson des aliments végétariens aussi bien qu'à celle de la nourriture carnée, c'est-à-dire tant à l'ébullition qu'au rôtissage.

Laissons pour l'instant le rôle joué par Athéna Sciras dans ces deux dernières étapes de l'élaboration d'une alimentation civilisée pour nous reporter, en poursuivant la trace de Dionysos, au festival des Anthestéries qui semble répondre aux Oschophories comme les Thargélies forment le pendant printanier des Pyanopsies automnales.

2.2. Manger et boire aux Anthestéries

L'ensemble du festival « des fleurs » se prête assez bien à une définition dans laquelle il apparaît comme une fête du vin nouveau. Grâce à Thucydide, aucun doute ne règne ni sur la date, ni sur la localisation de cette fête qui se déroulait du 11 au 13 Anthestérion (début mars) autour du sanctuaire déjà décrit de Dionysos « aux marais » [76]. Quant à sa dénomination, elle présente cette festivité comme une célébration de la floraison, en particulier de la floraison de la vigne.

2.2.1. Mesure du vin nouveau

Le nom porté par le premier jour de la fête, les *Pithoïgia*, désigne lui aussi sans ambiguïté son propre contenu : l'ouverture des *píthoi*, c'est-à-dire en quelque sorte la mise en perce des fûts ! Les Athéniens se rendaient ce jour-là au sanctuaire de Dionysos situé près de l'Ilissos pour pratiquer en l'honneur du dieu le mélange du vin nouveau. Ils répétaient ce faisant le geste de la première consommation du vin ; geste indiqué par Dionysos Limnaios que le jeu combiné de l'épiclèse et de l'aïtion attache à l'indispensable mélange du vin avec l'eau douce des marais protégés par les Nymphes. Ce geste acquérait également valeur propitiatoire ; il s'agissait d'assurer au vin nouveau, probablement par l'intermédiaire du juste mélange, son effet salutaire en tant que *phármakon*, remède aux soucis de la vie, tout en évitant que ce baume ne se retourne contre son consommateur. Dans la conception grecque en effet tout *phármakon* est indissociablement assorti d'une efficacité négative qui se manifeste dès que l'on en abuse. Pour le vin, l'efficacité favorable ou délétère du *phármakon* dépend précisément de la proportion de l'eau que l'on y mêle [77].

Le jour des Pithoïgia, c'est aussi le jour où Dionysos fait son entrée dans la cité, étendu — comme on l'a vu — sur un chariot en forme de bateau [78]. Le Dionysos fêté dans le sanctuaire des marais est donc probablement supposé venir de la mer. Peut-être suivait-il dans le rite le chemin inverse, du Phalère à Athènes, de celui parcouru par les Oschophores au début de l'hiver. La spécificité des documents iconographiques qui attestent de cet acte de culte et qui laissent planer le doute quant à l'appartenance rituelle ou au contraire mythique de la scène représentée ne permet pas d'aller plus loin dans sa reconstitution.

Le décapsulage des pithoï et la probable introduction de Dionysos sur son navire-char étaient suivis, le second jour du festival, par la dégustation du vin nouveau. Les cruches dans lesquelles le vin était mélangé à l'eau — *khóes* ou *khoûs* — ont donné leur nom à ce rite. La dégustation prenait la forme de concours qui se déroulaient en plusieurs lieux de convivialité ; le plus solennel d'entre eux était sans aucun doute celui qui réunissait les dignitaires de la cité au *thesmotheteîon* ; non loin de l'Agora, ce petit bâtiment, « dépôt des archives légales », abritait d'habitude les réunions officielles des archontes et leurs repas en commun. Voici donc Dionysos appelé à pénétrer au centre administratif de la cité.

Evoqué par Aristophane, le rite des Choès est déjà rattaché par Euripide à la légende d'Oreste ; ce mythe assume en effet, dans la description que donne l'Atthidographe Phanodémos de l'acte cultuel, la valeur d'un aïtion. Or donc, ayant offert l'hospitalité au meurtrier de Clytemnestre qui cherchait à purifier en Attique ses mains matricides, Démophon, le roi d'Athènes successeur de Thésée son père, avait voulu éviter tout contact impur dans le déroulement des repas auquel on avait invité le héros assassin de sa mère ; de là la substitution au cratère commun et aux libations communautaires des choès, oïnochoaï individuelles ne contenant qu'une seule mesure de vin (2 1/2 litres de vin mélangé) ; de là l'institution d'un concours entre les convives dont le buveur le plus rapide recevait une outre ou une galette plate ; de là, enfin et surtout, l'habitude de ne point déposer auprès des statues des dieux les couronnes de lierre dont les convives se paraient pendant la beuverie. On en couronnait au contraire les choès que l'on transportait au sanctuaire du Dionysos des marécages ; là on les remettait à la prêtresse du dieu tout en marquant leur consécration par un sacrifice[79].

2.2.2. *Le repas des morts*

On peut faire abstraction pour l'instant de l'acte essentiel de la journée des choès, le mariage sacré de Dionysos avec l'épouse de l'archonte-roi ; on a déjà rencontré ce rite dans l'analyse de l'étape naxienne de l'épisode crétois et on le retrouvera en même temps que la cérémonie de confirmation des jeunes enfants, au moment de l'analyse des qualités attribuées aux acteurs des cultes étudiés. Ce silence temporaire nous conduit au terme du festival des Anthestéries. Aussi étonnant que cela puisse paraître, c'est aux morts qu'est consacré le troisième et dernier moment de la fête ; le jour des *Khútroi*, journée donc des marmites. Ce jour-là, les grenouilles des marécages de Dionysos métamorphosées par Aristophane en gardiennes des marais infernaux disent recevoir la foule sortant du festin en un cortège d'ivrognes. Après le concours de dégustation et le banquet qui l'accompagnait – éventuellement le soir des Choès, mais plus probablement au petit matin – on allait en effet offrir à Hermès chthonien les mêmes marmites que celles utilisées aux Thargélies et aux Pyanopsies. La cuisson par ébullition *(hépsein)* dont elles sont le lieu privilégié concerne dans ce cas des semences de toutes sortes *(panspermía)*. A cette bouillie les prêtres ne sauraient goûter. Mais les citoyens semblent partager ces semences bouillies avec les morts ; dans ce partage les vivants appellent en effet les faveurs d'Hermès Chthonios en répétant le geste de sacrifice des survivants au déluge de Deucalion[80].

C'est que, au jour des Chytroï, on joue sur le double sens de la dénomination du rite : *khútra*, la marmite de terre déjà rencontrée aux Pyanopsies et aux Thargélies, en général au féminin ; *khútroi*, au masculin pluriel, les marmites géologiques tels que les « trous » du lac Copaïs ou les sources chaudes des Thermopyles. Ces orifices chthoniens, on s'en sert pour communiquer avec les morts qui ne manquent pas de les utiliser pour apparaître en surface. Il n'est du reste pas impossible que le rite même du premier jour des Anthestéries, l'ouverture des pithoï, ait assumé une double signification du même type : libération du vin nouveau, mais aussi libération des âmes des morts[81]. En tout cas, quel qu'ait été le mode de leur passage du monde souterrain à la surface, les morts étaient déjà présents lors du deuxième jour des Anthestéries comme le prouvent deux pratiques rituelles relevant de la croyance populaire. Ce jour-là, on enduisait tout d'abord les pas de porte des maisons avec de la poix pour empêcher les esprits des morts d'y pénétrer ; d'autre part on mâchouillait de l'aubépine après avoir eu bien soin de fermer tous les sanctuaires de la ville. Ajoutons qu'un dicton voulait aussi qu'après le terme des Anthestéries, l'on chassât les indésirables tels les *Kâres*, c'est-à-dire les « esprits »[82].

C'est d'ailleurs au rite des Chytroï également qu'il faut probablement référer l'acte de culte exécuté dans l'enceinte sacrée réservée à Zeus Olympien, non loin du temple de Dionysos aux marais ; là, auprès du temple de Cronos et de Rhéa et d'un sanctuaire de Gaia enserrant le trou qui avait permis aux eaux du déluge de s'écouler, on versait chaque année de la farine d'orge mêlée de miel[83].

Quoi qu'il en soit de la relation de cet acte de culte avec le rite des Chytroï, les semences bouillies interviennent dans les Anthestéries à une époque où elles n'ont aucune fonction spécifique dans le déroulement du calendrier agricole. Cette panspermie n'est rien d'autre qu'une sorte de pyanopsie inversée ; le renversement qui la marque est renforcé par sa destination aux morts plutôt qu'aux vivants. Ce renversement, seuls peuvent le contrôler Dionysos et Hermès, le dieu du passage, notamment entre le monde des vivants et celui des morts. Un terme serait-il donc mis au festival des Anthestéries par l'hommage rendu aux morts et surtout, en serrant de plus près la légende de fondation, par la célébration de la résurrection des survivants après le déluge et de leur retour à une alimentation normale, comme le voudrait Burkert[84] ? L'offrande des chytroï s'inscrit plutôt dans la logique même des Anthestéries ouvertes par le rite délicat des Pithoïgia. Par une pyanopsie hors du moment, on apaise les morts, invités dès la fin du festival à quitter ce monde, comme on a d'emblée tenté de propitier le vin dans son aspect dangereux. Dans les deux cas, il s'agit de marquer rituellement la limite entre deux aspects contraires d'une même réalité : vie et mort, sobriété et ivresse. De là probablement le rappel légendaire du déluge, événement qui a risqué de brouiller la limite entre les morts et les vivants, entre le chaos et la civilisation.

Comme le raisin aux Oschophories, le vin des Anthestéries est distingué des autres nourritures, réservées dans le premier cas à Athéna, servies dans le second en un repas végétarien aux morts primordiaux du déluge. Tout en permettant l'effacement des barrières et la communication entre domaines socialement distincts, Dionysos limite son champ d'action au produit de la vigne. On retrouve donc, à assurer la cohérence sémantique de ces deux festivités, les isotopies du végétal et de la maturation, mais elles sont situées dans la perspective du thème des frontières de la civilisation et de ses marches.

2.3. Récits symboliques dionysiaques

Du côté de Dionysos, les légendes de fondation débouchant sur les actes rituels des Oschophories d'une part, sur ceux des Anthestéries de l'autre sont entachées d'un sang beaucoup plus sinistre, différence essentielle puisque les actes sanguinaires mis en scène dans le mythe engagent la compétence des acteurs des rites correspondants. Non plus le sang de l'ennemi comme dans la légende attachée aux Thargélies, voire dans celle dont dépend le rite du

6 Mounichion, mais celui versé par le parricide (même si le crime est involontaire) dans les Oschophories et par le matricide ou le meurtre d'un pair pour les Anthestéries. C'est que, en dépit des différences qui les séparent, Pyanopsies et Thargélies célèbrent toutes deux la maturation des produits de la terre. La première phase, proprement dionysiaque, des Oschophories et les Anthestéries dans pratiquement tout leur développement s'articulent quant à elles autour du vin, et du vin uniquement.

A nouveau s'impose la correspondance existant entre la compétence des acteurs du rite établie par les aïtia, les actes cultuels dont ils sont les Sujets et la fonction sociale de ces gestes. Les acteurs des Anthestéries ont donc pour Destinateurs Dionysos bien sûr, mais surtout le matricide Oreste ; reçu par les Athéniens dans les conditions que l'on a dites, c'est lui qui est censé déterminer l'ambiguïté des gestes accomplis à l'occasion du rite des choès : renoncement au partage communautaire du vin dans une coupe unique, couronnes déposées sur les choès au lieu d'être consacrées aux dieux, consommation rapide du vin et finalement – semble-t-il – ivresse. Voilà qui décrit parfaitement, avec les moyens du rituel, la duplicité et les dangers de ce pharmacon qu'est le vin antique ; ce vin dont on n'hésite d'ailleurs pas à dire aussi la valeur positive en le consacrant au Limnaion où on le mélange symboliquement à l'eau claire de l'Ilissos.

Mais le matricide d'Oreste n'est pas le seul meurtre que sont censés rappeler les actes rituels marquant les Anthestéries. Le jour ou le lendemain des Choès, les jeunes filles d'Athènes ou, si l'on en croit les représentations figurées, des enfants de la cité accomplissaient le rite de l'Aïôra mentionné à propos de la place assumée en Attique par la viticulture. Or un *Aítion* de Callimaque situe ce rituel dit « de la balançoire » dans la ligne narrative tracée par la légende du meurtre d'Icarios et du suicide d'Erigoné. Etiologiquement, le rite est supposé – on s'en souvient – expier les deux décès, puis l'épidémie indirectement provoqués par l'introduction de la viticulture et de la vinification en Attique. Une autre version de la légende fait d'ailleurs d'Erigoné la fille d'Egisthe : elle se serait pendue en apprenant l'absolution dont Oreste, le meurtrier de son père, avait bénéficié de la part des Athéniens. Le jeu de l'aïtion semble donc se plaire à attacher le rite de la balançoire et sa légende à la justification légendaire du rituel des choès. Et la célébration du rite lui-même s'achevait probablement dans un sacrifice offert au couple adultère représenté par Egisthe et Clytemnestre[85]. Quoi qu'il en soit, l'aspect éminemment ambivalent du vin et de ses effets est d'emblée inscrit dans la légende de son implantation sur le sol de la chôra et il est évoqué dans l'un des actes constitutifs des Anthestéries. Le mythe d'Icarios, avec sa mise en scène d'un meurtre et d'un suicide, expose encore une fois, comme aïtion du rite de la balançoire, les dangers de la consommation du don de Dionysos.

Quant à la partie dionysiaque des Oschophories, le dieu lui-même et le héros Thésée, parricide involontaire, assument le rôle de Destinateurs de la procession rituelle qui déplace les Oschophores porteurs de pampres du Limnaion jusqu'au Phalère. Conduite par deux travestis, accompagnée par un héraut qui pour éviter de se couronner lui-même a mis sa couronne sur son caducée et scandée par un cri rituel désignant à la fois la joie et le deuil, cette pompé pourrait-elle mieux figurer dans ses acteurs, leurs gestes et leurs chants l'effet double que la société grecque reconnaît au produit de la vigne ? Le geste de couronnement manqué du héraut des Oschophories ne rappelle-t-il pas d'ailleurs l'étrange couronnement des choès elles-mêmes au cours des Anthestéries ? La célébration du vin dans les Anthestéries et les Oschophories se démarque ainsi de celle de tous les autres produits alimentaires issus du processus de la maturation par coction[86]. Dans les deux phases de sa production — maturation du raisin et fermentation du moût — il semble nécessaire de mettre en scène rituellement l'aspect spécifiquement ambivalent de la boisson de Dionysos.

2.4. La communauté civique au service de Dionysos

La figure très singulière qu'assume le regroupement d'acteurs sociaux impliqué par la première partie des Oschophories et surtout par l'accomplissement des Anthestéries invite à amorcer, par rapport à l'analyse consacrée aux rituels apolliniens, un itinéraire chiastique. Le Destinateur cédera donc le pas aux acteurs qui seront envisagés d'abord dans leur participation au festival de printemps.

2.4.1. Bouleversement (partiel) des catégories sociales

En contraste avec les cultes apolliniens qui sont socialement très sélectifs, on constate que non seulement toutes les classes d'âge, mais surtout toutes les classes sociales prennent une part active à la célébration des Anthestéries. C'est en particulier le cas pour le rite de l'ouverture des « tonneaux » et pour la dégustation du vin nouveau au jour des Choès ; les esclaves y étaient également conviés. Ni les jeunes filles, ni même les morts n'étaient par ailleurs oubliés puisqu'on leur réservait respectivement le rite de l'Aïôra et celui des Chytroï[87].

De plus, Philostrate nous apprend qu'aux mois Anthestérion, les enfants qui se trouvaient dans leur troisième année recevaient une couronne de fleurs. Les représentations figurées permettent de faire coïncider ce rite, que Deubner désigne et traite comme une « confirmation », avec le jour des Choès ; les vases utilisés à cette occasion sont en effet couverts d'images d'enfants en très bas âge. Cet âge de trois ans serait alors à mettre en relation avec le rituel de la première présentation des petits enfants à la phratrie de leur père. Mais la confirmation à trois ans des futurs citoyens n'est pas le seul acte civique à enrichir, par l'intermédiaire du partage du vin, les Anthestéries. Il faut y ajouter les épousailles rituelles et secrètes de Dionysos avec la Basilinna, déjà mentionnées ; relation adultère probablement protégée par la stricte pureté des quatorze « Vénérables », femmes adultes tenues, paradoxalement, à la chasteté la plus sévère. De là le caractère presque mystique de cette cérémonie matrimoniale qui introduit Dionysos dans le Boucoléion, dans la résidence même de l'archonte-roi, au cœur politique de la cité, tout en renversant certaines parmi ses valeurs les plus centrales[88].

Participation des esclaves au rite des Pithoïgia, association d'enfants de trois ans à un partage du vin qui s'opère le jour des Choès sur une base individuelle, éventuelle entrée du dieu sur un navire transformé en char, relation adultère de l'épouse de l'archonte-*basileús* avec Dionysos (représenté par son prêtre ?), contacts alimentaires à l'occasion du rite des chytroï avec les morts revenus sur terre dans une panspermie qui inverse le rite correspondant des Pyanopsies, la plupart des gestes rituels composant les Anthestéries bouleversent, du point de vue des acteurs, les distinctions que la société athénienne classique s'efforce de tracer et de maintenir avec soin entre les groupes sociaux dont elle est formée.

Ce chambardement des catégories sociales, il est aussi caractéristique de la partie dionysiaque des Oschophories. Il se marque d'abord dans le travesti des deux adolescents (*païdes* ou *neanískoi*) qui, déguisés en jeunes filles *(parthénoi),* tenaient le rôle des Oschophores. Ces porteurs de grappes étaient par ailleurs issus des familles athéniennes les plus en vue *(eugeneîs, génei kaì ploútōi proékhontes)* [89]. Or on sait qu'en Grèce archaïque en tout cas, le travesti d'adolescents est normalement réservé à la période de marge qui, passée en un lieu sauvage, est caractéristique de la transition de l'initiation tribale. Rien de cela aux Oschophories où le parcours que dessine l'oschophorie du Limnaion au Phalère se déroule à travers un espace contrôlé par la cité. Le domaine à proprement parler sauvage, c'est au Phalère qu'il commence, avec le domaine maritime !

Par ailleurs, les porteurs d'*ôskhoi* étaient suivis par un groupe choral. Puisque les danses oschophoriques exécutées par ce chœur sont classées par Athénée, avec d'autres danses consacrées à Dionysos, dans le genre de la gymnopédique qui est traditionnellement dansée par des jeunes adolescents *(païdes),* étant donné d'autre part que les savants alexandrins ont pu assimiler les chants oschophoriques à des parthénées, il y a tout lieu de penser que ce chœur oschophorique était formé d'adolescents et d'adolescentes, à l'imitation du groupe choral mythique formé par les compagnons de Thésée. Après avoir été institué dans le mythe à Délos ou en Crète sous le signe d'Aphrodite, la danse mixte se déroule dans le rite sous le contrôle de Dionysos. Cette consécration au dieu du vin est en mesure de justifier le caractère plutôt exceptionnel de la mixité d'un chœur d'adolescents [90].

Sans doute y a-t-il convergence entre les actes de matricide ou de parricide mis en scène par les légendes de fondation de ces deux festivals dionysiaques et le caractère « anormal » qu'assume la figure des acteurs du rituel : mélange des catégories sociales pour l'un, travesti pour l'autre. Dans cette mesure les protagonistes du mythe ont en effet toutes les chances d'assumer le rôle de Destinateur des acteurs du rite. Mais, par ailleurs, il faut remarquer qu'aux Anthestéries on finit par boire le vin coupé d'eau pour ne retenir que les effets positifs de ce pharmacon ambivalent ; et aux Oschophories les honneurs rendus au raisin mûr et à son maître

Dionysos s'achèvent en une célébration de la divinité poliade, Athéna. Quand elle est insérée dans des festivités qui concernent le destin de la communauté civique, la « subversion » dionysiaque semble s'arrêter à mi-chemin, le renversement complet étant quant à lui réservé au festival hivernal des Halôa[91]. Et comme aux Grandes Dionysies, comme dans la représentation tragique et le spectacle comique, Dionysos invite le citoyen, au terme de sa célébration, au retour à l'ordre !

2.4.2. Dionysos dans la cité

Anthestéries et Oschophories, de même que les festivals dramatiques, installent et célèbrent Dionysos à l'intérieur des murs de la cité. Mais la fonction du dieu, au lieu d'y être intégratrice comme celle d'Apollon, tend à un bouleversement − mesuré − de l'ordre civique. Le mode et l'effet des interventions dionysiaques dans la cité tiennent au mouvement que cette divinité est susceptible d'imprimer : non pas de l'épidémie, comme sanction juridique de la souillure, vers la purification et l'intégration, mais de l'équilibre au délire. Dionysos est en effet capable d'altérer le plaisir de la boisson et de le transformer en possession, en *manía*. Une série d'études récentes sur cette figure divine déroutante, pour les Anciens autant que pour nous, peut nous dispenser d'une caractérisation développée ; toutes, elles tendent à définir Dionysos comme le dieu de la transition entre norme et folie, entre ivresse douce et délire, entre le soi et le « hors de soi », entre le monde civilisé et le domaine du sauvage absolu ; un passage qui s'exprime notamment par le renversement des manières de la table cultivée et de la consommation de produits tout à fait cuits en une alimentation désordonnée et crue, quand elle n'est pas anthropophage[92]. Cet « Etranger de l'intérieur », pour reprendre une expression heureuse de Detienne, sait vous faire sortir de vous-même, dans l'apparence de la douceur, pour vous projeter hors de l'humanité.

Pourtant, à deux occasions au moins, le renversement dionysiaque opère en douceur, sans parvenir jusqu'aux limites de l'« extériorité ». Dionysos semble alors s'intégrer à la cité, même si ce n'est que sous la forme de la parodie. Le miracle se produit quand il s'agit, après la production des aliments végétariens, de la boisson dont il est le maître. Au moment de la vendange en effet, ou, plus exactement, au moment de la récolte de tous les fruits et à l'époque de la dégustation du vin nouveau, Dionysos est là, bien implanté à l'intérieur des murs de la cité. Et si Dionysos règne sur les Anthestéries et sur la première partie des Oschophories, ce n'est pas parce que, tel un Apollon viticulteur, sinon un esprit de la végétation, il aurait la charge de protéger les étapes de la production du vin, ce vin d'ailleurs également présent aux Pyanopsies ! Dionysos est invoqué pour en consacrer dans le culte l'aspect ambivalent. Anthestéries et Oschophories sont donc moins les célébrations d'actes sanguinaires et coupables qu'y voit Burkert que des spéculations symboliques (par les moyens du rite) sur les possibilités de transition offertes par la consommation du produit de la vigne : douceur libératrice de l'ivresse légère puis du sommeil, ou possession aveugle dans laquelle le vin consommé peut en effet devenir sang versé. Mais à l'intérieur des murs de la cité, le chemin vers le bouleversement et l'aliénation est marqué de bornes précises ; l'exploration des marches du domaine assigné à la civilisation et celle de ses issues vers l'extérieur s'opèrent sous le contrôle des instances civiques.

3. Athéna au Phalère

Laissant aux mains de Dionysos le vin et son statut spécifique, le parcours dessiné par l'oschophorie nous fait retrouver dans le sanctuaire d'Athéna Sciras au Phalère le paradigme presque complet des composantes de base de l'alimentation humaine et civilisée. On a pu s'étonner à bon droit de voir Apollon présider au terme des récoltes dans la célébration des Pyanopsies. Plus paradoxale encore, la dédicace à Athéna de la plupart des actes de culte des Oschophories suscite quant à elle le désarroi : l'épiclèse de la déesse n'a d'ailleurs pas cessé de déconcerter les interprètes de ce culte. Avant de la soumettre à examen, il convient de parcourir rapidement l'itinéraire déjà suivi pour Apollon et Dionysos : des objets symboliques aux acteurs du rite en passant par la littérature étiologique.

3.1. L'alimentation de la civilisation

Par l'intermédiaire de la *pentaplóa*, la cylix « aux cinq ingrédients », et par celui des aliments végétariens et carnés servis par les Dipnophores, tous les degrés de la cuisson alimentaire et l'ensemble du menu de base de l'alimentation classique sont représentés dans la seconde partie des Oschophories, consacrée au Phalère à Athéna. On y retrouve donc la plupart des nourritures prêtes à la consommation montrées aux Pyanopsies. L'adjonction de la nourriture carnée situe cette seconde phase des Oschophories dans la perspective d'une célébration de l'achèvement de la civilisation, en tout cas en ce qui concerne son isotopie alimentaire.

Or, si le rite alimentaire de la coupe « aux cinq ingrédients » n'est attaché à aucune légende de fondation, par contre le banquet organisé par les femmes dipnophores a pour aïtion − on l'a dit − les repas apportés par leurs mères aux jeunes gens et jeunes filles réunis au Prytanée ou dans le sanctuaire d'Athéna avant leur départ pour Cnossos. La compétence des acteurs de la deuxième partie du rite des Oschophories a donc pour Destinateur des femmes adultes ; par un acte qui n'a plus rien de sanguinaire, ces mères légendaires engagent les acteurs du rite à parfaire le processus de maturation célébré dans les Pyanopsies par une cuisson sur le feu alimentaire qui concerne la nourriture végétarienne aussi bien que la nourriture carnée. Ici encore l'homologie semble facile à établir entre le statut de mère du Destinateur légendaire du rite et le mode d'alimentation complet de l'homme civilisé et du citoyen que ce rituel consacre. Le thème de l'alimentation civilisée fait bien des Oschophories et des Pyanopsies deux festivals convergents.

Quant aux acteurs du rite, ce sont naturellement les deux travestis oschophores, les adolescents et les adolescentes formant le groupe choral mixte, mais aussi les éphèbes engagés dans le concours à la course où ils représentaient leur tribu respective. Se joignent à eux non pas des hommes, mais des femmes adultes, les Dipnophores dont on vient de parler ; leur participation à la fête est attestée, en plus de celle du héraut et de la prêtresse d'Athéna, par l'inscription des Salaminiens. Les femmes adultes, on ne va pas tarder à les rencontrer dans le culte d'Athéna Sciras qui forme le pendant de celui du Phalère[93]. On se contentera pour l'instant de relever le rétablissement, dans le passage de la phase dionysiaque du rituel au moment consacré à Athéna, des classes d'âge ; avec cependant, dans une célébration cultuelle qui semble notamment consacrer la production des nourritures de la civilisation, une focalisation sur les femmes mariées plutôt que sur un groupe de citoyens. Sans doute Athéna Sciras n'est-elle étrangère ni à cette restitution des distinctions sociales en partie brouillées par Dionysos, ni à son détournement au profit des femmes issues des meilleures familles de la cité.

Ce qu'il est possible d'affirmer pour l'instant, c'est qu'aussi bien les connotations civilisées impliquées par les nourritures cuites consommées aux Oschophories que la constellation des classes d'âge invitées à assumer leur célébration exclut toute interprétation du rituel des Oschophories dans un sens initiatique.

3.2. L'Athéna des limites

De même que les Pyanopsies nous ont conduits aux Thargélies et les Oschophories aux Anthestéries, de même le culte rendu à Athéna Sciras au Phalère possède-t-il un pôle rituel qui est en mesure d'éclairer sa situation singulière. C'est l'étymologie même de l'épiclèse de la déesse qui nous y invite, à travers un itinéraire il est vrai assez sinueux.

3.2.1. Etymologies d'Athéna Sciras

Sans entrer dans les détails des témoignages qu'a suscités dans l'Antiquité déjà la mystérieuse figure d'Athéna Sciras et qui ont contribué à brouiller les fils de l'interprétation, on remarquera que les interrogations des savants modernes à son propos se résument essentiellement en trois questions.

L'épiclèse de la déesse d'abord, dont le signifiant dès l'Antiquité a été associé au terme rare *skîros* ou *skírros*, la « terre blanche », le « calcaire ». Proposée par la science lexicographique tardive, cette étymologie a été largement reprise par les interprètes contemporains du culte d'Athéna Sciras[94]. Mais, notamment en raison des difficultés phonétiques qu'offre le passage du iota bref de l'épiclèse au iota long des termes désignant la terre calcaire, on peut proposer une autre étymologie, elle aussi fondée sur une explication antique ; par l'intermédiaire du terme technique *skíron* l'épiclèse Sciras ferait alors référence au grand parasol *(skiádeion)* porté à l'occasion de la fête des Scira dont on ne va pas tarder à reparler [95]. Athéna la calcaire se métamorphoserait ainsi en une Athéna de l'ombre...

La première étymologie mentionnée nous renvoie à plusieurs des contacts que le culte d'Athéna Sciras au Phalère entretenait avec Salamine et ses héros ; elle nous confronte ainsi au deuxième des nœuds d'interprétation posés par cette figure si singulière. C'est d'abord l'île même de Salamine qui passait dans l'Antiquité pour porter la dénomination archaïque de *Skirás*. De plus la légende fait naître sur l'île un héros Sciros, fils de Poséidon et de la Nymphe Salamine. Or on se souvient que l'Atthidographe Philochore fait de ce Sciros le grand-père de Ménesthès, l'un des sept jeunes gens destinés à être dévorés par le Minotaure ; directement intéressé à l'expédition crétoise, le héros salaminien fournit au héros athénien les deux pilotes, salaminiens eux aussi, qui le seconderont dans son entreprise maritime. C'est par conséquent près du sanctuaire de Sciros au Phalère, non loin d'ailleurs du sanctuaire réservé à Athéna Sciras, qu'à son retour de Crète Thésée élèvera un monument consacré à ses pilotes Phaïax et Nausithoos [96]. Ce parcours associatif se referme sur lui-même quand Strabon nous apprend qu'Athéna Sciras tire son épiclèse de la dénomination identique de l'île de Salamine, une dénomination que l'île emprunterait elle-même au héros Sciros. Et ce cercle semble assumer une forme d'autant plus achevée que l'île même de Salamine connaissait le culte d'Athéna Sciras ; il est possible d'en localiser la célébration dans un sanctuaire situé sur le cap Sciradéion qui pointait précisément son nez vers l'Attique [97].

Mais l'Atthidographe Philochore d'un côté, Praxion l'auteur d'une histoire rivale de Mégare de l'autre paraissent s'employer à rompre la cohérence de ce parcours salaminien. L'historien athénien mentionne en effet un second culte d'Athéna Sciras, célébré sur le continent ; il attribue la fondation du sanctuaire qui lui correspond à un devin éleusinien portant aussi le nom de Sciros tandis que le Mégarien en fait remonter la fondation, dans un élan de patriotisme attendu, au monstre Sciron, le héros ennemi des Athéniens, éliminé par Thésée. De leur côté les lexicographes n'ont pas manqué de relever les analogies phonétiques évidentes existant entre la dénomination du monstre Sciron, les « Roches

Scironiennes » qu'il hantait dans la falaise calcaire voisine de Mégare, Sciros le héros éleusinien et le lieu dit *Skíron* où se situait ce second sanctuaire d'Athéna Sciras[98]. Avec Sciros d'Eleusis, nous touchons au troisième nœud de la *vexata quaestio* du culte d'Athéna Sciras.

3.2.2. Du Phalère au Sciron : les Scira

Du Phalère transportons-nous donc au Sciron ; pour suivre le fil narratif offert par l'aïtion du culte qui y était rendu à Athéna Sciras, indiquons en commençant que Sciros l'Eleusinien passait pour être un devin légendaire et qu'il est attaché à la première histoire de l'Attique. Venu de Dodone au temps de la lutte primordiale déjà évoquée entre les rois Erechthée d'Athènes et Eumolpe d'Eleusis, il serait tombé sur le champ de bataille. Il aurait été alors inhumé près d'un ruisseau, au bord de la Voie Sacrée qui conduisait d'Athènes à Eleusis, en un lieu précisément dénommé depuis *Skíron* ; ce ruisseau, affluent probable du Céphise, portait le même nom. Or c'est à cet endroit que s'élevait également un temple d'Athéna Sciras[99].

Ce second sanctuaire d'Athéna Sciras était le lieu de pratiques plus déroutantes les unes que les autres. En effet dans ce « temple d'Athéna Sciras auprès de Sciron », un temple situé « hors de la ville », on avait tout d'abord l'habitude de se réunir pour jouer aux dés. Cette activité a d'ailleurs été l'occasion d'un troisième rapprochement étymologique tendant à expliquer l'étrange épiclèse de la déesse : le sanctuaire de Sciras devient le lieu du *skira-pheîon*, le lieu de la maison de jeu et des trucs dont elle abrite l'accomplissement. Cet endroit situé hors les murs était d'autre part fréquenté par toutes sortes de devins quand il ne servait pas aussi de lieu de rendez-vous aux prostituées[100]. Mais ce second sanctuaire d'Athéna Sciras voyait surtout se dérouler, le 12 du mois Scirophorion (début juillet), en plein été, le festival des Scira, qui reçoit aussi la dénomination de Scirophoria. Les Scira ou Scirophories ne peuvent donc en aucun cas être confondues avec l'Oschophorie et les deux sanctuaires d'Athéna Sciras au Phalère et au Sciron doivent être soigneusement distingués l'un et l'autre même si Aristodème de Thèbes, dans son ouvrage consacré à Pindare, nous invite à ce genre de confusion[101].

Mais en quoi consistait au juste la fête des Scira ? Lycurge l'orateur et Lysimachidès, auteur augustéen d'un traité consacré à ce festival, en sont, par fragments interposés, nos principaux témoins. A partir de la seconde association étymologique citée qui réfère à *skiádeion* le terme *skíron*, on décrit le grand parasol sous lequel la prêtresse d'Athéna (Polias), le prêtre de Poséidon et celui d'Hélios quittaient l'Acropole pour se rendre au Sciron. Ces trois dignitaires étaient escortés par les représentants du vieux génos athénien des Etéoboutades ; ceux-ci tenaient le fameux parasol, symbole supposé de la période favorable à la construction et à la mise sous toit qui s'ouvrait à ce moment, au milieu de l'été, pendant la canicule. Un texte plus tardif attribue au prêtre d'Erechthée – qu'on a vu associé dans le culte de l'Acropole à Poséidon et par son épouse à Athéna Sciras – le port d'un parasol blanc pour la fête des Scira ; une festivité, ajoute cette scholie, consacrée à Athéna Sciras, mais que d'aucuns disent célébrée en l'honneur de Déméter et Coré. Et de fait nos sources d'information les plus tardives hésitent souvent à voir dans les Scira soit un sacrifice à Athéna, soit des actes cultuels adressés aux déesses d'Eleusis [102].

La solution spatiale à cette contradiction apparente dans la dédicace de la fête, c'est probablement Pausanias qui nous la livre en associant en un même sanctuaire Déméter et Coré d'une part, Athéna et Poséidon de l'autre. Or, toujours selon Pausanias, ce sanctuaire s'élevait en cet endroit de la Voie Sacrée où Déméter aurait fait don à Phytalos du premier figuier. Cela signifie donc que la position du sanctuaire commun coïncidait avec celle du lieu-dit « Figuier Sacré » qu'on a déjà mentionné. Sa localisation au voisinage de l'endroit où la Voie Sacrée traversait le Céphise le met en relation spatiale avec le Sciron où le même Périégète situe le temple d'Athéna Sciras. Et si cette proximité géographique n'emporte pas la conviction, on peut se référer au texte du scholiaste de Lucien qui met en relation les Scirophories avec les Thesmophories, le festival athénien consacré par excellence à Déméter. Distinguées des Scira, les Scirophories pourraient alors représenter au sein du déroulement des Thesmophories la contrepartie des Scira elles-mêmes ; elles constitueraient alors la phase des Thesmophories au cours de laquelle sont rapportés à la surface les restes des porcelets jetés à l'occasion des Scira dans le gouffre où l'on avait vu Pluton disparaître en emmenant Coré vers les profondeurs de la terre. Le rite du sacrifice des porcelets aurait donc eu lieu en été, aux Scira, préparant les Thesmophories automnales et plus particulièrement le moment des Scirophories. A la viande putréfiée des Scira correspondraient alors les nourritures végétariennes consacrées par les femmes-abeilles des Thesmophories ; nous retrouvons en effet à l'occasion de ce festival le régime des Pyanopsies avec les grains d'orge et de froment, crus ou bouillis, les figues sèches, l'huile, le vin et le miel auxquels s'ajoutent du fromage, des graines de sésame cuites, des graines de pavot et de l'ail [103].

Quoi qu'il en soit de cette hypothétique relation entre Scira, Scirophories et Thesmophories, à l'occasion des Scira comme à celle des Thesmophories, les femmes athéniennes avaient le droit de sortir de leurs foyers pour se réunir entre elles ; comme les hommes, mais à bonne distance de ceux-ci et à l'écart des séductions d'Aphrodite ! Aux épouses parfaites des Thesmophories répondent les femmes qui, mises en scène par Aristophane, imitent aux Scira le costume et le comportement des hommes [104]. Davantage encore que la mort du vieil Erechthée à l'occasion de la lutte qui, dans la légende, l'oppose aux Eleusiniens, c'est la rencontre entre les dieux tutélaires d'Athènes et ceux d'Eleusis que semble célébrer le rite des Scira ; rencontre à la limite du territoire de la cité, en un lieu frontalier : celui-là même où se trouve aussi l'autel de Zeus Méilichios, Zeus le doux. Il s'agit de l'autel auprès duquel Thésée — on s'en souvient — se fit purifier par les descendants de Phytalos des meurtres commis depuis Trézène, avant de pénétrer dans l'enceinte de la ville d'Athènes. En termes fonctionnels très généraux, on pourra affirmer dans un premier temps et à titre d'hypothèse que le Sciron représente le point de rencontre entre le cycle de production agricole protégé par Déméter et les fonctions civiques, sinon artisanes d'Athéna maîtrisant par l'intelligence technique, au centre de la cité, les forces primordiales qu'incarne Poséidon. N'est-ce pas précisément au Sciron qu'avait lieu l'un des trois labours sacrés, à mi-chemin entre l'Acropole, sous laquelle on pratiquait le premier d'entre eux, et la plaine de Pharos (du nom du père de Triptolème) à Eleusis, site du troisième ? Et le labour au Sciron n'est-il pas censé évoquer le souvenir, encore selon Plutarque, du plus ancien des ensemencements [105] ?

Etrange Athéna donc ; descendue des hauteurs de l'Acropole, de Poliade elle devient Sciras, la Calcaire, l'Ombreuse sinon la Tricheuse. Descente qui se dédouble pour entrer en contact au

Phalère avec le domaine marin et avec la culture céréalière au Sciron. Athéna, en deux points situés respectivement au sud et au nord de la chôra, parvient ainsi aux confins du territoire de la cité délimité par la mer d'un côté et par une nature non-cultivée de l'autre.

Et, en usant des moyens habituels du mythe de fondation et de l'étymologie, la production symbolique n'a pas manqué d'inscrire l'affinité de ces deux cultes dans l'ordre du récit. De même que le culte d'Athéna au Sciron passait pour avoir été fondé par le devin éleusinien Sciros, de même la création du temple correspondant au Phalère est-elle assignée au devin de Dodone Sciros ; cette figure vient se confondre d'ailleurs dans sa mort et dans son héroïsation avec le Sciros éleusinien [106]. Chacun des quatre héros dont le nom est formé sur la racine *skir-* trouve ainsi, dans le dédoublement du culte rendu à Athéna Sciras, sa fonction : au Sciros de Salamine la confirmation de la relation du culte du Phalère avec cette île ; au Sciros d'Eleusis l'établissement du rapport parallèle du culte du Sciron avec ce domaine limitrophe lui aussi, mais terrestre ; au Sciron de Mégare l'incarnation des prétentions de cette cité sur l'île finalement conquise par les Athéniens ; au Sciros de Dodone l'établissement de la relation, par homonymie, entre le culte du Phalère et celui du Sciron.

3.2.3. *Récits symboliques pour Athéna Sciras*

Or cette configuration cultuelle, comme l'indiquent les mythes de fondation qui y sont attachés, connaît un double développement spatial. Au sud, le culte d'Athéna Sciras semble en effet recevoir un prolongement sur l'île de Salamine par l'intermédiaire de ses figures légendaires de marins ; au nord, il établit un lien avec Éleusis et ses deux divinités attachées à la culture céréalière. Salamine et Eleusis, deux territoires limitrophes d'Athènes, l'un séparé de la cité et de sa chôra par une étendue d'eau, l'autre, probablement, par un espace sans culture ; deux territoires que l'histoire légendaire s'est employée à faire tomber sous le contrôle d'Athènes au travers de combats aussi célèbres que significatifs.

Athènes s'adjoint donc le territoire d'Eleusis à l'issue du combat légendaire entre Eumolpe qui y perd la vie et Erechthée qui est lui-même contraint à sacrifier l'une de ses filles. Du côté salaminien c'est la guerre rituelle qui se substitue à la guerre mythique. On sait

en effet que l'île fut l'objet à l'époque archaïque d'une lutte constante entre Athènes et Mégare. Selon une première version de l'histoire légendaire, l'île fut définitivement conquise par les Athéniens
quand Solon réussit à attirer les Mégariens qui occupaient l'île sur
la côte de l'Attique, exactement sur le Cap Colias, au sud-est du
Phalère. Réunies en cet endroit dans un sanctuaire célèbre de
Déméter Thesmophoros, que jouxtait un temple d'Aphrodite, les
Athéniennes étaient en train d'y célébrer la déesse du blé mûr ;
Solon leur substitua des jeunes gens imberbes qui, travestis en
femmes et cachant sous leurs robes un poignard, s'employèrent à
exterminer les Mégariens ; trompés par Solon, ceux-ci se
croyaient en mesure de ravir facilement les belles Athéniennes.
Après ce combat, qui s'inscrit dans les luttes rituelles mettant en
scène dans un territoire de la limite ruse, travestissement et exter-
mination, la conquête définitive de l'île de Salamine libérée de ses
occupants mégariens ne fut plus qu'un jeu d'enfants pour les
Athéniens. La seconde version de la légende met en scène quant à
elle une troupe de soldats d'élite, engagés volontaires, qui prennent également Salamine par l'intermédiaire d'une ruse ; un rituel
attaché au Cap Sciradéion en évoquait chaque année le souvenir [107].

Tout en mettant en parallèle le Cap Colias sur la côte de
l'Attique et le Cap Sciradéion du côté salaminien, la double
légende de la prise de Salamine sous l'impulsion de Solon semble
confronter, comme le rite s'emploie à le faire au Sciron, Déméter
Thesmophore d'un côté et Athéna Sciras de l'autre. Si cette rencontre n'est rendue possible que par la superposition des versions
de l'histoire légendaire, en revanche l'intervention des Mégariens
dans la guerre de conquête de Salamine peut expliquer et justifier
la triple présence de Sciros/Sciron à Salamine, à Athènes et à
Mégare même. Une légende transmise par Strabon nous permet
d'aller plus loin encore et d'inclure également Eleusis dans ces
lieux que la légende réfère les uns aux autres par le/les héros du
calcaire : fils de Poséidon et de Salamine, Cychreus, le roi autochtone fondateur de l'île de Salamine possédait un serpent ; chassé
de Salamine, ce dernier fut recueilli par Déméter elle-même, précisément à Eleusis ; il y devint le serviteur de la déesse. Solon d'ailleurs ne manqua pas d'offrir un sacrifice à Cychreus une fois
accomplie la conquête de son île [108].

Grâce au serpent de Cychreus recueilli à Eleusis, le parcours du calcaire s'est tout de même refermé en un cercle, mais beaucoup plus large que prévu. En effet, il relie à partir du centre civique et religieux d'Athènes non seulement le sanctuaire-limite d'Athéna Sciras au Phalère, mais aussi son correspondant septentrional au Sciron. Or ces deux sanctuaires se sont révélés constituer les points de jonction de la chôra d'Athènes avec ces territoires limitrophes que sont Salamine et Eleusis respectivement et qui deviennent dès leur conquête des Etats-tampons contre l'ennemi traditionnel des Athéniens : les Mégariens que la légende — on l'a vu — n'hésite pas à inclure dans l'Attique idéale d'Egée ! Culte assumé du côté maritime, dans le sanctuaire du Phalère, par le génos des Salaminiens, marins insulaires ; du côté terrestre, dans le sanctuaire du Sciron, par le génos des Etéoboutades avec son fondateur Boutès honoré dans l'Eréchthéion en même temps que Poséidon et Erechthée lui-même [109] ; deux cultes en rapport probable avec Déméter Thesmophore, rapport légendaire pour le premier, rapport rituel pour le second.

3.2.4. *Athéna la Calcaire et ses fidèles*

Mais, encore une fois, pourquoi Athéna Sciras ? C'est vers le calcaire que nous dirige le jeu étymologique contemporain à partir de l'épiclèse de Sciras et des héros porteurs du même nom. Les *Tables Héracléennes* pour commencer définissent sans ambage le *skîros* comme un terrain inculte, couvert de fourrés et de maquis. Plusieurs gloses de lexicographes érudits renchérissent sur cette définition ; elles en font une dénomination de la terre poussiéreuse, quand elles ne la réfèrent pas à la pierre à chaux *(latúpē)* ou au calcaire, comme on l'a déjà dit [110]. Mais cette terre calcaire couverte de maquis et impropre par conséquent à la culture, elle n'est pas sans utilité. Mélangée à de l'eau, elle est utilisée dans la construction ; le plâtrier *(skirrítēs)* porte son nom. De manière plus précise encore, Aristophane fait un usage métaphorique du mot *skíron* en jouant sur son double sens de croûte du fromage et de plâtre propre à colmater les fissures des hydries : c'est ainsi qu'il se moque de la solidité relative des murailles d'une cité [111]. Un aïtion — pour nous de tradition tardive — vient même confirmer ces fils ténus tendus entre le gypse et l'activité artisane du potier. Une scholie à Pausanias explique en effet le nom de la fête des Scirophories par le fait que Thésée, en partance pour la Crète, aurait façonné une petite statue d'Athéna avec du plâtre [112]. Grâce à l'imaginaire étiologique c'est ainsi non seulement Athéna Sciras au Phalère, mais aussi la déesse du Sciron qui voit les actes de culte dont elle est l'objet fondés par le grand héros athénien et attachés à l'expédition de Crète. Plus près de Déméter, on a d'ailleurs aussi tenté d'associer la présence du calcaire au Sciron par l'intermédiaire de l'opération de marnage de la terre, la chaux passant dans ce cas pour un bon fertilisant. D'autre part, même si les textes concernant Athéna Scira n'y font pas référence, c'est le lieu de rappeler ici que face à Déméter dispensatrice des céréales, on attribuait à Athéna l'invention de la charrue selon une répartition des tâches conforme aux fonctions respectives des deux déesses [113].

Désormais Athéna Sciras n'est plus anonyme. Elle intervient dans ces deux lieux de passage entre le non-cultivé et le cultivé au moins comme l'artisane qui protège non seulement l'activité du potier, mais aussi celle des constructeurs des murailles de la cité, voire de ses maisons ainsi que le suggèrent les commentateurs anciens ; peut-être Athéna Sciras se montre-t-elle également artisane dans la mesure où, par l'addition de chaux, elle enseigne à fertiliser la terre après les labours. Descendue de l'Acropole vers les limites du territoire civique et cultivé, Athéna se préoccupe donc de la construction matérielle de la cité, sinon de la fertilisation du sol de la chôra : la métis au service de la fonction de production !

Au terme de ce long parcours, circulaire d'abord, puis divergent en deux directions opposées à partir de l'Acropole, la fonction d'Athéna Sciras au cours de la phase des Oschophories célébrée au Phalère s'éclaire. Les rapports que la déesse tutélaire de la cité entretient avec la chôra, comme territoire de la production alimentaire, justifient la présentation dans les rites des Oschophoriques des nourritures achevées de la civilisation. Leur production et leur cuisson impliquent probablement ce passage par les limites du territoire de la culture, notamment céréalière. Mais la transformation alimentaire ne semble pas pouvoir s'accomplir sans renversements et, même si aux Oschophories les classes d'âge reprennent leurs figures propres, la présence des Oschophores travestis et la substitution des femmes dipnophores aux hommes adultes trouvent sans doute leur parallèle dans l'imitation par les femmes des Scira du comportement des hommes.

Travestis qui ne connaissent pourtant pas les débordements dionysiaques puisque, placés respectivement sous le contrôle du
génos des Salaminiens et sous celui des Etéoboutades, ils s'adressent aux femmes les mieux nées de la cité. Mais peut-il en être
autrement en ces lieux limitrophes où reste à justifier l'intervention, aux côtés d'Athéna, de Poséidon ?

4. Poséidon entre terre et mer

Les incursions d'Athéna aux limites de la chôra d'Athènes nous
ont montré la déesse du calcaire assez régulièrement accompagnée
de Poséidon. Et, de fait, suivre la divinité poliade dans son parcours extra-urbain, c'est refaire avec Poséidon pratiquement le
même itinéraire. Il n'y a rien de très étonnant à cette identité
puisqu'à l'époque classique Poséidon partage sur l'Acropole le
pouvoir avec Athéna, présente non seulement dans le Parthénon
mais surtout dans l'Erechthéion lui-même, aux côtés du dieu de la
mer. Ce partage est inscrit dans l'un des mythes les plus célèbres
de la fondation de l'Attique : la victoire d'Athéna par l'émergence
de l'olivier sur un Poséidon qui ne réussit qu'à faire surgir la mer
dans le rocher de l'Acropole. La légende dit ainsi la complémentarité des deux divinités dans la protection qu'ils exercent sur
Athènes et l'Attique. A Athéna, par l'intelligence artisane et le
pouvoir sur la végétation dont on peut tirer profit alimentaire et
économique, le développement de la civilisation athénienne ; à
Poséidon, par la maîtrise des entrailles de la terre et des fonds
marins, le contrôle sur les assises matérielles et sur les racines de la
prospérité de la cité[114].

Mais, pour préciser cette complémentarité esquissée à trop
grands traits, il n'est pas vain de refaire dans la perspective posé-
donienne le parcours tracé jusqu'ici, en commençant par le Sciron
pour terminer par le Phalère où nous attend le problème singulier
posé par les Cybernésia, laissées pour compte jusqu'ici. Car
comme Athéna, Poséidon quitte parfois l'Acropole où il est pourtant solidement ancré.

4.1. Poséidon aux limites du territoire

Pour Poséidon descendre de l'Acropole, c'est en fait plus exactement quitter la « maison d'Erechthée » qui abritait sur la colline sacrée le centre du culte rendu à l'Ebranleur de la terre. Non pas que Poséidon aurait, comme on l'a souvent supposé, évincé peu à peu le propriétaire originaire de ce lieu sacré, devenu dans la reconstruction de la fin du ve siècle l'Erechthéion. Encore une fois les mentions religieuses des tablettes mycéniennes ont renversé ces spéculations historiennes et génétiques. A l'époque classique, Poséidon le dieu et le héros Erechthée sont vénérés côte à côte dans le nouveau bâtiment construit selon les mots d'Euripide *em mésēi pólei*, le second profitant de l'autel dédié au premier : ce voisinage, le mythe l'exprime en montrant la réconciliation du héros avec le dieu après que Poséidon a enterré le roi prétentieux d'un coup de trident [115].

Mais, reprenant à côté du Parthénon les fonctions du temple archaïque détruit par les Perses avant Salamine, l'Erechthéion non seulement incluait l'enclos réservé à l'olivier sacré, mais il hébergeait également l'antique statue de bois d'Athéna Polias ; but de la procession des Panathénées, elle se dressait dans le corps même du bâtiment où l'on reconnaissait par ailleurs la source marine et les traces du trident de Poséidon. Au centre même de la ville, l'Erechthéion associait donc en un même espace les honneurs cultuels rendus aux dieux tutélaires de la cité tout en abritant les signes matériels de leur confrontation légendaire et fondatrice [116]. Cette association cultuelle se perpétuait dans la prêtrise des deux divinités, confiées toutes deux dans la légende à Boutès, le fils du roi Pandion et par conséquent le frère d'Erechthée ; comme on l'a indiqué, cet ancêtre du génos des Etéoboutades, héroïsé, disposait d'ailleurs dans l'Erechthéion même d'un autel qui voisinait avec celui dédié à Poséidon. Attachés au culte des dieux tutélaires, les Etéoboutades assumaient des fonctions rituelles que la légende semble faire remonter aux premiers rois de l'Attique et qui passaient donc pour les plus anciennes de la cité. Ils en sont en tout cas les détenteurs effectifs déjà au vi^e siècle, à l'époque de Pisistrate [117].

De ce centre où Athéna aussi bien que Poséidon sont représentés par les traces mêmes qu'ont laissées leurs actes fondateurs

du pays d'Attique, le dieu qui maîtrise mer et terre accompagne la
déesse de la prospérité économique de la région en deux points-
limite de la chôra entourant la cité.

4.1.1. Au Sciron...

Parcours vers la limite nord tout d'abord, en direction du
Sciron où Athéna Polias et Poséidon se rendent représentés par
prêtre et prêtresse respectifs, Etéoboutades abrités du fort soleil
de la saison sous un baldaquin blanc ; rendez-vous donc au
Sciron, à l'occasion des Scira de juillet, non loin du temple consacré aux deux divinités tutélaires ainsi qu'à Déméter et Coré. On
n'en sait malheureusement pas davantage sur cette présence de
Poséidon aux Scira. Il est néanmoins certain que ce contact du
dieu tutélaire avec les divinités éleusiniennes sur la frontière de la
chôra d'Athènes ne restait pas sans avoir un effet propice sur la
fécondité du sol d'Athènes. Car on retrouve le dieu des entrailles
du sol sous l'épiclèse de « Père » en un temple qui se situait au
terme de la Voie Sacrée, non loin de celui consacré à Triptolème.
A l'occasion de la célébration des Eleusinia, on ne manquait pas
— semble-t-il — d'offrir un sacrifice préalable à Poséidon et à
Artémis, auxquels on associait notamment Triptolème, comme
paraît l'indiquer une inscription datant de la fin de l'époque
archaïque. Quant à Eumolpe, le roi légendaire d'Eleusis ennemi
d'Erechthée, il pouvait se réclamer d'une ascendance poséidonienne au même titre que, dans l'une des versions du mythe,
l'Athénien Boutès ; au fils de Poséidon Eumolpe la légende
affronte donc Erechthée le protégé d'Athéna, comme elle oppose
aussi, en une confrontation directe, les deux divinités elles-
mêmes [118].

Le trajet que dessinent ces cultes, de l'Acropole au Sciron et du
Sciron à Eleusis même, rappelle naturellement l'image spatiale
dessinée par le triple labourage sacré, dans la plaine éleusinienne
de Raria où fut produit le premier blé, au Sciron même et enfin au
pied de l'Acropole. Vénéré à Eleusis en tant que Pater, on
peut supposer que Poséidon était considéré comme le fondateur
de cette terre productrice et que c'est dans cette mesure qu'il était
associé aussi bien aux Scira qu'au sacrifice qui précédait les
Eleusinia.

4.1.2. ... et au Phalère

Du nord passons au sud. La célébration de Poséidon sur la limite opposée de la chôra d'Athènes, au Phalère, nous a laissé quelques informations plus riches. L'inscription des Salaminiens associe en effet − on l'a vu − le sacrifice héroïque célébré pour les deux pilotes de Thésée avec le sacrifice exécuté en Boédromion pour Poséidon, en un sanctuaire qui jusqu'ici n'a pas encore été localisé. La célébration des Cybernésia s'accompagne donc d'honneurs rendus au maître de la mer. Cette association cultuelle est d'autant plus justifiée que la dénomination même des pilotes héroïsés renvoie aux utopiques Phéaciens, incarnation homérique du peuple marin. Phaïax reprend dans son nom l'ethnique du Phéacien et Nausithoos est l'homonyme du roi fondateur de la Phéacie ; ce fils de Poséidon, père d'Alcinoos, règne d'ailleurs sur un pays dont les sujets eux-mêmes ont des anthroponymes parlants, renvoyant tous à l'activité maritime[119].

De même que la descente de Poséidon au Sciron trouvait son prolongement cultuel dans la région voisine, à Eleusis, de même la célébration du dieu au Phalère dirige l'attention vers Salamine, le territoire limitrophe de cette partie méridionale de la chôra athénienne. Et ce, de plusieurs manières. Les actes de culte dédiés aux héros pilotes, eux-mêmes originaires de Salamine, sont accomplis par le génos des Salaminiens. Divisés au IVe siècle en deux branches, l'une établie à Sounion, l'autre répartie dans sept tribus de l'Attique, les membres de ce génos descendent probablement des gens de Salamine contraints à quitter l'île à la fin du VIe siècle. Quoi qu'il en soit de l'origine réelle de ce clan, le génos des Salaminiens a choisi pour fondateur un héros salaminien : Eurysacès, le fils d'Ajax fils de Télamon. Absent de l'*Iliade*, mais omniprésent dans l'*Ajax* de Sophocle, Eurysacès reprend dans la morphologie de son nom propre l'un des attributs de son illustre père, l'*eurù sákos*, le large bouclier. Avec son frère (ou son fils) Philaïos, l'ancêtre de la famille des Philaïdes, Eurysacès passait dans la légende pour avoir livré l'île de Salamine aux Athéniens ; en échange de ce territoire, il aurait reçu de ses voisins le droit de cité. De plus Eurysacès le Salaminien disposait dans le dème athénien de Mélité, sur le Colonos Agoraïos, non loin de l'Héphaïstéion, d'un *témenos* avec un autel ; voilà donc transposé dans le mythe et dans le culte le destin connu par les Salaminiens eux-mêmes !

Or la stèle portant l'inscription du règlement des cultes confiés au génos des Salaminiens se dressait précisément dans cette hérôon athénien d'Eurysacès [120].

Par ailleurs, la figure légendaire et héroïque d'Ajax le Salaminien joue un rôle déterminant dans l'effort d'intégration idéologique de Salamine au territoire de l'Attique après la conquête réelle de l'île et son retrait de la sphère d'influence mégarienne par la stratégie de Solon. On en trouve une trace notamment dans la célèbre manipulation du « Catalogue des Vaisseaux » de l'*Iliade* par une interpolation précisément attribuée à Solon et vivement combattue par les Mégariens dès son introduction au VIᵉ siècle : les vers contestés rangent en effet le contingent salaminien conduit par Ajax aux côtés des soldats athéniens. Mais l'opération la plus frappante de ce processus d'intégration territoriale et de transfert probable de population par l'intermédiaire de l'histoire légendaire, c'est évidemment l'utilisation du nom d'Ajax dans la dénomination de l'une des tribus créées par Clisthène. Elle eut pour corollaire le transfert à Athènes même du culte héroïque rendu à Ajax à Salamine ; on se mit alors à célébrer le héros très officiellement en créant une fête des Aiantéia [121]. Manipulations et déplacement spatiaux de la légende et du culte héroïque affirment ainsi fortement la soumission de Salamine, terre insulaire, au territoire de l'Attique.

Les cultes dont les Salaminiens ont la charge semblent dessiner une polarité analogue à celle que manifestent les rites pris en charge par les Etéoboutades. Sans qu'il soit certain qu'il en ait assumé la responsabilité entière, le génos des Salaminiens avait en tout cas un rôle à jouer dans le culte rendu sur l'Acropole aux filles de Cécrops, Aglauros et Pandrosos, ainsi qu'à Gé Courotrophos, à Terre la Nourricière. Par ces cultes, les prêtres fournis par les Salaminiens et les sacrifices qu'ils accomplissent rappellent un autre des grands mythes de fondation d'Athènes : celui de la naissance d'Erichthonios des entrailles de la terre qui assure alimentation et éducation [122].

Mais à côté d'une simple participation par exemple au culte rendu à Apollon Patrôos, à Artémis et à Létô, à Zeus Phratrios à l'occasion des Apatouries, à Athéna pour les Panathénées ou encore au héros Ion, en plus aussi de la charge entière du culte rendu au héros fondateur Eurysacès, le génos des Salaminiens fournissait prêtres et offrandes pour une constellation de cultes centrés sur le Phalère. A l'organisation des honneurs rendus à Athéna Sciras, à la charge des Cybernésia pour les pilotes salaminiens de Thésée associés à Poséidon s'ajoutait un sacrifice offert, en cette seconde occasion, à Teucer. Si le voisinage d'Athéna et de Poséidon dans les cultes assurés au Phalère par les Salaminiens évoque la proximité des deux divinités au Sciron, la figure de Teucer renvoie non seulement à Salamine, une fois encore, mais une fois encore aussi à Ajax. Teucer n'est-il pas le frère du grand héros ? N'est-ce pas lui qui prend en charge l'éducation d'Eurysacès après le suicide de son père ? La cohérence de la configuration cultuelle dont les Salaminiens ont la responsabilité au Phalère trouve donc son correspondant dans la légende [123]. Par l'intermédiaire des cultes du bord de mer et l'échange entre héros de Salamine et Athéniens mis en scène par la légende, les liens qui se tissent entre l'île et la cité sous l'égide d'Athéna et de Poséidon sont aussi étroits que ceux unissant Athènes à Eleusis.

A renforcer ces liens, il convient de rappeler d'une part le sacrifice offert par les Salaminiens à Sciros, dans le cadre du culte rendu à Athéna Sciras à l'occasion des Oschophories : Sciros le fils de Poséidon et de la Nymphe Salamine, le grand-père de l'un des compagnons de Thésée, probablement le héros éponyme de l'île dans son ancienne dénomination, évoquée à propos des honneurs consacrés à Athéna Sciras. D'autre part la biographie légendaire d'Eriboïa, la jeune participante au tribut requis par le Minotaure qui est séduite par le roi de Cnossos dans la version mise en vers par Bacchylide, est l'objet du même dédoublement politique et idéologique que la légende de fondation du culte d'Athéna Sciras au Phalère. Dans la version traduisant les prétentions élevées par les Mégariens sur Salamine, Eriboïa est présentée comme la fille d'Alcathoos de Mégare ; elle épouse Télamon pour devenir ainsi la mère d'Ajax. Or la même tradition locale mégarienne fait de Télamon le petit-fils de Sciron, l'adversaire de Thésée, l'être monstrueux que les Mégariens quant à eux transforment en un tueur de brigands ! Dans une ligne généalogique et successoriale identique, Télamon aurait succédé sur le trône de Salamine à Cychreus, le premier roi de l'île, mort sans héritier mâle ; c'était comme son homologue athénien Cécrops un être *dimorphos*, né de la terre. La légende mégarienne en fait le beau-père de Sciron. Mais une version proathénienne, partiellement rapportée par

Plutarque également, se plaît à donner Eriboïa en mariage à Thésée lui-même. Par ce biais, les Athéniens s'employèrent à soustraire Ajax à la perspective mégarienne et à revendiquer pour le grand héros homérique une ascendance athénienne [124] ! Par processus symbolique interposé, les propositions de la légende s'ajoutent aux pratiques rituelles pour faire passer elles aussi l'île de Salamine sous le contrôle des Athéniens.

4.2. Collaborations avec Athéna

Le parcours cultuel dessiné par les honneurs rendus à Poséidon aux limites de la chôra d'Athènes reproduit donc dans ses grandes lignes celui qu'esquissait le culte rendu à Athéna Sciras. C'est dans la perspective de cette collaboration rituelle des deux divinités tutélaires qu'il convient de comprendre le rattachement à la légende de Thésée non seulement du culte rendu à Athéna Sciras au Phalère, mais aussi du rituel héroïque des Cybernésia. Tous deux sont ainsi associés, avec les contradictions narratives que l'on a dites, au retour triomphant du héros et par conséquent à son accession au trône de la cité. C'est dans ce sens également qu'il faut interpréter la coïncidence entre la célébration des Théséia et la date du 8 (Pyanopsion), jour en principe réservé à la célébration de Poséidon [125]. Si Aïthra est voisine dans les cultes de Trézène d'Athéna Apatouria, Thésée héroïsé reprend certains traits à son père Poséidon.

Sans doute ne peut-on que déplorer notre ignorance quant à l'identité des acteurs participant au rituel poséidonien du Phalère. De la partition entre hommes et femmes du génos des Etéoboutades dans les honneurs rendus au Sciron à Poséidon et à Athéna respectivement on ne peut qu'inférer que la présence aux Oschophories d'Athéna Sciras de femmes adultes en tant que Dipnophores avait pour correspondant aux Cybernésia la participation d'hommes adultes, peut-être accompagnés d'éphèbes et d'adolescents représentant Thésée et ses compagnons. De même en va-t-il de la fonction assumée par ce culte poséidonien ; à partir de la consécration par Thésée de son navire et de l'entretien dont il est l'objet au Phalère on ne peut qu'émettre des suppositions : en rapprochant le culte héroïque rendu aux deux pilotes salaminiens de cet entretien rituel, en rappelant le rôle joué par l'intelligence artisane d'Athéna dans la construction du navire, en évoquant son culte au Phalère où son épiclèse Sciras la rapproche du culte héroïque rendu également au Salaminien Sciros, en se remémorant le rôle assumé par Poséidon à l'égard de Thésée à l'occasion d'une expédition spécifiquement marine, en mêlant ainsi éléments rituels et éléments légendaires, on peut s'imaginer que les honneurs rendus à Poséidon au Phalère en relation avec toute la mythologie salaminienne avaient pour fonction de sanctionner la vocation maritime qu'Athènes se découvre... dès la bataille de Salamine !

Au Phalère donc le contrôle maritime, au Sciron la contrepartie terrestre d'un pouvoir sur les virtualités de développement d'un territoire dont Poséidon peut assurer la conquête tandis qu'Athéna fournit les moyens de son exploitation. C'est vers l'expansion d'Athènes hors des limites assignées à sa chôra que tend la collaboration entre Athéna et Poséidon ; les cultes rendus à l'une dans cet objectif développent une isotopie alimentaire alors que ceux rendus à l'autre semblent se référer au thème cosmogonique de l'expansion territoriale. C'est forte de ces virtualités que l'Attique, selon l'inventaire toponymique établi par Strabon, a pu prendre le nom de ses dieux fondateurs et s'appeler Poséidonia avec, pour capitale, les Athènes [126].

5. L'assistance de Déméter

Il est encore une divinité qui est apparue régulièrement en filigrane de l'organisation cultuelle que dessinent Apollon, Dionysos, Athéna et Poséidon ; c'est Déméter. Sa présence est attendue dans le contexte de rites tous centrés sur la délimitation du territoire assigné à la civilisation attique et sur le processus de la production de l'alimentation des citoyens d'Athènes. Dans la fabrication de la nourriture civilisée la fonction de la déesse s'impose avec tant d'évidence qu'elle nous dispense d'un traitement qui dépasserait de toute façon les limites de cette recherche.

5.1. Eté et automne

Déméter est donc honorée au début de l'été aux Thargélies apolliniennes ; elle est d'autre part présente aux côtés d'Athéna Sciras au Sciron, au moment de la canicule. Mais en automne ? Du point de vue de leur situation dans le calendrier, les Oschophories aussi bien que les Pyanopsies s'inscrivent au centre d'une suite d'actes cultuels consacrés à la déesse du blé mûr. Le 5 Pyanopsion déjà, deux jours avant la célébration des Pyanopsies, on se tournait à Eleusis vers les deux déesses honorées en ce lieu en leur offrant un sacrifice qui est dit précéder les labours ; ce rituel portait en effet le nom transparent de *Proērósia*. Cette manipulation rituelle de l'araire correspondait vraisemblablement au troisième des labours sacrés cités par Plutarque, après celui effectué au Sciron et avant celui qui avait lieu au pied de l'Acropole, confié au génos des Bouzyges, les « Atteleurs du bœuf » (laboureur !). D'autre part le 9 se déroulaient les Sténia, essentiellement réservées aux femmes adultes, comme les Scira. Les fidèles de la déesse du blé mûr s'y mesuraient en un concours nocturne d'invectives ; il était accompagné d'un sacrifice offert par les Prytanes aux destinataires de la fête, Déméter et Coré. Le 10 associait les mêmes femmes athéniennes aux Thesmophories du dème de Halimous, près du Cap Colias ; c'est donc dans le sanctuaire de Déméter mis en scène par la légende de la prise de Salamine par Solon que se retrouvaient les Athéniennes, dans la proximité d'Aphrodite. Cette référence établit ainsi un nouveau lien possible, dans le voisinage du Phalère, entre Athéna Sciras, la divinité de la culture céréalière et la déesse de l'amour et de la fécondité [127].

Mais tous ces rites ne font figure que de prélude à la grande célébration du mois Pyanopsion qui réunit, du 11 au 13, les femmes des citoyens d'Athènes au centre de la cité, aux Thesmophories proprement dites. L'espace de culte y est soigneusement clôturé ; non seulement les hommes, mais aussi les femmes esclaves, les courtisanes et les jeunes filles en sont tenues à distance, dans une atmosphère de pureté qui exclut les parfums de la séduction et par conséquent toute relation sexuelle, et dans le respect d'un jeûne strictement végétarien. Mais le troisième jour du festival, le régime végétarien fait place à un acte sacrificiel ; en effet, ce jour de la « Belle Génération », en assimilant la reproduction d'enfants légitimes aux semailles intervenant après les labours propitiés aux Pyanopsies, ne pouvait manquer de mettre également en scène le sang dont dépend nécessairement le processus d'engendrement [128]. La rencontre au même moment du calendrier festif des Pyanopsies avec les Thesmophories révèle les fonctions propres des divinités auxquelles ces festivals sont respectivement destinés. Si l'Apollon des Pyanopsies intègre avec l'aide des adolescents les produits de Déméter dans l'espace de la cité tout en protégeant les labours, promesse d'une nouvelle récolte, le processus de la génération de ces produits est quant à lui réservé à Déméter, soutenue par l'aide ponctuelle et technique d'Athéna Sciras ainsi que par l'influence bénéfique de Poséidon sur les assises du sol cultivé.

5.2. Hiver dionysiaque

Mais qu'en est-il de Dionysos, Dionysos qui assiste, sous le nom de Iacchos, aux Mystères d'Eleusis eux-mêmes ? En dehors des rites spécifiquement éleusiniens, la spéculation cultuelle athénienne ne pouvait manquer de le faire apparaître aux côtés de la divinité des céréales, lui le producteur de cet aliment complémentaire qu'est le vin. Cette intervention du dieu des Anthestéries dans le culte rendu à la déesse des Thesmophories et à sa fille, le calendrier cultuel d'Athènes le réserve au plein hiver, dans une fête qui a pour nom Halôa. Le caractère « carnavalesque » de cette célébration du début janvier (le 26 Poséidéon) ne fait aucun doute : par analogie avec une « initiation » *(teletè)* semblable qui avait lieu à Eleusis, on peut inclure à titre d'hypothèse dans ce festival la présence de femmes adultes, l'absorption de vin en très grande quantité, l'existence de relations de promiscuité avec les prêtresses, la présence en abondance des produits de la terre et de la mer, la consommation (assortie de quelques tabous alimentaires) de gâteaux façonnés à l'imitation des organes génitaux mâles et femelles, les obscénités lancées par les femmes, etc. Le sens à attribuer à la dénomination de la fête et la fonction que l'on pourrait en déduire suscitent davantage d'hésitations. Halôa : festival des aires de battage ou du travail autour des aires à blé, mais aussi – toujours selon les Anciens – célébration des plants de la vigne, de la taille des sarments et de la dégustation du vin

« déposé », sinon fête des prémices de la moisson pour un lexicographe qui n'hésite pas à déplacer ce festival au moment de la
récolte ! Quant aux modernes, ils ont en général préféré abandonner l'explication étymologique qui réfère le rituel et sa dénomination aux aires de battage du grain pour faire des *halôia* les
champs ensemencés, ou voir dans le *hálōs* l'aire circulaire
d'assemblée caractéristique de certains sanctuaires grecs [129].

Il est au moins certain que les Halôa, dont la date correspond
effectivement avec celle de la taille de la vigne et dont le lieu pouvait fort bien coïncider avec les aires de battage, renversent les
règles sociales strictement suivies aux Thesmophories du mois
Pyanopsion, à la fin de l'été, et radicalisent les pratiques paro-
diques constitutives les Anthestéries au début du printemps. L'un
de nos informateurs n'hésite pas à situer ce rite des Halôa dans la
perspective étiologique du mythe d'Icarios qui y serait actualisé
dans sa face négative. Dans le renversement hivernal, Déméter et
Dionysos se retrouvent en tout cas côte à côte pour fêter enfin le
travail accompli, eux « les deux dispensateurs, les deux inten-
dants de la vie » comme les définit un rhéteur tardif. Mais, de
manière significative, aux Halôa elles-mêmes, Poséidon est là qui
soutient l'abondante générosité des deux divinités de l'alimentation civilisée [130].

6. La civilisation athénienne : espace et calendrier

Peut-être est-ce en définitive dans leur disposition spatiale les
uns par rapport aux autres qu'il est le plus aisé de saisir l'épaisseur
sémantique, mais aussi la fonction sociale des cultes mis en relation jusqu'ici. Indiquée par la localisation des sanctuaires qui leur
servent tour à tour de cadre, cette disposition spatiale se combine
avec la succession temporelle des fêtes dans le calendrier. En relation avec les qualités et fonctions des divinités qui en sont l'objet,
cette géographie calendaire de cultes se constitue donc autant à
travers le langage de l'organisation sociale de l'espace athénien
que par l'intermédiaire du cycle festif ordonnant la vie de la communauté civique. Donc des dieux et des lieux, pour appliquer à
l'analyse de la pratique cultuelle l'intitulé des réflexions séman-

tiques sur la représentation mythologique, mais avec un paramètre supplémentaire, qui vient se substituer à la temporalité narrative : l'organisation temporelle du calendrier avec son cycle annuel.

6.1. Athéna et Poséidon : la délimitation du domaine agraire

Puisque dans ce chapitre le culte obscur d'Athéna Sciras a requis pour son éclaircissement une analyse centrée sur les lieux qui lui étaient consacrés, on peut prendre pour point de départ le territoire de la déesse, désormais en partie débroussaillé. La solution est d'autant plus aisée qu'Athéna nous invite à partir du centre religieux de la cité, l'Acropole, où elle règne en maîtresse avec son rival Poséidon. Mais on l'a vue descendre, couverte de chaux et accompagnée du dieu des assises du sol, en deux points particulièrement sensibles du territoire de la cité : le pont sur le Céphise au nord, le port du Phalère au sud, tous deux lieux de transition entre le domaine cultivé – la chôra dont la cité tire ses ressources alimentaires – et le territoire extérieur indifférencié – terre en friche d'un côté, mer de l'autre.

6.1.1. Polarisation des limites de la chôra

En ces deux lieux de passage, le rite fait entrer Athéna Sciras en contact avec le processus de la production des nourritures végétariennes, mais cultivées. Au Sciron, probablement par le jet dans les mégara des porcelets dont les restes putréfiés seront relevés à l'occasion des Thesmophories et mélangés aux semences de la récolte suivante, sinon par la contribution technique à la fertilisation du sol de la chôra ; au Phalère, dans la consommation des cinq ingrédients contenus dans la cylix *pentaplóa*. Dans chacun de ces cultes relatifs à l'alimentation végétarienne civilisée, les femmes adultes et libres jouent un rôle essentiel : femmes thesmophores, citoyennes et légitimement mariées aux Scira ; Dipnophores, mères des futurs citoyens et futures citoyennes participant aux Oschophories. L'homologie établie par les Grecs entre le mariage dans sa perspective féminine et l'achèvement de la maturation et de la coction d'une nourriture civilisée est ainsi parfaitement mise en scène dans ces deux rites [131]. Et puisqu'une pensée binaire semble être intervenue de manière si marquante dans l'organisation des cultes extérieurs d'Athéna l'Athénienne, on peut se demander si à sa rencontre avec Déméter et Perséphone au Sciron ne correspond pas au Phalère une relation de la déesse avec Aphrodite Epitragia, même si son existence n'est attestée que sur le plan de la légende. Au sacrifice déviant des porcs à l'occasion des Scira correspondrait alors la métamorphose de la chèvre en bouc ; si hasardeuse soit-elle, cette mise en parallèle de l'ordre du sacrificiel pourrait recevoir une confirmation dans le fait que la légende de fondation du sacrifice animal et de l'alimentation carnée réfère la première mise à mort du porc à la mise à sac de la moisson et celle de la chèvre à la dévastation par cet animal des rameaux de la vigne primordiale d'Icarios [132].

D'un autre côté, on a constaté que du point de vue de l'organisation du calendrier festif les festivals des Oschophories et des Pyanopsies au mois Pyanopsion sont littéralement encadrés par des rites dédiés à Déméter. Cette intervention répétée de Déméter dans les rituels marquant le mois Pyanopsion semble reproduire la collaboration entre cette divinité et Athéna, accompagnée de Poséidon aux Scira du Sciron. En faisant abstraction d'une hypothétique complémentarité avec le culte d'Aphrodite Epitragia, on ne saurait rester insensible, tout en songeant aux Scira de l'été, à l'encadrement par Déméter des deux rituels du 7 Pyanopsion : les Oschophories bien entendu où Athéna est voisine d'une Déméter dont elle offre les produits aux éphèbes vainqueurs de la course, de même qu'aux Scira la déesse poliade, marginalisée, semble être associée aux préparatifs des Thesmophories ; mais les Pyanopsies également qui appellent la protection d'Apollon sur des labours bientôt suivis de semailles elles-mêmes contrôlées par Déméter, Déméter qui était déjà associée aux Thargélies en tant que « verdissante ».

Toutefois cette belle réciprocité binaire est rompue sinon par la très hypothétique intervention d'Aphrodite au Phalère, en tout cas par la présence de Dionysos dans la première partie des Oschophories. Aux produits végétaux dons de Déméter viennent ainsi se joindre la vigne et le raisin, présents également dans le culte « maritime » d'Athéna Sciras au Phalère ; aux Scira du Sciron en revanche seuls les produits céréaliers semblent être célébrés. A rétablir la polarité, on trouve cependant Poséidon puisque aussi bien aux Scira du Sciron que dans son festival du Phalère on a vu

la déesse tutélaire entretenir avec le dieu des fondements maritimes et terrestres des relations d'excellent voisinage.

Cette polarisation cultuelle et calendaire trouve son correspondant dans la disposition spatiale des sanctuaires concernés. La
constellation de légendes et de pratiques rituelles agricoles constitutive des Scira a pour centre spatial le Sciron. Or, en ce point de
franchissement du Céphise par la Voie Sacrée conduisant à Eleusis
se trouvaient réunis — rappelons-le — non seulement le sanctuaire
d'Athéna Sciras et le temple dédié aux deux déesses éleusiniennes
ainsi qu'à Poséidon et Athéna, mais aussi le tombeau du héros de
la fève Cyamitès et le lieu-dit du « Figuier Sacré » perpétuant le
souvenir du héros « des plantes » Phytalos. Au Phalère également, point de transition entre chôra et mer, les monuments élevés
pour les pilotes de Thésée, le navire de celui-ci et l'hérôon dédié à
Sciros le Salaminien, sinon le sanctuaire probablement consacré à
Poséidon, s'élevaient dans le périmètre qui incluait le temple
d'Athéna Sciras [133].

6.1.2. *Dédoublement polaire vers l'extérieur*

Dans cette mesure, le culte d'Athéna Sciras s'inscrit parfaitement, par sa disposition spatiale, dans la ligne de ces multiples
rites qui se déroulent dans des lieux de culte extra-urbains, aux
limites du territoire cultivé de plusieurs cités grecques. Une
recherche récente vient de montrer que ces lieux de culte constituent une catégorie spécifique : elle est définie par la situation
identique de ces espaces cultuels sur une limite relative, entre
domaine livré à la culture et territoire en friche. Tout en s'en distinguant nettement, ces sanctuaires sont les complémentaires des
lieux de culte tout à fait extérieurs, localisés sur la limite absolue,
c'est-à-dire sur la frontière qui sépare le territoire politique de
celui d'une cité-Etat voisine. Ils sont de plus étroitement associés à
un sanctuaire à proprement parler citadin avec lequel ils constitueraient une organisation cultuelle dite « bipolaire » [134]. En dépit de
ses prétentions à l'autochtonie, Athènes n'a à cet égard rien à se
reprocher ; elle ne constitue pas l'exception « monocentrique »
qu'on a voulu voir en elle. Loin d'être axée sur les seules Panathénées, sa vie cultuelle reproduit largement cette même « bipolarité » dans la disposition de son espace : la cité célèbre en effet sa
déesse tutélaire aussi bien en son centre, sur l'Acropole, qu'aux

points de contact de la chôra avec le domaine non cultivé ; Athéna y apparaît alors avec une épiclèse qui désigne expressément les fonctions transitives et marginales qu'elle y assure.

Mais l'organisation cultuelle athénienne fait aussi éclater ce que ce cadre conceptuel « bipolaire » peut avoir de contraignant et de réducteur. La « bipolarité » en effet s'y dédouble dans la polarisation que l'on a décrite et cela de deux manières distinctes : d'abord dans la mesure où le pôle extérieur se divise en deux points — le Sciron et le Phalère — aussi opposés qu'ils sont complémentaires ; ensuite dans la mesure où Poséidon vient en ces deux lieux compléter par la figure de l'enracinement dans un sol nourricier les fonctions transitives assumées par la déesse tutélaire. De plus, chacun des pôles cultuels extérieurs connaît à son tour un dédoublement dans un territoire limitrophe, mais intégré politiquement au territoire central ; les cultes du Sciron ont leur prolongement à Eleusis, ceux du Phalère ont leur antenne à Salamine [135]. Il faut aussi tenir compte d'un dédoublement calendaire étant donné que les Scira estivales du Sciron correspondent à la partie des Oschophories automnales réservée à Athéna Sciras du Phalère. Enfin cette dualité calendaire concerne également les dieux qui sont associés, sinon spatialement en tout cas temporellement, aux cultes de la bipolarité : Apollon célébré aux Pyanopsies, mais aussi aux Thargélies ; Dionysos présent aux Oschophories, mais déjà fêté aux Anthestéries. Cela pour les divinités du 7/8 Pyanopsion. Quant à celles associées aux festivités du mois Scirophorion, la célébration complémentaire des Thesmophories établit la même dualité tout en nous reconduisant aux différentes festivités de cette première quinzaine de Pyanopsion. Au centre temporel du déroulement de ces fêtes du mois Pyanopsion, toutes polarisées sur la chôra et sur ses relations avec l'extérieur, se situent les Théséia. Célébrées le 8 Pyanopsion, elles contribuent à rattacher au centre de la cité les différents rituels excentrés de ce mois privilégié. En dépit de leurs extensions du côté d'Eleusis ou de Salamine, le Sciron et le Phalère sont bien orientés vers la cité.

En ces deux lieux de transition entre le domaine cultivé centré sur la cité et l'extérieur, par l'intermédiaire du réseau des relations cultuelles polaires et dédoublées indiquées, ce sont en définitive les deux ressources essentielles de la prospérité économique de l'Athènes classique qui trouvent leur célébration : l'agriculture et le commerce maritime. Il existe en tout cas une correspondance

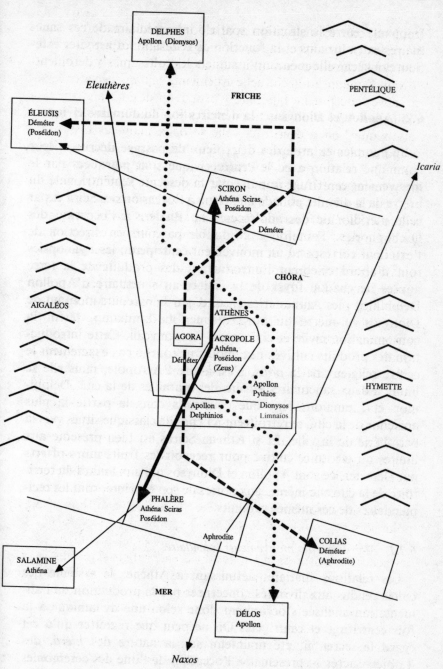

FIG. 1. *L'espace cultuel dessiné par l'épisode crétois*
(assorti de quelques prolongements)

frappante entre la situation spatiale intermédiaire de ces sanctuaires extra-urbains et la fonction de réalisation d'activités extérieures à la cité elle-même qu'assument les cultes qui s'y déroulent.

6.2. Apollon et Dionysos : la démarcation du domaine civique

La complémentarité des deux lieux de passage décrits et leur commune relation avec le centre civique sont marquées par le mouvement centrifuge impulsé par la descente septentrionale du prêtre de la divinité poliade au Sciron à l'occasion des Scira et par celle méridionale des adolescents au Phalère à l'occasion des Oschophories. Toutefois à ce double parcours en direction de l'extérieur correspond un mouvement centripète ; les Pyanopsies tout d'abord célèbrent l'introduction des produits de la terre auprès de chaque foyer de la cité et au sanctuaire d'Apollon Delphinios ; les Anthestéries ensuite, par le parcours montant de Dionysos lui-même du bord de mer au Limnaion, fêtent la consommation civile et civique du vin nouveau. Cette introduction des produits cultivés néanmoins ne touche pas exactement le centre religieux de la *pólis*, c'est-à-dire l'Acropole, mais elle se limite à deux sanctuaires voisins des murailles de la cité. Delphinion et Limnaïon, bien que construits dans la partie la plus ancienne de la cité, se retrouvent à l'époque classique situés vers la périphérie de la ville. Et si Athéna Sciras est bien présente aux limites du territoire cultivé pour recevoir les fruits mûrs offerts par Déméter, ce sont Apollon et Dionysos qui aux limites du territoire de la cité elle-même, aux portes de son enceinte, sont les récipiendaires de ces mêmes produits.

6.2.1. *Alternance des mouvements calendaires*

Les relations spatiales définissant à Athènes le système des cultes rendus aux divinités concernées par la production de l'alimentation civilisée s'organisent donc selon une dynamique à la fois centrifuge et centripète. On ne peut que regretter qu'à cet égard le secret ait été maintenu sur la nature des *hierá*, des « objets sacrés », présentés à l'occasion de l'une des cérémonies qui précédait et préparait à Athènes les Grands Mystères d'Eleusis. On sait au moins qu'au cours de la deuxième partie du mois Boédromion, juste avant les nombreux rites démétriens qui marquaient le mois Pyanopsion, les éphèbes d'Athènes escortaient en grande pompe ces objets sacrés, transportés par des prêtresses d'Eleusis à Athènes ; ils étaient déposés dans l'Eleusinion qui, jouxtant le Thesmophorion, s'élevait au pied nord de l'Acropole. Un prêtre montait alors sur la colline sacrée pour annoncer à la prêtresse d'Athéna Polias l'arrivée des *hierá* [136]. Pour autant que ces objets sacrés se fussent effectivement référés à la fonction céréalière de Déméter, ce rite aurait pu compléter l'accueil dans la cité par Apollon et Dionysos des produits de la culture ; au lieu de parvenir en un espace intégré à celui de la ville sans qu'il corresponde toutefois exactement à son centre, l'annonce des *hierá* touchait l'Acropole elle-même. En conséquence si en été c'est le prêtre d'Athéna Polias qui descend de l'Acropole au Sciron, dans la direction d'Eleusis, au moment des récoltes le trajet s'inverse : il conduit les *hierá* d'Eleusis au pied de la colline sacrée, en un mouvement centripète complémentaire à ceux qu'on a déjà décrits.

Avec ou sans Déméter, ce sont en tout cas Apollon et Dionysos qui se préoccupent de l'intégration dans la cité des produits de l'agriculture. Cette intégration s'organise à nouveau en deux mouvements alternés, non plus dans l'espace, mais dans le temps. Du point de vue du processus de production des nourritures végétariennes, Apollon protège le stade intermédiaire de la croissance des fruits de saison au début de l'été (aux Thargélies) alors que la consécration de l'éirésiôné (aux Pyanopsies) à la fin de la période de la maturation marque le terme de la récolte de ces fruits et de leur cuisson : au début de l'été, on célèbre le moment de la *pépansis* comprise comme maturation, en automne l'accomplissement des quatre stades de la *pépsis*, de la coction complète des aliments consommables. En ce même moment automnal, la partie des Oschophories consacrée à Dionysos célèbre l'étape intermédiaire que constitue pour la production du vin la récolte du raisin (terme de la *pépansis*) tandis que la fin de l'hiver voit la célébration du vin nouveau, produit qui a suivi toutes les phases de la coction jusqu'à la fermentation comprise comme *hépsēsis*, au moment des Anthestéries. Tout se passe donc comme si Dionysos quittait l'enceinte de la cité au début de l'hiver pour la réintégrer en son terme alors qu'Apollon, sans forcément quitter la ville, est invoqué au début de l'été pour être à nouveau appelé en sa fin automnale. Le dessin tracé par ces deux parcours temporels complémentaires n'est évidemment pertinent qu'en ce qui concerne la consécration cultuelle du rythme cyclique de la production alimentaire végétarienne ; si par ailleurs une divinité est l'objet d'honneurs particuliers au cours de l'hiver athénien, c'est bien Dionysos, célébré dans les grands festivals dramatiques des Lénéennes et des Dionysies ! Mais l'asymétrie de ce dessin se réfère peut-être à la complémentarité contradictoire des deux divinités, objet depuis fort longtemps d'infinies spéculations.

6.2.2. *Exaltation dionysiaque et mesure apollinienne*

On se rappelle les envolées nietzschéennes : Apollon, dieu du rêve, Dionysos, dieu de l'ivresse, tous deux concourant par la prophétie ou par l'exaltation de l'extase à nous faire boire aux sources de la création, tous deux réalisant leur complémentarité dans l'élaboration de la forme tragique. Mais dieux qui s'opposent aussi puisque au premier on attribue individuation, clarté et mesure alors que le second suscite la communion mystique qui dans l'orgiasme contraint l'individu au dépassement communautaire de ses propres limites [137]. Plus récemment, G. Colli a situé au fondement de la sagesse grecque l'opposition entre un Apollon protecteur de « l'homme de la connaissance » et un Dionysos incarnation de « l'animalité pure » ; opposition qui serait symbolisée dans l'emprise d'un Minotaure dionysiaque sur un Labyrinthe apollinien, emblème du *lógos* ; opposition qu'une participation de ces deux divinités à la *manía*, au délire de la divination ou de l'ivresse, transformerait en affinité. A travers le délire, cette polarité se résoudrait en définitive en une sagesse si accomplie que la philosophie qui en est issue ne peut qu'en représenter la forme dégénérée [138].

Les interprètes modernes ne sont cependant pas les seuls à nous dire, à travers leur quête des origines de la pensée créatrice, la complémentarité contradictoire de ces deux figures divines, opposées dans la proximité. Dès la fin de l'époque archaïque, la céramique affronte manifestement Apollon à Dionysos dans un cadre qui finit par transformer la confrontation en collaboration. Il faut ici se contenter de citer cette amphore attique du début du Ve siècle qui met face à face dans un décor de pampres un Apollon à la lyre et un Dionysos porteur du canthare [139]. Les variations à partir de cette rencontre sont extrêmement nombreuses dans l'iconographie qui accompagne volontiers le couple des dieux d'une ou deux figures féminines. L'absence d'attribut ou d'inscription dénominative empêche en général d'identifier ces femmes ; néanmoins on verrait volontiers en elles Artémis d'un côté et Ariane de l'autre. Il arrive aussi qu'Apollon à la cithare soit pratiquement intégré au cadre dionysiaque, soit que les deux divinités affrontées soient entourées de Ménades saisies dans leur danse du délire bachique, soit qu'Apollon se tienne seul au milieu des mêmes Bacchantes accompagnées de Silènes [140]. Mais l'image la plus frappante pour notre propos est sans doute fournie par le cratère à calice de la fin du Ve siècle qui dépeint un Apollon porteur de laurier recevant dans son sanctuaire un Dionysos tenant le thyrse. Delphes ou Délos ? On est en droit d'hésiter puisque le sanctuaire dépeint est à la fois marqué par la présence du palmier et par celle de l'omphalos. Ici encore, l'entourage est dionysiaque, incarné dans trois Bacchantes et deux Silènes dont l'un joue de la double flûte. Est-il encore nécessaire de rappeler que sur le fronton est du temple classique d'Apollon à Delphes était représenté Apollon accompagné des Muses alors que le fronton ouest était réservé à Dionysos et aux Thyades [141].

Mais ces étranges recoupements ne sont pas l'objet d'une simple fantaisie d'artistes : ils reçoivent de multiples confirmations en particulier dans le domaine de la pratique religieuse et de la représentation littéraire. On s'y limitera ici.

Par le jeu des épiclèses, la littérature classique n'hésite pas à couronner Apollon du lierre d'habitude réservé au dieu du vin. Ce dernier devient alors à son tour amateur du laurier. Hésiode déjà attribuait à Dionysos la chevelure d'or d'Apollon, et au IVe siècle Philodamos compose pour le festival dionysiaque de Delphes un hymne qui assume la forme du péan ; le dieu y est lui-même invoqué en tant que *Paián*, une épiclèse d'habitude réservée au dieu du salut qu'est Apollon. Ces différents échanges figuratifs, sinon fonctionnels, trouvent une autre réalisation encore, très tardive, chez Nonnus qui fait du premier le frère du second, reprenant il est vrai une tradition delphique qui remonte au moins à Callimaque. Et au Ve siècle déjà, Euripide semble avoir mis dans la bouche de l'un de ses acteurs l'affirmation qu'Apollon et Dionysos ne représentent qu'un seul et même dieu [142]. D'autre part, la pratique religieuse, par le biais des inscriptions, fait parfois écho à des recoupements qui ne sauraient passer pour être les seuls effets d'une fiction littéraire. A Thespies, en Béotie, on semble honorer un Apollon Tauros alors qu'en Ionie – tardivement, il est vrai – apparaît un Dionysos archégète et que dans le dème attique d'Icaria, lieu d'origine de la viticulture, Dionysos est associé à Apollon Pythien. Par ailleurs Dionysos est loin de détenir seul le pouvoir de l'épidémie ; Apollon lui aussi voyage d'une cité à l'autre pour s'y manifester, en épiphanie, « auprès du démos »[143]. Mais la pratique de culte est en Grèce indissociable des formes littéraires ; ainsi dans le long poème, déjà lu, qui affronte Thésée au roi Minos au cours de la traversée vers la Crète, Bacchylide nous donne l'exemple d'un poème classé come *Dithyrambe*, forme lyrique dionysiaque, mais adréssé au dieu de Délos, Apollon[144]. Par l'intermédiaire du héros athénien, la brusque irruption d'Apollon dans le domaine dionysiaque nous désigne les relations qu'à Athènes également entretenaient les deux divinités complémentairement opposées.

Mais avant de regagner à Athènes, un nouveau et bref détour par Delphes s'impose. En effet la rencontre cultuelle dionysiaco-apollinienne la mieux articulée du point de vue rituel se manifeste au pied du Parnasse, en coïncidence avec les figurations littéraires ou iconographiques déjà mentionnées. Non seulement les deux divinités se partageaient le pouvoir sur le site de Delphes – à Dionysos les quatre mois d'hiver, à Apollon l'été –, mais la tombe de Dionysos était abritée, d'après Philochore, par le temple d'Apollon[145]. Expression spatiale probable de la distinction dans l'inclusion qui se manifestait sur le plan cultuel. Hors de toute spéculation historienne sur une succession chronologique Dionysos – Apollon telle qu'elle a été échafaudée pour Delphes, il est légitime de se demander si Athènes ne connaissait pas une alternance rituelle analogue à celle que connaît le culte delphique ; bien qu'attestée tardivement, cette dernière remonte probablement au vie siècle avant notre ère[146].

6.2.3. *Complémentarité dionysiaco-apollinienne*

L'iconographie classique, la pratique cultuelle et ses représentations littéraires autant que l'organisation du calendrier delphique sont là pour montrer qu'à certaines occasions Apollon et Dionysos collaborent et se complètent dans leur action davantage qu'ils ne s'opposent.

A Athènes même la figure de cette complémentarité cultuelle semble en grande partie déterminée par les modes de production des aliments dont ces deux divinités garantissent la maturation. Par rapport aux céréales, aux figues, voire même à l'huile, le vin occupe par la fermentation une position singulière. Le pain, après mouture et cuisson, est consommable dès l'automne ; le vin nouveau au printemps seulement. Mais cette disparité complémentaire se retrouve dans les fonctions plus générales des deux divinités. Par les moyens de l'inspiration, Apollon et Dionysos donnent tous deux accès à un au-delà du quotidien de la vie en société. Associé à l'administration du droit, Apollon permet − par la divination, l'inspiration poétique ou même l'art médical − d'atteindre une réalité supérieure d'où l'on tire les réponses et les remèdes aux problèmes posés par les accidents mettant en cause l'ordre social et politique des hommes. Dieu venu de l'extérieur, Dionysos semble quant à lui fournir les moyens, par l'enthousiasme et la folie de l'ivresse, de transcender cet ordre en vous projetant dans une extériorité individuelle, déréglée et sans objectif précis. Ce serait néanmoins sans compter avec le double effet du vin, homologue du double sens assumé par *xénos*, cette qualification que l'on attribue volontiers à Dionysos : le dieu du vin − pharmacon enivrant mais aussi curatif − est à la fois l'étranger bondissant aux marges du monde civilisé et l'hôte que l'on accueille au sein de la cité. Apollon et Dionysos tracent ainsi des mouvements alternatifs homologues entre l'extérieur et les limites de l'intérieur. Certes, autant aux Grandes Dionysies qu'aux Anthestéries ou aux Oschophories, Dionysos intervient toujours par le moyen du retournement ou du renversement : masque, parodie, épousailles fictives, travesti ; ainsi les modes de son action civilisatrice quand il est intégré dans la cité ne se confondent jamais avec ceux des autres dieux. Mais l'iconographie attique n'hésite pas à l'associer à Apollon quand ce n'est pas à Athéna [147]. A Athènes même en effet, Apollon et Dionysos se retrouvent voisins, à l'ombre des murailles de la cité, entre centre religieux et chôra.

6.3. Figures spatiales des cultes de la civilisation

Ce détour par les qualités fonctionnelles complémentaires d'Apollon et de Dionysos conduit ainsi à un enrichissement singu-

lier de l'image spatiale que construit l'organisation des cultes athéniens centrés sur la production de l'alimentation, et par conséquent de la civilisation (voir FIG. 1). On a dit l'intervention
d'Athéna et de Poséidon depuis le centre religieux de la cité aux
deux pôles nord et sud de sa chôra. On a dit aussi la relation que
ces deux divinités établissent respectivement entre ces deux
points de passage avec deux territoires intégrés à l'Attique : Salamine pour Athéna, Eleusis pour Poséidon. Il semble qu'une polarisation complexe très semblable caractérise également le culte
athénien d'Apollon, mais avec un dédoublement spatial qui franchit largement les limites territoriales de l'Attique. Ce n'est pas
forcément céder à un schématisme structural facile que de faire
correspondre à l'axe « Sciron-Acropole-Phalère » sur lequel
s'articule à Athènes le culte d'Athéna et de Poséidon la ligne
« Delphes-sud de l'Acropole-Délos » qui semble marquer l'organisation spatiale du culte athénien d'Apollon. Au Pythion, en
effet, les Thargélies nous renvoient au dieu de Delphes alors qu'au
Delphinion les Pyanopsies nous réfèrent à la divinité régnant sur
Délos. Pour étayer cette nouvelle polarité, il convient de se rappeler que, d'abord, la théorie envoyée à Délos pour y célébrer les
Délia trouvait sa contrepartie dans la Pythaïs organisée en l'honneur du dieu de Delphes. Du côté de la littérature, les protagonistes aristophanesques invoquent à côté des divinités de l'Olympe
les dieux de Delphes et ceux de Délos ; et sans doute n'est-ce pas
un hasard si Pisistrate intervient pour réinstitutionnaliser les Délia
tandis qu'à son petit-fils revient l'honneur de fixer le sanctuaire
définitif d'Apollon Pythien [148]. Le dédoublement polaire du culte
d'Apollon à partir d'un centre – implanté dans la partie la plus
ancienne de la cité – semble donc aussi bien établi que celui marquant le culte d'Athéna. A cette homologie s'ajoute celle que dessine l'analogie entre Eleusis et Delphes, espaces continentaux, par
opposition à celle qui lie Salamine et Délos, territoires insulaires et
maritimes.

En tant que divinité enracinée dans le sol nourricier, Déméter
n'est pas susceptible de suivre les dieux avec lesquels elle collabore
dans leur parcours maritime. Spatialement son culte ne peut donc
pas s'organiser en dédoublement de la bipolarité comme c'est le
cas pour ceux d'Athéna, de Poséidon ou d'Apollon. On a tout de
même remarqué que, suivant la ligne tracée par le triple labour
sacré, le culte de la déesse de la production céréalière s'agence en

trois points stratégiques : Eleusis, le Sciron et le pied de l'Acropole, à l'intérieur même de la cité. Et l'on pourrait se demander si la célébration des Thesmophories de Halimous au Cap Colias et sa relation légendaire avec Salamine ne pointent pas vers un pôle « maritime » du culte athénien rendu à la déesse du blé mûr.

Quant à Dionysos, phrygien, thrace ou lydien d'origine, il est semble-t-il susceptible de faire irruption à partir de n'importe quel lieu de l'extérieur. Pourtant le complexe cultuel et mythique des Anthestéries désigne à la pénétration de Dionysos qui vient s'installer au Limnaïon deux points de passage privilégiés : probablement le Phalère pour son entrée maritime (à partir de Naxos ?), Icaria pour son irruption terrestre. Or géographiquement ces deux bourgades de l'Attique dessinent à nouveau à partir de l'enceinte de la cité la double polarité, orientée vers le nord et vers le sud, qui détermine l'organisation spatiale des cultes pris en compte jusqu'ici.

Spatialement, l'intégration des nourritures civilisées et civilisantes au centre de la cité organise un territoire que l'on peut se représenter comme constitué de six cercles concentriques, inclus les uns dans les autres (voir FIG. 2) ! D'abord l'Acropole centre religieux avec les temples d'Athéna et de Poséidon ; puis l'espace de la cité avec la politique et le commerce sur l'Agora, mais aussi, autour de l'Acropole, l'espace d'accueil de la production agricole et l'administration du droit, sans oublier les habitations ; au-delà de la muraille de la cité s'étend la chôra, territoire agraire, intermédiaire, qui touche au Céphise au nord et à la mer Egée au sud ; puis le domaine du non-cultivé et du non-marqué, broussailles des collines vers le nord, étendue maritime sans limite vers le sud. Mais au milieu même de ces domaines des *eskhatiaí* sauvages, et non productives, avant que l'on ne touche au territoire de l'autre et de l'ennemi, surgissent des îlots en relation avec le centre : Eleusis et Salamine reliés à la chôra et au centre par les activités dont l'idéologie les a marquées, la culture céréalière et le commerce maritime. Ainsi se définit le territoire de l'Attique. A plus grande distance, en pleine montagne ou en pleine mer, on trouve encore Delphes et Délos ; ces deux centres religieux assurent à l'Athènes classique, par l'intervention cultuelle d'Apollon, le contrôle politique sur les parties terrestre et maritime de son empire, ultime extension du pouvoir exercé depuis l'Acropole et

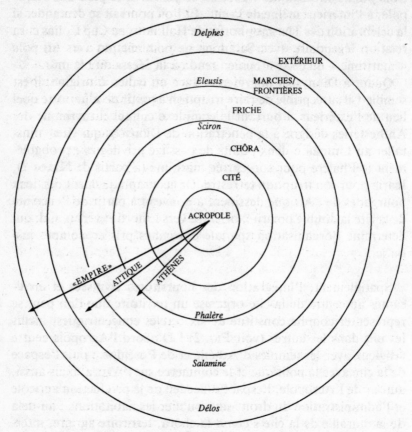

FIG. 2. *Organisation spatiale de l'Athènes classique.*

l'Agora[149]. Toutes divinités confondues, l'organisation de l'espace cultuel athénien, loin de se limiter à la « bipolarité », apparaît comme « hexapolaire » ! Et même quand chaque divinité est prise en considération isolément, la polarisation de son culte par rapport à l'organisation du territoire contrôlé par la cité se manifeste sous des formes dans chaque cas différentes ; on l'a vue se diversifier chaque fois, en relation probable avec la fonction spécifique exercée par la divinité concernée.

La représentation sous-jacente à l'ensemble de ces diversifications singulières semble néanmoins bien correspondre à une bipartition du territoire à partir du centre : domaine terrestre d'un côté, domaine maritime de l'autre. Une telle image se superpose très exactement à celle que donnait l'organisation en diptyque de la légende de la jeunesse de Thésée : l'Attique et ses marches continentales d'abord, la mer Egée dans sa relation avec Athènes ensuite. Parcours spatial tracé par le récit légendaire et organisation de l'espace du culte sont tous deux articulés, dans leur bipartition commune, sur le même centre : celui où l'on célèbre les Théséia, point de rencontre du mythe et du rite, situé du point de vue temporel également au milieu des célébrations du mois Pyanopsion !

La confrontation est immanquable avec l'image bipartite de l'espace athénien que construit dans la narration de l'« histoire vraie » de l'Atlantide platonicienne. Enregistrée par les scribes égyptiens, redécouverte par Solon et racontée par Critias, l'ancienne Athènes de Platon se distingue par l'ancrage dans une autochtonie inébranlable ; elle tient de l'Athènes archaïque devenue le centre d'un domaine − l'Attique − attaché aux valeurs de la terre. L'Atlantide, tout entière orientée vers la mer et vers l'expansion militaire, commerciale et démocratique, correspondrait alors à l'Athènes classique, à la cité voulue par la politique maritime de Thémistocle et de ses successeurs. L'une est dominée par Athéna, l'autre par Poséidon. Et quand il est reporté dans l'espace au lieu d'être projeté sur l'axe temporel de l'histoire, le schéma géographique de l'Etat idéal ressemble étrangement à celui que définissent les relations cultuelles étudiées : une cité entourée de sa chôra et, l'encadrant de manière symétrique, la montagne au nord et la mer au sud [150]. Certes, il faut bien attendre la deuxième moitié du Ve siècle pour que Thucydide puisse prétendre par la bouche de Périclès qu'Athènes avait avantage à se considérer comme une île : à la veille de l'invasion de l'Attique par les forces pédestres déferlant du Péloponnèse, on peut désormais envisager d'abandonner la terre et ses fermes pour se concentrer sur la mer et sur la cité [151]. Car pour Platon aussi bien que pour Périclès-Thucydide, le centre est représenté par le lieu de l'énonciation, c'est-à-dire Athènes, comme il le devient pour la légende classique de Thésée.

L'image spatiale bipartite que tracent le mythe de la jeunesse de Thésée autant que l'organisation cultuelle qui lui a été associée est donc historiquement marquée. Et c'est vers les circonstances historiques qui, dans la constitution et la réorientation des objets symboliques examinés ici, ont induit cette coïncidence dans une représentation commune qu'il convient de nous tourner maintenant. Seul ce détour par les conditions de mise en place du processus symbolique se manifestant dans le rite et dans le mythe pourra fonder les différences sémantiques qui apparaissent dans ces deux ordres de la manifestation sémiotique, au-delà des liens syntaxiques et sémantiques qui les unissent.

ANNEXE

Mois athéniens	Légende de Thésée	Fêtes relatives à la légende de Thésée	Autres célébrations (choix)*
HÉCATOMBAION juillet/août	*Anagnôrisis* de Thésée (8) par Égée	Synoïkia (15-16)	Cronia (Zeus ; 12)
		Panathénées (28 +)	
MÉTAGEITNION août/sept.			Eleusinia (Déméter)
BOÉDROMION sept./octobre		Cybernésia Boédromia	Procession vers Eleusis (→ Mystères) (15-22)
PYANOPSION octobre/nov.	Retour de Thésée de Crète (7)	Pyanopsies (7) Oschophories (7 ?)	Proérosia (Déméter, 5) Apatouries (Athéna) Sténia (Déméter, 9)
		Théséia (8)	Thesmophories de Halimous (10) Thesmophories (11-13) Chalkéia (Athéna, 30)
MAIMACTÉRION nov./déc.			Pompaia (Zeus)
POSÉIDÉON déc./janv.			Halôa (Déméter, 26)
GAMÉLION janv./février			Lénaia (Dionysos, 12 +)
ANTHESTÉRION février/mars		Délia (?)	Anthestéries (Dionysos, 11-13) Diasia (Zeus, 23)
ELAPHÉBOLION mars/avril			Dionysies (Dionysos, 9-14) Pandia (Zeus)
MOUNICHION avril/mai	Départ de Thésée pour Cnossos (?)	Procession du 6	Mounichia (Artémis, 16) Olympiéia (Zeus, 19)
THARGÉLION mai/juin			Thargélies (Apollon, 6-7) Plyntéria (Athéna, 25)
SCIROPHORION juin/juillet		Scira (12)	Arrétophories (Athéna) Dépoliéia (Zeus)

* Destiné à aider le repérage des fêtes athéniennes mentionnées dans le chap.v, ce tableau ne tient compte que des festivals datables (la date exacte est, le cas échéant, mentionnée entre parenthèses) ; dans la colonne de droite, on a ajouté quelques-uns des rituels les plus importants du calendrier athénien. On ne peut en tirer aucune conclusion d'ordre statistique ; pour des indications complètes voir Deubner, 1932, pl. 1, et Mikalson, 1975, p. 186 ss.

FIG. 3. *Le temps calendaire athénien et la légende de Thésée.*

NOTES

[1] Cf. le fr. 990 Nauck[2] d'Euripide, cité par Plut. *An. procr.* 1028f qui estime que l'auteur tragique attribuait quatre mois à l'hiver et à l'été, et deux au printemps et à l'automne. Pour la délimitation des saisons à l'époque archaïque, voir Alcm. fr. 20 Page avec le commentaire de Calame, 1983, p. 374 s. Hippocr. *Aph.* 1, 18 reconnaît l'existence de quatre saisons ; en suivant *Aer.* 10, on peut reconstruire la répartition suivante : hiver du coucher matinal des Pléiades jusqu'à l'équinoxe (4 nov. au 20 mars), printemps jusqu'au lever matinal des Pléiades (20 mai), été jusqu'à l'apparition d'Arcturus (20 sept.), automne jusqu'au coucher matinal des Pléiades (4 nov.). Ce calendrier correspond à peu près à celui utilisé par Thucydide et reconstitué par W. K. Pritchett and B. L. van der Waerden, « Thucydidean Time-reckoning and Euctemon's seasonal Calender », *Bull. Corresp. Hell.* 85, 1961, pp. 17-52, avec sa bipartition de l'année entre un hiver et un été à son tour objet d'une tripartition.

[2] Aristoph. *Eq.* 729, *Plut.* 1053 s. et *Vesp.* 399. La confusion entre Thargélies et Pyanopsies relative à l'éirésiôné et au sacrifice pour les Heures se limite aux sch. Aristoph. *Eq.* 729 (1.2, p. 175, ss Koster) et *Plut.* 1054 (p. 378b, 48 ss Dübner) que suit la *Suda s. v. eiresiốnē* (*Ei* 184 Adler). On remarquera que dans cette même tradition, on affirme par ailleurs clairement que l'éirésiôné n'est portée qu'une fois l'an ! Quoi qu'il en soit, cette confusion a connu une certaine fortune puisqu'elle fonde encore les réflexions de Vernant, 1972, p. 119 ss, de Detienne, 1972, p. 206 s., et de De Schutter, 1987, p. 113, sur le rôle des Thargélies ; par contre Jeanmaire, 1939, p. 359 ss, tout en assimilant l'éirésiôné à un arbre de mai, s'abstient de cette confusion ; pour des références plus anciennes, cf. Blech, 1982, p. 279 n. 52. On verra à ce propos l'argumentation convaincante et fondée philologiquement de Deubner, 1932, pp. 191 s. et 201.

A propos du sacrifice à Hélios et aux Hôraï, cf. *infra* n. 43.

[3] C'est notamment l'association constante avec Apollon Delphinios des actes attribués dans la légende à Thésée et le déroulement au Delphinion du rituel du 6 Mounichion qui m'induisent à identifier avec ce sanctuaire le lieu de l'action des Pyanopsies ; cf. aussi Ampolo & Manfredini, 1988, p. 232. L'emplacement du Delphinion a été confirmé par des fouilles récentes : cf. Travlos, 1971, pp. 83 et 291 s. ; références complémentaires chez Kron, 1976, p. 126, et chez Ampolo & Manfredini, 1988, p. 213 ; cf. aussi *infra* n. 54.

Il faut cependant relever qu'un fragment de calendrier des fêtes d'Eleusis datant du début du IIIe siècle (*IG* II[2], 1363, col. I, 7 ss) cite pour la date du 7 Pyanopsion l'offrande à Apollon Pythios du sacrifice d'une chèvre : cf. Dow & Healey, 1965, p. 21 ss. C'est ce parallèle éleusinien qui induit K. Stanley, « Notes on the Athenian Prytany Decree », *Am. Journ. Philol.* 82, 1961, pp. 425-427, à conjecturer la mention d'Apollon Pythios dans le décret fragmentaire qui, relatif aux sacrifices des prytanes au mois Pyanépsion, mentionne la dédicace de l'éirésiôné. Meritt, l'éditeur de cette inscription (cf. *supra* chap. III n. 25) avait conjecturé quant à lui la forme P*[atrốiōi* ; mais la lacune est si longue que la relation linguistique entre cette forme et la mention successive de l'éirésiôné n'a rien de certain. Patrôôs est d'ailleurs associé (dans la ville d'Athènes) à Apollon Pythien, le dieu tutélaire des Thargélies : cf. *infra* §§ 1.5.1., 2. et 4.

[4] Plut. *Thes.* 22, 5, Poll. 6, 61 et Harp. *s. v. Puanópsia* (p. 265 Dindorf) suivi par *Sud. s. v. Puanepsiốnos* (*P* 3104 Adler). Pour la tradition byzantine qui remonte probablement à Paus. Att. *s. v. eiresiốnē* (*E* 17 Erbse), cf. Phot. *Lex. s. vv. Puanópsia* et *Puanepsiốn* (II, p. 120 Naber), *Sud. s. v. eiresiốnē* (*Ei* 184 Adler) et Eust. *Il.* 1283, 9 ss (IV, p. 666, 6 ss Van der Valk) qui associe les *púana* non seulement à l'*étnos*, mais aussi à une *athárē*, bouillie de farine (notamment de froment : cf. Phryn. 11, 14, et Chantraine, 1968, p. 27) ; il y a dans cette dernière association une confusion avec le festival des Théséia, célébré le jour suivant (cf. *supra* chap. III § 1.5.), notamment par la consommation d'une bouillie de farine : sch. Aristoph. *Plut.* 627 (p. 359a, 37 ss Dübner), et Deubner, 1932, pp. 199 n. 1 et 225 n. 2.

⁵ Comparer par exemple *IG* I², 1367, 9 = 52 Sokolowski avec Plut. *Thes.* 22, 4 ou Poll. 6, 61. Voir à ce propos la remarque de Deubner, 1932, p. 198 n. 6. On relèvera que ce jeu étymologisant qui rejaillit sur la morphologie de la dénomination sinon de la fête, en tout cas du mois concerné se retrouve dans d'autres cités où l'on lit les désignations de *Kuanepsión* ou *Kuanopsión* (à rapprocher de *kúamos*, « la fève ») : cf. F. Olck, « Bohne », *Realenc, Alt.-Wiss.* III, Stuttgart (Metzler) 1899, coll. 609-627 (col. 610), et Chantraine, 1968, p. 593. De manière significative, aucune explication ancienne ne se réfère pour la forme originaire du terme *(Puanópsia)* à l'activité de l'*optân/óptēsis* : « rôtir sur le gril » ou « cuire au four » ; le terme *ópson* désigne pourtant tout aliment préparé sur le feu : cf. Ath. 7, 277a.

⁶ Lyc. fr. XIV, 3 Conomis = *FGrHist.* 401 F 4 ; voir à ce sujet *supra* chap. III n. 22 ; cf. aussi *Sud. s. v. Puanepsiônos* (*P* 3104 Adler) et *An. Gr.* I, p. 246, 27 ss Bekker.

⁷ Plut. *Thes.* 22, 6 s. citant *carm. pop.* fr. 2 Diehl ; Lyc. fr. XIV, 2a Conomis = *FGrHist.* 401 F 1a ; fr. cité par le *Lex. Patm. s. v. eiresiốnē* (p. 159 Latte-Erbse) ; dans la même tradition se situent les explications données par l'*EMag,* 303, 18 ss. Gaisford (= *EGen.* p. 103 Miller) avec *EGud. s. v. eiresiốnē* (II, p. 427. 3 ss De Stefani) et *An. Ox.* II, p. 436, 31 ss Cramer. Voir aussi, probablement à partir de Paus. *Att. s. v. eiresiốnē* (*E* 17 Erbse), *Sud. s.v. eiresiốnē* (*Ei* 184 Adler) et Eust. *Il.* 1283, 5 ss (IV, p. 665, 20 ss Van der Valk) dont les témoignages s'appuyent aussi sur l'héortologue Cratès d'Athènes (*FGrHist.* 362 F 2 = fr. 19 Tresp). Dans la même ligne mais sans mention du mythe de Thésée se situent les sch. Aristoph. *Eq.* 729 (p. 59b, 52 ss Dübner), sch. Aristoph. *Plut.* 1054 (IV. 1, p. 214. 1 ss Koster) et Tzetz. *Ad Aristoph. Plut.* 1054 (IV. 1, p. 214, 1 ss Koster) ; cf. *supra* chap. III n. 24.

⁸ *Sud. s. v. eiresiốnē* (*Ei* 184 Adler) et *An. Gr.* I, p. 246. 30 ss ; sch. *ad* Clem. Alex. *Protr.* 2, 10, 1 (I, p. 299, 20 ss Staehlin) : ce scholiaste fait du port de l'éirésiôné un rituel dédié à Athéna à l'occasion des Panathénées ! De là l'information supplémentaire que le rameau d'olivier qui en constitue le support serait détaché de l'olivier sacré de l'Acropole ; Hsch. *s. v. diakónion* (*D* 1069 Latte) et *Sud. s. v. diakónion* (*D* 589 Adler) ; pour les scholies à Aristophane et le commentaire de Tzétzès, voir n. 7. On remarquera que les *kollûrai* sont déjà connus à Athènes à l'époque classique : cf. Aristoph. *Pax* 123 et fr. 429 Kassel-Austin.

Sur les *katakhúsmata,* voir Harp. *s. v.* (p. 171, 11 Dindorf) et E. Samter, *Familienfeste der Griechen und Römer*, Berlin (Reimer) 1901, p. 1 ss. La laine dont l'éirésiôné est entourée nous renvoie aussi au foyer domestique : Aristoph. *Lys.* 729 ss, et Loraux, 1981a, p. 189.

⁹ Cf. Timocl. fr. 18 Kassel-Austin et Henioch. fr. 4 Kassel-Austin cités par Ath. 9, 407f ss ; pour les références latines, cf. Olck, *art. cit.* n. 5, col. 618.

¹⁰ Alcm. fr. 96 Page, avec le commentaire de Calame, 1983, p. 533 ss ; on y trouvera la citation exacte des différentes gloses d'Hésychius qui assimilent les *púanoi* à des fèves bouillies *(kúamoi hephtoí).* Sosib. *FGrHist.* 595 F 12, qui cite ce fr., élargit le sens de la bouillie mentionnée par Alcman à une « panspermie » ; elle devient ainsi bouillie de grains.

La date exacte des Hyacinthies est inconnue : Calame, 1977, I, p. 320 n. 294.

¹¹ Paus. 1, 37, 2 ss et 8, 15, 3 s. ; voir aussi Phot. *Lex. s. v. Kuamítēs* (I, p. 354 Naber) et *An. Gr.* I, p. 274, 14 s. Bekker. Plut. *Vit. X Or.* 837c indique que le marché aux fèves se tenait également en bordure de la Voie Sacrée, non loin du tombeau de l'orateur et tragédien Théodectès de Phasélis dont Pausanias indique par ailleurs la proximité avec le lieu de culte réservé au héros Cyamitès ! Sur ce culte, cf. Chirassi, 1968, p. 45 s.

¹² Cf. Plut. *Quaest. symp.* 635e ss = *Orph.* fr. 291 Kern, Aristot. *GA* 1, 73la 5 et fr. 195 Rose, Luc. *Vit. auct.* 6, Porph. *Vit. Pyth.* 44, etc. ainsi que Gell. 4, 11, 9 s qui cite Empedocl. fr. 31 B 141 Diels-Kranz et Call. fr. 553 Pfeiffer. Sur le bœuf pythagoricien, cf. Porph. *Vit. Pyth.* 24 et Jambl. *Vit. Pyth.* 13, 61 ; voir à ce propos Detienne, 1972, p. 96 ss, et 1977, p. 192 ss.

[13] Isid. *Or.* 17, 4, Eust. *Il.* 13, 589 ss (III, p. 518, 13 ss Van der Valk) ; autres références encore chez Chirassi, 1968, p. 40 ss.

[14] Antiph. fr. 179 (II, p. 84 Kock) cité par Ath. 2, 43bc et 4, 74de ; tout ce dernier passage porte sur une énumération des représentations attachées à la figue. Alex. fr. 182 (II, p. 365 Kock) ; Istr. *FGrHist.* 334 F 12 et Philomn. *FGrHist.* 527 F 1.

[15] Ath. 3, 74c ss ; à propos de la *hēgētēría* et de son rôle dans le rituel des Plyntéria, cf. Deubner, 1932, p. 19 s, et Chirassi, 1968, p. 60 ss. Plut. *Symp.* 703c assimile le Figuier Sacré à l'olivier consacré à Athéna sur l'Acropole.

[16] Les qualités nutritives et curatives de la figue sont aussi mentionnées par Ath. 3, 78d, Sur le Figuier Sacré et sa situation sur la Voie Sacrée vers Eleusis, cf. *IG* I², 313, 163, Paus. 1, 37, 2, Philostr. *VS* 2, 20, 3 et Eust. *Od.* 1964, 11 ss (qui insiste sur le rôle joué par la figue dans l'introduction de « l'alimentation civilisée »), avec Judeich, 1931, pp. 177 et 411. On remarquera qu'en contrepartie, l'endroit où Hadès passe pour avoir enlevé Perséphone porte le nom du figuier sauvage (Erinéos ; cf. Paus. 1, 38, 5).
A propos de Phytalos, on verra H. W. Stoll, « Phytalos », *Roscher* III, Leipzig (Teubner) 1909, col. 2492. C'est également le lieu de rappeler ici que les Phytalides purifièrent Thésée du sang versé entre Trézène et Athènes sur un autel de Zeus Méilichios : Paus. 1, 37, 4 et *supra* chap. II § 1. 3. Il n'est pas à exclure que cette épiclèse, en plus de son sens religieux de 'expiatoire', actualise le sens premier du terme qui signifie 'doux comme le miel ou la figue ' : cf. Chirassi, 1968, p. 57 ss ; pour le culte rendu à Zeus Méilichios, cf. H. Schwabl, « Zeus », *Realenc. Alt.-Wiss. Suppl.* XV, München (Druckenmüller) 1978, coll. 993-1481 (coll. 1053 ss et 1069 ss), et Ampolo & Manfredini, 1988, p. 212. Sur un Dionysos Méilichios, dieu de la figue, cf. *infra* n. 19. D'autres légendes qui font de la figue un aliment primordial sont mentionnées par Chirassi, 1968, p. 68 s. ; cf. aussi *infra* n. 45.

[17] Hippon. fr. 52 Degani avec les frr. 177 et Anon. 219 Degani ainsi qu'Archil fr. 250 West. Aristoph. *Pax* 571 ss, cf. aussi les vv. 557 s. et 596 s. ainsi que le v. 1143 ss où l'on voit le repas du paysan être composé de haricots, de grains de froment et de figues ; cf. *infra* n. 34.
Les différentes figures qu'assume l'utopie aristophanesque sont analysées par D. Auger, « Le théâtre d'Aristophane : le mythe, l'utopie et les femmes », *Les Cahiers de Fontenay* 17, 1979, pp. 71-101.

[18] Hom. *Od.* 24, 244 ss ; Hdt. 1, 71, 3 et 193, 2 s.

[19] Les rapports de Dionysos avec la figue sont étudiés par Murr, 1890, p. 32 s. Dionysos *Sukátēs* : Hsch. *s. v.* (S 2226 Schmidt) ; Dionysos *Sukítēs* : Sosib. *FGrHist.* 595 F 10 ; le Dionysos Méilichios de Naxos tirerait son épiclèse du surnom donné aux figues, *meílikha*, les fruits sucrés : Ath. 3, 78c. Cf. encore Diod. Sic. 3, 63, 3 et Clem. Alex. *Protr.* 2, 30.
La procession des Dionysies campagnardes est mentionnée par Plut. *Cup. div.* 527d ainsi que par Aristoph. *Ach.* 247 ss ; voir le commentaire de Deubner, 1932, p. 135 s., et de A. Pickard-Cambridge, *The Dramatic Festivals of Athens*, Oxford (Clarendon Press) ²1968, p. 42 ss. Pour le prix remporté par Sousarion, voir *Marm. Par. FGrHist.* 239 A 39.

[20] La nomenclature grecque des céréales, tout en distinguant plusieurs sous-catégories de froment/blé, départage nettement le froment *(purós)* et l'orge *(krithḗ)* : cf. Richter, 1968, p. H 109 ss ; mais elle dispose aussi avec *sîtos* d'une terme qui englobe ces deux types de céréales : cf. Thuc 6, 22, ainsi que L. A. Moritz, « Corn », *Class. Quart.* 49, 1955, pp. 135-141, et « Weizen », *Kleine Pauly* V, München (Druckenmüller) 1975, coll. 1361-1362. Le pain était en général fait de farine de blé : cf. Amouretti, 1986, p. 127 s. De plus, chez Theophr. *HP* 7, 1, 1, les céréales *(sitṓdē)* font l'objet d'un partage net par rapport aux « verdures » *(poiṓdē)* qui englobent la catégorie des légumineuses *(khedropoá)* parmi lesquelles les fèves *(kúamoi)*, les pois *(písoi)* et en général les graines légumineuses *(óspria)*.

[21] Antiph. fr. 176 (II, p. 83 Kock) ; Plat. *Gorg.* 518ab, commenté par Ath. 3, 112de ; Plat. *Menex.* 237e ss. Sur Déméter et les céréales, voir Murr, 1890, p. 153 s., et Burkert, 1977, p. 248 ss, avec déjà Hom. *Il.* 13, 322 et 14, 326.

[22] Aristoph. *Pax* 252 ss, Hom. *Od.* 10, 234 ss, cf. aussi *Il.* 11, 631 ss ; Aristot. *HA* 9, 623b 23s. ; sur la représentation grecque de la production du miel et sur les périodes de sa récolte, cf. 5, 553b 24 ss et 9, 626b 29 ss, avec le commentaire de W. H. Roscher, *Nektar und Ambrosia*, Leipzig (Teubner) 1883, p. 25 ss, celui de F. Olck, « Biene », *Realenc. Alt.-Wiss.* III, Stuttgart (Metzler) 1899, coll. 431-450 (col. 438 s.), et celui de R. Billiard, *Notes sur l'abeille et l'apiculture dans l'Antiquité*, Lille (Le Bigot) 1900, pp. 51 ss et 62 ss. Pour Ovide, *Fast.* 3, 735 s., Bacchus est l'inventeur du miel. Pour les relations entre miel et ambroisie, cf. Roscher, *op. cit.*, p. 13 ss.

[23] Pind., *Ol.* 6, 21 et *Pyth.* 4, 60 (cf. aussi Paus. 10, 5, 9 et le mythe du devin Iamos raconté par Pind. *Ol.* 6, 43 ss) ; sur ces deux utilisations métaphoriques du miel et sur leur relation, cf. J. H. Waszink, *Biene und Honig als Symbol des Dichters und der Dichtung in der griechischen-römischen Antike*, Opladen (Westdeutscher Verlag) 1974, p. 6 ss. Les Grecs connaissaient également toute une série d'utilisations cultuelles du miel : cf. M. Schuster, « Mel », *Realenc. Alt-Wiss.* XV. 1, Suttgart (Metzler) 1931, coll. 364-384 (col. 379 ss).

Le mythe de Mélissa est transmis par les sch. Pind. *Pyth.* 4, 60 (II, p. 112, 17 ss Drachmann) qui le tirent de Mnaséas de Patara (un élève d'Eratosthène), *FHG.* fr. 5 (III, p. 150 Müller) ; sur ce mythe on lira l'étude de M. Detienne, « Le mythe. Orphée au miel » in J. Le Goff et P. Nora (edd.), *Faire de l'histoire* III. *Nouveaux objets,* Paris (Gallimard) 1974, pp. 56-75. Hes. *Op.* 225 ss, cf. aussi Hom. *Od.* 19, 109 ss.

[24] Sol. fr. 121 c Ruschenbusch = test. 428 Martina = Plut. *Sol.* 24, 1 ; cf. aussi les frr. 60a, 60b, 62 et 90 Ruschenbusch = Test. 498b, 498a (bis) et 414 Martina. La place centrale de la culture de l'olivier en Attique et les mesures prises par Solon pour la favoriser sont étudiées par exemple par R. J. Hopper, *Trade and Industry in Classical Greece*, London (Thames & Hudson) 1979, p. 93 s.

[25] Aristoph. *Eccl.* 307 ss ; cf. aussi *Ach.* 548 ss et Chionid. fr. 7 Kassel-Austin (repas pour les Théoxénies des Dioscures au Prytanée). Democr. fr. 69 A 29 Diels-Kranz cité par Ath. 2, 46e. Pour l'utilisation culinaire de l'huile, on verra tout de même les exemples données par Ath. 4, 169e ss. Mais l'huile est essentiellement utilisée pour s'oindre le corps, notamment avant un banquet : Hom. *Il.* 10, 577 ainsi que *Od.* 3, 464 ; 10, 364, etc. Les multiples usages grecs de l'huile sont analysés par Amouretti, 1986, p. 181 ss ; voir aussi Richter, 1968, p. H 134 ss. Sur les produits qui viennent à manquer en période de disette, cf. Aristoph. *Vesp.* 252 et 297 ss, voir également *Nub.* 52 ss et Lys. 7, 7.

[26] Cf. Apoll. 3, 14, 1, Paus. 1, 27, 2, Hyg. *Fab.* 164 (l'olivier naît de la lance d'Athéna fichée en terre), mais aussi Soph. *OC* 694 ss ; Hdt. 8, 55. Le rôle de l'olivier dans le mythe de la fondation de l'Attique est analysé par Murr, 1890, p. 40 ss, par M. Detienne, « L'olivier : un mythe politico-religieux », *Rev. Hist. Rel.* 154, 1970, pp. 5-23, et par Loraux, 1981a, p. 41 s., qui mentionne quelques images où la naissance chthonienne d'Erichthonios est figurée dans le voisinage de l'Olivier Sacré.

[27] Theopomp. *FGrHist.* 115 F 277 et 276 ; Hellanic. *FGrHist.* 4 F 175 (frr. cités par Ath. 1, 34ab et 26bc) ; Ath. 15, 675ab. Sur les mythes dionysiaques de l'introduction de la vigne en Grèce, voir Jeanmaire, 1951, p. 22 ss., et Burkert, 1977, p. 251 ss.

[28] Apoll. 3, 14, 7 (alors que la chronique du *Marm. Par. FGrHist.* 239 A 12 et 13 place l'intervention de Déméter sous le règne d'Erechthée, le fils de Pandion) ; cf. également sch. A Hom. *Il.* 22, 29 (II, p. 232, 24 s. Dindorf ; mythe raconté par Eratosthène), Hyg. *Fab.* 130 et *Astr.* 2, 4 s., etc. ; d'autres parallèles sont cités dans les notes de J. G. Frazer, *Apollodorus. The Library* II, Cambridge Mass. - London (Heinemann) 1922, p. 94 ss. Pour l'*Aiốra* et son aïtion, voir Call. *Aet.* fr. 178, 1 ss. Pfeiffer et Eratosth. frr. 22-26 Powell, avec les indications bibliographiques données par Burkert, 1972, p. 247 n. 37, et le commentaire de Deubner, 1932, p. 118 ss ; cf. aussi N. Loraux, *Façons tragiques de tuer une femme*, Paris (Hachette) 1985, p. 44 ss.

Dionysos semble avoir été à Icaria même l'objet d'un culte : cf. I. B. Romano, « The Archaic Statue of Dionysos from Icarion », *Hesperia* 51, 1982, pp. 398-409 avec pll. 93-

95 ; voir aussi l'inscription mentionnée par Aloni, 1989, p. 58 n. 1. Par ailleurs, tragédie et comédie attiques passent pour tirer leur origine de l'ivresse éprouvée pour la première fois à Icaria à l'occasion des vendanges : Ath. 2, 40ab.

[29] Eur. *Bacch.* 378 ss ; cf. aussi 772 ss. Sur les effets du vin, voir les références données par Burkert, 1977, p. 251 s., et par F. Lissarrague, *Un flot d'images. Une esthétique du banquet grec*, Paris (Biro) 1987, p. 7 ss. A propos de la position spécifique qu'occupe le raisin parmi les fruits de l'*opṓra*, cf. Daraki, 1985, p. 45 ss.

[30] *Cypr.* fr. 29 Bernabé, Sim. fr. 537 Page, Apoll. *Epit.* 3, 10, avec la note de Frazer, *op. cit.* n. 28, p. 180 s. qui cite de nombreux autres textes.

[31] Onesicr. *FGrHist.* 134 F 17 ; pour des parallèles orientaux de cette image de l'Age d'Or, cf. Waszink, *op. cit.* n. 23, p. 9 s. Eur. *Bacch.* 704 ss, voir aussi v. 142 ss ; Dionysos maître de la nature humide : Plut. *Is. Os.* 364d, avec le commentaire de H. Usener, « Milch und Honig », *Rhein. Mus.* 57, 1902, pp. 177-195 (repris dans *Kleine Schriften* IV, Leipzig -Berlin, Teubner, 1908), celui de Daraki, 1985, p. 34 ss, et celui de Detienne, 1986, p. 94 ss. Sur les liquides de l'Age d'Or, voir par exemple Theocr. 5, 124 ss et *Anth. Pal.* 7, 31, avec les références complémentaires citées par B. Gatz, *Weltalter, Goldene Zeit und sinnverwandte Vorstellungen,* Hildesheim (Olms) 1967, p. 229.

[32] Libations aux morts : Hom. *Od.* 10, 519 s., Aesch. *Pers.* 611 ss, Eur. *IT* 159 ss ; Theophr. *Piet.* fr. 2, 41 ss. Pötscher donne une représentation historicisée de l'usage de ces liquides dans les formes premières de libations : cf. F. Graf, « Milch, Honig und Wein. Zum Verständnis der Libation im griechischen Ritual » in *Perennitas. Studi in onore di A. Brelich*, Roma (Ateneo) 1980, pp. 209-221. Pour les activités de culture à Babylone, cf. Hdt. 1, 193, 1 ss.

[33] Plat. *Leg.* 782a ss ; le régime alimentaire prôné par les Orphiques a fait l'objet de l'étude de Detienne, 1977, pp. 138 ss et 188 ss.

[34] Aristoph. *Nub.* 42 ss ; pour la *Paix,* cf. *supra* n. 17. Plat. *Resp.* 372bc.

[35] Inscr. du IVe siècle avant notre ère publiée par L. Robert, *Etudes épigraphiques et philologiques,* Paris (Champion) 1938, p. 296 ss ; pour la bibliographie, voir G. Daux, « Sur quelques inscriptions (anthroponymes, concours à Pergame, serment éphébique) », *Rev. Et. Gr.* 84, 1971, pp. 350-383 (p. 370 ss), et sur la prestation du serment, voir Pélékidis, 1962, p. 110 ss.

[36] Plat. *Resp.* 372bc (cf. *supra* n. 34). Les glands, on le sait, incarnent pour les Grecs le régime alimentaire des animaux en opposition à celui de la culture céréalière : cf. Hom. *Od.* 10, 242 et 13, 409, Hdt. 1, 66, 2, et le commentaire de M. L. West, *Hesiod. Works and Days,* Oxford (Univ. Press) 1978, p. 214 s., à Hes. *Op.* 232 s. : les glands sont chez Hésiode intégrés au contraire au régime de la cité (idéale) administrée avec justice. Il fait peu de doute que Platon, ironisant sur la mention des glands dans l'élaboration d'un régime idéal, joue sur la représentation alimentaire d'Homère et sur celle d'Hésiode.

[37] Hes. *Op.* 234 et Aristoph. *Nub.* 42 ss (cf. *supra* nn. 36 et 34). Le rôle joué par le travail de la laine dans la représentation que les Grecs se font de la civilisation dans son aspect féminin est illustré par le célèbre passage d'Aristoph. *Lys.* 567 ss ; voir à ce propos le commentaire de C. Moulton, *Aristophanic Poetry*, Göttingen (Vandenhoeck & Ruprecht) 1981, p. 49 ss.

[38] Aristot. *Meteor.* 4, 3, 380a 11 ss, *Probl.* 22, 8, 930b 20 ss et Theophr. *HP* 5, 1, 2 ; Aristot. *Probl.* 20, 12, 924a 16 ss ; *ibid.* 20, 4, 923a 17 ss, avec les remarques de Detienne, 1972, p. 29 ss. En particulier sur les affinités de la *pépansis* avec l'ébullition comme processus davantage apte à réduire le caractère cru des produits de la terre, on lira Philoch. *FGrHist.* 328 F 173.

[39] Aristot. *Meteor.* 4, 3, 381b 6 ss, cf. *Probl.* 28, 5, 949b 26 ss. Voir également la théorie de l'origine de la soif développée par Plut. *Quaest. conv.* 686e ss.

[40] Aristot. *Meteor.* 4, 1, 379a 12 ss et 381a 23 ss. Le modèle alimentaire mis en place par le rite du sacrifice classique est analysé avec finesse par Detienne, 1972, p. 207 ss, et par Detienne & Vernant, 1979, p. 7 ss.

[41] Miel : Aristot. *HA* 5, 22, 553b 7 ss et Theophr. fr. 190 Wimmer ; Hdt. 1, 193, 4 s.
Figues : Aristoph. *Eq.* 259 s. Moût : Aristot. *Meteor.* 4, 2, 379b 29 ss ; Plut. *Symp.* 656a ;
Porph. *Antr.* 13 ; Ath. 1, 26a. Huile : Hdt. 5, 82 et Pind. fr. 46 Snell-Maehler ; sur le pres-
sage de l'huile, cf. Amouretti, 1986, p. 154 ss. Pour le « rôtissage » du pain, voir par
exemple Hdt. 8, 137 et Aristoph. *Ran.* 507 ; Plut. *Quaest. Rom.* 289ef, dans un texte
signalé par Detienne & Vernant, 1979, p. 70 n. 1, montre que la farine, non cuite, est assimilée à de la chair morte et crue ; la cuisson la transforme en pain pour lui conférer
« l'utilité de la nourriture céréalière *(sitíon)* » et la rendre par conséquent comestible.
    Les différents sens assumés par *péssō* et ses dérivés sont énumérés par Chantraine, 1968,
p. 890 (sur les dérivés de *optós*, cf. p. 810).
[42] *Vit. Herod. Hom.* 432 ss (V, p. 213 ss Allen) et *Sud. s.v. Hómēros* (*O* 251 Adler).
Les interprétations anciennes qui rattachent le rite samien aux Thargélies athéniennes sont
résumées par Nilsson, 1906, p. 116 ss. Le texte du chant transmis par la *Souda* mentionne
encore un Apollon Gyiatis que l'on aimerait bien identifier avec l'Apollon Agyieus, protecteur des autels placés dans les rues : sources et bibliographie sur cette figure chez E. di
Filippo Balestrazzi, « Apollon Agyieus », *LIMC* II. 1, Zürich - München (Artemis) 1984,
pp. 327-332.
    Avec des moyens symboliques différents le port rituel à Sparte de la *koruthálē* et celui de
la *kōpō* à l'occasion de la daphnéphorie de Thèbes assument en des périodes calendaires
différentes des valeurs analogues : cf. Hsch. *s. v. koruthalía* (*K* 3688 Latte), et Calame,
1977, I, pp. 297 ss, 117 ss et 191 ss, ainsi que Ampolo & Manfredini, 1988, p. 233.
[43] Cette théorie diététique est développée notamment par Plut. *Quaest. conv.* 635cd qui,
par ailleurs, dans *Is. Os.* 378c, dit de Pyanopsion qu'il est un *mền spórimos.* Il est possible
que le nom de ce mois corresponde à celui du héros Panops : cf. *infra* n. 67. D. Bouvier me
souffle qu'à son tour cet anthroponyme peut être mis en relation avec Panopée, le père
d'Aïglé, préférée à Ariane par Thésée : cf. *supra* chap. II § 6.1.4.
    L'association par les sources byzantines, à partir de *Sud. s. v. eiresiốnē* (*Ei* 184 Adler ;
cf. *supra* n. 7), de la consécration de l'eirésiôné à un sacrifice honorant Hélios et les Horaï
peut-elle dès lors correspondre à la pratique cultuelle classique ? Présentée comme alternative à la dédicace à Apollon, mais maintenue dans le cadre des Pyanopsies, sinon dans celui
des Thargélies, cette consécration de l'éirésiôné au Soleil et aux Heures pourrait être
d'autant plus facilement rejetée que dans l'une des sources citées n. 7, elle s'accompagne
de la mention d'un rite analogue chez les Hébreux. Ce serait toutefois faire fi du témoignage de Porph. *Abst.* 7, 1 qui remonte à Theophr. *Piet.* fr. 2, 43 ss Pötscher ; sans référence ni aux Pyanopsies, ni aux Thargélies, Porphyre décrit en effet une procession athénienne, célébrée encore à son époque, en l'honneur du Soleil et des Saisons ; en même
temps que des rameaux de supplication, on portait à cette occasion de la boue, de l'herbe,
du chiendent disposé sur des noyaux, des légumes secs, des glands, des arbouses, de l'orge
et du blé, une galette de fruits secs, un gâteau de farine de blé et d'orge ainsi qu'un *khú-*
tros. Sans doute est-ce la présence dans cette procession de certaines des nourritures montrées aux Pyanopsies qui a conduit à l'assimilation entre deux rituels à l'origine distincts.
En effet la description de la procession au Soleil et aux Heures s'inscrit dans une énumération des premières formes, encore imparfaites, de sacrifice et d'alimentation ; de plus les
herbes et les baies, puis les glands symbolisent deux états de précivilisation distincts de
celui incarné dans blé et orge moulus : cf. Theophr. *Piet.* fr. 2, 22 ss Pötscher (cité par
Porph. *Abst.* 6, 2 ss) ainsi que Plut. *Esu* 993f. Les Pyanopsies quant à elles ne mettent en
scène que l'état de la civilisation céréalière, situé entre la sauvagerie du cru et l'état achevé
marqué par le sacrifice sanglant et la nourriture carnée, bouillie et rôtie.
    E. Maas, « Heilige Steine », *Rhein. Mus.* 78, 1929, pp. 1-25 (p. 21) a même proposé de
corriger le *Hēlíou* que porte le texte de Porphyre par un *Thargēlíou* qui désignerait un très
hypothétique Apollon Thargélios : la notice de V. Gebhard, « Thargelios », *Realenc.*
Alt.-Wiss. V A, Stuttgart (Metzler) 1934, coll. 1305-1306, est à cet égard parfaitement
trompeuse. Par cette correction, le rite décrit par Porphyre devient un rituel consacré à

Apollon, mais dans le cadre des Thargélies, et non plus des Pyanopsies : cf. W. Pötscher, *Theophrastos. Perì eusebeías,* Leiden (Brill) 1964, p. 132 ss. Mais il est aussi faux de placer aux Thargélies le port de l'éirésiônê (cf. *supra* n. 2) qu'il est erroné de situer dans le cadre des Pyanopsies la procession à Hélios et aux Heures ; on peut tout au plus admettre que cette dernière était organisée en concomitance avec les premières.

[44] Harp. *s. v. pharmakós* (p. 180, 18 ss Bekker) = *Sud. s. v. pharmakós* (*Ph* 105 Adler) qui citent tous deux Lys. 6, 53 ; cf. encore *EMag.* 787, 55 ss Gaisford. Ces renseignements remontent en partie à Istros, *FGrHist.* 334 F 50, un élève de Callimaque, auteur d'une histoire d'Athènes et d'un ouvrage sur les épiphanies d'Apollon. Voir de plus Hellad. *ap.* Phot. *Bibl.* 534a 3 ss. Aristophane déjà fait allusion aux *pharmakoí* qui lui servent de terme de comparaison pour des étrangers, « rouquins, gueux issus de gueux », par opposition à des citoyens de bonne naissance : *Ran.* 730 ss, *Eq.* 1405, fr. 655 Kassel-Austin ; cf. aussi Lys. 6, 53. Voir V. Gebhard, « Thargelia », *Realenc, Alt.-Wiss.* V A, Stuttgart (Metzler) 1934, coll. 1287-1304 (col. 1290 ss), Burkert, 1981, pp. 64 ss et 170 ss, ainsi que Vernant, 1972, p. 117 ss, qui projette sur Athènes le témoignage d'Hipponax (cf. *infra* n. 45), pertinent pour Colophon. Pour l'ensemble du rituel athénien, cf. Deubner, 1932, p. 179 ss ; pour des parallèles ailleurs en Grèce, cf. Bremmer, 1983, p. 300 ss. Sur la figue noire « sœur de la vigne », cf. Hippon. fr. 52 Degani (cité *supra* n. 17) ; en tout cas, blanches ou noires, les *iskhádes* qu'emportaient les pharmacoï ne désignent pas des figues sauvages comme le pense Bremmer, 1983, p. 313 ; ce n'est par ailleurs qu'à titre d'hypothèse qu'Athénée, 3, 76c, identifie le produit du figuier sauvage appelé *leukerineós* avec des figues blanches *(leukà sûka).*

[45] Hippon. frr. 6 et 26-30 Degani cités par Tzetz. *Chil.* 5, 726 ss. La collusion de rituels différents dans la description tardive de Tzétzès est montrée par Deubner, 1932, p. 183 ss. Voir encore les frr. 95, 203 et 146 Degani : dans ce dernier poème, Hipponax semble avoir mentionné un nome « de la branche du figuier », mélodie jouée sur la flûte et destinée à accompagner la flagellation et l'expulsion du pharmacos : cf. Bremmer, 1983, p. 313 ss.

A propos de l'interprétation du mot *leimôni* ou *kheimôni* du fr. 6, 2 Degani qui indiquerait soit le lieu (une prairie), soit la saison (l'hiver), soit l'endroit du corps (les parties génitales) où était frappé le bouc émissaire, on verra le commentaire de E. Degani, *Hipponactis testimonia et fragmenta,* Leipzig (Teubner) 1983, p. 29, celui de O. Masson, *Les fragments du poète Hipponax. Edition critique et commentée,* Paris (Klincksieck) 1962, p. 109 ss, et celui de J. Pórtulas, « La máscar roja de l'incest », *Quad. Catalans Cult. Class.* 1, 1988, pp. 13-29. Voir encore les frr. 36 et 177 Degani ; autres références *supra* n. 17. Sur le difficile fr. 107, 47 ss Degani, on verra Deubner, 1932, p. 182 s., et Degani, *op. cit.,* p. 117 s. Sur la figue sèche comme nourriture hivernale, cf. Chirassi, 1968, p. 65 ss.

[46] Hellad. *ap.* Phot. *Bibl.* 534a 7 ss.

[47] Hsch. *s. v. Thargélia* (*Th* 104 Latte), cf. aussi *s.v. thárgēlos* (*Th* 106 Latte), Phot. *Lex. s. v. Thargélia* (I, p. 273 Naber) qui emploie le terme *khútros* au masculin ; *EMag.* 443, 19 ss Gaisford, cf. aussi *An. Gr.* I, p. 263, 3 ss Bekker et *Sud. s. v. Thargélia* (*Th* 49 Adler) ; Ath. 3, 114a = Crates Ath. *FGrHist.* 362 F 6 ; on remarquera que cet auteur d'un traité sur les sacrifices d'Athènes qui date du IVᵉ siècle (cf. Tresp, 1914, p. 60 ss) identifie le *thárgēlos* compris comme une forme de pain avec le *thalúsios* et l'associe ainsi directement avec le moment de la moisson ; les Thalysies étaient une fête consacrée à Artémis ou à Déméter : cf. Hom. *Il.* 9, 534 et Theocr. 7, 4, avec Nilsson, 1906, p. 330 ss ; pour l'origine de ce terme qui renvoie au concept de la floraison, cf. Chantraine, 1968, p. 420. D'autre part le terme *spérmata,* utilisé par Photios pour désigner la nature de la bouillie des Thargélies, peut désigner aussi bien les semences que les plantes qui en sont issues. Enfin, le terme *euetēría* est issu d'une conjecture tendant à corriger un terme incompréhensible dans la giose d'Hésychios susmentionnée ; sur ce terme dont le sens renvoie à une année équilibrée du point de vue climatique, cf. Plat. *Symp.* 188a, et Detienne, 1972, p. 210. Pour toutes les questions d'ordre philologique que posent les textes cités ici, je renvoie à l'étude de Deubner, 1932, p. 189 n. 1.

⁴⁸ Sch. Aristoph. *Lys.* 835 (p. 258a, 29 ss Dübner) = Philoch. *FGrHist.* 328 F 61, sch. Soph. OC 1600 (p. 462, 24 s. Papageorgios) ; autres sources chez Deubner, 1932, p. 67. Sur l'emplacement du sanctuaire de Déméter Chloé, cf. Travlos, 1971, p. 2 avec la pl. 5. Le festival des Chloïa est aussi attesté dans le calendrier de Thoricos où il est associé au mois Elaphébolion (mars/avril) : cf. Daux, *art. cit.* chap. III n. 23, pp. 162 s. et 167, ainsi que Parker, 1987, p. 141.

⁴⁹ Plut. *Thes.* 18, 1 s. : cf. *supra* chap. III § 1.1. Il faut rappeler ici que la plupart de nos témoignages sur l'éirésiôné, à commencer par Lycurgue, n'hésitent pas à dénommer *hiketēría* l'éirésiôné elle-même : Lyc. fr. XIV, 2a et b Conomis = *FGrHist.* 401 F 1a et b ; autres témoignages cités n. 7. Deux explications peuvent rendre compte de cette coïncidence : ou bien il n'existe qu'un rite impliquant le port de l'*hiketēría*-éirésiôné et Plutarque a doublé lui-même la fête des Pyanopsies du culte du 6 Mounichion pour donner également au moment du départ de Thésée pour la Crète un correspondant rituel (cf. *infra* chap. VI § 4.1.) ; ou bien des héortologues tels que Cratès *FGrHist.* 362 F 1 = fr. 19 Tresp (cité par les textes de la *Souda* et d'Eustathe mentionnés n. 7) ont confondu le rituel du 6 Mounichion avec celui des Pyanopsies.

Il est probable que les douze rejetons de l'Olivier Sacré qui croissaient dans le voisinage de l'Académie, plutôt que l'Olivier Sacré lui-même (cf. *supra* n. 26) fournissaient les rameaux pour l'*hiketēría* du 6 Mounichion et pour l'éirésiôné des Pyanopsies : cf. Ps. Aristot. *Ath. Pol.* 60, 2 et *Sud. s. v. moríai* (*M* 1248 Adler).

⁵⁰ Aïtion raconté par Lycurgue, *loc. cit.* n. 49, et repris par Cratès, *loc. cit.* n. 49 ; voir ensuite les textes des commentateurs d'Aristophane cités n. 7. Il est à remarquer que les sch. Aristoph. *Plut.* 1054 (p. 378b, 42 ss Dübner), dans l'une de leurs explications, substituent au premier rite de l'éirésiôné un sacrifice propitiatoire à Déméter ! La figure d'Abaris, propagateur de l'art divinatoire, puis héros guérisseur et sauveur, est mentionnée par Hdt. 4, 36, 1 (cf. déjà Pind. fr. 270 Snell-Maehler), puis par Plat. *Charm.* 158b et Heracl. fr. 51c Wehrli, avec le commentaire de E. Bethe, « Abaris (1) », *Realenc. Alt.-Wiss.* I, Stuttgart (Metzler) 1894, coll. 16-17, qui surinterprète toutefois le témoignage de Lycurgue, et celui de Platthy, *op. cit.* chap. IV n. 39, p. 265 s.

La légende des Vierges hyperboréennes porteuses des prémices et l'offrande prématrimoniale que leur faisaient de leur chevelure les adolescent(e)s de Délos mettent en évidence les affinités qui lient Apollon, Hyperboréens, adolescence et fruits mûrs : cf. Hdt. 4, 34 ss, Call. *Del.* 291 ss, Bruneau, 1970, p. 38 ss, et Calame, 1977, I, p. 196 ss.

⁵¹ Sources citées et analysées *supra* n. 7 et chap. III n. 24.

⁵² Voir en particulier Hellad. *loc. cit.* n. 46.

⁵³ Sur la double fonction d'Apollon qui punit et absout, voir Burkert, 1977, p. 228 ss, et Parker, 1983, pp. 25 et 275 s. On peut rappeler ici que selon Macr. *Sat.* 1, 17, 21, citant Pherec. *FGrHist.*3 F 149, Thésée aurait à son départ de Crète adressé son vœu à Apollon et Artémis *Oúlioi*, « les Malfaisants » : cf. *supra* chap. III n. 38. C'est précisément dans leurs analyses respectives des Thargélies et des Pyanopsies que Parke, 1977, p. 147, et Simon, 1983, p. 77 s., présentent Apollon comme « *god of fertility of all kind of vegetation* » ! Par ailleurs, l'absence de Déméter aux Pyanopsies ne peut pas non plus constituer une preuve que cette fête remonterait à une période ancienne de « préagriculture » comme le prétend Chirassi, 1968, p. 49 ss.

⁵⁴ Paus. 1, 19, 1 avec Strab. 9, 2, 1!. Thuc. 2, 15, 4 ; en 6, 54, 6 s., l'historien athénien précise que l'autel d'Apollon Pythios a été consacré par Pisistrate le Jeune (le fils d'Hippias) avec une inscription dont il cite le texte et dont on a retrouvé l'essentiel (*IG* I², 761 ; cf. aussi la mention du Pythion en 188, 64). Le Delphinion quant à lui passait pour avoir été fondé par Egée : Poll. 8, 119 ainsi que *An. Gr.* I, p. 255, 19 ss Bekker ; Plut. *Thes.* 12, 6 indique que la Porte d'Egée était voisine du Delphinion : cf. *infra* n. 69. Pour la situation archéologique du Delphinion, voir *supra* n. 3 ; pour celle du Pythion, cf. Travlos, 1971, p. 100 ss, et Shapiro, 1989, p. 50 s. La question insoluble de la présence d'un second sanctuaire dédié à Apollon Pythios sur la pente nord de l'Acropole, voir les remarques pru-

dentes de K. Ziegler, « Pythios (1) et (2) », *Realenc. Alt.-Wiss.* XXIV, Stuttgart (Metzler) 1963, coll. 552-558, et de Boersma, 1970, p. 53 s. Selon Travlos, 1971, pp. 91 et 100, qui réfère le Python cité par Strabon au sanctuaire voisin de l'Acropole, le temple réservé à Apollon Pythios aurait été situé en dehors de l'enceinte classique.

[55] Cf. Ps. Aristot. *Ath. Pol.* 56, 3 et 5 ; Dem. 21, 10 : la loi d'Euégoros dont Démosthène paraphrase le texte mentionne, en plus de l'agôn des Thargélies, une procession qui est également associée au *kômos* des Dionysies ; voir encore Dem. 20, 28 avec sch. *ad loc.* (II, p. 109, 21 ss Dilts), Antiph. 6, 11 ss et Lys 21, 1,

Consécration d'un trépied à Apollon Pythios après la victoire au concours des dithyrambes : Phot. *Lex. s. v. Púthion* (II, p. 121 Naber) et *Sud. s. v. Púthion* (*P* 3130 Adler) ; voir encore les documents épigraphiques (listes des chorèges associant Thargélies et Dionysies ou dédicaces par le chorège vainqueur aux Thargélies) : *IG* II², 1138 et 3065-3067, avec le commentaire de Pickard-Cambridge, 1962, p. 35 ss ; cet auteur (p. 28 s.) propose d'insérer dans les Thargélies l'exécution du *Dithyrambe* 18 de Bacchylide qui retrace les « travaux » de Thésée, mais on associe en général ce poème aux Théséia : cf. *infra* chap. VI n. 16. Aloni, 1989, p. 57 s., attribue aux Pisistratides la fondation ou la réorganisation des Thargélies.

Sur le déroulement du concours des dithyrambes aux Grandes Dionysies, on verra le commentaire de Rhodes, 1981, p. 622 ss, qui se fonde naturellement sur le travail de Pickard-Cambridge, *op. cit.* n. 19, p. 75 ss.

[56] Sur *Puthố* comme désignation de Delphes, cf. Hom. *Od.* 8, 80, Hes. *Theog.* 499, *HAp.* 372 ss et 390, Pind. *Pyth.* 9, 61, etc., ainsi que le long commentaire étymologique de S. Lauffer, « Pytho (1) », *Realenc. Alt.-Wiss.* XXIV, Stuttgart (Metzler) 1963, coll. 569-580. Le dragon tué par Apollon, nommé déjà par l'*HAp.* 300 ss, ne reçoit le nom de *Púthōn* que chez Eph. cité par Strab. 9, 3, 12 ; les mythes qui mettent en scène la progressive « humanisation » du temple d'Apollon à Delphes sont analysés par Ch. Sourvinou-Inwood, « The Myth of the First Temples at Delphi », *Class. Quart.* 73, 1979, pp. 231-251.

Bremmer, 1983, p. 319, rappelle que selon Athénée, 10, 424f, une corporation de « danseurs » *(orkhēstaí)* dansait autour du temple d'un Apollon Délien qu'Athénée identifie avec l'Apollon des Thargélies ; cette épiclèse du dieu n'est cependant pas attestée ailleurs pour Athènes ; Athénée confond probablement le festival athénien des Thargélies avec les Délia de Délos.

[57] Le déroulement de la Pythaïs est décrit par Deubner, 1932, p. 203 ; sur les porteurs de haches : cf. sch. Aesch. *Eum.* 13 (I, p. 43, 21 ss Smith) ; les sch. Aristeid. *Pan.* 189, 8 (III, p. 324, 15 ss Dindorf) confondent la Pythaïs delphique avec la théôris envoyée à Délos : confusion significative, elle aussi !

[58] Plat. *Phaedr.* 244a ; sur le lieu et la date des Grandes Dionysies, cf. Parke, 1977, p. 125 ss ; sur l'exécution de dithyrambes aux Thargélies, cf. *supra* n. 55.

[59] *HAp.* 493 ss ; on trouvera toutes les données factuelles sur les cultes rendus à Apollon Delphinios dans les îles ou sur les rives de l'Egée chez Graf, 1979, p. 3 ss. Sur le rôle d'archégète d'Apollon Delphinios, voir Sissa & Detienne, 1989, p. 206 ss.

[60] Administration de la citoyenneté : Ps. Dem. 40, 11, Isocr. *Panath.* 9 ; *IC* I, IX 1A, 14 ss ; autres documents cités par Graf, 1979, p. 13 ; cf. aussi Parker, 1983, p. 141 s. Référence au calendrier de Thoricos *supra* chap. III n. 23 ; un Néanias est aussi attesté dans le calendrier cultuel de Marathon : cf. *Inscr.* 20 B 21 *Suppl.* Sokolowski, avec les références supplémentaires citées par Parker, 1987, p. 146. Aspects juridiques du culte athénien rendu à Apollon Delphinios : Ps. Aristot. *Ath. Pol.* 57, 3 et Dem. 23, 74, avec les commentaires de R. R. Dyer, « The Evidence for Apolline Purification Rituals », *Journ. Hell. Stud.* 89, 1969, pp. 38-56 (p. 47 ss), et de Rhodes, 1981, p. 644 s. L'analyse historicisante de J. Defradas, *Les thèmes de la propagande delphique*, Paris (Belles Lettres) ²1972, p. 192 ss, tend justement à effacer la distinction entre Apollon Delphinios et l'Apollon de Delphes ! Relation de ce culte avec la légende de Thésée : cf. *supra* chap. IV § 2.1.3.

[61] Arion : Plut. *Sept. sap. conv.* 161a ss, cf. déjà Hdt. 1, 24, avec le commentaire de Pickard-Cambridge, 1962, pp. 10 ss et 97 ss ; Pind. fr. 140b 13 ss Snell-Maehler ; jeune homme de Iasos : Plut. *Soll. an.* 984ef. cf. déjà Aristot. *HA* 9, 631a 9 ss qui vante notamment la *hēmerótēs* des dauphins. Dionysos : *HHom.* 7, 2 ss, Pind. fr. 236 Snell-Maehler, Eur. *Cycl.* 11, etc. Thésée : Bacch. 17, 97 ss, cf. R. Janko, « Poseidon Hippios in Bacchylides 17 », *Class. Quart.* 30, 1980, pp. 257-259, qui omet l'aspect apollinien du dauphin. Autres références dans le dossier constitué par J. Dumont, « Les dauphins d'Apollon », *Quad. Stor.* 1, 1975, pp. 57-85 (p. 63 ss) ; mis au service des spéculations étymologico-associativo-génétiques de P. Somville, « Le dauphin dans la religion grecque », *Rev. Hist. Rel.* 201, 1984, pp. 3-24, dans une tradition malheureusement encore bien implantée en France, les mêmes témoignages perdent toute leur pertinence.

[62] Ap. Rhod. 4, 1694 ss et 1765 ss, *Dieg. ad* Call. *Iamb.* 8, fr. 198 Pfeiffer, sch. Pind. *Nem.* 5, 81 (III, p. 97, 20 ss Drachmann) ; autres sources sur ce rite éginète chez R. Pfeiffer, *Callimachus* I, Oxford (Univ. Press) 1949, p. 195.

[63] Sur les aspects pénalisateurs et purificateurs d'Apollon, voir encore Parker, 1983, p. 275 s., et C. Bérard, « Pénalité et religion à Athènes. Un témoignage de l'imagerie », *Rev. Arch.* 1982, pp. 137-150 ; si la scène du cratère analysé par Bérard représente bien le moment précédant l'expulsion du pharmacos, elle a des chances de se situer au Pythion plutôt qu'au Delphinion.

[64] Voir notamment Harp. *s. v. pharmakós* (p. 180, 17 ss Bekker) et Hellad. *ap.* Phot. *Bibl.* 534a 3 s. ; sur la qualification des *pharmakoí*, cf. par exemple sch. Aristoph. *Eq.* 1136 (I. 2, p. 243, 11 ss Koster) et les références citées par Deubner, 1932, p. 184 n. 5.

[65] Isocr. *Areop.* 15. Sur l'âge d'admission des adolescents dans la phratrie de leur père, cf. *infra* n. 68. De manière surprenante, Parke, 1977, p. 148 s., ne semble pas être conscient des différences distinguant ces deux rites.

[66] Dem. 18, 141 ; cf. Harp. *s. v. Apóllōn Patrôios* (p. 28, 16 ss Bekker) qui attache cette figure du dieu à la légende de son fils Ion, le « colonisateur » de l'Attique. Sur la fonction d'Apollon Patrôos dans l'affirmation de la paternité athénienne, cf. G. Colin, *Le culte d'Apollon Pythien à Athènes*, Paris (Fontemoing) 1905, p. 8 ss, Loraux, 1981a, p. 232 ss, De Schutter, 1987, p. 123 ss, avec le réexamen de Ch. W. Hedrick Jr., « The Temple and Cult of Apollon Patroos in Athens », *Am. Journ. Arch.* 92, 1988, pp. 185-210.

Inscription : *SEG* XXI 469 C, 52 ss (= 14 *Suppl.* Sokolowski). Cette inscription, qui date de 129/8 avant notre ère et qui a été retrouvée dans le Pythion indique explicitement que pour les Athéniens Apollon Pythios était aussi Patrôos (l. 8 s., cf. ll. 14 et 54 s.); cf. De Schutter, 1987, p. 112 s. ; voir encore *supra* n. 3.

[67] Textes cités *supra* n. 4. Sur la catégorie des *paîdes*, cf. Calame, 1977, I, p. 64 ; sur celle du *paîs amphithalḗs*, cf. L. Robert, « Amphithalès », *Harv. Stud. Class. Philol.* 51, 1940, pp. 509-519, repris dans *Opera minora selecta* I. Amsterdam (Hakkert) 1969, pp. 633-643. Vidal-Naquet, 1983, p. 128 n. 12, suggère de plus de voir dans le héros Panops, que Phot. *s.v. Panóps* (II, p. 51 Naber) et Hsch. *s. v.* (*P* 383 Schmidt) mettent au nombre des héros éponymes des quarante-deux classes hoplitiques d'origine éphébique, également l'éponyme du mois Pyanopsion.

S. Follet, « Deux vocables religieux rares attestés épigraphiquement », *Rev. Philol.* 48, 1974, pp. 30-34, relève dans des inscriptions impériales l'existence d'une fonction cultuelle désignée par le terme *ei(/e)resiōnēs* ; l'un de ces porteurs de l'éirésiōné est l'objet d'honneurs de la part des prytanes de sa tribu tandis que deux autres inscriptions réfèrent cette fonction à un *paîs* âgé de sept ans, honoré par les membres d'un thiase dionysiaque attaché à un culte à mystère consacré à Déméter. Il n'y a rien de surprenant dans ce déplacement de l'éirésiōné du culte officiel classique rendu à Apollon vers un culte privé de l'époque impériale.

[68] Pour les Apatouries, cf. notamment *IG* II/III², 1237, sch. Aristoph. *Ach.* 146 (I. 1b, p. 28, 20 ss Koster), *EMag.* 118, 55 ss Gaisford, *An. Gr.* I, p. 273, 2 ss Bekker, etc., ainsi

que Deubner, 1932, p. 232 ss, Pélékidis, 1962, pp. 51 ss et 71 ss, et Vidal-Naquet, 1981, pp. 147 s., 155 ss et 195 ss. La première présentation des enfants de trois ans à la phratrie est décrite par Procl. *ad* Plat. *Tim.* 21b (I, p. 88, 18 ss Diehl).

A propos de l'interprétation initiatique que l'on a voulu donner des Pyanopsies, voir *infra* chap. VI § 3.2.1.

[69] Sur la situation du Delphinion, cf. *supra* n. 3 ; sur celle du temple de Dionysos « aux marais », cf. Boersma, 1970, pp. 42 et 139, ainsi que Travlos, 1971, pp. 169, 274 et 332 ; pour l'emplacement de la Porte d'Egée, voir *ibid.*, pp. 83, 160 et 169, avec toutefois la remarque de Kron, 1976, p. 125 n. 574. Quant au temple d'Athéna Sciras au Phalère, sa localisation est encore indéterminée : cf. Kock, 1927, col 534 s. ; Ampolo & Manfredini, 1988, p. 231, y situent l'Oschophorion mentionné par Hsch. *s. v. Ōskhophórion (Ō* 471 Schmidt) qui le définit comme l'endroit de Phalère « où se trouve le temple d'Athèna ».

[70] Cf. Harp. *s. v. oskhophóroi* (II, p. 227 Dindorf) qui cite Philoch. *FGrHist.* 328 F 16 et surtout Istr. *FGrHist.* 334 F 8, ainsi qu'Ath. 11, 495f qui cite lui-même Aristod. *FGrHist.* 383 F 9 ; voir aussi Procl. *ap.* Phot. *Bibl.* 322a 15 ss, puis Hsch, *s. vv. ôsckhoi* et *ōskhophória (Ō* 468 et 469 Schmidt), Phot. *Lex. s. vv. ósckhē* et *oskhophoreîn* (II, p. 33 Naber), *Sud. s. vv. ōskhophória* et *ōskhophóros (Ō* 256 et 257 Adler), *EGud. s. v. ōskhophoría* (p. 583, 16 ss Sturz), *EMag.* 824, 55 ss Gaisford (et *ESym. ad loc.*), *An. Gr.* I, p. 285, 29 ss et 318, 22 ss Bekker et sch. Nic. *Alex.* 109 (p. 65 Geymonat) ; ce scholiaste ajoute que c'est par extension que Nicandre désigne du terme *óskhē* également les rameaux de l'orme.

[71] L'inscription des Salaminiens, qui date du IVe siècle et qui connaît l'usage du *khi* (citée *supra* chap. III n. 15, ll. 21 et 49) présuppose une orthographe *ôskon* alors que l'*EMag.* 619, 32 ss Gaisford reprend la définition courante du terme, sous la glose *oiskhós*, en l'attribuant à Aristophane ; c'est pourquoi, sous la forme *óskhos* ou *ōskhós*, on a tenté de restituer ce terme au v. 995 des *Acharniens* : cf. *LSJ s. v. ōskhós*.

Pour l'assimilation des *óskhoi* aux *óskhea*, cf. Hsch. *s. vv. óskhai, óskhea* et *óskheos (O* 1473-75 Latte) ainsi que Rudgers van der Loeff, 1915, p. 415, Deubner, 1932, p. 146, et Delcourt, 1958, p. 15 s. ; voir à ce propos Chantraine, 1968, p. 834. Cette assimilation a servi d'argument à l'interprétation initiatique qu'on a voulu donner de ce rite : cf. *infra* chap. VI § 3.2.1. avec n. 78.

[72] Plut. *Thes.* 23, 4, Philoch. *FGrHist.* 328 F 123 (cité par *An. Gr.* I, p. 239, 7 ss Bekker, cf. *supra* chap. III n. 12), Hyper. fr. 88 Jensen que cite Harp. *s. v. deiphophóros* (p. 52, 23 ss Bekker) ; *Inscr. Sal. cit.* chap. III n. 15, ll. 20 ss et 41 ss ; cf. aussi Hsch. *s. v. deiphophóros (D* 527 Latte).

[73] Aristod. *FGrHist.* 383 F 9, Procl. *ap.* Phot. *Bibl.* 322a 27 ss. Le mélange de la *pentaplóa* a été rapproché par Jeanmaire, 1939, p. 347 ss, du *kukeón* servi à Nestor dans la fameuse coupe (Hom. *Il.* 11, 630 ss), mais aussi aux compagnons d'Ulysse par Circé (*Od.* 10, 234 ss) ; cependant seuls la farine d'orge, le fromage et le vin sont communs à ces mélanges ; dans l'*Iliade*, le miel est servi à part et dans l'*Odyssée*, Circé y ajoute naturellement ses potions magiques ! Autres variations dans *HCer.* 206 ss ; cf. Richardson, 1974, p. 344 ss.

[74] Plin. *NH* 18, 72 ; sur l'utilisation des *oulókhutai*, cf. Stengel, 1920, p. 109 s. ; substitution par des feuilles de chêne à l'occasion du sacrifice des bœufs du Soleil : Hom. *Od.* 12, 356. Sur la *mâza*, cf. Ath. 4, 137d, Aristot. *Probl.* 21, 8, 927b 21 ss et 21, 23, 929b 18 ss, Aristoph. *Pax* 1323 (cf. *supra* n. 17) et *Eq.* 1166 s., Plut. *Lyc.* 12 ; voir P. Jardé, *Les céréales dans l'Antiquité grecque* I. *La production*, Paris (De Boccard) 1925, p. 123 ss, Richter, 1968, p. H 113 ss, et surtout Amouretti, 1986, p. 124 ss.

[75] Cf. Richter, 1968, p. H 53 ss ; Hippon. fr. 28 Degani (cf. *supra* n. 45) ; j'ai tenté de situer l'état de civilisation intermédiaire mis en scène dans l'épisode des Cyclopes dans « L'univers cyclopéen de l'*Odyssée* entre le carré et l'hexagone logiques », *Živa Antika* 27, 1977, pp. 315-322.

[76] Thuc. 2, 15, 3 s. ; Harp. *s. v. Anthesteriōn* (p. 21, 9 ss Bekker) = Istr. *FGrHist.* 334 F 13. Pour l'ensemble du festival, voir Deubner, 1932, p. 93 ss, et surtout Burkert,

1972, p. 236 ss, à qui je renvoie le lecteur pour l'indication détaillée des sources qui permettent la reconstitution rapide présentée ici (sur la localisation du festival, voir en particulier p. 238 n. 9).

A l'ancienneté légendaire des Anthestéries, affirmée par Thucydide, correspond probablement leur ancienneté historique : cf. Privitera, 1970, p. 22 ss ; notons que J. Harrison, *Prolegomena to the Study of Greek Religion*, Cambridge (Univ. Press) [2]1907, p. 47 ss, propose de la dénomination du festival une étymologie qui en fait la fête de l'évocation des morts, libérés dans le rite des Pithoïgia !

[77] Phanodem. *FGrHist*. 325 F 12 cité par Ath. 11, 465a, Plut. *Quaest. conv.* 655e ; sch. Hes. *Op.*. 366 (II, p. 233, 26 ss Gaisford). Pour le juste mélange du vin et de l'eau, cf. Detienne, 1986, p. 59 ss, et G. Cerri, « Ebrezza dionisiaca ed ubriachezza scitica nel pensiero greco tra VI e V secolo a. C. » in *Studi di filologia classica (in onore di G. Monaco)*, à paraître ; à propos de l'ambivalence du vin dans ses effets, cf. *supra* n. 29.

[78] Cf. *supra* chap. IV n. 157.

[79] Aristoph, *Ach.* 1000 ss avec sch. *ad* v. 1002 (I. 1b, p. 127, 13 ss Koster), 1087 ss et 1198 ss, Eur. *IT* 940 ss, puis Panodem. *FGrHist*. 325 F 11 cité par Ath. 10, 437cd, Plut. *Quaest. conv.* 613b, Tim. *FGrHist*. 566 F 158, Ath. 11, 495b ; voir aussi *Sud. s. vv. Khóes* (*Kh* 369 et 370 Adler), sch. Aristoph. *Ach.* 961 (I. 1b, p. 122, 6 ss Koster) et *Eq.* 95 (I. 2, p. 34, 9 ss Koster) qui donnent plusieurs versions de la légende et qui attribuent à Pandion l'institution du rite des Choès, notamment à l'occasion d'une fête préexistante, dédiée à Dionysos Limnaios.

Pour la localisation du Thesmothétéion, voir Travlos, 1971, p. 578, et sur l'ensemble du rite le commentaire circonstancié de Deubner, 1932, p. 96 ss, avec les remarques complémentaires de Parke, 1977, p. 114 ss. Deubner relève que dans l'iconographie, ce sont des garçons qui semblent apporter à la prêtresse de Dionysos les couronnes du banquet (cf. p. 99 avec pl. 9, 2). Pour les documents iconographiques, voir encore Simon, 1983, p. 94 ss ; Burkert, 1972, p. 246, mentionne par ailleurs un aïtion complémentaire de celui qui met en scène Oreste.

[80] Aristoph. *Ran.* 209 ss avec sch. *ad* vv. 216, 218 et 219 (p. 280a, 35 ss Dübner) ; cf. aussi sch. Aristoph. *Ach.* 1076 (I. 1b, p. 134, 11 ss Koster) et *Sud. s. vv. khútroi* (*Kh* 622 et 623 Adler). Les scholies à Aristophane s'appuient surtout sur le témoignage de Theop. *FGrHist*. 115 F 347 (que l'on lira avec le commentaire philologique de Burkert, 1972, p. 264) et de Philoch. *FGrHist*. 328 F 57 et 84 (= fr. 33 Tresp). Dans ce dernier fragment, Philochore attribue au rite des *khútroi* la date du 13 Anthestérion, qui correspond au troisième jour du festival ; en revanche Didyme (fr. 14, 57 Schmidt, cité par la *Souda* et par la seconde des scholies mentionnées) semble associer en une même journée Choès et Chytroï ainsi que Dionysos et Hermès. L'allusion aux Choès dans le témoignage de Théopompe n'est quant à elle qu'une restitution à partir d'un texte corrompu : cf. l'apparat de Jacoby *ad loc.*

Deubner, 1932, pp. 99 s. et 112, aimerait limiter au soir des Choès, l'intervention de la foule ivre décrite par Aristophane ; mais la mention des *khútroi* nous renvoie immanquablement au lendemain du banquet, peut-être au petit jour, et la juridiction de Dionysos s'étend par conséquent sur les trois journées du festival. Si on a pu proposer de placer le rite des Chytroï au soir de la deuxième journée, c'est que dans le calendrier athénien, la « journée » festive commençait le soir : cf. Burkert, 1972, p. 238, ainsi que Simon, 1983, pp. 19 n. 2 et 96. Sur le rite de la *hídrusis* qui accompagne probablement celui des Chytroï, cf. Burkert, 1972, p. 265 n. 5.

[81] Sur le sens de *khútroi*, au pluriel, cf. Theophr. *HP* 4, 11, 8 et Hdt. 7, 176, 3. On notera que la *khútra* des Thargélies est aussi mentionnée sous la forme masculine : cf. *Sud. s. v. Thargélia* (*Th* 49 Adler). Daraki, 1985, pp. 37 ss et 57 s., s'est attachée à préciser le passage entre surface et monde souterrain célébré dans les Anthestéries.

[82] Cf. notamment Phot. *Lex. s. v. miarà hēméra* (I, p. 423 Naber) et *s. v. thúraze Kâres* (I, p. 286 Naber) ; autres sources chez Deubner, 1932, p. 111 s., et chez Parke,

1977, p. 116 s. Sur le problème des *kâres*, on verra Burkert, 1972, p. 250 ss, et surtout J. Bremmer, *The Early Greek Concept of the Soul,* Princepton (Univ. Press) 1983, p. 108 ss, qui montre que ces « esprits » correspondent probablement à des êtres surnaturels davantage qu'aux âmes des morts ; mais Bremmer mélange le rite des Chytroï avec celui rappelant l'époque du déluge (p. 120 s.).

[83] Paus. 1, 18, 7. A ce rite se réfère peut-être la mention contenue dans le calendrier cultuel transmis par *IG* II², 1367, 22 : cf. Deubner, 1932, p. 113 ; références supplémentaires chez Simon, 1983, p. 99, qui associe à ce rite le rituel de l'hydrophorie mentionnée par l'héortologue Apollonius d'Acharnes, *FGrHist.* 365 F 4 (= fr. 58 Tresp).

[84] Hermès comme divinité assurant notamment le passage entre le haut et le bas : Burkert, 1977, p. 246 s. Pour l'interprétation singulière que cet auteur donne du rite des Chytroï, voir 1972, p. 263 ss.

[85] Call. *Aet.* fr. 178, 1 ss Pfeiffer qui indique que le rite attaché à la mort d'Erigoné s'inscrivait dans la ligne des rites des Phitoïgia et des Choès ; Hsch. *s. v. Aiôra* (*A* 2217 Latte) ; autres références sur le mythe d'Icarios, *supra* n. 28. Pour le rite de la balançoire, on verra en particulier Burkert, 1972, p. 266 ss ; on lira d'autre part avec profit les récits mis en parallèle avec celui d'Icarios par D. Flückiger-Guggenheim, *Göttliche Gäste. Die Einkehr von Göttern und Heroen in der griechischen Mythologie*, Bern - Frankfurt/M. (Lang) 1984, p. 108 ss.

Sur l'*alêtis*, cf. Aristot. fr. 515 Rose cité par Ath. 14, 618c ; voir aussi Poll. 4, 55 ; ce nom était également attribué à Erigoné : cf. Deubner, 1932, p. 119 s. Sur les représentations figurées, cf. Simon, 1983, p. 99. Detienne, 1986, p. 47 ss, a relevé la démesure médiatisée que manifeste Dionysos dans le don du vin à Icarios ; il rappelle aussi que dans le dème du même nom, le dieu est associé à Apollon Pythios, le dieu purificateur du sang versé !

[86] Sur l'absence de couronnes comme signe de deuil, voir Blech, 1982, p. 362.

[87] Pour la participation des esclaves aux Anthestéries, voir en particulier Call. *Aet.* fr. 178, 1 ss Pfeiffer et les sch. Hes. *Op.* 366 (II, p. 235, 1 s. Gaisford), avec Deubner, 1932, p. 94 s.

[88] Philostr. *Her.* 35, 9 (p. 50, 12 ss De Lannoy) ; cf. aussi *IG* II/III², 1368, 130 où sont considérées comme fêtes de famille le mariage, la naissance, le jour des Choès et l'éphébie. Les documents figurés sont cités par Deubner, 1932, p. 114 s., et par Burkert, 1972, p. 245 n. 28. Au sujet des épousailles de Dionysos avec la Basilinna, voir les références données *supra* chap. IV nn. 156-158. I. Chirassi Colombo, *La religione in Grecia*, Roma - Bari (Laterza) 1983, p. 128 ss, a de plus insisté sur les aspects ambivalents du symposion des Anthestéries et de son mythe de fondation.

[89] Sources citées *supra* chap. III nn. 7-11. On relèvera cependant la voix discordante du néo-sophiste Alciphron, *Ep.* 1, 11, dont l'héroïne tombe amoureuse d'un Oschophore décrit comme *astikòs éphêbos* !

[90] Procl. *ap.* Phot. *Bibl.* 322a 26 s. et 321a 34 ; Ath. 14, 631bc : la comparaison opérée par cet auteur entre les danses oschophoriques et les danses bachiques exécutées par des *paîdes* montre que les Oschophores sont certainement des adolescents ; cf. *supra* chap. III § 1.2. avec n. 8. Voir Calame, 1977, I, pp. 62 et 231 ainsi que II, p. 157 s.

[91] Cette ambivalence constitutive des Anthestéries fait que l'on a coutume d'en ramener l'interprétation à l'un des deux pôles entre lesquels elles oscillent : soit manifestation de Carnaval (Daraki, 1985, p. 83 ss), soit intégration dans la cité d'un Dionysos « désensauvagé » (Detienne, 1986, p. 61 ss).

[92] Ce double aspect de Dionysos a été mis en lumière notamment par Jeanmaire, 1951, pp. 26 ss et 164 ss (en faisant abstraction de la perspective historienne), Burkert, 1977, p. 255 ss, Daraki, 1985, p. 225 ss, Detienne, 1986, p. 35 ss.

[93] Sur les Dipnophores, cf. *supra* chap. III § 1.2. avec nn. 12 et 15. Selon une suggestion de Vidal-Naquet, 1983, p. 168, on pourrait référer la *skiatrophía*, qui est l'instrument du travestissement des Oschophores, au rôle rituel joué par l'ombre dans le culte d'Athéna Sciras au Sciron (cf. *infra* § 3.2.2.). La place réservée aux femmes des citoyens dans les cultes athéniens en général a été définie par F. I. Zeitlin, « Cultic Models of the Female : Rites of Dionysos and Demeter », *Arethusa* 15, 1982, pp. 129-157.

[94] Cette étymologie est proposée notamment par Phot. *Lex. s.v. Skíros* (II, p. 163 Naber), *An. Gr.* I, p. 304, 8 Bekker et sch. Aristoph. *Vesp.* 926 (II. 1, p. 147 Koster) ; elle a été reprise déjà par K.O. Müller (cf. Heeg, 1909, col. 995) avant d'être confirmée par Jacoby, 1954, II, p. 201 s., Burkert, 1972, p. 164 n. 44, et Vidal-Naquet, 1983, p. 165.

[95] Harp. *s.v. skíron* (p. 168, 5 ss Bekker) = Lyc. fr. VI, 19 Conomis et Lysimachid. *FGrHist.* 366 F 3, *An.Gr.* I, p. 304, 8 ss Bekker, Phot. *Lex. s.v. Skíros* (II, p. 163 Naber) et *Sud. s. vv. skíron* et *skîros* (*S* 623 et 624 Adler) ; voir encore sch. Theocr. 15, 38 (p. 309, 4 ss Wendel), sch. Hom. *Il.* 23, 332 (V, p. 422, 35 ss Erbse) et Poll. 7, 174 qui associe étymologiquement la fête des Scira à l'ombrelle (*Skiás*) ; cf. Heeg, 1909, col. 995.

[96] Salamine = Sciras : Strab. 9, 1, 9. Sur Sciros le Salaminien, cf. Hsch. *s. v. Skiràs Athēná* (*S* 886 Schmidt), Phot. *Lex. s. v. Skíros* (II, p. 163 Naber) et Plut. *Thes.* 17, 6 s. = Philoch. *FGrHist.* 328 F 111. Il faut rappeler ici que l'inscription des Salaminiens (citée *supra* chap. III n. 15, l. 93) fait état d'un sacrifice commun à Athéna Sciras et à Sciros : le génos des Salaminiens en a la charge. L'inscription tardive *SEG* XVIII, 132, retrouvée sur l'Agora, mentionne le nom de Sciros. On notera que la légende non seulement fait de Sciros et de Thésée des fils de Poséidon, mais que l'une de ses versions semble faire descendre Ménesthès et Thésée de Sciros en attribuant à Egée un père dénommé *Skúrios* (nom à corriger probablement en *Skíros* : Apoll. 3, 15, 5 ; cf. Jacoby, 1954, II, p. 210.

[97] Strab. 9, 1, 9 ; un culte salaminien d'Athéna Sciras est mentionné par Hdt. 8, 94, 2 ; il est probable qu'il était célébré sur le Cap Sciradéion cité par Plut. *Sol.* 9, 6 : cf. Heeg, 1909, col. 995. Ce culte reçoit difficilement la confirmation qu'on a cru pouvoir tirer de l'inscription des Salaminiens (citée *supra* chap. III n. 15, l. 9 s.) ; cf. Jacoby, 1954, II, pp. 207 et 209.

[98] Philoch. *FGrHist.* 328 F 14 et Praxion *FGrHist.* 484 F 1 cités dans la notice d'Harpocration et dans les gloses de Photios et de la *Souda* mentionnées n. 95 ; cf. aussi sch. Clem. Alex. *Protr.* 2, 17, 1 (I, p. 302, 18 ss. Stählin). Pour la tradition lexicographique, voir surtout Steph. Byz. *s. v. Skíros* (p. 575, 9 s. Meineke). L'évidente opposition entre tradition atthidographique et tradition mégarienne conduit Picirilli, 1975. p. 171 ss, à corriger le *Skírou* des gloses de Photios et de la *Souda* en *Skírōnos*, ce qui correspond à la leçon donnée par la glose de Harpocration. Pour la tradition mégarienne qui faisait de Sciron le gendre du héros et roi salaminien Cychreus, cf. *infra* § 4.1.2. C'est aussi à un devin du nom de Sciros que la légende attribue la fondation du temple d'Athéna Sciras au Phalère : cf. *infra* § 3.2.2. avec n. 106.

[99] Paus. 1, 36, 4 ; voir aussi sch. Aristoph. *Eccl.* 18 (p. 315b, 13 ss Dübner) et *Thesm.* 834 (p. 269b, 45 ss Dübner). Références sur l'épisode légendaire de la guerre entre Eumolpe et Erechthée *supra* chap. IV n. 97. A propos de la localisation possible du ruisseau Sciron et du quartier extérieur d'Athènes portant le même nom, cf. Judeich, 1931, pp. 45 et 164 ainsi que 426 ss.

[100] Poll. 9, 96, Harp. *s. v. skiráphia* (p. 168, 17 ss Bekker) et Phot. *Lex. s. v. skirapheîa* (II, p. 163 Naber) = Theopomp. *FGrHist.* 115 F 128, *EMag.* 717, 38 ss Gaisford, Eust. *Od.* 1397, 10 ss, *An. Gr.* I, p. 300, 23 ss Bekker ; Hsch. *s. v. Skirómantis* (*S* 891 Latte) et Phot. *Lex. s. v. Skíron* (II, p. 163 Naber) = Pherecr. fr. 231 (I. p. 206 Kock) ; Steph. Byz. *s. v. Skíros* (p. 575, 7 ss. Meineke), cf. aussi Alciphr. *Epist.* 3, 22, 2 ; autres sources chez Jacoby, 1954, I, p. 287 s. et II, p. 196 s., ainsi que chez Burkert, 1972, p. 163, qui propose de lire *mánteis* à la place du *pornaí* dans la notice de Stéphane de Byzance. Le terme *skíraphos* désigne le gobelet à dés (*EMag.* 717, 28 Gaisford et), par métaphore, la tricherie : Hippon. fr. 128 Degani.

[101] Aristod. *FGrHist.* 383 F 9 cité par Ath. 11, 495c (cf. *supra* chap. III n. 11) et suivi par Jacoby, 1954, I, p. 302 : cf. Vidal-Naquet, 1983, p. 166 n. 61, avec la note ajoutée par l'éditeur anglais de cette étude, R. L. Gordon, *Myth, Religion and Society. Structuralist Essays by M. Detienne, L. Gernet, J.-P. Vernant and P. Vidal-Naquet*, Cambridge (Univ. Press) 1981, p. 258 n. 31.

[102] Textes cités n. 95 ; cf. de plus les *An. Gr.* I, p. 304, 8 s. Bekker qui réfèrent plus simplement le port du parasol à son invention par Athéna, comme protection contre le soleil ! Sur le rôle supposé du prêtre d'Hélios aux Scira, cf. Simon, 1983, p. 23 s. Hésitation entre Athéna Sciras, Déméter et Coré : sch. Aristoph. *Eccl.* 18 (p. 315b, 3 ss Dübner), *Thesm.* 834 (p. 269b, 45 ss Dübner) qui semblent distinguer entre des Scira destinées à Déméter et Coré, et des Episcira dédiées à Athéna, ainsi que Steph. Byz. *s. v. Skíros* (p. 575, 15 ss Meineke).

[103] Paus. 1, 37, 2 et 36, 4, avec le commentaire de Jacoby, 1954, II, p. 204 s., qui — il est vrai — exprime de sérieux doutes quant à la possibilité d'identification des deux lieux décrits par Pausanias. Judeich, 1931, pp. 46 et 411, distingue bien la région du *Hierà Sukê* de celle du Sciron tout en insistant sur leur proximité le long de la Voie Sacrée. Sch. Luc. p. 275, 23 ss Rabe ainsi que Clem. Alex. *Protr.* 2, 17, 1 avec sch. *ad loc.* (I, p. 302, 18 ss Staehlin), avec l'analyse fouillée de Deubner, 1932, p. 40 ss. Bibliographie sur le festival des Scira chez Burkert, 1972, p. 161 n. 33.

Pour la présence de Poséidon aux Scira, cf. *IG* II², 1363, col. II, 37, et Dow & Healey, 1965, p. 39 ss. Quant aux Thesmophories et à leurs nourritures singulières, cf. *Inscr.* 124, 5 ss. *Suppl.* Sokolowski, et Detienne & Vernant, 1979, p. 189 ss ; la relation entre Scira et Thesmophories à propos des porcelets est mise en valeur par Parke, 1977, p. 83, *contra* Burkert, 1972, p. 268 n. 5 (cf. aussi 1977, p. 366) ; Simon, 1983, p. 19 s., préférerait insérer dans le rite des Sténia le jet des porcelets voués à la putréfaction.

[104] Aristoph. *Eccl.* 17 ss et 57 ss, Phot. *Lex. s. v. trópēlis* (II, p. 228 Naber) = Philoch. *FGrHist.* 328 F 89, cf. *IG* II², 1177, 10 ; voir à ce propos S. Saïd, « *L'Assemblée des femmes* : les femmes, l'économie, la politique », *Cahiers de Fontenay* 17, 1979, pp. 33-69.

[105] Plut. *Conj. praec.* 144ab ; pour le labour au pied de l'Acropole, cf. *infra* § 5.1. avec n. 127. Sur le problème de la limite entre *khốra* et *eskhatiá*, voir en particulier G. Audring, *Zur Struktur des Territoriums griechischer Poleis in archaischer Zeit*, Berlin (Akademie - Verlag) 1989, p. 81 ss.

[106] Le développement polaire du culte d'Athéna Sciras sur un axe nord-sud a déjà été mentionné par Chirassi Colombo, 1979, p. 33 s. La brève légende de fondation du culte d'Athéna Sciras au Phalère est donnée par Paus. 1, 36, 4 qui opère une sorte de synthèse avec le mythe de fondation du culte d'Athéna au Sciron en faisant mourir Sciros dans le combat opposant Erechthée aux Eleusiniens et en lui attribuant la dénomination toponymique du Sciron ! Sur cette tranche de la légende, cf. *supra* § 3.2.1. avec n. 98 ; à propos de l'éventuelle origine atthidographique de la combinaison opérée par Pausanias, cf. Jacoby, 1954, I, p. 291 ss, et II, p. 211, qui relève le rapport que ces homonymies héroïques établissent entre ces deux cultes.

[107] Plut. *Sol.* 8, 3 ss et 9, 1 ss, cf. aussi Ps. Aristot. *Ath. Pol.* 17, 2 ; voir le commentaire historique de Legon, 1981, p. 122 ss, et *infra* chap. VI §3.1.1. avec n. 54. Sur ce type de guerre de conquête mettant en scène des affrontements dans un lieu marginal par les moyens de la ruse, voir A. Brelich, *Guerre, agoni e culti nella Grecia arcaica*, Bonn (Habelt) 1961, p. 34 ss, et P. Ellinger, « Le gypse et la boue I. Sur les mythes de la guerre d'anéantissement », *Quad. Urb. Cult. Class.* 29, 1978, pp. 7-35.

Sur les cultes d'Aphrodite Colias, accompagnée de sa suivante Génétyllis (divinité de la génération) et de Déméter Thesmophoros au Cap Colias, cf. Paus. 1, 1, 5 avec sch. *ad loc.* (III, p. 218, 17 ss Spiro), et E. Honigmann, « K⟨ ⟩) », *Realenc. Alt-Wiss.* XI, Stuttgart (Metzler) 1921, col. 1077, et J. Tamborino, « ⟨ ⟩s (1) », *ibid.*, coll. 1074-1077.

[108] Strab. 9, 1, 9 qui cite Hes. fr. 226 Merkelbach-West. Sur Cychreus, voir encore *infra* § 4.1.2.

[109] Les charges cultuelles assumées par les Etéoboutades et le culte dont leur ancêtre était l'objet sont mentionnés par Harp. *s. vv. Boútēs* et *Eteoboutádai* (pp. 46, 12 ss et 87, 24 ss Bekker) = Lyc. fr. VI, 11 Conomis et Drac. *FGrHist.* 344 F 1 ; Hes. fr. 223 Merkelbach-West ; cf. aussi Plut. *Vit. X Or.* 841b et 843c, qui fait descendre les Etéoboutades, dont Lycurgue serait un représentant, de Boutès, le fils d'Erechthée, ainsi

qu'Apoll. 3, 15, 1 et Paus, 1, 26, 5. Autres références chez A. Milchhöfer, « Butadai », *Realenc. Alt.-Wiss.* III, Stuttgart (Metzler) 1899, col. 1078, et K. Wernicke, « Butes (1) », *ibid.* coll. 1080-1081, ainsi que dans l'ouvrage de J. Toepffer, *Attische Genealogie*, Berlin (Weidmann) 1889, p. 113 ss, avec les remarques de Davies, *op. cit.* n. 117, p. 349 ss.

[110] *Tab. Heracl.* 1, 19, 144 ; Hsch. *s. vv. skíra, skirón, skireîtai, Skûros* et *skúros* (*S* 884, 892, 1025, 1185 et 1186 Schmidt) = Lysimach. *FGrHist.* 382 F 18, *Sud. s. vv. skírra* et *skírros* (*S* 617 et 625 Adler), *EMag.* 717, 57 ss Gaisford. Cf. Chantraine, 1968, p. 1019, et la patiente recherche menée par Jacoby, 1954, I, p. 290 et II, p. 200 ss, sur tous les substantifs et les nombreux toponymes formés sur la racine *skir-* ; compléments chez Piccirilli, 1975, p. 99 ss, Chirassi Colombo, 1979, p. 32 ss, et Brumfield, 1981, p. 157 s.

[111] Zonar. *s. v. skírros* (p. 1651 Tittmann), Aristoph. *Vesp.* 924 ss et sch. *ad loc.* (II. 1, p. 146 Koster) avec le commentaire de Jacoby, 1954, II, p. 201 s. ; voir également les références citées *supra* n. 107. H. Blümmer, *Technologie und Terminologie der Gewerbe und Künste bei den Griechen und Römern*, II, Leipzig (Teubner) 1879, p. 141 ss, relève que le plâtre trouvait son utilité essentiellement dans les domaines de la construction et des arts plastiques.

[112] Sch. Paus. 1, 1, 4 (III, p. 218, 12 ss Spiro) ; information reprise par *Sud. s. v. skíros* (*S* 624 Adler) et *EMag.* 718, 6 ss Gaisford. Jeanmaire, 1939, p. 355 ss, estime, peut-être avec raison, que cette « scirophorie » de Thésée est l'objet d'une confusion avec les Oschophories ; par contre sa méthode associative le conduit à reporter à tort les allusions au gypse propres au Scira sur la procession des Oschophories où le plâtre aurait, selon Jeanmaire, un sens initiatique.

[113] Proposition faite par Mommsen, 1898, p. 313 s., qui se fonde sur Theophr. *CP* 3, 20, 3 et Xen. *Oec.* 20, 12 ; mais on verra à ce propos les objections formulées par Brumfield, 1981, p. 169 ss, qui estime que les *skíra* des Scirophories pourraient correspondre aux morceaux de la craie destinée à protéger les réserves de grain. Sur le partage entre Déméter/culture céréalière et Athéna/araire, voir le mythe de Myrmix raconté par Servius, *in* Verg. *Aen.* 4, 402 (I, p. 536, 2 ss Thilo-Hagen), et Hes. *Op.* 430 ss, avec le commentaire de Detienne & Vernant, 1974, p. 167 ss. La relation plus générale qu'Athéna entretient aussi bien avec l'*aroúra* qu'avec l'*oîkos* a été pressentie par W. Pötscher, « Athena », *Gymnasium* 70, 1963, pp. 394-418 et 527-544 (pp. 535 et 541).

[114] La lutte entre Athéna et Poséidon pour la possession de l'Attique, qui était représentée sur le fronton ouest du Parthénon (Paus. 1, 24, 5), est narrée par Hdt. 8, 55 ; cf. aussi Plut. *Them.* 19, Paus. 1, 26, 5 et 8, 10, 4, etc. Les modalités de la collaboration et de la complémentarité fonctionnelle des deux divinités ont été brillamment étudiées par Detienne & Vernant, 1974, pp. 191 ss et 222 ss.

Quant au rôle de Poséidon comme divinité qui assure le contrôle des forces enfermées aussi bien dans les entrailles du sol que dans les profondeurs de la mer, on verra Burkert, 1977, p. 217 ss. En Attique même, Poséidon était notamment honoré sous les épiclèses de *Asphálios* (cf. sch. Aristoph. *Ach.* 682 ; I. 1B, p. 89, 13 ss Koster) et de *Gaiéokhos* (*CIA* III, 276 et 805, 11 ; toutes deux des inscriptions d'époque romaine) ; ces épiclèses sont explicitement référées par Plut. *Thes.* 36, 6 à la stabilité fonctionnelle de cette divinité ; c'est d'ailleurs par cette remarque – on s'en souvient – que Plutarque conclut sa biographie de Thésée ! Le 8 Poséidéon, le dieu est également célébré comme *Khamaízelos* : *IG* II/III², 1.2, 1367, 18 (mais cette inscription est tardive ; cf. aussi *CIA* III, 77, 18) ; une référence au sol et à ses virtualités se retrouve dans l'épiclèse *Phutálmios* attestée pour l'Attique dans *CIA* III, 269 ; cf. Plut. *Quaest. conv.* 675f et 730d ainsi que *Sept. sap. conv.* 158d et *Virt. mor.* 451c : fonction que Poséidon partage avec Dionysos ! Un Poséidon Phytalmios était également honoré à Trézène : Paus. 2, 32, 8. Pour d'autres sites où on célébrait la fonction terrestre de Poséidon, voir la documentation réunie par L. R. Farnell, *The Cults of the Greek States* IV, Oxford (Clarendon Press) 1907, p. 6 ss, qui réfère cette fonction au rôle fertilisant qu'il attribue au dieu (cf. aussi p. 50 ss).

[115] Eur. *Erechth.* fr. 65, col. VII, 90 ss Austin ; l'association de Poséidon et d'Erechthée dans cette tragédie, qui porte le nom du héros athénien, est confirmée par la description que fournit Pausanias, 1, 26, 5, de l'Erechthéion ; il s'agit bien d'une association analogue à celle de Hyacinthos et d'Apollon à Amyclées, et non pas d'une fusion, comme le pense M. Lacore, « Euripide et le culte de Poséidon-Erechthée », *Rev. Et. Anc.* 85, 1983, pp. 215-234, qui par ailleurs reprend à son compte l'une des solutions historiennes échafaudées pour rendre compte d'une hypothétique succession cultuelle entre Erechthée et Poséidon : cf. à ce sujet Kron, 1976, p. 48 ss, qui donne les attestations épigraphiques de l'association cultuelle du héros et du dieu, ainsi que Sissa & Detienne, 1989, p. 243 ss, et Kearns, 1989, pp. 113, 160 et 210 s.

[116] Pour la disposition spatiale de ces marques cultuelles et légendaires dans l'Erechthéion, on verra Travlos, 1971, p. 213 ss, qui fait remarquer que la dénomination antique de ce temple est en général référée à Athéna plutôt qu'à Erechthée-Poséidon ; voir aussi Boersma, 1970, p. 87 s., et Kron, 1976, p. 43 ss. Dès la poésie homérique, Athéna et Erechthée sont associés dans le même culte et situés dans le même bâtiment : Hom. *Il.* 2, 546 ss et *Od.* 7, 80 s. ; quant à la relation entre les reliques qu'abrite le (futur) Erechthéion et la légende de fondation de l'Attique, elle est déjà explicitée par Hérodote, 8, 55, qui dénomme « temple d'Erechthée » l'ancien temple d'Athéna Polias.

[117] Références *supra* n. 109. Selon Hes. fr. 223 Merkelbach-West, Boutès serait fils de Poséidon. Sur les deux branches du génos, l'une assumant la prêtrise de Poséidon Erechtheus, l'autre celle d'Athéna Polias, cf. J. K. Davies, *Athenian Propertied Families 600-300 B.C.*, Oxford (Clarendon Press) 1971, pp. 169 ss et 348 ss.

[118] Paus. 2, 38, 6, avec le commentaire de Beschi & Musti, 1982, p. 412 ; *IG* I³, I, 5, 4 où *Poseid]ôni* est l'objet d'une restitution ; Lyc. *Leocr.* 98 ss. Pour la protection qu'Athéna assure à Erechthée, cf. Hom. *Il.* 2, 547 et Eur. *Erechth.* fr. 65, col. V, 55 ss Austin. Eumolpe est, rappelons-le, associé par Déméter elle-même à la fondation des Mystères d'Eleusis : *HCer.* 475 ss ; sur le rôle joué par Eumolpe dans la fondation des Mystères éleusiniens, cf. Andron *FGrHist.* 10 F 13, *Marm. Par. FGrHist.* 239 A 15 et les références supplémentaires données par Richardson, 1974, pp. 197 s. et 302 s.

[119] Hom. *Od.* 6, 7 s. et 7, 56 ss ; 8, 111 ss ; selon Hellanic. *FGrHist.* 4 F 77 et Diod. Sic. 4, 72, 3 s., le père d'Alcinoos, lui-même fils de Poséidon et de Cercyra, aurait porté le nom de Phaïax ! On a dit que l'*Inscr. Sal.* (citée *supra* chap. III n. 15, 1. 90 s.) rendait les noms des deux héros pilotes de Thésée sous la forme *Phaîax* et *Naúseiros* respectivement. Phaïax est un nom porté par des citoyens athéniens en vue à l'époque classique : Davies, *op. cit.* n. 117, p. 521 ss, et Ampolo & Manfredini, 1988, p. 219 s. ; quant à l'étymologie du second de ces anthroponymes, elle peut être reconduite à *naûs* et *eírō* ; elle ferait de ce pilote le « conducteur du navire ». Selon une suggestion de Ferguson, 1938, p. 25, *Nausíthoos* pourrait constituer une réinterprétation plutarchéenne du nom que donne l'inscription. Dans la version adoptée par Simonide, fr. 550 (*b*) Page, l'unique pilote mentionné porte le nom de *Phéreklos* ; il correspond à celui d'un constructeur de navires cité dans l'*Il.* 5, 59, cf. sch. *ad loc.* (II, p. 11, 38 Erbse). Cet anthroponyme a été l'objet de plusieurs propositions de corrections, mentionnées par Jacoby, 1954, II, p. 348 ; mais d'après Podlecki, 1975, pp. 19 et 22, la substitution opérée par Simonide trouverait une raison politique dans les différends opposant les partisans de Cimon à ceux de Thémistocle ; cf. encore *supra* chap. III n. 20.

[120] Paus. 1, 35, 2 ; Plut. *Sol.* 10, 3 ; Harp. *s. v. Eurusákeion* (p. 89, 26 ss Bekker) ; autres sources chez Ferguson, 1938, p. 15 s. La situation de l'hérôon consacré à Eurysacès est précisée par Musti & Beschi, 1982, p. 400, qui omettent toutefois de mentionner l'*Inscr. Sal.* (citée *supra* chap. III n. 15, 1. 83 s.). Sur le processus qui consiste à inscrire dans le nom d'un fils l'une des qualités attribuées à son père, cf. J. Svenbro, *Phrasikleia. Anthropologie de la lecture en Grèce ancienne,* Paris (La Découverte) 1988, p. 74 ss. Sur les différents scénarii que l'on peut envisager pour rendre compte de l'émigration des Salaminiens, cf. *infra* chap. VI § 4.1. ; sur Philaïos, les Philaïdes et Cimon, chap. VI § 3.3.

[121] Hom. *Il.* 2, 557 s. (cf. également 7, 198 s.) avec la remarque d'Aristot. *Rhet.* 1, 1375b 29 s. ; voir aussi Hdt. 5, 66 et Strab. 9, 1, 10 ; les autres sources mentionnant l'interpolation sont commentées par Piccirilli, 1975, p. 166 ss. Voir le commentaire de Ferguson, 1938, p. 16 s., celui de Kron, 1976, pp. 30 et 71, et celui de G. S. Kirk, *The Iliad : A Commentary* I, Cambridge (Univ. Press) 1985, p. 207 ss. Sur les cultes rendus à Ajax à Salamine et à Athènes respectivement, voir Deubner, 1932, p. 228, et Kron, 1976, p. 172 ss.

[122] Pour ce culte, qui incluait également une *deipnophoría*, cf. *An. Gr.* I, p. 239, 7 Bekker, avec le commentaire de ce texte discutable donné par Deubner, 1932, p. 14 n. 7, et par Ferguson, 1938, p. 21. Nilsson, 1951, p. 34 ss, a bien vu la fonction d'intégration de Salamine à l'Attique assumée par les charges cultuelles confiées aux Salaminiens. Le culte rendu à Terre dans l'enceinte de l'Acropole est attesté par la notice de *Sud. s. v. Kourotróphos Gê* (*K* 2193 Adler) : cf. Deubner, 1932, p. 27 ; le rôle courotrophe de Gé dans les mythes de l'autochtonie athénienne est analysé par Loraux, 1981a, pp. 59 ss et 145 ss. Voir encore Paus. 1, 22, 3 et *IG* II², 1039, 58. Prêtrises et offrandes aux filles de Cécrops et à Gé sont énumérées dans l'*Inscr. Sal.*, citée *supra* chap. III n. 15, ll. 12 ss, 45 s. et 84.

[123] *Inscr. Sal.*, citée *supra* chap. III n. 15, l. 91. On remarquera qu'un groupe en bronze ornant le Braurônion sur l'Acropole représentait dans le cheval de Troie Ménesthée, les fils de Thésée et Teucer : cf. Paus. 1, 23, 8 et les restes archéologiques de ce groupe commentés par Kron, 1976, p. 151 s. L'inscription des Salaminiens cite encore à plusieurs reprises des honneurs rituels rendus à Héraclès dans un Héracléion *epì Porthmôi*, « Sur le détroit » (ll. 10 s., 16 s., 28 s., 44 s. et 85). En dépit de la mention à la fin de l'inscription d'un Héracléion situé au Cap Sounion et du territoire dont le génos des Salaminiens tirait ses revenus pour le culte, je serais d'avis de référer l'Héracléion sur le Porthmos au Détroit de Salamine : il est désigné de cette manière par Hdt. 8, 76, 1 et 91, 1 ; mais Ferguson, 1938, pp. 22, 54 et 68, situe naturellement ce sanctuaire d'Héraclès au Cap Sounion.

[124] Eriboïa ou Périboïa ou Phéréboïa est représentée sur la scène crétoise du « Vase François » ; cf. Bacch. 17, 11 ss et *supra* chap. IV n. 25. Sa biographie légendaire est racontée par Apoll. 3, 12, 7, cf. aussi Pind. *Isthm.* 6, 45 ss, Soph. *Aj.* 569, Xen. *Cyn.* 1, 9, Diod. Sic. 4, 72, 7 ; Paus. 1, 42, 2 est sensible à la signification politique de l'origine mégarienne attribuée à Périboïa. Version athénienne chez Plut. *Thes.* 29, 1 ; cf. aussi Ath. 13, 557a qui fait remonter cette version à Istr. *FGrHist.* 334 F 10 (cf. aussi Pherec. *FGrHist.* 3 F 153) ; voir à ce sujet Herter, 1939, p. 270 ss, ainsi que Kron, 1976, p. 172, Prinz, 1979, p. 52 ss, et G. Berger-Doer, « Eriboia », *LIMC* III. 1, Zürich - München (Artemis) 1986, pp. 819-821, qui ajoute la documentation iconographique.

Sur la reformulation généalogique qui fait d'Ajax le fils de Thésée, cf. *infra* chap. VI n. 98.

Pour la version mégarienne concernant Sciron et Télamon, cf. Apoll. 3, 12, 6 (cf. Pherec. *FGrHist.* 3 F 60), Plut. *Thes.* 10, 3, Paus. 2, 29, 9, avec le commentaire de Piccirilli, 1975, p. 97 ss. Télamon comme successeur de Cychreus, le premier roi de Salamine, un être né de la terre et *dímorphos* : Lycophr. 110 ss ainsi que sch. *ad loc.* et *ad* 451 (II, p. 56, 21 ss et 166, 8 ss Scheer), Apoll. 3, 12, 7 et Diod, Sic, 4, 72, 4. Sur l'image positive que la tradition mégarienne donne de Sciron, voir par exemple Paus. 1, 39, 6 et 44, 6, passages commentés par Piccirilli, 1975, pp. 88 et 102 avec pl. III.

[125] Cf. *supra* chap. III § 1.5.

[126] Strab. 9, 1, 18. Il convient de rappeler que l'isotopie de la production céréalière est présente au moins dans l'un des cultes auxquels Poséidon est convié ; il s'agit des Halôa fêtées précisément en hiver, au cours du mois consacré au dieu : Eust. *Il.* 772, 25 ss (II, p. 791, 10 ss Van der Valk) = Paus. Att. *s. v. Halôia* (*A* 76 Erbse) et *infra* n. 129.

Néanmoins Poséidon collabore essentiellement, avec un pouvoir quasi démiurgique, à consolider les assises d'un territoire ou d'une cité nouvellement établis : voir mon étude de 1990, p. 292 ss. Les fonctions inventives et artisanes d'Athéna dans la conception de la charrue aussi bien que dans la construction du navire ont été définies par Detienne & Vernant, 1974, p. 226 ss.

[127] Sur les Proérosia, cf. Phot. *Lex. s. vv. Proērósia* et *Proerosíai* (II, p. 107 Naber), *Sud. s. v. Proērosíai* (*P* 2420 Adler), etc., ainsi que *IG* II², 1363, col. I, 1 ss, avec le commentaire de Dow & Healey, 1965, p. 14 ss ; autres sources chez Deubner, 1932, p. 68 s. ; cf. aussi Brumfield, 1981, p. 54 ss, J. D. Mikalson, « Religion in the Attic Demes », *Am. Journ. Philol.* 98, 1977, pp. 424-435, présente le rite éleusinien comme un préliminaire des Proérosia proprement dites. Un festival de Plérosia/Proérosia avait lieu à des moments légèrement différents dans différents dèmes de l'Attique : Parker, 1987, p. 141 n. 39. L'alternance entre plénitude et rite de prélabourage qu'indique la double dénomination de cette fête correspond exactement à la double fonction attribuée aux Pyanopsies !

Pour les trois labours sacrés, cf., pour rappel, Plut. *Conj. praec.* 144ab ; représentations figurées de ce rite chez Simon, 1983, p. 20 s.

Sur les Sténia, cf. notamment sch. Aristoph. *Thesm.* 834 (p. 269b, 45 ss Dübner), Phot. *Lex. s. v. Sténia* (II, p. 176 Naber) et *IG* II², 674, 6 ; Simon, 1983, p. 19 s., situe aux Sténia le jet des porcelets dont les restes putréfiés sont relevés aux Thesmophories.

A propos de cette succession calendaire, cf. Mikalson, 1975, p. 67 ss. Pour les Thesmophories du Cap Colias, cf. sch. Aristoph. *Thesm.* 80 (p. 264b, 41 ss Dübner) et *supra* § 3.2.3.

[128] Pour les Thesmophories d'Athènes, voir Deubner, 1932, p. 50 ss, Detienne, 1972, p. 151 ss, et Detienne & Vernant, 1979, p. 183 ss ; quant à la situation du Thesmophorion dans le voisinage immédiat de l'Eleusinion, elle est définie par Travlos, 1971, p. 198 avec pl. 5. Certaines de ces relations entre Oschophories, Pyanopsies et rituels consacrés à Déméter ont été explicitées par Chirassi Colombo, 1979, p. 25 ss, qui, fixée sur les oppositions binaires, finit par brouiller les catégories et les fonctions que ces rites s'emploient à distinguer ; elle met en lumière d'autre part (p. 40 ss) la valeur civique des Thesmophories qui visent à établir l'ordre civique incarné dans les produits de Déméter. Jeanmaire, 1939, p. 276 s, a explicité la continuité existant entre Thesmophories de Halimous et Thesmophories athéniennes. Quant à la mention de ce festival dans le calendrier festif fragmentaire d'Eleusis (*SEG* XX, 80, 25 s.), il faut sans doute la comprendre comme une contribution des gens d'Eleusis au festival athénien et non pas comme un festival local : cf. en dernier lieu Whitehead, 1986, p. 189 s.

[129] Nous devons aux sch. Luc. *Dial. meretr.* 7, 4 (p. 279, 24 ss Rabe) l'essentiel de nos informations sur les Halôa ; une partie de la description du scholiaste s'applique à la cérémonie initiatique correspondante à Eleusis : cf. Deubner, 1932, p. 60 ss, et Brumfield, 1981, p. 104 ss, qui aimerait retirer à la célébration tout caractère dionysiaque. Pour l'étymologie du nom de la fête, voir aussi Harp. *s. v. Halôa* (p. 13, 11 ss Bekker) = Philoch. *FGrHist.* 328 F 83, *Sud. s.v. Halôa* (*A* 1372 Adler), etc. ; Paus. att. *s. v. Halôia* (*A* 76 Erbse) ainsi que *IG* II², 1299 et 1672 ; cf. Parke, 1977, p. 98 ss, et Simon, 1983, p. 35 ss, qui dilue les éléments rituels décrits par le scholiaste dans des considérations d'ordre historique. Interprétation des interdits alimentaires chez Burkert, 1977, p. 397 s.

[130] Himer. *Or.* 8, 3. Pour la participation de Poséidon aux Halôa, cf. *supra* n. 126. L'apport dionysiaque au processus de la culture a également été mis en lumière par M. Bourlet, « L'orgie sur la montagne », *Nouv. Rev. Ethnopsychiatr.* 1, 1983, pp. 9-44, qui malheureusement en profite pour faire à nouveau de Dionysos un dieu de la végétation...

[131] Cette analogie entre le rite des Oschophories et celui des Scira est peut-être à l'origine de l'erreur d'Aristodème, *FGrHist.* 383 F 9 (cf. *supra* chap. III n. 11) qui situe la course des éphèbes aux Scira : cf. Chirassi Colombo, 1979, p. 32 n. 15. On remarquera que des Scira étaient aussi célébrées en bord de mer, au Pirée : *IG* II², 1177, 10.

[132] Sch. Aristoph. *Ran.* 338 (p. 285b, 7 ss Dübner) et Porph. *Abst.* 2, 10, 1. Sur la place du porc et de la chèvre dans l'image que se font les Pythagoriciens des premiers sacrifices animaux, cf. Detienne, 1972, p. 100 ss, qui, induit en erreur par Ovide, mélange deux représentations que les Grecs distinguaient avec soin : l'Age d'Or d'un côté avec sa production automatique des aliments, de l'autre un premier état de civilisation correspondant à une alimentation végétarienne certes, mais produite par le travail de l'homme.

[133] Cf. *supra* §§ 3.2.1. et 3.2.2.

[134] De Polignac, 1984, p. 41 ss ; bien qu'il estime que le cas d'Athènes représente une exception par rapport à la règle de la bipolarité cultuelle énoncée p. 85 ss, l'auteur n'ignore pourtant pas l'existence du culte d'Athéna Sciras, cité pp. 69, 72 n. 89 et 89 n. 134 ; il signale en effet la fonction intégratrice que joue ce culte à l'égard du territoire de Salamine.

[135] Ce dédoublement, que la légende met en relation avec l'intégration d'Eleusis, puis de Salamine au territoire de l'Attique, a été entrevu par Kron, 1976, p. 244 s. ; cf. *infra* chap. VI § 3.1.1.

[136] Cf. Plut. *Phoc.* 28, 2, Paus. 1, 38, 1 et *IG* II². 1078, 11 ss ; autres sources chez Parke, 1977, p. 59 s., cf. également Simon, 1983, p. 25 ss. Pour l'emplacement de l'Eleusinion, voir Travlos, 1973, p. 198 ss.

[137] F. Nietzsche, *La naissance de la tragédie*, Paris (Gallimard) 1949 (éd. or. : Leipzig 1871), p. 17 ss. On lira à ce propos les réflexions de A. Henrichs, « Loss of Self, Suffering, Violence : the Modern View of Dionysos from Nietzsche to Girard », *Harv. Stud. Class. Philol.* 88, 1984, pp. 205-240.

[138] G. Colli, *Naissance de la philosophie*, Lausanne (L'Aire) 1981 (éd. or. : Milano 1975), p. 11 ss. Voir à ce sujet le compte-rendu d'A. J. Vœlke, « La naissance de la philosophie selon G. Colli », *Rev. Théol. et Philos.* 117, 1985, pp. 208-213.

[139] Amphore attique à figures noires, London Brit. Mus. B 256 (*LIMC Apollon* 756 avec pl.) ; sur ces représentations en général, voir Lambridunakis, *art. cit.* chap. IV n. 49, p. 320 s., avec les pll. 755-765 et 776-781 ; dans ce deuxième groupe de représentations, le couple divin est accompagné d'Hermès. Du côté de l'Etrurie, on verra *LIMC Apollon/Aphu* 77-78.

[140] Voir par exemple l'hydrie attique à figures noires, Hamburg Mus. Kunst u. Gewerbe 1917, 477 (*Paralip.* 148 = *LIMC Apollon* 766a ; fin du VIe siècle) ou, pour Apollon sans Dionysos, le lécythe attique Wien, Slg. v. Matsch (*ABV* 502, 98 = *LIMC Apollon* 770 ; début du Ve siècle) ; cf. encore *LIMC Apollon* 717-722 (Apollon entouré de Ménades).

[141] Cratère à calice attique à figures rouges Leningrad, Ermitage St. 1807 (*ARV²* 1185, 7 = *LIMC Apollon* 768a = *Dionysos* 513). Les frontons du temple de Delphes sont décrits par Paus. 10, 19, 4 (= *LIMC Apollon* 714) ; voir les références complémentaires données par Burkert, 1972, p. 141 n. 44.

[142] Apollon *kisseús* : Aesch. fr. 341 Radt ; Dionysos *philódaphnos* : Eur. fr. 477 Nauck² ; *khrusokómēs* : Hes. *Theog.* 947 (Apollon : Tyrt. fr. 14, 2 Gentili-Prato), Aristoph. *Av.* 216, Eur. *Suppl.* 976, etc. ; Dionysos *Paián* : voir les refrains du péan à Dionysos composé par Philodamos (p. 165 ss Powell), cf. aussi *H. Orph.* 52, 11. Dionysos frère d'Apollon : Nonn. *Dion.* 27, 252 ss ainsi que 14, 281 ou 33, 27 ; cf. aussi Call. frr. 517 et 643 Pfeiffer. A propos de l'identité entre Dionysos et Apollon, Macrobe, *Sat.* 1, 18, 6, cite précisément le fr. 341 Radt d'Eschyle et le fr. 477 Nauck² d'Euripide.

[143] Pour l'Apollon Tauros de Thespies, cf. *SEG* XXV, 555 et XXXI, 394 ; Apollon et Dionysos à Icaria : *SEG* XII, 58 (inscription datant de 525) ; pour Dionysos archégète, voir *SEG* IV, 600, 20 s. ; l'Apollon du banquet connu à Naucratis est mentionné par M. Detienne, « La cité en son autonomie. Autour d'Hestia », *Quad. Storia* 22, 1985, pp. 59-78 (p. 71). Pour la présence de Dionysos à Icaria, voir Detienne, 1986, p. 49 avec nn. 94 et 98. La qualité « épidémique » de Dionysos est aussi définie par Detienne, 1986, p. 86 s. ; cette même qualité est attribuée à Apollon par Call. *Ap.* 13 ; cf. aussi Pind. *Pyth.* 4, 5 et Aristoph. *Thesm.* 40 ss (à propos du chœur des Muses).

La pensée mystique n'a pas hésité à s'emparer des virtualités subversives de ces recoupements entre les domaines respectifs des deux divinités pour contester les limites tracées par la théologie traditionnelle ; voir Detienne, 1989, p. 128 ss. Ce brouillage est déjà à l'œuvre dans les *Bassares* d'Eschyle : voir le fr. 341 Radt cité n. 142, qui est peut-être issu de cette tragédie, et M. L. West, *The Orphic Poems,* Oxford (Clarendon Press) 1983, p. 12 ss, avec les remarques dubitatives que le même philologue a présentées dans « Tragica VI »,

Bull. Inst. Class. Stud. 30, 1983, pp. 63-82 (p. 70). Pour son utilisation philosophique, cf. Plat. *Leg.* 653cd et 664c ss.

[144] Bacch. 17, 130 s. Snell-Maehler ; cf. *supra* chap. IV § 1.4. où l'on a vu ce poème être attaché, du point de vue de son contenu, au péan ; il est de plus certainement composé pour une occasion rituelle apollinienne, peut-être à Délos à l'occasion des Délia : Pickard-Cambridge, 1962, p. 26 ss, Giesekam, *art. cit.* chap. IV n. 71, p. 239 ss, Burnett, 1985, pp. 15 et 22, et Ieranó, 1989, p. 157 ss. On notera que Dionysos et l'effet consolateur du vin sont vantés dans le fr. 52d, 25 ss Snell-Maehler de Pindare qui appartiennent pourtant à un *Péan* explicitement adressé, dans son refrain, à Apollon. Les différents témoignages sur les interférences entre les formes du dithyrambe et du péan ont été réunis et analysés par M. G. Fileni, *Senocrito di Locri e Pindaro*, Roma (Ateneo) 1987, p. 22 ss.

[145] Plut. *De E* 389c, cf. aussi *Is.* 365a et *Def. or.* 438b ; Philoch. *FGrHist.* 328 F 7. Voir à ce sujet Jeanmaire, 1951, p. 194 ss, et surtout Burkert, 1972, p. 140 ss ; Burkert fait remarquer que la présence conjointe de Dionysos et d'Apollon à Delphes est attestée dès Aesch. *Eum.* 22 ss (d'autres textes sont cités p. 141 n. 43) ; une complémentarité cultuelle analogue semble avoir existé à Claros, à Thèbes ou à Icaria : Paus. 4, 27, 6, et Detienne, 1986, p. 46 ss.

[146] Cette hypothèse d'une présence de Dionysos à Delphes anticipant la venue d'Apollon a été réfutée par Defradas, *op. cit.* n. 60, p. 116 ss ; voir aussi la note de Privitera, 1970, p. 125 n. 53. Cette hypothèse semble néanmoins avoir encore séduit M.-C. Villanueva-Puig, « A propos des Thyiades de Delphes » in *L'association dionysiaque dans les sociétés anciennes*, Roma (Ecole Française) 1986, pp. 31-51.

[147] La coïncidence entre l'ambivalence de la figure de Dionysos et le double sens que possède en grec le terme *xénos* a été relevée par Detienne, 1986, p. 19 ss, qui semble cependant sous-estimer les capacités de subversion mesurée du dieu quand il intervient à l'intérieur de la cité. Quelques exemples de représentations classiques où Dionysos est représenté en même temps qu'Athéna, sinon Apollon, sont donnés par C. Bérard et Ch. Bron, « Bacchos au chœur de la cité. Le thiase dionysiaque dans l'espace politique » in *op. cit.* n. 146, pp. 13-28 ; cf. *LIMC Athena* 485-488. M. Steinrück me fait remarquer qu'Apollon et Dionysos, de concert, contrôlent aussi bien les frontières fortifiées de la cité et les limites somatiques de l'individu.

[148] Les deux théories envoyées par les Athéniens à Apollon, l'une vers Délos, l'autre vers Delphes, sont analysées par Deubner, 1932, p. 203 s. ; voir Aristoph. *Thesm.* 332 ss (cf. *Av.* 869) ainsi qu'Aesch. *Eum.* 11 s. avec les remarques présentées *supra* n. 57. Sur l'intervention réformatrice de Pisistrate dans l'organisation des Délia, cf. Thuc. 3, 104, 1 s., avec le commentaire de Aloni, 1989. p. 37 ss, et de Shapiro, 1989, p. 48 s. ; pour celle de Pisitrate le Jeune au Pythion, cf. *supra* n. 54.

On remarquera que la Tétrapolis attique connaissait une même division polaire du culte d'Apollon ; celui-ci se divisait spatialement en deux sanctuaires (le Pythion d'Œnoé et le Délion de Marathon) et rituellement en une théorie envoyée à Delphes et une autre destinée à Délos : cf. sch. Soph. *OC* 1047 (p. 444, 14 ss Papageorgios) = Philoch. *FGrHist.* 328 F 75 avec Deubner, 1932, p. 204.

Le site de Delphes aussi bien que celui de Délos représentaient chacun pour les Anciens un centre du monde : cf. A. Ballabriga, *Le Soleil et le Tartare. L'image mythique du monde en Grèce archaïque*, Paris (EHESS) 1986, pp. 11 ss et 16 ss.

[149] Cette polarité est parfaitement exprimée dans le passage des *Euménides* d'Eschyle (cité *supra* n. 148) qui décrit le parcours civilisateur d'Apollon de Délos à Delphes en passant par Athènes.

[150] Plat. *Tim.* 23d ss et *Crit.* 109b ss. On doit à Vidal-Naquet, 1983, p. 345 ss, d'avoir montré que la guerre opposant l'Atlantide à l'Athènes primitive n'est qu'une représentation de l'opposition entre le destin terrestre d'Athènes (privilégié par Platon) et son destin maritime (objet de vives critiques). Pour l'image spatiale offerte par la description platonicienne de l'Atlantide, voir Levêque & Vidal-Naquet, 1964, p. 134 ss.

[151] Thuc, 1, 153, 5 ; cf. également 1, 152, 5 ss.

Chapitre VI

L'HÉROÏSATION SYMBOLIQUE
DANS L'HISTOIRE

Faire abstraction de la dimension historique dans l'analyse d'une légende dont les versions s'étendent sur plus de dix siècles serait un pari méthodologique impossible à relever. Postuler l'unité et la stabilité d'une « pensée mythologique » grecque depuis l'époque archaïque jusqu'à sa reformulation dans le monde romain entrerait en contradiction avec ce que l'on a tenté de s'imaginer quant au fonctionnement du processus symbolique ; sans compter qu'admettre l'existence de ce dernier, c'est refuser autonomie et spécificité à une pensée qui serait propre au mythe ! La légende ne peut être, et dans ses formes et dans son contenu, que l'objet d'une resémantisation constante, selon les moments historiques, mais aussi les lieux où elle est formulée et reformulée ; de même est-elle en permanence resémantisée par nos propres lectures, toujours marquées dans leurs circonstances temporelles aussi bien que spatiales.

Dans les épisodes que nous voyons surgir dans nos documents les plus anciens, la saga théséenne n'a rien de spécifiquement athénien. Attesté pour la première fois (indirectement) chez Sappho de Lesbos et présupposé dans l'*Odyssée* et les *Cypria*, l'affrontement de Thésée au Minotaure reçoit pour nous sa première représentation figurée certaine sur un pithos à relief cycladique datant du milieu du VIIe siècle. Et, dans un rapport chronologique inverse, le rapt d'Hélène par le héros athénien remonte en tout cas aux poèmes épiques transcrits par écrit au VIIIe siècle pour faire ensuite une apparition plus timide dès le VIIe siècle dans la céramique de

plusieurs sites du Péloponnèse[1]. C'est en fait vers la fin de
l'époque archaïque seulement qu'on assiste au double mouvement
de focalisation sur Athènes aussi bien de l'intrigue narrative du
mythe de Thésée que des documents qui en ont retenu pour nous
la mémoire. Sans céder entièrement à la tentation génétique et
évolutionniste, il est temps de résumer ce que nous savons et ce
que nous percevons du développement de la légende de Thésée. Il
s'agit ainsi de reprendre les remarques historiques formulées de
manière éparse dans le courant de l'analyse narrative de la légende
tout en tenant compte des paramètres géographiques de son
déploiement. Versions littéraires et versions iconographiques, en
particulier dans le développement des grands programmes picturaux ou plastiques, nourriront cette histoire ; et l'on verra les différents moments constitutifs de l'épisode de Crète y prendre un
relief tout à fait singulier.

Tracé diachronique indispensable avant d'ouvrir l'analyse
interne sur le premier moment du processus symbolique et de
s'interroger ainsi sur les situations historiques et sociales qui ont
promu successivement les étapes de son déploiement. Le tracé a
déjà été balisé par une série de recherches guidées par les critères
de l'histoire événementielle : grandes figures politiques et affrontements militaires se trouvent constituer, dans cette perspective, la
clé de l'invention du mythe. Le dépassement dans la lecture de la
manifestation textuelle et iconographique du niveau de surface
permettra peut-être de résoudre quelques-unes des apories auxquelles ont conduit les relations souvent trop linéaires qu'on a tracées entre le discours (moderne) de l'histoire et la réalité construite
dans la légende. On pourra alors se demander à quel prix des institutions cultuelles avec leur réalisation rituelle ont pu être intégrées
au processus symbolique réalisé dans les manifestations littéraires
et iconiques de la légende.

1. Le développement historique de la légende

Sans doute l'histoire de la narration ne se fait-elle pas au
hasard. Dans la vulgate qui s'établit dès l'époque classique, les
deux séquences qui nous apparaissent comme les plus anciennes se

trouvent au centre stratégique de chacune des deux parties constitutives de la légende de Thésée. Est-ce à dire que la légende se
serait peu à peu développée autour du combat avec le Minotaure
et de l'enlèvement d'Hélène ? Ces deux séquences donneraient-
elles l'accès, autrefois recherché avec tant de zèle, à la « Urform »
de la légende ? Il n'y a à cet égard qu'une observation et donc
qu'une affirmation possibles ; elles sont toutes deux d'ordre
structural. Du point de vue de la syntaxe narrative en effet
l'affrontement au fils bestial de Minos combiné avec la relation
amoureuse voulue par sa fille aînée constitue l'apogée du récit qui
installe Thésée sur le trône d'Athènes ; le rapt de la trop jeune
Hélène, engageant l'intervention des Dioscures de Lacédémone en
Attique, marque quant à lui le tournant définitif qui infléchit le
récit vers l'exil et vers la mort du héros. La fonction narrative singulière assurée ainsi par chacune de ces séquences dans une
légende qui a pu se constituer par l'amalgame progressif de différents épisodes rend délicate toute conclusion tranchée quant au
rôle autonome d'éléments parfois originaires d'autres ensembles
narratifs. Il n'y a sans doute pas passage du plus simple au plus
complexe, mais resémantisation de la légende à chaque insertion
d'un élément retiré à une autre narration ou d'une séquence entièrement nouvelle. En dépit des lacunes documentaires, le processus
historico-narratif montre son efficacité en particulier dans la
constitution et le remodelage de la première partie de la légende du
héros athénien.

1.1. Epoque archaïque : un récit panhellénique

Du point de vue littéraire, la période archaïque s'ouvre pour
nous avec les textes homériques. Quel que soit le moment exact de
la première transcription par écrit de ces poèmes à l'aide de
l'alphabet phénicien, quelle que soit aussi la configuration géographique de leur diffusion, les deux noyaux narratifs de la légende
de Thésée y ont laissé des traces : l'épisode crétois dans l'une de
ses conséquences directes puisque la disparition d'Ariane à Naxos
fait l'objet de l'un de micro-récits de la *Nékyia* odysséenne ; le
rapt d'Hélène probablement dans la mention iliadique d'Aïthra en
tant que servante de l'héroïne cependant que l'épisode de l'enlèvement lui-même était narré dans les *Cypria* ; de même d'ailleurs

que celui des amours de Thésée et d'Ariane[2] ! Quant aux autres allusions homériques à la légende théséenne − qu'il s'agisse de la participation du héros à la Centauromachie ou de sa descente aux Enfers avec Pirithoos − il y a tout lieu de suivre les Anciens et d'admettre avec eux qu'il s'agit d'interpolations probablement introduites dans la rédaction attique des poèmes homériques, à l'époque de Pisistrate : premier indice du caractère secondaire de la focalisation attique de la légende[3] !

Hésiode fournit un repère chronologique et géographique sans doute plus précis en nous conduisant à l'aube du VIIᵉ siècle, en Béotie. Chez lui aussi quelques traces, et quelques traces des mêmes épisodes : l'amour d'Ariane finalement trompé et les liens d'amitié avec Pirithoos manifestés dans ce cas dans le rapt de Perséphone, réciproque de l'enlèvement de la trop jeune Spartiate[4]. Au début de ce siècle, un art de plus en plus figuratif donne à son tour les premières versions iconographiques de la légende ; parmi les premières scènes identifiables dans l'art géométrique tardif, le combat contre le Minotaure et l'enlèvement d'Hélène figurent en bonne place pour une légende qui se manifeste de nouveau par ces deux séquences. Les représentations les plus anciennes du combat contre le Minotaure nous entraînent de la Béotie, d'où provient probablement le pithos cycladique déjà mentionné, vers Olympie et vers la Sicile ; celles du rapt d'Hélène nous font parcourir − on l'a dit − différentes cités du Péloponnèse[5].

Au VIᵉ siècle les termes du rapport entre textes et iconographie semblent s'inverser et l'extraordinaire développement de la représentation figurée sous toutes ses formes nous donne l'impression que l'imagerie anticipe sur la poésie dans le développement et dans la diffusion de la légende de Thésée. Dans les bribes survivantes de l'énorme production lyrique archaïque, les textes se limitent à nous narrer encore une fois, à Lesbos et à Sparte entre VIIᵉ et VIᵉ siècles, l'enlèvement d'Hélène ; cela par l'intermédiaire des œuvres contemporaines de Sappho et d'Alcman respectivement. Cet épisode trouve un écho probable dans les *Théognidéa* mégariens ; et du côté de la grande Grèce, encore à la fin du VIIᵉ siècle, Stésichore semble avoir donné à l'union d'Hélène avec le héros athénien des conséquences moins néfastes que ne le font les vers élégiaques attribués à Théognis ; de leurs amours serait en effet née, à Argos, Iphigénie[6].

Les peintres et les sculpteurs de l'archaïsme mûr en revanche ne se contentent pas de multiplier pour nous les représentations de l'affrontement avec le Minotaure ou du rapt d'Hélène. Certes, avant même sa floraison en Attique, le combat contre le monstre de Crète gagne les faveurs de l'iconographie étrusque aussi bien que celles de la céramique corinthienne ou chalcidienne ; et les premiers reliefs de terre cuite représentant la même scène nous entraînent jusqu'aux limites du monde sous l'influence grecque, jusqu'à Sardes en Lydie ou à Gordion en Phrygie. Ariane, sinon Minos observent désormais volontiers l'affrontement du héros et du monstre. Mais c'est dans la céramique attique que l'on assiste dès le deuxième quart du VIe siècle à une véritable explosion des représentations de cette scène [7].

L'iconographie donne de la diffusion et du développement de la deuxième partie de la biographie légendaire de Thésée une image — illusoire ? — assez différente. L'enlèvement d'Hélène ne semble en rien jouir au VIe siècle de la popularité dont bénéficie l'exploit de l'épisode crétois ; cette évaluation est à vrai dire rendue d'autant plus délicate que parmi les scènes d'enlèvement d'une jeune fille produites par la céramique attique de la fin de l'époque archaïque, rares sont celles qui « désambiguïsent » la représentation par la désignation explicite des protagonistes de la scène [8]. En revanche le rapt de la jeune Spartiate figure en bonne place dans les deux grands programmes iconographiques archaïques encore admirés par Pausanias au IIe siècle de notre ère.

L'un ornait les différents éléments architecturaux du célèbre trône d'Apollon à Amyclées, près de Sparte. Sculptés par Bathyclès vers le milieu du VIe siècle, les panneaux décoratifs recouvrant cette construction mêlaient des scènes propres à la mythologie lacédémonienne avec des épisodes qui, attestés dans les poèmes homériques ou dans la saga d'Héraclès, jouissaient d'une diffusion panhellénique. Parmi ceux-ci, le rapt d'Hélène par Thésée et Pirithoos, mais aussi deux représentations de l'épisode crétois : l'une figurait le combat du jeune héros contre le Minotaure, l'autre montrait l'Athénien emmenant dans les entraves le monstre désigné étymologiquement par Pausanias comme le « Taureau de Minos » ; peut-être cette désignation ne correspond-elle d'ailleurs qu'à la justification alléguée par le Périégète pour une interprétation en fait erronée d'une représentation de la lutte du héros contre le taureau de Marathon [9]. Quant au deuxième programme imagier, il ornait le coffre de bois de cèdre consacré à Olympie à peu près à la même époque par le tyran de Corinthe Cypsélos. Ses cinq panneaux, en partie commentés par des vers attribués à Eumélos de Corinthe, mettaient en scène plusieurs légendes de portée panhelléniques également. Le quatrième d'entre eux en particulier mêlait à des épisodes tirés de la saga de la guerre de Troie et de l'épopée thébaine aussi bien une image de la célèbre rencontre qu'une représentation du moment où les Dioscures ramènent d'Athènes la jeune Hélène placée sous la garde d'Aïthra [10].

Mais en ce même milieu du VIe siècle, si le traitement iconographique du mythe reste bien centré sur les deux séquences devenues canoniques, les imagiers semblent prendre l'initiative d'un double enrichissement narratif. Pour la première partie du récit, le cratère de Clitias élargit la confrontation duelle entre Thésée et Ariane : il accompagne le héros athénien de sa suite de jeunes gens et de jeunes filles qu'il désigne de noms d'origine vraisemblablement athénienne. De plus une amphore et un scyphos font probablement remonter presque à la même époque les premières représentations de la lutte de Thésée contre le taureau de Marathon ; il faut par contre attendre la représentation de l'*Egée* de Sophocle pour découvrir la première attestation littéraire de la même séquence [11]. Sur l'autre versant de la légende, la délivrance par Héraclès de Thésée et de Pirithoos retenus aux Enfers est représentée dès le milieu du VIe siècle sur un placage de bronze retrouvé à Olympie ; mais il convient de rappeler que cette scène, conséquence de la réciprocité qu'établit la légende entre le rapt d'Hélène et celui de Perséphone, est déjà présupposée par l'épisode raconté dans la libération du siècle précédent [12]. Quant à la participation de Thésée à la Centauromachie, qui s'inscrit dans la même suite des actions issues de l'amitié contractée avec le héros lapithe, on a dit que son introduction dans la littérature homérique était le probable objet d'une interpolation voulue par la propagande athénienne de Pisistrate, dans la seconde moitié du VIe siècle. Par contre l'iconographie nous fournit avec le Vase François un éclatant témoignage de l'intégration de Thésée au combat contre les Centaures dès 560. De manière significative ce combat ordonné, où les héros apparaissent armés en hoplites, ne semble pas devoir prendre origine dans l'incursion impromptue des sauvages au repas de noces de Pirithoos. Il faut attendre le début de l'époque classique pour assister dans la céramique attique à figures rouges à la diffusion soudaine d'un combat improvisé ; seule cette seconde version de la Centauromachie est susceptible d'être motivée par le célèbre coup de main des Centaures à l'occasion de la célébration du mariage de Pirithoos. Ce n'est d'ailleurs qu'à la fin de ce même ve siècle que l'épisode fait pour nous sa première apparition officielle dans la littérature ; Hérodore d'Héraclée du Pont l'intègre en effet à la monographie qu'il consacre à Héraclès, en y réservant à Thésée un simple rôle d'adjuvant [13]. Mais cette transformation classique de la représentation de la légende avec sa concentration dans la céramique attique nous fait sauter une étape essentielle du développement de la légende.

1.2. La naissance du cycle : appropriation athénienne

Avant que le vi[e] siècle et, par conséquent, l'époque archaïque ne touchent à leur fin, c'est encore la représentation iconographique qui crée la surprise. Les premières figurations des affrontements de Thésée aux différents monstres infestant la route d'Athènes coïncident en effet avec l'apparition de la céramique à figures rouges. Et d'emblée les représentations isolées de ces combats singuliers se mêlent à leur combinaison plus fréquente en un cycle auquel on ne va pas tarder à intégrer les séquences plus « anciennes » : capture du taureau de Marathon dont les premières représentations datent de 550/540, combat contre le Minotaure qui remonte à la fin de la période géométrique alors que, sur l'autre versant du récit, des exploits singuliers tels que l'enlèvement de l'Amazone Antiope ou le rapt d'Hélène en restent en général exclus. C'est donc dans les deux dernières décades du vi[e] siècle qu'individuellement ou organisées en séquence apparaissent les représentations iconographiques des combats singuliers contre Sinis, la laie de Crommyon, Sciron (déjà représenté individuellement dans la céramique à figures noires), Cercyon et Procuste. Datant du début du ve siècle, la première figuration de la découverte par Thésée des signes de reconnaissance semble donc plus tardive et ce n'est qu'en 420, et à une seule occasion, que la scène est intégrée au cycle ; quant à la lutte contre Périphétès, elle n'enrichit le cycle canonique des travaux de l'Athénien qu'épisodiquement après 450. Et il faut également attendre l'époque classique pour assister à des représentations de la scène de reconnaissance du fils par son père humain ; l'une d'elles figure peut-être dans une fresque reproduisant la séquence des exploits héroïques de jeunesse. Nombreuses sont en tout cas les figurations cycliques où la position spatiale centrale assignée au combat contre le Minotaure offre l'équivalent iconique de la fonction narrative essentielle que la séquence assume dans le récit littéraire [14].

La fin du vie siècle signifie aussi pour nous l'apparition des premiers grands programmes sculpturaux, après les œuvres archaïques connues indirectement par les descriptions de Pausanias. Avec ses trente métopes partiellement conservées, le Trésor des Athéniens à Delphes nous offre, en alternance avec une série de travaux d'Héraclès et une représentation de la légende des Bœufs de Géryon, un cycle des travaux de Thésée presque canonique ainsi qu'une Amazonomachie ; dans le respect de la symétrie avec l'entreprise héracléenne contre Géryon, Thésée était certainement le protagoniste principal de ce combat contre les Amazones. Ce cycle théséen de Delphes, dans la séquence désormais traditionnelle qui s'achève avec les combats contre le taureau de Marathon et contre le Minotaure, insère une rencontre entre Thésée et Athéna (pour représenter l'arrivée du héros dans la cité de ses pères ?) et ajoute la représentation d'une Amazone (peut-être Antiope). Critères stylistiques et arguments d'ordre historique convergent pour faire mentir Pausanias qui dit le trésor construit avec le butin de Marathon et pour dater ce superbe ensemble du moment de transition entre vie et ve siècle [15]. Au seuil de l'époque classique, les Athéniens offrent donc au regard des fidèles convergeant des cités hellènes vers le centre religieux du monde grec le spectacle de l'équivalence désormais établie entre Héraclès, le héros panhellénique, et Thésée, le protagoniste secondaire retiré à la légende d'autres cités pour être élevé, dans un cadre narratif réinventé, au rang de héros national de la cité destinée à être leader politique et culturel de la Grèce classique.

Dans sa manifestation textuelle, le cycle des travaux de Thésée n'apparaît sous nos yeux que dans le document unique que constitue le dialogue en partie choral du *Dithyrambe* 18 de Bacchylide. Le ve siècle est bien entamé quand le public athénien entend le chant composé par le poète de Céos, probablement à l'occasion de la célébration des Théséia, sinon pour l'inauguration même de ce festival que l'on date volontiers — on l'a dit — de 475. Situé dans la perspective dramatique de la reconnaissance de Thésée par son père face à un chœur perplexe, le récit d'Egée attribue à son jeune fils la neutralisation de Sinis, de la laie de Crommyon, de Sciron, de Cercyon et de Procoptas-Procuste ; un fragment de cette même séquence d'exploits figure également sur un papyrus où l'on a tenté de reconnaître des bribes du *Thésée* de Sophocle [16]. Mais nous sommes contraints à attendre le résumé mythographique de Diodore de Sicile pour voir la scène de la découverte des signes de reconnaissance déposés par Egée et celle de la lutte contre Périphétès rejoindre la séquence canonique. Il est vrai que ces deux moments initiaux de l'épisode trézénien apparaissent déjà, de manière apparemment isolée, chez Callimaque et chez Euripide respectivement ; de même ce sont les poètes tragiques qui fournissent en général la première attestation des différents combats traités singulièrement. Il en va ainsi également de la capture du taureau de Marathon et du combat contre les fils de Pallas. Cet exploit n'est quant à lui que tardivement intégré au cycle, dans sa forme iconographique [17] !

L'origine géographique des représentations aussi bien littéraires qu'iconographiques de la légende de Thésée révèle ainsi un véritable geste d'appropriation de la légende de Thésée par les Athéniens ; ce mouvement se dessine très nettement dans le dernier quart du vie siècle pour s'étendre encore au début du ve siècle, ajoutant à la réorientation de la légende son extension narrative. Dans la perspective de la primauté régulièrement accordée par les philologues au texte sur l'image, pouvait-on attribuer à une autre période qu'au dernier tiers du vie siècle la rédaction de la *Théséide* que cite Plutarque [18] ? Il est vrai que situé en cette période, le poème épique issu du développement et du modelage athéniens du mythe de Thésée s'inscrit dans le grand mouvement de reprise par les rhapsodes de la tradition homérique, de reformulation des légendes locales et de leur probable fixation par les moyens de l'écriture ; favorisée semble-t-il à Athènes par le régime de Pisistrate et de ses fils, cette réélaboration des différentes traditions de l'histoire légendaire de la Grèce communiquée sous forme épique est évidemment loin d'être l'apanage de la capitale de l'Attique [19].

Néanmoins la *Théséide* devait présenter cette originalité de donner l'exemple, à l'extrême fin de l'époque archaïque, d'un véritable travail de création épique. A défaut d'être en mesure d'en juger la forme littéraire, la spécificité de la figure narrative des épisodes qui en composent l'intrigue appellera encore notre attention.

1.3. Période classique : expansions athéniennes

A partir de ces prémisses, on s'imagine facilement la floraison littéraire autant qu'iconographique connue par la légende de Thésée dans l'Athènes du Ve siècle.

1.3.1. Dans la littérature...

Au *Dithyrambe* dramatisé dans lequel il chantait les exploits du fils d'Egée, Bacchylide ajoute à la même époque le superbe poème qui témoigne de l'intégration à la légende de la séquence du plongeon marin. Sa reprise iconographique, exactement pendant la même période, dans la ou les peintures dont Micon orne le nouveau Théséion, atteste d'une fonction narrative que l'historicisation de la légende a peut-être cherché à gommer par la suite. Pourtant essentiel dans le contexte idéologique de la période qui suit les Guerres Médiques, le séjour de Thésée dans la demeure marine de sa belle-mère Amphitrite a pu passer très tôt, étant donné la tournure « moderniste » de la légende, pour l'un de ces traits de *muthôdes* que Plutarque cherche à éliminer de son histoire biographique. Et en résumant le récit dans le développement qu'il consacre aux peintures du Théséion, Pausanias affirme explicitement qu'il s'agit d'une tradition locale d'accès difficile aux non-Athéniens [20].

A Athènes le caractère relativement récent de cette nouvelle histoire nationale situe son élaboration au seuil du passage de la forme épique et récitée à la formulation en prose, qui se prête peu à peu à la lecture. Dans leurs différentes tentatives de coordination et de systématisation de la tradition légendaire des cités hellènes, les premiers logographes ne vont pas tarder à soumettre à leur effort méthodique la jeune tradition athénienne. Parmi eux, dans la première moitié du Ve siècle, Phérécyde d'Athènes semble avoir focalisé sa monographie d'*Attica* sur la légende de Thésée ; il s'est empressé en effet de situer le souverain démocratique dans la perspective généalogique des premiers rois légendaires de la cité. On a voulu voir dans cette orientation de l'œuvre de Phérécyde l'influence de Cimon qui serait par ailleurs intervenu pour faire de ses ancêtres des descendants de Thésée ! Quant à Hellanicos de Lesbos, maître en généalogies et en chronographie, il publie à la fin du même siècle une première *Atthis* dans laquelle il déroule l'histoire locale athénienne, selon la ligne chronologique dessinée par la succession des rois légendaires, puis des archontes de la cité [21]. Le souci d'enchaînement et de coordination chronologiques des événements mis en scène par différentes légendes locales que traduisent ces débuts de l'historiographie correspond donc aussi à une première « écriture du mythe », à une première mythographie à proprement parler.

Désormais mis dans une perspective que nous, modernes, n'hésiterions pas à qualifier d'historique, le mythe − histoire de la communauté − n'en continue pas moins à assumer sa fonction idéologique traditionnelle vis-à-vis de la cité qui le produit. Et à Athènes en particulier, cette fonction est assumée par la dramatisation sur la scène du théâtre de Dionysos des grandes légendes épiques. La reformulation et la modernisation de la narration mythique suscitée par cette nouvelle forme de création et de communication symboliques permettent d'introduire la figure de Thésée dans la saga thébaine aussi bien que dans l'*Héracléide*. Mais à côté des *Suppliantes* ou de l'*Héraclès furieux* euripidéens, les auteurs tragiques consacrent des drames entiers au nouveau héros civique. Après son *Egée*, Sophocle composa un *Thésée* ainsi qu'une *Phèdre*. D'Euripide on connaît l'*Hippolyte*, ou plutôt les *Hippolyte*, auxquels on peut ajouter la tragédie des *Héraclides* qui met en scène, en tant que roi d'Athènes recevant les fils d'Héraclès, le fils de Thésée Démophon. Mais Eschyle avait déjà fait précéder son *Cercyon*, un drame satyrique, des *Eleusiniens* qui, comme les *Suppliantes,* insérait la figure de Thésée dans la légende thébaine ; le héros athénien intervenait à l'issue du combat des Sept pour permettre à Adraste d'enterrer les guerriers tombés sous les murs de Thèbes aux frontières du territoire de l'Attique, à Eleuthères et à Eleusis [21]. C'est une opération d'intégration analogue, à la limite de la chôra d'Athènes, que Sophocle met en scène dans son *Œdipe à Colone* ; à l'égard de la victime du destin

funeste connu par le génos des Labdacides, le roi Thésée montre
les mêmes qualités d'accueil. Enfin, parmi les tragédies concur-
rentes de celles des auteurs retenus dans le canon des trois grands,
il faut encore mentionner le *Thésée* d'Achaïos et le *Pirithoos* de
Critias [22]. Du côté de la comédie ancienne enfin, on connaît
quelques vers d'un *Thésée* de Théopompe et d'une comédie de
même titre composée par Aristonymos [23].

1.3.2. *Dans l'iconographie monumentale...*

Face à cette multiplication des mises en scène historiogra-
phiques ou dramatiques de celui qui est désormais promu au rang
de héros national, l'iconographie athénienne maintient son
avance. A la suite du rapatriement des ossements de Thésée pendant l'expédition lancée par Cimon contre Scyros et en coïncidence probable avec l'institution des premières Théséia vers 475,
le sanctuaire du héros, reconstruit ou tout simplement édifié à
cette occasion, s'enrichit des célèbres peintures conçues par Micon
et décrites par l'infatigable Pausanias. Celui-ci attribue au célèbre
peintre athénien en tout cas le tableau représentant le plongeon de
Thésée dans la demeure marine de son père divin ; pour com-
menter une image apparemment peu explicite, le Périégète résume
l'intrigue de la séquence déroulée dans le *Dithyrambe* 17 de Bacchylide, exécuté à la même époque, sinon pour la même occasion
que la peinture de Micon. Au même artiste on attribue en général
les deux tableaux ou fresques qui vinrent orner, dans les années
suivant 475, les autres parois du petit sanctuaire ; on y voyait le
combat mené par les Athéniens contre l'invasion des Amazones et
une lutte des Lapithes contre les Centaures placée sous l'éminente
conduite de Thésée [24]. Ainsi paré, le Théséion devient rapidement
à la fois un lieu de refuge et un endroit de réunion pour différentes
assemblées officielles [25].

Micon semble avoir été l'auteur d'une autre Amazonomachie,
celle qui enrichit quelques années après l'ornementation du Théséion le grand programme iconographique de la Stoa Poïkilé. Le
combat conduit par Thésée figurait au centre de cette longue
fresque. Ses extrémités étaient par ailleurs occupées par la représentation, au milieu d'épisodes épiques tirés de la saga troyenne,
de deux batailles historiques, respectivement l'engagement des
Athéniens contre les Spartiates à Oïnoé et le combat mené contre

les Perses à Marathon. On ne va pas tarder à rencontrer à nouveau cette version iconographique singulière d'un combat aussi décisif que symbolique [26]. L'imposante fresque de la Stoa offre donc une preuve supplémentaire de la reformulation symbolique constante dont l'histoire récente de la cité aussi bien que la légende de Thésée sont l'objet en cette première partie du ve siècle athénien ; les formes littéraires sont loin d'en détenir l'apanage.

Encore avant la construction du Parthénon, l'action iconographique propagandiste pour la promotion de la légende de Thésée se poursuit dans la décoration plastique de l'Héphaïstéion, construit au-dessus de l'Agora dès 450. Comme sur le Trésor des Athéniens de Delphes, Héraclès et Thésée se disputent les métopes du nouveau temple ; de plus, si le fronton ouest fut probablement réservé à Héraclès, le héros athénien eut le privilège des frises. Alors que les métopes retraçaient les travaux du jeune héros (Périphétès, Sinis, taureau de Marathon et Minotaure au sud ; laie, Sciron, Cercyon et Procuste au nord), la narration se poursuivait sur la frise est avec − semble-t-il − une représentation du combat de Thésée contre les Pallantides ; sur la surface correspondante à l'ouest, une Centauromachie s'était imposée devant la plus traditionnelle des Amazonomachies [27]. Désormais constituée en une vulgate, la légende de Thésée est souvent représentée dans l'essentiel de ses épisodes constitutifs ; mais les artistes portent volontiers leurs efforts sur la première partie de la biographie canonique, choisissant dans la seconde surtout les deux combats − Amazonomachie et Centauromachie − que l'on verra mis en relation avec les événements récents des Guerres Médiques.

Le tournant que marquent dans les années quarante l'éviction de Cimon et l'irrésistible ascension de Périclès est loin de signifier la disparition de la figure de Thésée ; le héros trouve sa place dans des travaux de reconstruction et d'embellissement entrepris sous l'égide du grand homme d'Etat. Si l'on est désormais moins enclin à voir dans les quatorze métopes occidentales du Parthénon une représentation de l'Amazonomachie, plusieurs témoignages antiques montrent que les reliefs d'argent appliqués par Phidias sur le bouclier d'Athéna Parthénos reprenaient cette scène. Quant au bouclier de la grande statue en bronze d'Athéna Promachos − l'œuvre de Phidias que l'on dressa au centre de l'Acropole à la même époque −, Mys et Parrasios y avaient figuré une Centauromachie à laquelle Thésée participait fort probablement. On date également de l'année 440 environ l'acrotère de terre cuite qui ornait l'un des angles du toit de la Stoa Basiléios, représentant le combat de Thésée contre Sciron[28].

L'extraordinaire développement connu par la légende de Thésée à Athènes n'empêche nullement le héros de jouir d'une certaine popularité à l'extérieur également. Mais désormais la diffusion des représentations théséennes rayonne à partir de la capitale de l'Attique et elle se fixe en des lieux qui ont un caractère panhellénique : que ce soit à Delphes où, dans l'ensemble de statues consacrées par les Athéniens sur le butin pris à Marathon et sculptées par Phidias, Thésée accompagné d'une partie des héros éponymes figure aux côtés de Miltiade, Athéna et Apollon ; que ce soit à Olympie où les différentes parties du trône destiné à la grande statue de Zeus, conçue par Phidias également, présentent deux Amazonomachies : l'une est conduite par Héraclès qui est aidé de Thésée ; quant à la seconde, elle correspond au combat mené par Thésée lui-même pour repousser les femmes qui, venues du nord, ont envahi l'Attique. Mais on sait surtout que le temple même consacré à Zeus d'Olympie était orné d'un fronton qui, sculpté par un élève de Phidias, représentait le combat des Lapithes contre les Centaures. Thésée y figurait en bonne place, aux côtés de Pirithoos[29].

Et sans doute ne saurait-on mieux terminer cette revue de la promotion iconographique de Thésée qu'en mentionnant le tableau dû à la fin du Ve siècle au pinceau raffiné de Parrhasios ; de ce remarquable Thésée en portrait, Euphranor passe pour avoir dit au siècle suivant qu'il avait été nourri de roses, et l'on sait que plus tard il fut exposé à Rome, sur le Capitole[30].

1.3.3. ... et dans la céramique !

Parallèlement aux traces encore perceptibles de l'extension de la légende de Thésée dans la sculpture et dans la peinture monumentale, la céramique attique à figures noires, puis à figures rouges expose sous nos yeux l'extraordinaire popularité du mythe, dont elle ne détient d'ailleurs pas le monopole. On a déjà retracé les grandes étapes du développement probablement connu par le cycle des exploits du héros qui culminent dans l'affrontement avec le Minotaure. Si l'on excepte cette dernière scène, les travaux représentés sont tous en relation spatiale étroite avec l'Attique, la région qui correspond aussi à leur lieu de production iconographique ; et du point de vue temporel, la représentation céramique du cycle couvre tout le vᵉ siècle au cours duquel il s'enrichit des quelques adjonctions mentionnées.

Par contre la séquence naxienne, qui n'est attestée iconographiquement qu'à partir du vᵉ siècle, n'a rien dans sa production de spécifiquement attique ; elle n'est pas non plus intégrée au cycle. L'étape délienne est encore plus mal servie, elle qui bénéficie de la seule attestation que lui accordent certaines interprétations de la scène chorale du cratère de Clitias. Mais dans la première partie du vᵉ siècle, la représentation de la Centauromachie connaît un tournant décisif : dans la céramique à figures rouges le combat contre les Centaures n'est plus figuré comme un combat armé, mais il devient un combat d'occasion, rattaché explicitement aux noces de Pirithoos ; Thésée, désigné épigraphiquement par son nom propre, y joue un rôle central. Le rapt d'Antiope, occasionnellement associé au cycle, nous reconduit à Athènes où il connaît une vogue particulière à la fin du vɪᵉ siècle et au début du siècle suivant. Quant à l'Amazonomachie qui a pour théâtre l'Attique, sous la haute conduite de Thésée, elle est l'objet de treize représentations attestées épigraphiquement par la mention du nom du héros ; ces treize images, toutes transmises par des objets de céramique attique à figures rouges, datent de la seconde moitié du vᵉ siècle. Ignorant Héraclès, cette production très spécifique opère donc une distinction tranchée entre l'Amazonomachie de Thémiscyra menée dans le Pont-Euxin pour le fils de Zeus et le combat dirigé par le fils de Poséidon pour repousser l'invasion en Attique des femmes guerrières. Par contre le manque d'inscriptions iconographiques empêche de trouver parmi les nombreuses représentations attiques de rapt des attestations certaines de l'enlèvement d'Hélène. Quant à l'épisode subséquent de la descente de Thésée dans l'Hadès, mieux attesté, il connaît une diffusion qui, d'abord péloponnésienne, s'élargit dès le vᵉ siècle non seulement à l'Attique, mais aussi à l'Apulie et à l'Etrurie[31].

Dans la céramique, l'appropriation athénienne de la légende de Thésée se porte donc surtout sur sa première partie qu'elle développe de manière remarquable, sans doute de concert avec la production de la *Théséide*. L'apparition d'une nouvelle forme de Centauromachie et d'une seconde Amazonomachie, spécifiquement théséenne, confirment largement cette atticisation de la légende. Ce processus se reconnaît aussi dans la représentation même du héros qui, par deux fois, se modifie : après être devenu le modèle de l'éphèbe dans la céramique de la première moitié du Ve siècle, Thésée assume dès 450 une figure à caractère davantage héroïque. Sa représentation est alors fortement influencée par le groupe des Tyrannicides Harmodios et Aristogiton, sculpté par Critios et Nésiotès [32]. Mais le tournant des années quarante anticipe sur la question des événements historiques qui ont pu déterminer les phases de ce développement. Avant d'y répondre, il faut encore tracer brièvement le destin de la légende de Thésée au IVe siècle.

1.4. IVe siècle : le retour à la démocratie

En ce siècle où Athènes, par la perte de son empire et de son influence, subit une suite de crises morales profondes, la littérature est plus explicite que l'iconographie quant aux valeurs nouvelles dont se vêtent la légende et son protagoniste. C'est d'abord l'art oratoire, et plus spécialement la théorie politique, qui s'empare de la figure de Thésée pour en faire le paradigme du bienfaiteur de la cité. L'exemple le plus développé et le plus frappant nous est donné par l'*Eloge d'Hélène* d'Isocrate ; dans sa tentative de défendre le héros athénien en lui attribuant vis-à-vis de la jeune Hélène un sentiment d'admiration digne de la grandeur de la cité qu'il dirige, le rhéteur fait de Thésée un parangon de vertu politique. Dans ce remodelage de la biographie du héros national athénien, Thésée devient à l'égal d'Héraclès le champion de la civilisation des hommes (ils sont tous deux *toû bíou toû tôn anthrópōn athlētaí*). Mais Thésée se distingue de son rival en ce qu'il a affronté les dangers qu'il était pour les Grecs le plus utile et le plus approprié qu'il vainquît ; parmi ceux-ci, dans l'ordre, le taureau de Marathon dont il délivre ses concitoyens, les Centaures insolents dont il fit disparaître la race de la société des hommes, le Minotaure des exigences duquel il libère la cité. De manière significative face aux Sciron, Cercyon et autres monstres du même acabit, Isocrate préfère, comme Pindare, le demi-silence que lui impose le *kairós*. L'énumération reprend toutefois avec les épisodes plus politiques de l'aide apportée aux Héraclides contre les Lacédémoniens, et de la remise à Adraste des corps des sept tombés sous Thèbes. Mais son *areté* et sa *sōphrosúnē*, Thésée les a avant tout démontrées dans la nouvelle forme de gouvernement qu'il inaugure pour le bénéfice de sa patrie. A la violence de la tyrannie il substitue un régime d'égalité *(ex ísou)* dans une cité qui, unifiée dans le synécisme, devient l'Etat le plus important de la Grèce, Thésée en reste le guide dans le respect des lois et dans la mise en commun des bienfaits issus de la liberté. Dans ce régime où l'établissement de l'égalité concourt à l'émulation des meilleurs et où le « peuple » est maître des affaires politiques, on préfère à la démocratie débridée la souveraineté d'un maître éclairé comme Thésée. De même à la fin du siècle précédent déjà a-t-on vu le héros être présenté dans les *Suppliantes* d'Euripide sous la figure d'un souverain régnant sur une *pólis isópsēphos*, dans un probable élan de propagande anti-tyrannique[33].

Le renversement opéré par Isocrate dans la syntaxe du récit de la vulgate fait des mesures politiques de Thésée le point culminant de sa carrière tout en effaçant le mouvement descendant amorcé par l'institution du synécisme. Toutes les vicissitudes de la carrière du héros national concourent à l'affirmation de ses vertus civiques et à l'établissement pour Athènes d'une monarchie faite d'équilibre, de respect et d'émulation morale entre les citoyens.

Cette moralisation politique idéalisante de la figure de Thésée et de sa biographie se poursuit pendant le IVe siècle pour se centrer sur la nature du régime politique institué par le jeune roi. L'ambivalence inhérente à la figure d'un monarque prenant des mesures d'ordre démocratique marque les textes de manière constante et empêche par là même toute identification du régime théséen avec un type de constitution précise.

Ni démocratie mesurée, ni démocratie mixte ; Thésée institue plutôt une sorte de démocratie méritocratique dont il conserve le contrôle par la détention du pouvoir royal. Dans le *Panathénaïque* d'Isocrate, écrit plus de trente ans après l'*Eloge d'Hélène*, Thésée laisse au peuple *(plêthos)* l'administration de la cité pour se consacrer à des exploits susceptibles de lui assurer, dans le risque, une gloire éternelle. On notera en passant le nouveau renversement syntaxique qu'implique par rapport à la vulgate cette manière d'assimiler les intentions de Thésée à la morale homérique : ce n'est qu'après être entré en possession d'un pouvoir royal qui lui assurait succès et bonheur que le héros le dédaigne pour entamer une carrière aventureuse et risquée, mais mise au service de sa patrie et de tous les Grecs ! La valeur et l'intelligence ainsi démontrées permirent alors aux successeurs du souverain d'établir un régime de démocratie aristocratique, au sens propre de cet adjectif [34].

Ainsi le *Contre Néaïra* attribué à Démosthène peut faire de Thésée non seulement l'initiateur du synécisme, mais aussi le promoteur d'un régime démocratique où le roi (futur archonte !) est élu parmi des candidats choisis selon leur mérite. Quant à la *Constitution d'Athènes* attribuée à Aristote, elle se contente de désigner le léger écart que la constitution théséenne marque par rapport à la royauté [35]. Thésée n'est alors que le premier des réformateurs qui, avec Cylon, Solon, Clisthène ou Ephialte, posèrent successivement les fondements du régime politique de l'Athènes classique. Il faut, tout à la fin du IVe siècle, la caricature de l'oligarque tracée dans les *Caractères* de Théophraste pour que Thésée devienne le fondateur absolu de la démocratie dont il est lui-même la première victime [36].

Cette image d'un Thésée jetant les premières bases de la démocratie athénienne classique, les nombreuses *Atthides* du IVe siècle n'en restituent pratiquement rien. C'est que, en ce qui concerne la légende de Thésée, notre connaissance de ces histoires locales en prose se fonde essentiellement sur le choix qu'y opéra Plutarque dans la reconstruction de sa biographie exemplaire. De l'*Atthís* de Cléidémos, par exemple, nous ne connaissons par l'intermédiaire plutarchéen que l'épisode étrange de la fuite de Dédale à Athènes, provoquant l'affrontement de Thésée avec Deucalion, et celui de l'Amazonomachie livrée sur le territoire même de la cité. Pour l'histoire athénienne d'Androtion, on ne peut que supposer qu'elle faisait allusion au synécisme théséen. L'*Atthis* de Démon reprenait quant à elle en tout cas une version détaillée de l'épisode crétois, mettant en scène Tauros comme général de Minos ; elle nous donne de plus une description des Oschophories. Et l'on doit attendre, entre IVe et IIIe siècles, l'*Atthis* de Philochore, beaucoup plus largement utilisée par Plutarque, pour trouver, parmi tous les épisodes déjà cités, une allusion à l'opération de synécisme [37].

Du Thésée démocrate, les Atthidographes ne nous ont donc pas laissé la trace et il faut recourir à l'hypothèse pour attribuer à l'*Atthis* d'Androtion la promotion par le roi d'Athènes d'un régime de démocratie mesurée [38].

En revanche, il suffit de se tourner vers l'iconographie pour trouver dans la Stoa de Zeus sur l'Agora le célèbre tableau d'Euphranor qui dépeint Thésée entre Démocratie et Démos, le Peuple. Pausanias, dans son commentaire du tableau, insiste sur le fait que cette peinture allégorique renvoie au régime égalitaire *(ex ísou)* promu par le roi d'Athènes, et non pas à l'introduction de la démocratie à proprement parler. Malheureusement, il s'agit là de notre seul témoignage sûr de la figure prise par Thésée et sa légende dans l'art monumental du IVe siècle. Nous en sommes sinon réduits à des conjectures [39].

Quant à la céramique, elle offre, elle aussi, du récit héroïque et de ses différents épisodes une image beaucoup moins abondante qu'au Ve siècle. La représentation du cycle des exploits est propre – on l'a dit – à Athènes et à l'époque classique. Mais des scènes aussi populaires que la lutte contre le Minotaure continuent à connaître une large diffusion tout en présentant une forme iconographique nouvelle : Thésée affronte désormais le fils de Minos à mains nues, en athlète [40]. Cette reformulation et sa diffusion jusqu'en Campanie n'empêchent nullement la lente diminution numérique des représentations. Et sur les vases qui nous sont parvenus, Thésée ne semble pas apparaître comme ce symbole paradoxal du roi démocratique que nous offrent les orateurs ou la peinture monumentale.

2. Thésée et ses promoteurs

Dans la ligne de l'historiographie encore souvent prisée dans le domaine des études classiques, la promotion athénienne de la légende de Thésée a été volontiers subordonnée au dessein d'un homme politique éminent quand on n'a pas cherché à identifier le héros lui-même avec cette figure historique : l'individu ferait ainsi non seulement l'histoire, mais aussi, à son image, il construirait l'idéologie censée la justifier.

2.1. Effets d'intérêts personnels

Les dates attribuées à l'apparition du cycle des exploits de
Thésée dans la céramique et à l'hypothétique composition de la
première *Théséide* ont, dans un premier temps, dirigé l'attention
des savants sur Pisistrate et surtout sur ses fils. Mais assez rapidement, l'opération de synécisme et les traits de démocrate que la
légende a fait endosser au héros ont incliné la balance du côté de
Clisthène qui, à la fin du vie siècle, remodèle entièrement la figure
territoriale et politique de l'Attique. En contraste avec les
réformes démocratiques introduites quelques années après leur
règne par le grand homme d'Etat, Pisistrate et les Pisistratides se
seraient quant à eux plus volontiers tournés vers la figure d'Héraclès qui connaît effectivement dans la céramique attique de la fin
de la période archaïque une diffusion extraordinaire. A moins
qu'il ne faille élargir la promotion de la légende de Thésée à la
famille dont Clisthène est issu par son père Mégaclès : c'est dès
lors, à l'occasion de leur exil à Delphes qu'à partir de 520, le clan
des Alcméonides, en rupture avec Pisistrate puis ses fils, aurait
favorisé la création d'une *Théséide* attique [41].

Le candidat suivant en tant que promoteur de la figure de
Thésée, c'est évidemment Cimon, le Philaïde, le fils de Miltiade,
héros de Marathon. L'étoile montante de la politique athénienne
au lendemain de la bataille de Salamine, après les étranges revers
connus par son champion Thémistocle, ne ménage pas ses efforts
propagandistes. Pour soutenir sa politique d'expansion de la puissance d'Athènes dans la mer Egée, il n'hésite pas à s'adjoindre la
garantie de l'oracle de Delphes. Apollon devient ainsi le Destinateur de l'expédition lancée contre Scyros et le rapatriement des
ossements de Thésée sert de prétexte à l'accord d'un appui politique aux cités de l'Amphictyonie. On sait désormais que nos
sources rattachent à cette entreprise symbolique l'édification du
Théséion classique au cœur d'Athènes et probablement l'institution du festival des Théséia ; mais, si l'on en croit Plutarque,
Cimon lui-même aurait profité de son retour victorieux à Athènes
pour endosser les traits d'un nouveau Thésée : action ostentatoire
qui n'est pas sans rappeler le retour solennel de Pisistrate, monté
sur un char et accompagné d'une femme vêtue en Athéna, à
l'occasion de sa seconde prise du pouvoir à Athènes [42].

Forts des liens tissés par l'historiographie antique déjà, les historiens contemporains n'ont eu aucune peine à affirmer par exemple que l'apparition de Thésée au milieu des héros de Marathon dans le tableau ornant son sanctuaire visait à effacer le souvenir de Thémistocle attaché à Salamine pour revaloriser la politique plus « aristocratique » de Cimon. L'un d'entre eux s'est même ingénié à découvrir dans la dénomination des différentes pièces de l'équipement de l'éphèbe Thésée tel que Bacchylide le dépeint dans le *Dithyrambe* 18 des allusions précises aux trois fils de Cimon ; aucune surprise dès lors à voir également apparaître celui dont Bacchylide chanterait indirectement descendants et ancêtres sous les traits du jeune Thésée surgissant des eaux après la reconnaisance divine dans le *Dithyrambe* 17 ! A moins qu'il ne convienne d'étendre la promotion théséenne à l'ensemble du clan des Philaïdes auquel appartient Cimon ; son père Miltiade n'est-il pas le dédicataire à Delphes du Trésor des Athéniens avec son programme iconographique consacré pour une bonne moitié à Thésée [43] ?

On a signalé le rôle qu'auraient pu jouer, après l'ostracisme de Cimon en 461, les réformes démocratiques d'Ephialte dans l'assimilation iconographique du Thésée des exploits aux Tyrannicides, ou plus exactement à leur représentation monumentale. C'est alors au tour de Périclès de connaître le privilège de l'identification avec le héros national, non sans qu'on ait proposé pour le rival de Cimon, Thémistocle, un privilège analogue [44]. Mais on a également cherché à référer le discours d'apparat qu'aurait composé Antiphon avec sa violente diatribe contre Thésée au coup d'Etat oligarchique de 411 ; l'orateur y a en effet joué un rôle essentiel. La rivalité qui oppose Thésée le démocrate à Ménesthée le démagogue oligarque dans la biographie légendaire reconstituée par Plutarque porterait dès lors le reflet de la dispute politique soulevée par le régime des Quatre-Cents et les deux partis s'en seraient servis à tour de rôle pour justifier leurs affrontements successifs [45]...

Dans cette impressionnante séquence des figures de proue de la politique athénienne à l'époque classique, l'histoire par les individus dirige d'elle-même le regard du critique sur l'un de ses défauts majeurs. Plus l'individualité de ses protagonistes singuliers est marquée, plus superficiels et moins vraisemblables sont les liens qui attachent ces acteurs aux tournants décisifs du déroulement de l'histoire. Sauf quand l'un d'entre eux, comme Cimon, intervient directement et consciemment dans le processus d'héroïsation de la figure nationale, la construction de l'idéologie n'est pas le fait des seuls individus : il leur est impossible de manipuler sans interaction avec un mouvement d'opinion le processus symbolique pour créer une saga modelée à leur seule image.

Les impulsions données à l'orientation de l'histoire par les renversements de régime politique ou par les affrontements militaires auront-elles dès lors davantage de chance dans la promotion de l'idéologie ?

2.2. Reflets d'actes politiques

Il est difficile, certes, de rester aveugle à la coïncidence entre le développement du cycle des « travaux » de Thésée dans le dernier quart du VIᵉ siècle et la figure profondément nouvelle que le train des réformes politiques introduites par Clisthène confère à la communauté athénienne dès 508 environ ; leur date exacte est — rappelons-le — sujette à caution [46]. Mais on verra que leur éventuel impact sur la légende se traduit dans une séquence et sur un plan précis, en combinaison probable avec d'autres événements historiques plus anciens.

Après le grand projet formulé par Clisthène d'une refonte complète de la répartition territoriale et de la division sociale des habitants de l'Attique, le second choc connu par la société d'Athènes est provoqué par le double affrontement avec les Perses. Mais là encore, l'influence sur la reformulation de la légende de Thésée n'est éventuellement sensible que dans certains de ses épisodes constitutifs et à condition de tenir compte d'un travail dans la durée.

En effet l'Amazonomachie attique ainsi que, dans une moindre mesure, la Centauromachie n'ont pas manqué d'évoquer chez les modernes les efforts et les succès des Athéniens dans leurs tentatives de repousser les Perses. A la veille de la bataille de Platées, les Athéniens racontés par Hérodote n'avaient-ils pas déjà évoqué leur combat contre les Amazones en même temps que leur victoire à Marathon pour appuyer leur revendication d'occuper l'une des ailes dans l'ordre de la bataille destinée à repousser l'envahisseur perse ? Mais, l'événement fut multiple et dans une analyse récente de l'iconographie céramique et monumentale relative à la mise en scène des affrontements contre les Amazones, on a tenté de montrer que l'expédition athénienne lancée contre Ephèse en 499 pour soutenir la révolte ionienne a pu donner l'impulsion décisive à la première collaboration de Thésée à l'Amazonomachie d'Héraclès tout en justifiant la consécration du Trésor des Athéniens à Delphes. Le lien causal établi par le rapt d'Antiope entre les deux Amazonomachies et le développement plus complexe de la légende qui s'ensuivit ne pourraient dès lors trouver leur fondement que dans la confrontation de Marathon, sinon dans les batailles de la seconde Guerre Médique [47]. Mais par ailleurs on a aussi essayé de tracer un rapport de cause à effet, par homonymes interposés, entre ces mêmes Guerres Médiques et l'intervention agressive de l'étrangère Médée dans la scène de reconnaissance de Thésée par le roi d'Athènes. Dans ce cas cependant, pas de reflet direct de l'événement historique dans le mythe : il faudrait compter avec l'activité historiographique et littéraire de Phérécyde, sous l'influence de Cimon, dans les années qui suivirent la bataille de Marathon, puis celle de Salamine [48].

Il faut attendre ensuite la deuxième moitié du IVe siècle avec les mises en cause successives du régime établi par Clisthène puis Ephialte pour voir une nouvelle tentative de mise en relation de la légende avec une « événementialité » historique longue et globale ; le Thésée des orateurs devient alors, par l'intermédiaire d'une *Atthis*, la figure catalysatrice des aspirations à un régime démocratique mixte, de nature mesurée [49]. De manière curieuse, la Guerre du Péloponnèse, comprise comme fait historico-social total avec ses conséquences dramatiques aussi bien politiques ou économiques que culturelles sur la conformation de la société athénienne et de son empire, ne se trouve apparemment pas à l'origine d'une version nouvelle du mythe ; elle n'aura donc pas suscité de vocation quant à une réélaboration significative de la configuration de la légende du héros national athénien [50]. N'est-il pas vrai pourtant que l'arc temporel allant de la mise en scène de Thésée dans les *Suppliantes* d'Euripide à la contribution déterminante qu'il apporte à la réintégration d'Œdipe dans l'*Œdipe à Colone* de Sophocle couvre à peu près la durée de la guerre engagée contre les Spartiates ?

Est-ce à dire que les voies de la production de la légende sont encore plus détournées ?

3. Elaborations symboliques de la légende

Ces apories nous ramènent en effet aux hypothèses formulées dans le chapitre introductif quant au fonctionnement du processus symbolique : impératif et élaboration intellectuelle provoqués par un tournant marquant dans la vie de la communauté, puis réalisation en partie arbitraire à partir du vécu empirique et social, à travers des formes d'expression diverses. A cet égard, le décalage entre l'apparition à la fin du vᵉ siècle, puis la redéfinition au ivᵉ siècle d'un Thésée souverain démocratique et les phases historiques du développement de la démocratie athénienne sonnent comme un avertissement. Bien loin d'être le résultat direct des réformes successives promues par Solon, Clisthène ou Ephialte, l'élaboration symbolique est dans ce cas le produit des moments de crise politique connus par le système démocratique athénien. C'est dans la perspective de ce décalage idéalisant qu'on tentera de comprendre comment, à partir non seulement de l'univers d'expérience de la communauté, mais en particulier d'éléments légendaires ou cultuels préexistants, la pensée symbolique a pu être sollicitée par le développement progressif de la puissance athénienne pour élargir et resémantiser mythe et rite, légende et culte.

On pourrait naturellement reprendre, dès le début du vıᵉ siècle, tous les moments de mutation dans l'histoire politique, militaire, institutionnelle et économique d'Athènes pour tenter de montrer l'impact probable de chacun d'entre eux dans la réélaboration constante de la légende. Entreprise condamnée à l'échec autant par sa fastidieuse longueur que par le risque permanent de plaquer sur le mythe les événements de l'histoire sociale de la cité. On aura donc avantage à suivre dans les différentes versions du mythe analysé les traces éventuelles laissées par le stimulus historique susceptible de déclencher le processus symbolique. Et puisque le développement de la culture athénienne à partir du vıᵉ siècle pour devenir à la fin du vᵉ siècle « l'école de la Grèce » se manifeste dans une expansion économique et territoriale ainsi que dans des réformes politiques déterminantes, ce sont les figures spatiales puis institutionnelles et héroïques de la légende qui seront mises en relation avec leur éventuel référent historique. Quant aux figures

livines, on réservera naturellement le problème de leur référence à
'analyse des cultes.

.1. Spéculations territoriales

.1.1. *Parcours terrestre et délimitation de l'Attique*

Les étapes du cheminement qui conduit Thésée adolescent de
rézène à Athènes semblent donc apparaître dans l'iconographie
t probablement dans la littérature en bloc dans les deux dernières
écennies du VIᵉ siècle. Il est difficile de ne pas voir dans les fron-
ères successives que la légende fait ainsi traverser au jeune héros
thénien le résultat des préoccupations territoriales qui polarisent
attention de la politique d'Athènes en cette fin de siècle. La nou-
lle distribution du territoire de l'Attique promue par Clisthène
'est pas concevable sans une stabilisation des limites extérieures
e la région dont Athènes devient définitivement le chef-lieu [51].
r, en plaçant sur l'Isthme la frontière de l'Attique, la légende
it tout sauf de l'histoire événementielle ! Par ce geste, elle
aglobe en effet dans le territoire d'Athènes la Mégaride. Mais
mais Mégare, en dépit de nombreux conflits frontaliers, ne
assa sous la domination de sa puissante voisine. Cette dernière ne
rvint guère à contrôler la cité dorienne qu'entre 460 et 446.
Certes, toute entreprise de reconstruction de l'histoire des cités
chaïques court le risque du cercle herméneutique : comment
acer le déroulement d'une histoire au sens moderne et commun
 terme quand la plupart de nos documents coïncident avec les
cits légendaires dont on aimerait précisément, par contraste,
noncer les fictions ? En ce qui concerne les accidents connus
r le territoire de Mégare à l'époque archaïque, quelques recou-
ments permettent tout de même de retracer, avec beaucoup de
udence, les événements suivants :
Vers la fin du VIIᵉ siècle, Mégare subit peut-être une première
mputation dans son territoire par la perte de Crommyon, proba-
ement une bourgade frontière, au profit de Corinthe [52]. On peut
pposer qu'à la même époque, elle subit le contrecoup de
nnexion définitive par les Athéniens du territoire limitrophe
Eleusis : le culte héroïque rendu par les Mégariens à l'Eleusinien

Dioclès qui s'était réfugié dans leur cité, la datation approxima
tive de l'*Hymne à Déméter* qui ne porte pas encore les marques d
la prédominance athénienne, et la mort héroïque dans un comba
contre Eleusis de l'Athénien Tellos, considéré par Solon comme l
plus heureux des hommes, semblent converger vers ce référent his
torique [53]. Par la prise d'Eleusis, le territoire contrôlé par Athène
est désormais limitrophe de celui de Mégare. Enfin, les différen
récits mettant en scène le conflit entre Athéniens et Mégarien
pour la possession de cette autre marche que constitue le territoir
de Salamine nous reportent, dans notre chronologie, à la premièr
moitié du vɪᵉ siècle. Que la conquête se soit opérée en un ou deu
temps, à l'instigation du seul Solon ou avec l'aide complémentair
de Pisistrate, Salamine à la fin du vɪᵉ siècle est intégrée au terr
toire de l'Attique. Mais contrairement à Eleusis, la réforme terr
toriale de Clisthène n'accorde pas à l'île voisine le statut de dèm
de l'Attique. Tout porte à croire en effet qu'elle fut réduite à l'éta
colonisé de clérouchie d'Athènes ; ce que l'on sait de la répart
tion dans différents dèmes de l'Attique, à Sounion notammen
du génos des Salaminiens donne même à penser qu'encore avar
les réformes clisthéniennes un peuplement d'origine athénienn
aurait été substitué à la population d'origine, déplacée [54].

Un important hiatus sépare donc le tracé de la frontière occ
dentale de l'Attique dans le premier épisode de la légende o
Thésée, tel qu'il prend forme à la fin du vɪᵉ siècle, et sa fixatic
réelle à la même époque. Cette discordance résulte de la proje
tion dans le récit légendaire des aspirations territoriales d'Athèn
non seulement à ce moment, mais encore pendant tout le vᵉ sièc
On peut s'imaginer qu'aussi bien les adeptes des Pisistratides qu
les partisans de Clisthène virent d'un très mauvais œil l'accue
favorable que les Mégariens semblent avoir réservé aux interve
tions successives des Spartiates contre les régimes en place
Athènes ; si le roi de Lacédémone Cléomène n'a peut-être p
conclu une alliance formelle avec les aristocrates de Mégare d
519, c'est en tout cas chose faite en 509 [55]. La domination temp
raire d'Athènes sur la Mégaride de 460 à 446 montre que la rival
entre les deux cités s'est poursuivie pendant toute la premiè
partie du vᵉ siècle. Elle s'accentue dans la seconde partie du mêr
siècle comme en témoigne le *Megarikòn pséphisma* qui interc
aux gens de Mégare les marchés de l'Attique ; Aristophane en

les gorges chaudes. L'image parfaitement contradictoire que la
légende athénienne d'une part et la légende mégarienne de l'autre
donnent de la figure de Sciron en constitue une belle expression
symbolique. Et la conquête de la Mégaride n'est-elle pas déjà inscrite dans l'une des versions de l'expédition punitive lancée par
Minos contre Athènes [56] ?

Par ailleurs les péripéties du long conflit engagé par Athènes
pour la possession d'Egine au début du vᵉ siècle est une preuve
supplémentaire de l'intérêt porté par les Athéniens au contrôle du
Golfe de Saronique [57]. On ne saurait s'étonner de voir le héros
national en parcourir tout le pourtour afin de le libérer de ses
monstres et de le soumettre à la civilisation athénienne. C'est dans
le contexte de l'extension progressive des prétentions athéniennes
dans le Golfe de Saronique que l'on peut comprendre l'adjonction
au cycle, dès 450, de la lutte contre Périphétès près d'Epidaure et
celle, plus tardive encore, de la scène des signes de reconnaissance.
Certes, peu après 480, Bacchylide dit l'origine clairement trézénienne de Thésée, mais dans le *Dithyrambe* 18, il fait débuter de
manière significative l'itinéraire du futur héros athénien sur
l'Isthme [58] ; c'est là qu'a lieu son premier combat contre Sinis,
non loin de l'endroit où l'on célébrait les Jeux Isthmiques et où
prendra naissance le fameux diolcos construit pour transporter les
bateaux du Golfe de Saronique dans le Golfe de Corinthe. On voit
mal l'origine trézénienne de Thésée prônée en milieu athénien
avant l'accueil réservé par la cité du Péloponnèse aux fugitifs de
481. Sans doute n'est-ce aussi qu'à la suite de ce geste que les
Athéniens favorisèrent le développement sur la pente méridionale
de l'Acropole du culte d'Hippolyte célébré à Trézène ; Euripide
n'hésita pas à en faire grand cas [59].

Quant au parcours intermédiaire que tracent les incursions de
Thésée dans le territoire même de l'Attique, on a dit qu'il représentait une exploration des trois régions de l'Attique définie par
Clisthène. Mais ces péripéties ne présentent ni l'homogénéité spatiale, ni la simultanéité chronologique, ni l'intégration narrative
propres au cycle des travaux accomplis entre l'Isthme et Eleusis.
Autant l'apparition du combat contre le Taureau de Marathon
dès 550 dans l'iconographie que les attestations au contraire tardives du meurtre des Pallantides interdisent toute mise en relation
directe avec les réformes territoriales de Clisthène. S'il est vrai de
plus que la scène de la reconnaissance du fils par son père Egée

avec le rôle insidieux qui y est réservé à Médée, dans ses appar
tions sporadiques au ve siècle, a pu être influencée par l'animosi
nourrie à l'égard du barbare par l'effet des Guerres Médique
l'image spatiale offerte par ces deux premiers épisodes de
légende théséenne semblent se faire essentiellement l'écho c
préoccupations de politique extérieure. Elle ne peut être en tout ca
l'effet de la promotion d'un seul chef politique, qu'il ait pou
nom Pisistrate, Clisthène, Thémistocle ou Cimon ! Dans cet
mesure, il semble probable que le long différend entretenu par
problème de la limite territoriale à assigner à la défense de
Grèce à la veille de la bataille de Salamine, puis le conflit de
Guerre du Péloponnèse n'ont fait que renforcer la polarisation c
récit sur le problème du franchissement des limites territoriales
sur celui des relations de ces régions avec le centre.

Caractérisé par des étapes en relation géographique et politiqu
directe avec le lieu d'énonciation de la légende, parcouru par u
héros ressemblant davantage à un sage éphèbe athénien qu'a
héros civilisateur plein d'hybris qu'il prend pour modèle, infes
de monstres très humanisés en dépit de leurs prétentions titane
ques, l'itinéraire terrestre de Thésée porte toutes les marqu
d'une création pratiquement *ex nihilo* ; cette création date de
deuxième moitié du vi^e siècle. Probablement indépendamment c
la volonté politique d'un parti singulier, le récit de l'adolescen
de Thésée véhicule les aspirations d'Athènes à contrôler, en
introduisant sa civilisation, le territoire de l'Attique et celui de s
voisins. De là la permanence et la reprise constante de la légen
pendant tout le ve siècle.

3.1.2. *Parcours maritime et expansion en mer Egée*

Il en va bien différemment du périple crétois. Son noya
l'exploit de Cnossos, reprend un récit beaucoup plus ancien pu
qu'on a vu le combat contre le Minotaure trouver son expressi
dans l'iconographie, puis dans la littérature dès le viie siècle, av
une diffusion panhellénique. Ce n'est que dans le second quart c
vi^e siècle que la scène apparaît dans la céramique attique ; elle
dominera par la suite comme elle dominera la production d'autr
cités : seuls les combats d'Héraclès contre le lion et contre l
Amazones semblent susceptibles de lui faire concurrence.

Mais du point de vue de la syntaxe narrative, plusieurs séquen
préalables contribuent à insérer dans la légende spécifiqueme

athénienne un combat représenté dans toute la Grèce. Or des actes narratifs instruments de l'insertion, il n'est pas possible, dans l'état de notre documentation, d'en retrouver les traces avant le Vᵉ siècle. Le séjour de Thésée et des deux fois sept victimes destinées au Minotaure dans le temple d'Athéna ou au Prytanée remonte pour nous à Hypéride et aux Atthidographes du IVᵉ siècle. Le vœu adressé par le héros à Apollon pour la propitiation de l'entreprise crétoise nous est connu grâce à la description platonicienne de la mort de Socrate ; si elle remonte bien à Phérécyde d'Athènes, une autre version de ce vœu nous fait peut-être passer du IVᵉ au Vᵉ siècle. D'autre part, ce n'est pas avant Simonide que nous entendons parler des adjuvants-pilotes originaires de Salamine. Et finalement le *Dithyrambe* 17 de Bacchylide et l'iconographie attique concordent pour situer dans le premier quart de ce Vᵉ siècle les plus belles représentations de la rencontre marine de Thésée avec Poséidon, son père, ou Amphitrite, sa belle-mère [60].

Mais, du point de vue historique, le réajustement narratif le plus intéressant est représenté par la convergence et la coïncidence à Athènes de deux lignes narratives parfaitement distinctes : du point de vue temporel et logique, le récit des travaux de Thésée court parallèlement à l'action narrative rendant compte de l'institution du tribut jusqu'au moment où, reconnu par son père humain, Thésée se propose de relever le défi crétois. En montrant dès les représentations archaïques du combat contre le Minotaure le héros entouré d'un groupe mixte d'adolescents, l'iconographie prouve le caractère primaire de l'épisode crétois par rapport à la séquence terrestre des travaux qui n'apparaît qu'à la fin du VIᵉ siècle. En revanche, il y a fort à parier que toute la légende de la motivation du tribut par la mort d'Androgée, suivie de l'expédition punitive de Minos contre Athènes, soit l'effet d'une mise en perspective spécifiquement attique du mythe. Une telle hypothèse trouve des appuis autant dans les sources en général attidographiques du récit de l'institution du tribut que dans l'engagement tout à fait athénien de l'action d'Androgée, quelles qu'en soient les variantes : victoire aux Panathénées, lutte contre le taureau de Marathon, conjuration des Athéniens (et des Mégariens !) contre le fils de Minos, embuscade dans le dème attique d'Oïnoé, alliance du jeune Crétois avec les Pallantides [61].

Or cette atticisation de l'épisode crétois ne saurait avoir été entreprise avant que ne se manifeste l'intérêt des Athéniens pour

le domaine maritime. Intérêt dont on ne va pas refaire l'histoire
ici, mais dont l'éveil est très précisément attaché à l'évacuation des
citoyens à l'occasion de la campagne de Xerxès contre Athènes et
à la défense sur mer prônée par Thémistocle, en particulier autour
de l'île de Salamine ! Mais Thémistocle n'est pas le protagoniste
unique de cette orientation décisive de la politique athénienne dès
481. Quand, avec la fondation de la Ligue de Délos, les impératifs
de la défense stratégique contre les Perses conduisent à la mise
sous tutelle politique des îles de la mer Egée et de certaines cités de
la côte ionienne, Aristide se trouve aux côtés de Thémistocle pour
jeter les bases de l'« empire » (maritime) d'Athènes. Et, après
l'exil de ce dernier, son adversaire politique Cimon sera là pour
reprendre le flambeau[62].

Sans doute doit-on encore une fois à Platon la meilleure analyse
de l'impact moral de ce passage d'une politique territoriale et stratégique terrestre à des ambitions d'hégémonie maritime : convertir
des hoplites en marins c'est abandonner le courage de la mort sur
place, à son poste, pour une stratégie de la brève incursion suivie
d'une retraite rapide sur son navire. A la bataille navale de Salamine s'opposent les combats fantassins de Marathon et de Platées
qui ont respectivement ouvert et conclu les Guerres Médiques ; ils
ont assuré le salut des Grecs tout en les rendant meilleurs ! Mais
face à un interlocuteur crétois, convaincu de l'utilité d'une flotte,
on peut encore opposer l'exemple de Minos : le funeste tribut, le
roi des Crétois n'a pu l'imposer aux pédestres Athéniens que dans
la mesure où il possédait une puissance maritime considérable.
Evitons donc, nous Athéniens, d'imiter nos propres ennemis dans
la construction d'une cité idéale[63]. La thalassocratie minoenne est
bien le miroir, ou la préfiguration, de l'hégémonie athénienne sur
le bassin égéen. Puisqu'il adresse à cette dernière une critique
virulente, Platon ne saurait avouer que la légende fait de Thésée
son précurseur. Le philosophe se situe en effet au pôle opposé de
l'Atthidographe Cléidémos qui, à peu près à la même époque,
« atticise » à tel point la légende qu'il fait de Thésée le promoteur
de la première flotte d'Athènes : c'est avec ces navires construits
en partie en Attique, en partie à Trézène, que le héros, dès lors
souverain adulte, lance une véritable expédition maritime contre
Minos[64]. Mais dans ce que l'on a pu interpréter comme une rationalisation de la légende, le logographe athénien gomme l'effet
symbolique de la transposition des aspirations thalassocratiques

de l'Athènes classique dans l'entreprise éphébique d'un héros qui se tourne pour la première fois vers la mer.

Il n'est désormais plus possible de partager avec les interlocuteurs de Minos l'étonnement ressenti devant la duplicité contradictoire de l'image offerte par la figure du souverain de Cnossos. On l'a vue caractéristique d'une représentation du tyran qui se constitue précisément au ve siècle. Et si Tragiques et Atthidographes passent pour en avoir accentué les traits négatifs, c'est l'effet d'une mise en perspective typiquement athénienne de la légende. Peut-être l'assimilation de Thésée dans l'imagerie avec la figure des Tyrannoctones est-elle parallèle à ce processus. Il s'agit néanmoins de profiter de l'épisode crétois non seulement pour lancer des attaques contre la tyrannie honnie des Athéniens, mais surtout pour parfaire la polarisation entre la thalassocratie excessive du roi de Crète et les entreprises territoriales pacificatrices du futur souverain démocratique d'Athènes. Ce n'est d'ailleurs qu'à partir du début du ve siècle et toujours dans l'iconographie attique que le combat de Thésée contre le Minotaure est intégré à la séquence des travaux du cycle ! Et l'insertion d'Athéna dans cette même scène, avec l'effet sémantique et idéologique que l'on a indiqué, s'opère exactement dans les mêmes conditions[65].

Quant à l'aval de la mise à mort du Minotaure, des indices d'un ordre certes différent nous renvoient pourtant au même processus d'insertion que celui repéré pour son amont. L'étape de Naxos d'abord, attestée dès Homère, connaît une rénovation spécifiquement athénienne : la mort d'Ariane, au lieu d'être l'effet de la volonté conjointe de Dionysos et d'Artémis, punition de l'impiété de la jeune femme, devient la conséquence de la seule jalousie de la déesse vierge ; dans son malheur, Ariane acquiert désormais la gloire immortelle que lui assure le catastérisme. Et si Phérécyde d'Athènes contribue ainsi à l'absolution de la jeune Crétoise, les représentations iconographiques contemporaines s'emploient à accentuer l'intervention d'Athéna, soutenue parfois par Poséidon, pour laver Thésée de tout soupçon d'abandon volontaire ; l'amour pour Aïglé est laissé à la version hésiodique, peut-être radié par la volonté de Pisistrate lui-même. Chiote, crétoise, naxienne ou cypriote, les différentes versions de ce moment de la légende, distinguées par l'analyse narrative, attestent de ses multiples possibilités d'adaptation aux circonstances et nécessités locales.

Mais dans la perspective de la constitution athénienne de l'épisode crétois, l'étonnement vient avant tout de l'insertion de l'étape
délienne ; narrativement, ce séjour est davantage alternatif que
complémentaire du séjour à Naxos. Or l'étude même de la syntaxe
du récit, en particulier dans ses versions iconographiques, a conduit à l'hypothèse historiciste d'un déplacement narratif datant de
l'époque classique ; il est en effet prudent d'assigner à cette
période le glissement de Cnossos à Délos de la performance de la
danse de la grue. L'étape délienne constitue donc un élément nouveau dans la légende. Par l'intermédiaire du passage du *Phédon*
mentionnant la coïncidence entre l'envoi de la théorie athénienne
à Délos et la mort de Socrate, la date de 399 fournit pour la construction de cette partie de la légende un *terminus ante quem*.
Quant à remonter plus haut, nos sources, dans leur silence, nous
contraignent à la conjecture. Assurément, Athènes marque son
intérêt pour Délos dès la troisième tyrannie de Pisistrate qui
ordonna la première purification de l'île. La tentative fut toutefois éphémère puisque − on l'a évoqué − Lygdamis, le tyran de
Naxos, profita de sa maîtrise maritime dans les Cyclades pour
reprendre le contrôle de l'île sacrée. En revanche, la constitution
de la Ligue de Délos, dès 478, semble un événement politique
assez marquant et aux effets assez durables pour avoir suscité
l'insertion dans la légende de Thésée de l'étape délienne, en dépit
de sa relative incompatibilité avec le drame de Naxos. L'introduction à Délos d'un festival des Théséia sur le modèle de celui
célébré à Athènes dès 475, même si sa célébration est attestée tardivement, pourrait être contemporaine de cette extension de l'épisode crétois ; l'une aurait donc suscité l'autre [66].

On pourrait certes alléguer à l'encontre de cette chronologie du
développement narratif de l'épisode crétois le fait que déjà sur la
scène célèbre du Vase François, au milieu du VIᵉ siècle, les jeunes
gens et les jeunes filles accompagnant Thésée portent des noms
qui les attachent à des dèmes ou à des tribus de l'Attique. Un
examen attentif de ces dénominations révèle néanmoins qu'elles
sont essentiellement relatives à ces territoires limitrophes de
l'Attique que sont Eleusis, Salamine ou Mégare. Si la scène chorale du cratère de Clitias situe bien par cet intermédiaire le récit de
la lutte contre le Minotaure dans une perspective athénienne, en
revanche elle ne peut se dérouler qu'en Crète. Elle est donc antérieure à la mainmise athénienne sur Délos [67]. Si reflet idéologique

il y a, les noms attribués par Clitias aux compagnons de Thésée ne sauraient être que l'expression des conflits territoriaux qui, au VIᵉ siècle, opposèrent Athènes à ses voisins.

Ces convergences chronologiques pourraient alors être complétées par la coïncidence entre la réorientation de l'étape de Naxos, que nos sources font remonter au Vᵉ siècle, et l'intégration de cette île (stratégiquement et économiquement essentielle) au sein de la Ligue dirigée par Athènes [68].

3.1.3. *Entreprises guerrières et Guerres Médiques*

Sans doute pourrait-on entreprendre une démonstration analogue à propos des incursions hors de l'Attique de Thésée devenu adulte. Le développement athénien de ce second volet de la légende théséenne est, lui aussi, loin de présenter une image homogène.

Le rapt d'Antiope comme exploit spécifiquement théséen et comme préalable du combat mené contre les Amazones en Attique, n'apparaît dans nos sources qu'à la fin du VIᵉ siècle, chez Phérécyde d'une part, dans la céramique attique, sinon sur les métopes du Trésor des Athéniens de l'autre. L'Amazonomachie d'Attique n'est pas attestée dans la littérature avant 458 ; son apparition certaine dans la céramique attique date de la seconde moitié du Vᵉ siècle, parallèlement à son inscription sur les murs du Théséion et de la Stoa Poïkilé [69]. Si l'intégration de Thésée au combat contre les Centaures apparaît dans un contexte panhellénique un peu avant le milieu du VIᵉ siècle, il faut attendre les années 470-460 pour assister à la probable réorientation athénienne du récit par l'intermédiaire de son insertion dans la séquence des noces de Pirithoos. Enfin une version spécifiquement athénienne de la descente aux Enfers de Thésée et de Pirithoos ne se dessine dans la littérature comme dans l'iconographie que dans la seconde moitié du Vᵉ siècle [70]. Quant au pivot narratif de ce volet de la légende – le rapt d'Hélène – il est plus difficile d'en dater avec exactitude le remaniement athénien. Le coffre de Cypsélos, une source non attique, en porte déjà le témoignage au VIᵉ siècle, en déplaçant l'intervention des Dioscures d'Aphidna à Athènes ; mais dans la littérature athénienne, on ne le trouve traité qu'au IVᵉ siècle, par Isocrate, dans les conditions que l'on a dites [71].

Sans exclure un développement spécifiquement attique de cette partie de la légende dès la fin du vi^e siècle, on ne peut s'empêcher d'attribuer à la confrontation avec les Mèdes venus du nord un rôle déterminant dans son remodelage ; les menaces que les Barbares font peser sur Athènes et son empire jusqu'à la paix de Callias peuvent d'ailleurs rendre raison de réélaborations et de resémantisations qui s'échelonnent pendant toute la première moitié du ve siècle. On s'étonne dès lors que parallèlement aux efforts des Athéniens pour repousser les Perses au-delà des côtes de Ionie, jamais leurs tentatives de s'installer sur le Bosphore et de contrôler ainsi l'accès au Pont-Euxin n'aient retenu l'attention de nos contemporains en tant qu'élément digne d'avoir motivé la réorientation du second volet de la légende théséenne. On sait pourtant qu'après les premières colonies installées par Athènes sur les deux rives de l'Hellespont et du Bosphore, après les points d'appui quasi privés établis sur la côte de Thrace par les ancêtres de Miltiade et de Cimon, après la tentative très officielle de la cité d'aider les Scythes contre l'incursion de Darius sur leur territoire, les Athéniens installèrent dans le nord de la mer Egée ces colonies militaires que sont les clérouchies [72].

3.1.4. Héroïsation et expédition politique

Pourquoi ne pas trouver en définitive au Théséion lui-même le compte rendu du processus symbolique conduisant à l'établissement par Thésée de la vulgate athénienne classique ? La biographie iconographique de l'Athénien héroïsé s'y résume dans la Centauromachie, l'Amazonomachie d'Attique et l'entreprise crétoise représentée par le plongeon dans la demeure de Poséidon. Après le choc des Guerres Médiques, l'attention du fidèle fréquentant le sanctuaire élevé au héros national est donc polarisée par les épisodes représentatifs des grandes lignes de la politique extérieure d'Athènes : la défense contre les Perses, la mainmise sur le bassin de l'Egée, le contrôle du Bosphore et des comptoirs du Pont-Euxin. A la fin du vi^e siècle, les Athéniens se préoccupent avant tout des limites territoriales de l'Attique et ils semblent charger le parcours terrestre et centripète de Thésée de l'expression symbolique de leurs aspirations. Par contre, dès les confrontations avec les Perses, mais aussi avec l'extension coloniale d'Athènes en direction du Pont-Euxin, la même fonction symbolique est confiée aux entreprises extérieures et centrifuges du héros, remodelées à cette occasion.

Les différentes veines du développement attique de la légende théséenne et la ligne de l'histoire politique d'Athènes viennent ainsi se nouer au Théséion même, dans ce monument chargé de réhabiliter la mort obscure d'un héros célèbre. Quoi de moins surprenant ? En effet, Cimon, dans la campagne qu'il lance contre Scyros, ne se contente pas de transporter de cette terre d'exil au centre d'Athènes les ossements dont oracle et présage lui indiquent l'emplacement tandis que leur taille et la pointe de lance en bronze trouvée à leurs côtés en disent la qualité héroïque [73] ; il ne se satisfait donc pas de consacrer par l'héroïsation dans un *mnêma* et par la restitution du *kléos* un roi déchu et tué par traîtrise. Il se fait en quelque sorte lui-même protagoniste de l'histoire légendaire : il chasse de Scyros les Dolopes, ces pirates sauvages qui avaient cédé à Xerxès la mer et l'eau. Il « libère » donc la mer Egée et il introduit dans cette île, par la colonisation, la civilisation athénienne. Et cela, en 475, au moment où Athènes étend son pouvoir dans l'Egée, notamment en s'assurant la route vers le Pont-Euxin [74].

L'acte symbolique de Cimon donne ainsi à Thésée par le culte héroïque la fin glorieuse que le récit, jusqu'en plein ve siècle, lui refusait. Le rite vient donc achever un mythe qui, narrativement, ne débouchait sur aucune sanction positive [75]. Est-ce à dire que la légende de Thésée est tout de même l'œuvre d'un seul homme ? Son terme nous renvoie-t-il malgré tout à l'histoire des individus ? Non point puisque Cimon, le fils du héros de Marathon, ne fait que réorienter la politique extérieure prônée par Thémistocle ; non point puisque la légende théséenne répond à d'autres aspirations athéniennes. La forte intervention cimonienne ne fait que cristalliser les convergences et les virtualités d'un récit en gestation depuis de nombreuses années. Dans la construction ou la réfection du sanctuaire au cœur « moderne », clisthénien, de la cité et dans l'institution du culte héroïque par les Théséia, elle donne surtout un point de fixation focale à un récit étrangement centrifuge et à une figure parfois singulièrement effacée. Elle signifie en tout cas l'inscription définitive de la légende de Thésée dans une perspective entièrement athénienne : le rapatriement des ossements supposés du héros et l'institution de son culte ne font que confirmer sur le plan de la pratique rituelle le recentrement narratif de la légende entrepris dès la fin du vi[e] siècle.

On ira même plus loin dans la mesure où on a pu montrer que la littérature contemporaine tendait à conférer à la figure de Thésée des traits héroïques. C'est en tout cas l'effet produit par la version de la légende qu'élabore Bacchylide dans le *Dithyrambe* 17, sinon dans le poème qui lui fait suite. Se réclamant face à Minos le fils de Zeus d'une paternité divine, Thésée adopte le comportement des héros de l'*Iliade* : évoquer son origine divine c'est en effet souvent pour le héros homérique une manière d'affirmer sa qualité guerrière, en particulier dans le combat en duel[76]. Récit symbolique, imagerie et pratique rituelle convergent en cette première moitié du Ve siècle pour donner à la cité un héros au sens plein du terme.

3.2. Reflets institutionnels

3.2.1. *Mythe et rite d'initiation tribale ?*

Depuis la lecture célèbre qu'en a proposée Jeanmaire il y a plus de cinquante ans, l'épisode crétois a régulièrement été l'objet de la part de ses admirateurs modernes d'une interprétation initiatique. C'est dire qu'on a estimé pouvoir reconnaître dans la syntaxe du récit le fameux schéma ternaire défini par Van Gennep pour le rituel. La légende porterait ainsi, dans son organisation narrative, le reflet direct de l'un de ces rites d'initiation tribale destinés à faire accéder les adolescents au statut d'adulte, en tant que membres de plein droit de la société. Mais la réalité institutionnelle de l'Athènes classique ne fournit que des exemples de rites initiatiques compris au sens large : service des petites ourses aux Brauronia auprès d'Artémis, cycle thesmophorique et éleusinien de la disparition chthonienne de Coré et de son retour auprès de Déméter la courotrophe, noviciat des Arrhéphores au service d'Athéna, jeux maritimes des adolescents pour l'Artémis de Mounichie près du Phalère. Qu'à cela ne tienne, la comparaison avec la structure du conte du Petit Poucet va faciliter la transition du rite au mythe et les différents moments de l'épisode crétois deviennent les étapes paradigmatiques du cursus initiatique suivi par le héros national : plongée probatoire et rituelle dans la mer, épreuves initiatiques dans le combat contre le Minotaure et dans l'affrontement aux sinuosités du Labyrinthe, retour triomphant sous la forme du renouveau induit par la mort d'Egée. La « geste de Thésée » fait ainsi du couros un roi adulte[77].

Dès lors le cercle herméneutique peut se refermer sur lui-même : le rite d'initiation tribale jusqu'ici manquant, on le trouve dans les Oschophories, en général assimilées sinon confondues à cette occasion avec les Pyanopsies. Plus exactement : referée au départ légendaire des quatorze jeunes Athéniens le 6 Mounichion et à leur rapatriement grâce à Thésée le 7 Pyanopsion, la polarité existant entre le rituel célébré à la première date et les Oschophories/Pyanopsies serait susceptible dans cette perspective de recevoir une interprétation initiatique[78].

Mais, célébrations distinctes, ni les Oschophories, ni les Pyanopsies ne présentent dans leur déroulement respectif la succession des trois phases de séparation, de renversement de l'ordre et de réintégration qui définit le rite d'initiation tribale. De plus, ce schéma ternaire, pertinent pour le rituel, ne peut être projeté sur le récit légendaire qu'au prix de simplifications ou au contraire d'amplifications considérables ; on omet alors les étapes de Naxos et de Délos pour redoubler l'épreuve initiatique dans le saut marin et dans le combat contre le Minotaure. Et surtout, si l'on passe de la structure de l'institution aux qualités investies dans les acteurs héroïques du récit, on sait désormais que ni Thésée, ni Ariane ne sont des adolescents. Les attributs du héros athénien dans l'épisode crétois l'assimilent plutôt à un éphèbe alors que la proximité qu'Ariane entretient avec Aphrodite et le mariage fait d'elle une *númphē*, fiancée, puis jeune épouse. Ni chasse dans un environnement sauvage pour Thésée qui n'est plus un adolescent, ni poursuite et rapt au milieu des montagnes et forêts pour une Ariane qui n'est plus une *parthénos*[79] ; par ailleurs, pas non plus de combat hoplitique en terrain découvert pour un Thésée qui n'a pas encore le statut du citoyen-soldat adulte, et pas de mariage légitime auprès du foyer de l'*oîkos* pour l'héroïne qui ne devient pas l'épouse du citoyen-soldat. Thésée vêtu en éphèbe se bat en duel contre un être monstrueux enfermé au sein d'un palais tandis qu'Ariane séduit elle-même le bel Athénien avant de tomber dans les rêts d'un Dionysos susceptible de lui assurer un hymen très éphémère.

Quant aux jeunes gens et aux jeunes filles destinés au Minotaure – ce sont eux des adolescents ! – leur passage par la Crète ne

semble pas les faire accéder à un statut nouveau. En l'absence
d'indication explicite sur leur destinée au moment de leur retour à
Athènes, on peut au moins relever la circularité de leur parcours.
Celui-ci dessine plutôt la confirmation d'un statut que la transition d'un état ancien à un état nouveau [80].

Si la légende de Thésée offre une image qui permettrait de la
rapprocher du rite de l'initiation tribale, c'est plutôt dans l'épisode des combats échelonnés entre Trézène et Athènes. Cette
partie du récit présente en effet des éléments syntaxiques et
sémantiques que l'on pourrait assimiler aux caractéristiques de
l'institution initiatique : dans ce parcours, dont on a relevé le
caractère transitif, Thésée quitte le monde de son enfance pour
recevoir la légitimation de la bouche de son père [81]. Entre ces deux
moments de séparation du domaine maternel, puis d'intégration
au domaine civico-politique incarné dans le pouvoir du roi Egée,
Thésée est affronté à des monstres vivant dans des espaces
sauvages : forêt, fourrés, caverne, bords d'un ruisseau. A travers
la réitération de l'épreuve initiatique − combat à mains nues
contre un être monstrueux et sauvage − le héros athénien accède
sinon au statut d'adulte, du moins à celui d'éphèbe qui permettra
son affrontement semi-guerrier au roi de Cnossos.

Impossible cependant de repérer dans le cursus de l'éducation
du jeune Athénien de la fin du VIᵉ siècle, puis de l'époque classique le correspondant institutionnel exact de ce parcours initiatique légendaire. Déjà remplacée par un système d'éducation de
type scolaire où l'adolescent partageait son temps entre l'enseignement musical du maître et les exercices gymniques de la palestre,
l'institution de l'initiation tribale en tant que telle a disparu de la
scène pédagogique athénienne. Par contre, on a dit que la participation des *paîdes* aux Pyanopsies entretenait une relation probable avec le rôle qui leur était réservé dans la célébration, le
même mois, des Apatouries. La Couréôtis, sacrifice de la chevelure, peut passer pour le rite initiatique qui marquait l'inscription
des adolescents de seize ans dans le registre des phratries. Or cette
célébration est à la fois distincte et complémentaire de l'inscription des jeunes gens dans la liste des démotes à l'âge de dix-huit
ans, au seuil du service biennal de l'éphébie [82]. Ce double passage
institutionnel à l'état d'adolescent pubère, puis à celui d'éphèbe,
trouverait dès lors son expression symbolique dans la succession

du parcours de Thésée : parcours terrestre comme adolescent, parcours maritime comme éphèbe. Cette motivation symbolique pourrait de plus recevoir une confirmation par l'intermédiaire de la reconstruction historique que l'on a tentée du développement de cette institution spécifiquement attique qu'est l'éphébie. A en croire deux de ses interprètes récents, l'institution de l'éphébie attique ne saurait remonter plus haut que la première moitié du vᵉ siècle ; l'inscription des éphèbes sur les registres des dèmes a en effet peu de chance d'être plus ancienne que la réforme territoriale de Clisthène qui les a institués. Cette inscription rituelle nouvelle n'est ostensiblement pas parvenue à se substituer à l'enregistrement des adolescentes de seize ans sur les listes des phratries, institution plus archaïque, de caractère probablement initiatique[83]. Peut-être conçu avant l'application des réformes clisthéniennes vers 508, l'itinéraire terrestre de Thésée pourrait être référé à celle-ci, tandis que la réorientation athénienne de son périple crétois serait la transformation narrative et symbolique, au début du vᵉ siècle, de celle-là. Au-delà des hypothèses subsiste une certitude : les traits « initiatiques » qu'au début du chapitre IV on a pu repérer dans l'intrigue et la figuration de la légende de Thésée ont une valeur narrative ; ils n'impliquent aucun fondement nécessaire dans des institutions rituelles désormais fort éloignées de l'initiation tribale.

Mais est-il possible d'aller au-delà de cette constatation, déjà énoncée ? Dans les textes comme dans l'iconographie, Thésée, affronté au contraire d'Héraclès à des monstres anthropomorphes, apparaît sous les traits de l'éphèbe modèle de l'Athènes classique : mesuré, policé, fidèle à son devoir civique et à ses obligations religieuses, préfiguration du vrai *kalòs kagathós*. Ce sage jeune homme est bien le fils de la représentation aristocratique que l'Athènes démocratique se fait d'elle-même, dès l'introduction du régime clisthénien et surtout à l'issue des Guerres Médiques[84].

3.2.2. *Esquives héroïques*

La lecture que nous offre de son deuxième volet la légende de Thésée à l'époque classique débouche, à travers ses quelques vestiges, sur une image assez disparate. Tout se passe comme si l'iconographie avait marqué une préférence pour les grandes entre-

prises extérieures contre Centaures ou Amazones alors que les
textes − essentiellement tragiques − avaient privilégié pour le roi
Thésée les mesures de politique intérieure. De manière significative, la céramique attique ne donne de l'épisode central de ce
second volet − l'enlèvement d'Hélène − qu'une image épiso-
dique, cherchant à esquiver l'acte violent. Sur l'amphore d'Euthy-
midès, Thésée se saisit de Coroné (?) et non pas d'Hélène, qui se
trouve pourtant à ses côtés ; et sur un cratère à figures rouges, le
peintre a donné à Thésée la figure de l'éphèbe, déplaçant ainsi le
moment du rapt dans cette période de marge de l'adolescence qui
pourrait légitimer de tels exploits violents[85]. On trouve dans les
textes d'autres indices de cette moralisation du second volet de la
légende, désormais essentiellement centré sur les entreprises héroïques. Ainsi dans l'*Œdipe à Colone*, quand Sophocle évoque la
fidélité de Thésée à la parole donnée et le caractère indéfectible du
serment qui le lie à Pirithoos, il se garde bien d'indiquer les actes
de violence qui découleront de ce contrat d'amitié. Qu'il soit de la
plume de Critias ou de celle d'Euripide, le *Pirithoos* semble mettre
en scène un Thésée qui se réfère aussi, face à Héraclès, à la réciprocité et à la solidarité bienveillante des liens de l'amitié ; ces
paroles sur la fidélité, le héros panhellénique les juge dignes par
référence non seulement à Thésée lui-même, mais à toute la cité
d'Athènes[86].

Et quand l'impact des Guerres Médiques sur la promotion des
épisodes héroïques dans la céramique et dans les grands programmes idéologiques a quelque peu faibli, quand a passé la mode
du Thésée représenté en héros tyrannoctone, la tragédie se tourne,
dans les trente dernières années du siècle, vers le Thésée démocrate. Pâle figure de souverain que ce roi qui doit constamment,
avant d'agir, en référer à l'opinion de son *dêmos* ! Ayant offert à
sa *pólis* liberté et participation, le Thésée des *Suppliantes* euripidéennes ne peut intervenir à Thèbes sans avoir remporté la conviction des citoyens assemblés, sans leur avoir au préalable donné la
parole. Grâce à la loi écrite et partagée − ajoute Thésée un peu
plus loin − le plus faible peut en effet l'emporter sur le plus fort :
la *díkē* athénienne établit l'équilibre entre le riche et le moins
puissant. Et Thésée d'adopter le même comportement de partage
et d'égalité quand, dans l'*Héraclès*, il offre au héros de lui céder
une part *(méros)* de ses biens, tout en invoquant une fois encore
(étymologiquement ?) la loi *(nómos,* de *némo)* : ex-votos consa-

crés à la suite du succès de l'expédition de Crète et sanctuaires répartis dans toute l'Attique assureront ainsi à Héraclès culte et mémoire héroïques. Dans sa descente aux Enfers, Thésée n'a-t-il pas partagé le revers de fortune que connaît actuellement Héraclès ? Cette compassion et cette générosité d'âme, Hippolyte les témoigne d'ailleurs en retour à son père dans la tragédie homonyme quand le héros abattu par Aphrodite et Poséidon pardonne à Thésée son erreur, le lavant de toute souillure[87].

Même si l'on tient compte de l'humanisation de l'idéal héroïque propre à la perspective euripidéenne, ce Thésée conciliant et bienveillant, est-il vraiment l'équivalent de Périclès, au moins dans l'image (idéalisée) que nous donne Thucydide de cet homme d'Etat qui contrôlait parfaitement la « foule » ? « Sous le nom de démocratie, le gouvernement était en fait aux mains du premier citoyen. » Certes, Thucydide lui-même, dans son archéologie d'Athènes, n'hésite pas à attribuer au souverain légendaire la même qualité d'intelligence *(sunetós)* qu'il confère plus loin à Thémistocle et à Périclès[88]. Mais, les tragédies euripidéennes qui nous présentent Thésée souverain démocrate datent toutes des années difficiles de la Guerre du Péloponnèse. On peut dès lors se demander si Thésée peut être encore pourvu de la force symbolique nécessaire pour représenter un régime contesté. De plus, l'analyse des discours funéraires du IVe siècle révèle que, dans l'éloge du régime démocratique, héros et figures politiques font place à l'ensemble de la *pólis*. Déjà dans le fameux hymne à l'Attique qu'au terme de sa carrière Sophocle fait chanter au chœur des vieillards de Colone, la louange de la terre d'Athènes et de son empire maritime reprennent les thèmes de la biographie mythique de Thésée, mais sans jamais citer le nom de souverain[89].

Le seul trait qu'en définitive Thésée partage sans effet de miroir aussi bien avec Thémistocle qu'avec Cimon ou Périclès, c'est la disgrâce. Pour le roi légendaire comme pour les trois hommes politiques, elle se traduit par l'exil, suivi peu après de la mort.

3.3. Résurrections en héros

Nous voici donc de retour face à l'énigme de la mort en exil du héros national.

Sur la motivation de la réorientation et de la reconstruction athéniennes de sa légende, le doute – espérons-le – n'est plus permis : les grands tournants de la politique intérieure et extérieure de la cité davantage que l'initiative individuelle des acteurs de l'histoire ont stimulé la production symbolique. Dans cette mesure, la réorganisation créative du mythe est un processus progressif qui s'inscrit dans le déroulement du temps de l'histoire. Tant qu'il garde sa pertinence idéologique, le mythe de Thésée est appelé à être constamment réadapté aux circonstances contemporaines. Quant à l'agent de cette recréation permanente, point n'est besoin de recourir ni à l'inconscient collectif, ni à une quelconque pensée mythologique, productrice de récits légendaires en son autonomie. Auteurs de *Théséides*, de dithyrambes, d'histoires locales ou de tragédies, de programmes picturaux ou sculpturaux, les acteurs en étaient simplement ces nombreux *sophoí*, ces maîtres-artisans de la parole et de l'image présents à Athènes en tout cas dès l'époque de Pisistrate [90]. Ni pour les tragiques, ni pour les peintres du siècle de Périclès, l'héritage légendaire n'est un dogme ; même avec les progrès de la mythographie, il ne le sera d'ailleurs jamais, ni pour les Grecs, ni pour les Romains ! Dans l'Athènes du Ve siècle, l'expression mythologique du processus symbolique est en pleine expansion. Euripide peut fort bien, probablement quelques années après la représentation des *Trachiniennes*, faire intervenir Thésée dans la légende d'Héraclès ; il promet ainsi une mort et des honneurs héroïques sur le sol d'Athènes au héros que Sophocle vient de faire mourir à Trachis dans la lointaine Thessalie, sur un bûcher qui annonce le culte héroïque rendu au fils d'Alcmène sur le mont Oïta. Et au moment même où Bacchylide, dans le *Dithyrambe* 17, organise la rencontre entre Thésée et sa belle-mère Amphitrite, les imagiers mettent en scène l'intervention directe de Poséidon dans la reconnaissance de son fils.

3.3.1. *Renaissances autochtones*

Etant donné les réponses que l'on sollicite auprès du récit légendaire pour répliquer aux interrogations provoquées par le changement historique, n'est-il par déroutant de voir les *sophoí* choisir pour constituer la figure du héros national un bâtard mort dans l'oubli ? Ce bâtard demi-étranger était-il réellement susceptible d'endosser les traits paradigmatiques du jeune Athénien démocrate et cultivé ? Quelle pouvait être la « représentativité » de cet être marginal pour des Athéniens fermement attachés dès le vᵉ siècle à leurs mythes et à leurs représentations de l'autochtonie ? Comme Cécrops, comme Erichthonios, le vrai Athénien non seulement naît de la terre, mais il vit aussi sur la terre dont il est né[91]. Certes, on a montré qu'étant donné les affinités historiques et culturelles rapprochant les deux cités, pour un Athénien, naître à Trézène, ce n'est pas tout à fait être issu d'une terre étrangère ; d'autre part, avant le décret péricléen déjà évoqué, la seule paternité athénienne suffit à conférer au fils le droit de cité[92]. Mais se satisfaisant d'une motivation partielle, le processus symbolique ne reprend pas sans les transformer institutions et représentations sociales. A l'autochtonie, il substitue en quelque sorte, dans la légende de la jeunesse de Thésée, le parcours qui conduit le héros à Athènes. Intégration progressive, par quelques-unes des figures de l'initiation tribale, à la terre du père qui désigne lui-même l'objectif de cet itinéraire en reconnaissant son fils dans sa légitimité. Mais ce parcours dont céramique et textes attiques ont l'exclusivité dès la fin du vιᵉ siècle, c'est aussi une manière pour les Athéniens de s'approprier la figure de Thésée. Il arrive ainsi à la légende d'avoir des complaisances pour l'historicisme et la coïncidence est vraisemblable entre l'invention athénienne du parcours théséen et l'insertion effective du héros dans la tradition légendaire et peut-être dans les cultes de la cité. Et si du point de vue de la narration symbolique, l'élimination des monstres entravant la progression vers Athènes représente l'entrée héroïque de Thésée dans la cité, au terme spatial de sa carrière, le rapatriement de ses ossements par l'intermédiaire de l'acte symbolique de Cimon signifie son intégration rituelle au cycle cultuel civique. On va revenir en conclusion à cette heureuse rencontre entre pratiques narratives et actes rituels.

Culte et légende remplacent donc l'autochtonie par ce double trajet vers le centre de la cité. Substitution néanmoins insuffisante puisque l'iconographie comme la littérature ne pourront s'empêcher d'inscrire l'autochtonie dans le destin de Thésée ; selon des modes singuliers, certes. Dans les années qui suivent les Guerres Médiques et qui sont précisément marquées par le retour des restes du héros, d'une part le peintre des fresques ornant le Portique Pœcile gratifie Thésée d'une sorte de (re)naissance autochtone : celui-ci surgit en effet du sol du Marathon pour apporter son appui, avec Athéna, Héraclès et le héros éponyme du dème, aux valeureux Athéniens assurant le salut de l'Hellade face à l'envahisseur perse. Cette naissance terrestre, sinon à proprement parler autochtone, contribue non seulement à insérer le héros national dans l'événement fondateur de l'histoire de la cité classique : la naissance de Cécrops, puis d'Erichthonios ; elle place aussi Thésée aux côtés du stratège de Marathon, Callimaque, du héros Echétlos et surtout du polémarque Miltiade, le père de Cimon [93] ! Si l'on est sensible aux jeux de mots que les Anciens se plaisaient à formuler en particulier sur leurs anthroponymes, on pourra voir dans l'assignation du culte héroïque rendu à Thésée au génos des Phytalides une confirmation de l'attachement de la figure légendaire à la terre de l'Attique et du caractère quasi autochtone de sa « naissance » du sol de Marathon. Le génos ne se réclame-t-il pas en effet, par sa dénomination même, du héros « de la plantation », Phytalos qui accueillit au Sciron Déméter sur le territoire de l'Attique comme ses descendants purifièrent en ce point frontière le jeune Thésée de la souillure du sang versé entre Trézène et Athènes ? On est même allé jusqu'à attribuer à Cimon l'assignation aux Phytalides du culte rendu au héros ; le génos n'appartenait-il pas en définitive au même dème que le célèbre homme politique [94] ?

D'autre part, le récit du plongeon du héros dans la demeure marine de son père Poséidon et de son retour triomphant à la surface pourrait bien assumer la valeur d'une renaissance analogue. Non pas rite initiatique, non pas « ordalie », mais renaissance du fond de la mer Egée, parallèlement à la renaissance du sol de l'Attique. Cet acte d'« autothalassie », par l'intermédiaire du poème de Bacchylide, est formulé dans les mêmes années qu'est peinte la fresque de la Stoa Poïkilé, au moment même où il s'agit pour Athènes de rappeler les valeurs terrestres et hoplitiques attachées à Marathon tout en légitimant l'orientation nouvelle de sa politique extérieure et la constitution de son empire maritime. L'héroïsation rituelle de Thésée dans le culte qui lui est rendu se combine ainsi avec une héroïsation dans la légende qui, par les moyens symboliques de l'image et du texte respectivement, confère à la figure du héros une coloration typiquement athénienne, l'ancrant aussi bien dans la terre de l'Attique que dans les fonds de la mer Egée. La complémentarité que les Athéniens de l'immédiat après-Guerres Médiques voient dans valeurs terrestres et

valeurs maritimes correspond sans doute à la coïncidence chronologique frappante existant entre la représentation − peut-être aux
premières Théséia − du poème de Bacchylide faisant l'éloge du
parcours terrestre de Thésée et l'exécution probablement contemporaine de l'ode décrivant le plongeon marin du héros. Cette étonnante complémentarité se trouve renforcée du point de vue spatial
s'il est vrai que ce second chant a été exécuté à Délos, au centre
religieux de la Ligue en train de se constituer alors que le même
épisode est représenté sur la terre ferme, à la même époque, sur les
parois du Théséion, dans le centre politique d'Athènes [95].

3.3.2. *Promotion nationale*

Dans cette situation intermédiaire entre institutions et image
héroïque, on peut encore être sensible à l'étrange absence du héros
national du nombre de dix héros éponymes choisis comme fondateurs des tribus clisthéniennes. On y trouvera une ultime confirmation de l'hypothèse avancée ici d'une utilisation progressive et
multiforme de la légende de Thésée et de son culte par l'idéologie
athénienne. Ce remarquable silence se situe en effet, du point de
vue temporel, entre le moment où la création du cycle des travaux
polarise la légende sur le problème de l'extension et de la cohésion
territoriales de l'Attique, et celui où le développement de l'épisode
crétois la rattache aux nouvelles ambitions maritimes de la cité.
Indépendamment d'une appropriation ou au contraire d'un rejet
de Thésée de la part de Clisthène et des Alcméonides, on peut
estimer que vers 508, la figure héroïque avait assumé une valeur
assez nationale pour ne pas être insérée dans la représentation
symbolique d'une réorganisation interne du territoire. Il y aurait
là une subordination qui ne conviendrait déjà plus au héros incarnant l'ensemble de l'Attique et chargé à cette époque de représenter de préférence ses aspirations extra-territoriales. C'est là
l'explication en général donnée à l'étrange exclusion de Thésée des
dix héros éponymes [96].
Par contre − comme on l'a fait remarquer récemment −
Thésée réapparaît dans l'ensemble monumental déjà mentionné
des statues offertes par les Athéniens à Delphes, pour célébrer la
victoire de Marathon. Dans ce mémorial, Miltiade se dresse entre
Athéna et Apollon ; il est entouré de dix héros parmi lesquels sept
héros éponymes : aux trois éponymes laissés pour compte −

Ajax, Oïneus et Hippothoon – Phidias, le maître d'œuvre, a substitué Codros, Philaïos et Thésée. Substitution d'autant plus surprenante que dans l'ordre de bataille de Marathon, la tribu Aïantis occupait l'aile droite de l'armée grecque et que Miltiade appartenait à la tribu Oïnéis ! Mais c'est oublier qu'Ajax est Salaminien et qu'Hippothoon, fils de Poséidon et petit-fils de Cercyon par sa mère Alopé, est Eleusinien ; quant à Oïneus, il passe pour être le fils bâtard de Pandion, sans que nos sources ne précisent s'il s'agit de Pandion I ou II ; on peut avec quelque vraisemblance l'attribuer à Pandion II qui, chassé par les Métionides, dut trouver refuge à Mégare sur laquelle il finit par régner[97]. Il semble par conséquent qu'on a cherché à éliminer du monument de Delphes les héros attachés aux régions extérieures à l'Attique originaire. Sans doute, les mécanismes exacts de la substitution sont-ils destinés à nous échapper ; et si l'on peut avancer l'hypothèse qu'Ajax a été remplacé par son fils Philaïos parce qu'il est le héros fondateur du génos auquel appartiennent Miltiade et son fils Cimon[98], la substitution ne trouve dans le cas d'Hippothoon et d'Oïneus aucun lien sémantique évident avec Codros et Thésée.

En revanche, l'apparition de Thésée dans le monument commémorant à Delphes la grande bataille de 490 corrobore les conclusions qu'on a pu tirer de la naissance « autochtone » au milieu des héros marathonomaques représentés sur les murs de la Stoa Poïkilé ; ce rapprochement s'impose avec d'autant plus d'évidence que ces représentations datent probablement toutes deux du second quart du Ve siècle[99]. Est-ce à dire que cette insertion de Thésée dans la commémoration de la bataille destinée à devenir le modèle des vertus terrestres de l'hoplite s'oppose à l'initiative maritime qu'il prend dans l'épisode crétois qui se développe à la même époque ? Thésée serait-il devenu le champion emblématique de deux politiques opposées et par conséquent de deux partis affrontés ? Affirmation d'autant moins vraisemblable que cette promotion d'un Thésée hoplite qui serait opposé à un Thésée marin coïncide avec les initiatives politiques de Cimon et avec la représentation, en 472, d'une tragédie telle que celle des *Perses*. Fils du champion de Marathon, Cimon n'en poursuit pas moins la politique d'expansion maritime prônée par Thémistocle, puis par Aristide converti, à l'occasion de la bataille de Salamine. Et tout porte à croire qu'il a joué un rôle aussi bien dans la configuration des fresques du Théséion, avec la représentation du saut dans la mer, que dans l'édification du mémorial de Marathon à Delphes. La politique athénienne du second quart du Vᵉ siècle ne connaît pas encore cette opposition idéologique entre les deux grandes stratégies, pas plus que sa représentation dans la céramique qui inscrit volontiers la lutte contre le Minotaure dans la suite des travaux « terrestres » du héros national [100].

Plutarque ne s'y est point trompé qui, dans sa *Vie de Cimon*, présente la bataille sur l'Eurymédon, décisive dans l'accomplissement de la défaite perse, comme l'équivalent de Salamine et de Platées tout à la fois ; dans un chiasme significatif, Cimon aurait atteint par un combat pédestre le résultat de la célèbre bataille navale et par une naumachie, il aurait répété la performance du combat d'hoplites de 479. Et au début de sa carrière, l'homme d'Etat, tout en apportant son appui au dessein maritime de Thémistocle et en s'illustrant dans la bataille de Salamine, se lança dans la politique en se réclamant des valeurs de Marathon ! Thésée au début de l'époque classique est le héros de la défense extérieure et de l'expansion du territoire d'Athènes, sur terre d'abord, sur mer ensuite. Son apparition « autochtone » à Marathon et sa renaissance « autothalassique » sont contemporaines, ne l'oublions pas.

Par sa matérialisation imagière ou textuelle, à partir d'événements historiques fondateurs, le processus symbolique peut faire retour efficace sur la réalité sociale et sur ses représentations. A partir de la glorification des fantassins de Marathon, la figure héroïque de Thésée et sa biographie légendaire permettent à la cité de réaffirmer ses attaches autochtones ; et l'extension de fait du pouvoir d'Athènes dans la mer Egée provoque une reformulation de l'épisode de Crète qui inscrit dans la légende les nouvelles attaches maritimes de la cité. Mais c'est peut-être dans le rite et dans le culte que l'efficacité pratique de la création symbolique se manifeste avec le plus de force.

4. Réorientations symboliques du culte

L'acte de culte donc comme répercussion du processus symbolique sur la réalité ; mais sans que ce retour puisse être interprété comme établissant un ordre de succession génétique du mythe au rite ; et sans oublier que l'accomplissement de l'acte rituel est à son tour une production de type symbolique, soumis aux étapes du processus que l'on vient de retracer. Narration de la légende et pratique cultuelle convergent dans la manipulation de la réalité socio-culturelle.

4.1. Questions de chronologie

L'absence de documents iconographiques rend la reconstruction du développement historique des cultes rattachés à la légende de Thésée plus hypothétique encore que celle du mythe lui-même. A s'en tenir à la biographie de Plutarque − le texte le plus explicite à propos du jeu de l'aïtion −, il semble bien que l'épisode crétois a été utilisé beaucoup plus largement que d'autres moments de la légende pour rendre compte de la fondation de cultes [101]. Puisqu'elle ne saurait remonter plus haut que le début du Ve siècle, voire même 480, la mise en perspective athénienne de cet épisode donne une première indication chronologique quant à son usage dans le rituel. Du côté des documents attestant des pratiques cultuelles mises en relation avec la légende de Thésée, l'inscription des Salaminiens fait remonter au IVe siècle au moins l'existence des Oschophories ; il en va de même des Cybernésia auxquelles le témoignage cité de Simonide pourrait faire toucher le Ve siècle. Mentionnées par Aristophane, les Pyanopsies étaient en tout cas célébrées dans la seconde moitié de ce même Ve siècle ; mais pour nous, le rattachement à la légende de Thésée de la consécration au temple d'Apollon du rameau de supplication semble beaucoup plus tardif que l'explication de son institution par la propitiation de la famine ou de la stérilité. Seule l'institution des Théséia pourrait bénéficier d'une date précise dans la mesure où la biographie de Plutarque la mentionne à la suite du retour solennel des ossements du héros sous l'archontat de Phaïdon, c'est-à-dire en 476/475. Ces quelques indications chronologiques hétérogènes dirigent donc à nouveau notre regard vers le moment probable de la reformulation attique de l'épisode légendaire correspondant, dans les années 480 à 470.

En retour, on peut se demander si l'orientation maritime donnée à la politique athénienne pendant ces années par des hommes comme Thémistocle, puis Cimon ne serait pas en mesure d'expliquer la remarquable insertion de l'aïtion de l'institution des Théséia au commencement et non pas au terme de la carrière du héros. Autant du point de vue narratif que dans la perspective de la fonction assignée en Grèce au culte héroïque, l'institution légendaire par Thésée lui-même des honneurs que lui rendront les Athéniens est apparue dans son étrangeté. Cette auto-sanction et son anticipation narrative confèrent en tout cas à l'épisode crétois une position tout à fait singulière dans une biographie dont le second volet a plus de difficulté à justifier l'héroïsation de son protagoniste. Pour l'idéologie athénienne, si l'on excepte les combats successifs contre les Centaures et surtout contre les Amazones, Thésée pourrait en somme disparaître au sommet de sa gloire, à l'issue de l'expédition de Crète, après qu'il a rendu à la cité ses fils et ses filles. Ainsi dès 480, légende et culte prendraient la direction du domaine maritime. Au centre de ce nouvel itinéraire : le culte héroïque avec l'institution des Théséia, probablement en 475.

Mais dater l'intérêt maritime des Athéniens des années qui ont suivi la bataille de Salamine et les fameux oracles détournant vers la mer leur politique extérieure, n'est-ce pas se rendre coupable d'anachronisme ? N'est-ce pas oublier que le territoire de Salamine fut intégré au territoire de l'Attique au vi⁰ siècle ? N'est-ce pas ignorer par conséquent que le génos des insulaires Salaminiens a dû recevoir la charge du culte d'Athéna Sciras au Phalère et donc celle des Oschophories bien avant les interventions maritimes de Thémistocle ?

En effet, quelque nombreuses qu'aient été les vicissitudes semi-légendaires de la conquête de Salamine par les Athéniens, quelles qu'aient été les conditions du transfert des Salaminiens en Attique, celui-ci a été opéré avant les réformes territoriales de Clisthène vers 508. Le démontrent autant la disparité entre les deux tribus clisthéniennes dont sont originaires les représentants de la branche attique du clan des Salaminiens et la dénomination de ce clan comme *ex heptaphulôn*, que l'intégration de la tribu clisthénienne Aïantis au culte héroïque rendu à Eurysacès à Athènes même [102]. Remplacés probablement par des clérouques d'Athènes et installés semble-t-il d'abord à Sounion puis dans différentes dèmes proches d'Athènes, les Salaminiens sont en tout cas privés de leur qualité d'insulaires pour être intégrés au territoire de l'Attique. Si l'on attribue à Sciros la fondation du temple d'Athéna Sciras au Phalère, c'est peut-être moins en raison de l'homophonie référant l'épiclèse de la déesse au nom du héros qu'en vertu de la qualité de Salaminien de ce dernier ; ce qui est déterminant, c'est la relation polaire établie ainsi entre le sanctuaire du Phalère et le Sciron près du Céphise ainsi qu'entre le territoire de Salamine et celui d'Eleusis. On a vu que la légende fait régulièrement des différents héros portant ce nom de Sciros les protagonistes de disputes territoriales relatives à la terre ferme. Par ailleurs, les manipulations du texte de l'*Iliade* visant à faire d'Ajax un héros salaminien sont datées par les anciens de l'époque de Solon [103].

On peut dès lors s'imaginer que le culte d'Athéna Sciras a été rattaché d'abord à la terre de l'Attique par sa relation avec le Sciron et par l'intégration territoriale de ses servants, les Salaminiens. Son orientation vers la mer marquerait dès lors un deuxième moment de développement ; sous l'influence surtout de la légende de Thésée qui, dans une relation réciproque significative, intègre probablement ce culte à son propre déroulement en faisant du héros salaminien Sciros, célébré en même temps qu'Athéna Sciras, le grand-père de l'un des sept jeunes Athéniens destinés au Minotaure et le Destinateur des deux pilotes [104]. D'autre part, il n'est sans doute pas trop hardi de supposer que la légende est aussi intervenue pour enrichir le culte rendu au Phalère à Poséidon du sacrifice offert à ces deux héros d'origine salaminienne. Ces relations d'influence réciproque entre rite et mythe nous font parvenir au cœur de la question qui a suscité cette étude. Quant aux Pyanopsies, l'existence d'un aïtion alternatif pour rendre compte de la consécration à Apollon de l'éirésiôné confère à la réorientation du festival une certaine vraisemblance. Mais la date tardive des textes attestant de sa mise en relation avec l'épisode de Crète rend aléatoire toute hypothèse concernant le moment historique où elle se situe [105].

4.2. Jeux d'isotopies

L'analyse syntaxique de l'articulation narrative des pratiques cultuelles avec l'intrigue de la légende a mis en lumière de nombreuses inconséquences ; elles sont l'indice des recoupements opérés entre les différents procédés d'atticisation de la légende de Thésée et la réorientation, dans les mêmes conditions idéologiques, de cultes probablement préexistants. Des Oschophories, la légende reprend par exemple de double travesti, mais en laissant au rituel la conduite double assumée par les deux Oschophores ; elle ne peut dédoubler la figure de Thésée ! De même n'est-ce qu'au début de l'épisode crétois qu'elle parvient à insérer l'intervention des Dipnophores. On a par contre vu la légende ne pas hésiter à dédoubler les actions de grâces rendues par le héros à ses Destinateurs pour rendre compte et des Oschophories et des Pyanopsies. De même du côté du rituel, un seul et même énoncé légendaire peut servir d'aïtion aux Pyanopsies et au rite de la théorie délienne. S'il n'est pas une simple invention narrative, on a pu se demander si, inversement, le rite du 6 Mounichion n'a pas été institué à la suite de la diffusion de l'épisode crétois à Athènes. Tout en faisant abstraction du culte d'Aphrodite Epitragia sur lequel nos informations sont décidément insuffisantes, on est en droit de se poser la même question pour le culte rendu à Phaïax et Nausithoos, deux figures peut-être ajoutées sous l'impulsion du développement de la légende du héros salaminien Sciros.

Mais s'il est si difficile de déterminer quel élément, tiré du rite ou du mythe, a contribué à réorienter l'autre, c'est tout simplement que le processus symbolique a agi sur l'un et sur l'autre de manière contemporaine, motivé par les mêmes circonstances historiques et idéologiques. Et du culte d'Aphrodite Epitragia aux Oschophories, des Cybernésia aux Pyanopsies (probablement), le rattachement à l'épisode crétois a contribué à accentuer la relation de ces cultes avec l'espace maritime. Mais pourquoi, se demandera-t-on en conclusion, les Athéniens ont-ils choisi de réorienter à l'aide de l'épisode crétois ces rites très particuliers que sont les Oschophories et les Pyanopsies ? Pour quelles raisons le choix ne s'est-il pas plutôt porté sur les Grandes Dionysies ou sur les Panathénées [106] ? L'importance civique de ces festivals aurait donné à la ritualisation de la légende de Thésée un impact et un éclat certainement supérieurs.

La proximité des dates auxquelles Pyanopsies et Oschophories étaient célébrées avec celle du retour du héros et par conséquent de l'institution du Théséia peut naturellement fournir une première explication. On a dit de plus que, si l'on ajoute les Cybernésia, il y a coïncidence entre la constellation des dieux auxquels sont dédiés ces différents rituels et les Destinateurs divins de l'entreprise théséenne en Crète. Mais le processus symbolique ne recourt pas uniquement à la contiguïté. Mises en résonance avec les cultes qui leur correspondent en d'autres périodes du calendrier festif, Oschophories et Pyanopsies se sont révélées centrées sur les phases initiale et finale du processus de production de différents végétaux propres à la consommation des hommes. Traversés par les isotopies du végétal, de la maturation comprise comme coction et de la protection dont elle bénéficie de la part des dieux, centrés donc sur le thème de l'alimentation, de sa production, et du rôle qu'elle joue dans le développement et le maintien de la civilisation, ces cultes préexistaient selon toute probabilité aux impulsions décisives données par l'issue des Guerres Médiques à la vie politique, culturelle et cultuelle des Athéniens. Quant à l'épisode crétois qui, dans les années suivant 480, commence à en expliquer l'institution, on l'a vu centré sur le thème de la formation politico-civique à travers les isotopies de la croissance humaine, de la légitimité, de la sexualité et de l'éducation dans l'exercice physique et dans celui de la musique.

Ainsi se dessine le cheminement possible du processus symbolique dans la resémantisation réciproque de gestes cultuels et d'un épisode légendaire, tous préexistants. Les profonds changements imposés par les Guerres Médiques sur la conscience politique des Athéniens, probablement par l'intermédiaire de figures décisives telles celles de Thémistocle ou de Cimon, provoquent une nouvelle réflexion, notamment dans les domaines hautement vecteurs d'idéologie que sont le culte et la légende. A partir de ces déterminations historiques et politiques, mais aussi à partir d'une idée nouvelle de la *paídeusis* qui achèvera de se réaliser sous le règne de Périclès, le processus de spéculation symbolique semble jouer sur le rapport métaphorique que les Grecs ont établi dès l'époque archaïque entre la maturation des végétaux destinés à l'alimentation et la maturité civique que des jeunes atteignent par l'éducation [107]. Mais puisque moins encore que la légende, ces rites n'adoptent ni le schéma ni la fonction de l'initiation tribale, chacun de ces ordres du symbolique garde sa spécificité sémantique ; au mécanisme de l'aïtion de réaliser le rapport métaphorique entre plan végétal et plan humain autour du thème de la construction de la civilisation [108]. Le mythe n'est décidément pas le *legómenon* du rite-*drómenon*.

Et là où la mise en relation symbolique est le plus richement productive dans le respect des possibilités propres à chacun des moyens d'expression qu'elle utilise, c'est dans le dessin de l'espace. Déjà au VIe siècle, la relation territoriale et cultuelle établie entre les Oschophories célébrées dans le culte d'Athéna Sciras au Phalère, en face de Salamine, et les Scira fêtées au Sciron, sur la route d'Eleusis, définit la clôture de la chôra d'Athènes tout en y réservant deux ouvertures : l'une permet de communiquer avec la terrestre Attique, l'autre avec l'espace marin de l'Egée. Car la chôra est la terre productrice de ce vin célébré à l'intérieur de la cité aux Oschophories et des aliments mûrs fêtés aux Pyanopsies à la même période. Quand, dès 480, se fait sentir la nécessité de donner à la pratique cultuelle une forme correspondant aux extensions maritimes du territoire athénien, on rehausse le culte rendu à Poséidon au Phalère du sacrifice héroïque en l'honneur des pilotes salaminiens du nouveau héros national ; on présente alors ce dernier comme le fondateur du culte d'Athéna Sciras à l'issue de son expédition maritime et on rattache peu à peu les cultes de Délos, centre religieux et économique de l'« empire », à ce même épisode crétois. Comme le mythe, l'organisation cultuelle permet donc de gérer les rapports de la cité avec son extérieur dans ses différents aspects.

Mais on laisse au mythe le soin de spéculer non seulement sur les limites spatiales du nouveau territoire, mais surtout sur les valeurs que les Athéniens entendent y propager : valeurs éphébiques acquises dans les exercices de la palestre et de la maison des Muses, rétablissement de la justice vis-à-vis de la violence des régimes tyranniques, allégeance aux dieux de la civilisation athénienne, Poséidon, Athéna et Apollon. Quant à l'initiation amoureuse, l'initiative en est laissée de manière significative aux Crétois et à ces divinités plus extérieures que sont Aphrodite et Dionysos. Dans sa perspective athénienne classique, l'épisode crétois est centré sur les aspects civiques et politiques de la formation conduisant à l'établissement de la civilisation attique. Le rite comme le mythe mettent en scène le processus de la production de la culture dont Athènes est la maîtresse au Ve siècle.

4.3. Convergences héroïques

La meilleure réalisation de la spéculation symbolique dans ses manifestations parallèles et convergentes, mais non réductibles l'une à l'autre, c'est en définitive au Théséion qu'on la trouve, à l'occasion de l'accession de Thésée au statut de héros athénien. La célébration des Oschophories et des Pyanopsies, ne s'y achève-t-elle pas dans les rites des Théséia, marqués probablement par la récitation du poème de Bacchylide vantant les mérites terrestres du héros face à la représentation iconique de sa renaissance « auto-thalassique » ? Provoquée par la situation radicalement nouvelle créée par l'ébranlement des Guerres Médiques, cette convergence symbolique a en retour comme effet la légitimation des conséquences politiques découlant du grand événement historique !

Et en l'absence bien évidente de toute possibilité d'observation directe, les utilisations idéologiques successives de la figure de Thésée dans la littérature et dans l'iconographie sont la meilleure preuve de la poursuite de l'effet pratique du processus symbolique réanimé par les Guerres Médiques. Dans les arts plastiques Thésée sera pendant tout le Ve siècle le défenseur de la civilisation athénienne aussi bien face à l'envahisseur potentiel qu'à l'égard des nouveaux sujets soumis dans la mer Egée ; et dans la tragédie, il devient le porteur de ces valeurs de la démocratie qu'Athènes éprouve tant de difficultés à sauvegarder pendant la longue agonie de la Guerre du Péloponnèse. Thésée est désormais le maître incontesté de la *paídeusis* athénienne.

A tel point que le moindre berger, le moindre paysan analphabètes de l'Attique, s'ils ne peuvent déchiffrer les épigraphes héroïques dédiées au grand homme, sont au moins en mesure de décrire par analogie le tracé des lettres composant le nom du héros. A tel point que ce jeu de décryptage graphique semble être devenu à la suite du *Thésée* d'Euripide un véritable topos de la tragédie classique : celui qui ne peut déchiffrer le nom de Thésée, on l'offre en spectacle [109]. Thésée en définitive héros des débuts de la culture de l'écrit ou en tout cas du visuel ? C'est peut-être ce qu'il faut déduire en conclusion du jugement défavorable formulé par Aristote à l'égard de la *Théséide*, contrastant avec le grand nombre des tragédies où le héros intervient de manière déterminante [110].

NOTES

[1] Sapph. fr. 206 Voigt ; référence du pithos mentionné chez Brommer, 1982, p. 38 n. 8. Mais la séquence naxienne, corollaire de l'affrontement avec le Minotaure, est déjà présente – rappelons-le – chez Hom. *Od.* 11, 321 ss (voir *supra* chap. II § 6.1.1.) et dans le résumé que donne Proclus des *Cypria* (p. 40, 29 Bernabé) ; les amours de Thésée et d'Ariane y étaient en effet l'objet d'un récit mis dans la bouche de Nestor.

Le rapt d'Hélène est présupposé par Hom. *Il.* 3, 139 ss (cf. *supra* chap. IV n. 180), puis il est raconté par les *Cypr.* fr. 13 Bernabé ; pour la poésie lyrique, cf. *supra* même note ; pour l'iconographie, voir Neils, 1987, p. 18 ss, et Brommer, 1982, p. 94 ss.

[2] Tout en insistant sur l'origine non attique de la légende, Ampolo & Manfredini, 1988, p. XXIV ss, viennent de reconnaître que geste crétoise et rapt d'Hélène constituent les deux noyaux de la légende. Dans une perspective historique, Ch. Dugas, « L'évolution de la légende de Thésée », *Rev. Et. Gr.* 66, 1943, pp. 1-24, était déjà parvenu à une constatation analogue ; mêmes conclusions dans les études historiques de H. von Steuben, *Frühe Sagendarstellungen in Korinth und Athen*, Berlin (Hessling) 1968, p. 33 ss, et de K. Fittschen, *Untersuchungen zum Beginn der Sagendarstellungen der Griechen,* Berlin (Hessling) 1970, p. 161 s. Récemment encore, G. S. Kirk, *The Nature of the Greek Myths*, Harmondsworth (Penguin) 1974, p. 146 ss, a pu tirer argument de la relative ancienneté de l'épisode crétois pour en affirmer l'origine mycénienne et le caractère historique.

Le problème de la diffusion des poèmes homériques est traité par J. Latacz, *Homer. Eine Einführung*, München - Zürich (Artemis) 1985, p. 68 ss. Les références aux allusions théséennes dans les poèmes homériques sont citées *supra* n. 1. On se souviendra que la conduite du contingent athénien est confiée par l'*Iliade* à Ménesthée : cf. *supra* chap. IV n. 183.

[3] Il s'agit de *Il.* 1, 265 (Centauromachie) et de *Od.* 11, 631 (Thésée et Pirithoos) ; à ce propos, voir *supra* chap. IV nn. 179 et 180. Sur la rédaction pisistratide de l'*Iliade* et de l'*Odyssée*, cf. Cic. *De Or.* 3, 137 ainsi que sch. Hom. *Il.* 10 (III, p. 1, 4 ss Erbse), Paus., 7, 26, 13 et *A. P.* 11, 442 ; voir le commentaire de J. A. Davison, « Peisistratus and Homer », *Trans. Am. Philol. Assoc.* 86, 1955, pp. 1-21, et de G. S. Kirk, *The Songs of Homer*, Cambridge (Univ. Press) 1962, p. 306 ss.

[4] Hes. frr. 298, 147 et 280 Merkelbach-West ; sur la version hésiodique de l'abandon d'Ariane, cf. *supra* chap. II § 6.1.4. La tentative d'enlèvement de Coré était aussi racontée par la *Minyade* (fr. 1 Bernabé) que l'on attribue à Chersias, un poète épique du début du VIe siècle : Huxley, 1969, p. 118 ss. On a mentionné (*supra* chap. IV n. 179) le v. 182 de l'*Apsis* pseudo-hésiodique citant Thésée parmi les Lapithes opposés aux Centaures.

[5] Aux références données par Brommer, 1982, pp. 37 ss et 94 ss, on ajoutera les réflexions plus spéculatives de Schefold, 1964, p. 37 ss ; pour les figurations plus anciennes du combat contre le Minotaure, voir aussi Friis Johansen, 1945, p. 27 ss.

[6] Sapph. fr. 206 Voigt : Alcm. fr. 21 Page, avec le commentaire de Calame, 1983, p. 610 ; Thgn. 1233 qui fait probablement allusion à la version où, à la suite de la double tentative de rapt d'Hélène et de Perséphone, Thésée reste définitivement prisonnier aux Enfers : cf. M. Vetta, *Theognis. Elegiarum liber secundus*, Roma (Ateneo) 1980, p. 41 s. ; Stes. fr. 191 Page (on verra aussi le fr. 193, extrait d'un *hupómnēma* dont l'auteur attribue à Stésichore également une allusion aux fils de Thésée, Démophon et Acamas : cf. *supra* chap. IV n. 177).

[7] Ce développement est décrit par Brommer, 1982, p. 42 ss.

[8] Cf. Brommer, 1982, p. 95 ; références sur les différentes versions du rapt d'Hélène *supra* chap. IV n. 180.

[9] Le trône d'Amyclées est décrit par Paus. 3, 18, 9 ss ; les lecteurs modernes de ces scènes ont beaucoup hésité quant à leur interprétation : cf. Brommer, 1982, p. 56. Quant aux hypothèses variées émises à propos de l'aspect général de cet ensemble monumental,

elles sont énumérées par R. Martin, « Bathyclès de Magnésie et le " trône " d'Apollon à Amyklae », *Rev. Arch.* 1976, pp. 205-218.

[10] Le coffre de Cypsélos nous est connu par la description qu'en fait Pausanias, 5, 17, 5 ss, qu'on lira avec le commentaire de Schefold, 1964, p. 68 ss.

[11] Sur la représentation du « chœur » de Thésée sur le « Vase François », cf. *supra* chap. II § 7.2. et *infra* § 3.1.3. Les deux documents les plus anciens quant au combat contre le taureau de Marathon sont d'interprétation contestée : cf. Brommer, 1982, p. 28 s. ; pour le premier témoignage littéraire à ce sujet, voir Soph. fr. 25 Radt ; autres attestations chez Herter, 1973, col. 1083 ss.

[12] Cette bande de bouclier est citée et décrite par Brommer, 1982, p. 101 s. ; les textes mentionnant l'enlèvement de Perséphone sont cités *supra* n. 4.

[13] Pour l'iconographie de la Centauromachie et sur l'éventuelle version pisistratide de cet épisode, cf. Brommer, 1982, p. 104 ss, et *supra* chap. IV n. 179. Le récit d'Hérodore, *FGrHist.* 31 F 26 et 27, est cité par Plut. *Thes.* 29, 3 et 30, 4 : voir à ce propos Ampolo & Manfredini, 1988, pp. 241 s. et 249 ; chronologiquement, le témoignage littéraire suivant ne date que du IVe siècle : Isocr. *Hel.* 26.

[14] On trouvera le dossier exhaustif de ce développement des scènes individuelles et du cycle chez Brommer, 1982, pp. 1 ss, 67 ss et 125 ss ; voir aussi, en termes généraux, R. B. Edwards, « The Growth of the Legend » in Ward, 1970, pp. 25-50, et, en détails, Neils, 1987, p. 31 ss. Pour le cycle, on verra encore Schefold, 1978, p. 161 ss, Taylor, 1981, pp. 91 ss et 135 ss, et Schefold & Jung, 1988, p. 233 ss ; pour le combat contre le taureau de Marathon, cf. *supra* chap. II n.16.

[15] Les différents arguments concernant la datation du décor sculpté du Trésor des Athéniens sont évoqués par Boardman, 1982, p. 3 ss (cf. aussi Schefold & Jung, 1988, p. 231 s.) et par Brommer, 1982, p. 68 ss, qui contestent la date donnée par Paus. 10, 11, 5 et défendue notamment par P. de la Coste-Messelière, *Fouilles de Delphes* IV. 4, Paris (de Boccard) 1957, p. 259 ss ; ces mêmes auteurs reprennent la question délicate de l'identification des quatre luttes contre les êtres monstrueux qui précèdent la rencontre avec Athéna ; voir également à ce propos Herter, 1973, col. 1066 s., Schefold, 1978, p. 165 ss, et Brommer, 1979, p. 498 s.

[16] Bacch. 18, 18 ss ; Soph. fr. 730c, 16 ss. Radt (mention de la laie de Crommyon et de Sciron). La relation probable entre le poème de Bacchylide et le festival des Théséia a déjà été établie au siècle dernier : références à ce propos chez Merkelbach, 1973, p. 57 n. 2, qui pense, de manière plus générale, à une fête à laquelle participaient les éphèbes (selon lui, les interprètes du poème : cf. *supra* chap. IV nn. 1 et 7) ; voir aussi Burnett, 1985, p. 117 ss avec la n. 5.

Pour la date de l'inauguration des Théséia, voir *supra* chap. III n. 32.

[17] La liste des exploits théséens est donnée par Diod. Sic. 4, 59, 1 ss. Premières attestations littéraires isolées des signes de reconnaissance : Call. frr. 235 et 236 Pfeiffer ; de Périphétès : Eur. *Suppl.* 714 (tragédie représentée en 424 ou 421 ; sur ces deux premières séquences, cf. Ampolo & Manfredini, 1988, pp. 200 et 204 s.) ; de Sinis : Eur. *Hipp.* 997 (représenté en 428) ; de la laie de Crommyon : Eur. *Suppl.* 316 ss ; de Sciron : Eur. *Hipp.* 979 et *Sciron* fr. 675 ss. Nauck^2 ; de Cercyon : Aesch. *Cercyon* p. 223 ss Radt ; le combat contre Procuste n'est attesté isolément que chez Paus. 1, 38, 5. La lutte contre le taureau de Marathon est mentionnée pour la première fois pour nous dans l'*Égée* de Sophocle (fr. 25 Radt) et l'on trouve une première allusion à la lutte contre les Pallantides chez Eur. *Hipp.* 35. Pour d'hypothétiques figurations de ce dernier exploit dans l'iconographie, cf. Kron, 1976, p. 128 ss, et Brommer, 1982, p. 137 ss, ainsi qu'*infra* n. 27.

[18] Plut. *Thes.* 28, 1 (= *Thes.* fr. 1 Bernabé). En fait, au IVe siècle déjà, Aristote, *Poet.* 8, 1451a 19, connaît plusieurs *Théséides* (T 1 Bernabé). Les sch. Pind. *Ol.* 3, 50 ss (I, p. 119, 20 ss Drachmann ; fr. 2 Bernabé) citent d'abord un auteur anonyme peut-être contemporain de Phérécyde (*FGrHist.* 3 F 71) et de Pisandre de Camyros (fr. 3 Bernabé) ; Diog. Laert. 2, 59 mentionne un certain Nicostratos, également biographe d'Epaminondas et

frère de Xénophon d'Athènes (*FGrHist*. 111 T 1) ; les sch. Pind. *Ol*. 10, 83b (I, p. 332, 10 s. Drachmann ; T 2 Bernabé ; cf. aussi p. 331, 26) mentionnent encore un poète du nom de Diphilos (II, p. 61 s. West) que Radermacher, 1943, p. 371 n. 626, identifie avec l'auteur anonyme mentionné par les mêmes scholies ; également iambographe, ce Diphilos aurait servi de modèle à Eupolis et à Aristophane : cf. O. Crusius, « Diphilos 11 », *Realenc. Alt.-Wiss.* V, Stuttgart (Metzler) 1905, coll. 1152-1153. Enfin Stob. 4, 20, 75 et *Sud. s. v. Psithuristoû* (*Ps* 99 Adler) citent à propos de l'épisode de l'amour de Phèdre pour Hippolyte une *Théséide* (en prose ?) de Zopyros. Selon Radermacher, 1943, p. 252 ss, qui tente de reconstruire l'intrigue de la première *Théséide*, Hégias de Trézène aurait aussi composé un poème épique consacré au héros, mais voir *supra* chap. ɪᴠ n. 101. Cf. encore Herter, 1973, col. 1046, et Neils, 1987, pp. 11 s. et 144, qui, doutant de l'existence d'une *Théséide*, voit dans un poème oral la source des peintres.

Comme le relève Jacoby, 1954, I, p. 608 ss, l'*Atthis* épique d'Hégésinos (*FGrHist*. 331 T 1-2 et F1), qui devait inclure la légende de Thésée, n'est qu'une création tardive. On trouve encore des allusions à des vers épiques mettant en scène Thésée chez Paus. 7, 17, 7 et Luc. *Tox*. 10.

[19] Les témoignages classiques quant à l'introduction de récitations, puis de concours de rhapsodes aux Grandes Panathénées se trouvent dans des textes attribués à Platon : *Ion* 530b et *Hipparch*. 228b. C'est par ailleurs Hipparque qui aurait introduit en Attique les poèmes d'Homère : cf. Huxley, 1969, p. 114 ss ; de là l'hypothèse d'une édition pisistratide d'Homère, idée qui prend appui aussi sur les interpolations théséennes dont on a parlé : cf. *supra* n. 3. Les poèmes épiques de portée panhellénique tels que la *Télégonie* ou l'*Héracléide* sont respectivement attribués à Eugammon de Cyrène (Eus. *Chron*. 53ᵉ Ol. = 568/5 avant notre ère) et à Pisandre (qui vécut au ᴠɪᵉ siècle) ; une *Héracléide* est ensuite recomposée au début du ᴠᵉ siècle par Panyassis : cf. A. Bernabé Pajares, *Fragmentos de épica griega arcaica*, Madrid (Gredos) 1979, pp. 215 ss et 297 ss. Sur le plan local, la *Phoronide* argienne date sans doute du début du ᴠᵉ siècle, et à Sparte, à côté de Cinéthon, Asios de Samos a probablement élaboré au début du ᴠɪᵉ siècle une généalogie épique des Tyndarides : cf. Huxley, 1969, p. 85 ss.

[20] On assigne au *Dithyrambe* 17 de Bacchylide une date oscillant entre 478 et 470 : cf. Herter, 1939, p. 299 ; Barron, 1980, p. 2 ss, met explicitement ce poème en relation avec le rapatriement des ossements du héros par Cimon en 475 (cf. *infra* § 3.1.4.). On estime toutefois que ce poème a été exécuté à Délos : cf. *supra* chap. ᴠ n. 144. Sur les peintures du Théséion, cf. *infra* n. 24.

La légende de Thésée a laissé dans la poésie lyrique de ce début du ᴠᵉ siècle quelques traces fugitives : cf. Sim. fr. 550 (*b*) Page et Pind. frr. 173 ss, 243 et 258 Snell-Maehler (cf. aussi le fr. 6f), frr. commentés *supra* chap. ᴠ n. 119 et chap. ɪᴠ nn. 174 et 180.

[21] Pherec. *FGrHist*. 3 F 145-155, cité à deux reprises par Plut. *Thes*. 19, 2 et 26, 1. F. Jacoby, « The First Athenian Prose Writer », *Mnemosyne* III. 13, 1947, pp. 13-64, repris dans *Abhandlungen zur griechischen Geschichtsschreibung*, Leiden (Brill) 1956, pp. 100-143, soutient que l'histoire d'Athènes rédigée par Phérécyde a été écrite sous l'influence de la famille des Philaïdes, avant même le rapatriement des ossements de Thésée par Cimon ; sur cette question, voir encore *infra* n. 98.

Hellanic. *FGrHist*. 4 F 38-49 et 163-172, fragments de l'*Atthis* repris comme *FGrHist*. 323a T 1-8 et F 1-29 ; ouvrage utilisé par Plut. *Thes*. 17, 3 ; 25, 7 ; 26, 1 ; 27, 2 et 31, 1. On sait par Thuc. 1, 97, 2 qu'Hellanicos a conduit sa chronique d'Athènes en tout cas jusqu'à la fin de la Pentécontaétie et, par d'autres témoignages, qu'elle devait s'achever avec le récit de la fin de la Guerre du Péloponnèse : cf. Jacoby, 1954, I, p. 5 ss. Contrairement à Hérodote qui fait de Clisthène le promoteur de la grandeur d'Athènes, Hellanicos semble avoir accentué dans cette même fonction le rôle joué par Thésée : cf. Jacoby, 1949, p. 220 ss.

[22] Soph. frr. 19-25a, 246, 730a-g et 677-693 Radt. Eur. *Sciron* frr. 675-681 Nauck² et *hyp*. fr. 18 Austin ; à propos des deux *Hippolyte* d'Euripide, de leur relation avec la

Phèdre de Sophocle et de la contestable appartenance du premier *Hippolyte* à une trilogie comprenant un *Egée* et un *Thésée*, cf. Barrett, 1964, pp. 10 ss. et 40, et T.B.L. Webster, *The Tragedies of Euripides*, London (Methuen) 1967, p. 105 ss. Aesch. frr. 102-107 et 53a-54 Radt ; cf. aussi *Eum.* 685 ss (allusion à l'Amazonomachie) et les frr. 736-777 Radt tirés des *Héraclides* et commentés par Bertelli & Gianotti, 1987, p. 44. Achaeus 20 F 18-18a Snell. Critias 43 F 3-14 et 4a Snell ; la critique hésite toujours à attribuer cette tragédie à Euripide : voir en dernier lieu D. F. Sutton, *Two Lost Plays of Euripides*, New York - Bern (Lang) 1987, pp. 5 ss et 62 ss. Un *Thésée* pour nous anonyme a été représenté aux Lénéennes de 419 : *IG* II², 2319, 74 = DID A 2b, 74 Snell. On verra encore Agathon 39 F 4 Snell.

Il convient d'ajouter qu'Euripide avait quant à lui encore composé un *Egée* (frr. 1-13 Nauck² ; mise en scène de la reconnaissance du fils par le père), une *Alopé* (frr. 105-113 Nauck² ; destin de la fille de Cercyon tué par Thésée) et un *Thésée* (frr. 381-390 Nauck² ; combat contre le Minotaure peut-être décrit dans le *P. Oxy.* 3530) ; R. Aélion, *Quelques grands mythes héroïques dans l'œuvre d'Euripide*, Paris (Belles Lettres) 1986, p. 219 ss, a tenté de reconstruire l'intrigue de ces différentes tragédies.

[23] Theop. com. frr. 18-21 Kassel-Austin, Aristonym. fr. 1 Kock. Philyllios semble d'autre part avoir composé un *Egée* (frr. 1-2 Kassel-Austin) et dans les *Drapétides* de Cratinos, on trouve une allusion à Cercyon et une adresse à Egée (frr. 53 et 61 Kassel-Austin).

[24] Paus. 1, 17, 2 s. (Amazonomachie : *LIMC Amazones* 230). A propos des hésitations des modernes quant à l'attribution et à la datation des deux tableaux mentionnés, cf. Herter, 1973, col. 1225, Taylor, 1981, p. 147 ss, Beschi & Musti, 1982, p. 321, et Boardman, 1982, p. 17 ; Barron, 1972, p. 23 ss, émet l'hypothèse que la Centauromachie du Théséion a été peinte entre 478 et 470 et qu'elle est à l'origine de l'insertion de ce combat légendaire dans le cadre des noces de Pirithoos ; cf. aussi, dans ce sens, S. Woodford, « More light on old walls : the Theseus of the Centauromachy in the Theseion », *Journ. Hell. Stud.* 94, 1974, pp. 158-165. Par contre, Schefold & Jung, 1988, pp. 231, 240 et 296, situent peu avant 500, sous Clisthène, la peinture représentant l'arrivée de Thésée dans la demeure de son père divin.

[25] Lieu d'asile et de refuge : Aristoph. *Eq.* 1312 avec les sch. *ad loc.* (I.2, p. 266, 1 ss. Koster) ainsi que les frr. 475 et 577 Kassel-Austin, peut-être Pherecr. fr. 46 Kassel-Austin, Philoch. *FGrHist.* 328 F 177, Thuc. 6, 61, 2, etc. ; lieu de réunions officielles : Aeschin. 3, 13 avec sch. *ad loc.* (p. 81, 3 ss. Dindorf), Ps. Aristot. *Ath. Pol.* 62, 1, etc. Le Théséion semble avoir aussi abrité la tenue de procès (Phot. *Lex. s. v. Thēseîon* ; p. 281 Naber) ou de réunions occasionnelles de la Boulé (*IG* II/III². 1, 30, 11 et 1039, 3). Les autres témoignages sur les nombreuses fonctions civiques du Théséion sont réunis par R. E. Wycherley, *The Athenian Agora* III, Princeton (Am. School of Class. Studies at Athens) 1957, p. 113 ss, et par Herter, 1973, col. 1223 ss.

Pour l'emplacement du Théséion et la date de sa construction, cf. *supra* chap. III n. 32.

[26] Les fresques de la Stoa Poïkilé sont décrites par Paus. 1, 15, 1 ss ; la peinture de l'Amazonomachie par Micon est déjà mentionnée par Aristophane, *Lys.* 678 s. avec sch. *ad loc.* (p. 257a, 39 ss Dübner ; cf. aussi Arr. *An.* 7, 13, 5 ; voir *LIMC Amazones* 234). Pour la datation de l'ensemble du cycle et l'attribution de sa conception à Polygnote, cf. Boersma, 1970, p. 55 ss, Beschi & Musti, 1982, p. 315 s., et E. D. Francis and M. Vickers, « The Œnoe Paintings in the Stoa Poikile and Herodotus' Account of Marathon », *Ann. Brit. School Athens* 80, 1985, pp. 99-113 ; autres témoignages chez Wycherley, *op. cit.* n. 25, p. 31 ss. Sur les peintures elles-mêmes, on verra les références indiquées par Ampolo & Manfredini, 1988, p. 258 s. ; pour la représentation de la bataille de Marathon, voir en particulier *infra* § 3.3. L. H. Jeffery, « The " Battle of Oinoe " in the Stoa Poikile : A Problem in Greek Art and History », *Ann. Brit. School Athens* 60, 1965, pp. 41-57, a supposé une erreur de Pausanias à propos de cette bataille d'Oïnoé, dont l'identité est en effet contestée ; elle y verrait une représentation du combat mené à Eleusis par Thésée pour donner une sépulture aux cadavres des Sept contre Thèbes (cf. Plut. *Thes.* 29, 5).

[27] Sur le programme iconographique des métopes de l'Héphaïstéion, cf. Ch. H. Morgan, « The Sculptures of the Hephaisteion I », *Hesperia* 31, 1962, pp. 210-219, Boersma, 1970, pp. 59 ss et 191 (qui traite aussi du problème de la datation de l'ensemble), Brommer, 1982, pp. 4 ss, 69 s. et 138 s., ainsi que Neils, 1987, p. 126 ss, et Schefold & Jung, 1988, p. 246 ss.

[28] Paus. 1, 17, 2, Plin. *NH* 36, 18, cf. *LIMC Amazones* 246 pour les frr. des copies du bouclier ; voir E. B. Harrison, « Motifs of the City-Siege on the Shield of Athena Parthenos », *Am. Journ. Arch.* 85, 1981, pp. 281-317, et Boardman, 1982, p. 18 ss. Sur la statue d'Athéna Promachos, cf. Paus. 1, 28, 2 avec le commentaire de Beschi & Musti, 1982, p. 366 s. Les restes de la Stoa Basiléios ont été retrouvés à l'occasion des fouilles entreprises sur l'Agora en 1970 : cf. T. L. Shear Jr., « The Athenian Agora : Excavations of 1970 », *Hesperia* 40, 1971, pp. 241-279, qui estime que l'édifice, construit dans le second quart du VIᵉ siècle, a été l'objet d'une restauration complète après 450.

[29] Delphes : Paus. 10, 10, 1 ; sur la signification de ce monument, cf. *infra* § 4.1. Olympie : Paus. 5, 11, 4 et 7 ainsi que 10, 8 ; on remarquera que les barrières qui empêchaient l'accès à la statue de Zeus étaient décorées de peintures de Panaïnos représentant Thésée, Pirithoos, l'Hellade et Salamine assistant Heraclès en train de reprendre des bras d'Atlas le poids du monde ! Cf. Brommer, 1982, pp. 107 ss et 116 ss.

[30] Plut. *Thes.* 4, *Glor. Ath.* 346a, Plin. *NH* 35, 69 et 129 ; cf. Ampolo & Manfredini, 1988, p. 201. Parmi les ouvrages de cette iconographie monumentale, on aurait pu encore mentionner le groupe sculpté provenant d'un fronton archaïque tardif d'Erétrie et représentant le rapt d'Antiope par Thésée (cf. Brommer, 1982, p. 113), la frise très endommagée du temple de Poséidon à Sounion qui figurait une Centauromachie et en tout cas les combats de Thésée contre Sciron et le Taureau de Marathon (références chez Brommer, 1982, p. 70 n. 11 ; la frise est datée de 450-445 environ), et, en dehors de l'Attique et de ses dépendances, quelques-unes des scènes de l'héroôn de Trisa en Lycie où l'on reconnaît le cycle des exploits du héros national athénien (cf. en dernier lieu C. Bérard, « La Grèce en barbarie : l'apostrophe et le bon usage des mythes », in Calame (éd.), 1988, pp. 187-199 ; l'ensemble de ces bas-reliefs date de la fin du Vᵉ siècle). On a aussi supposé que le groupe de bronze représentant la découverte par Thésée des signes de reconnaissance et exposé sur l'Acropole (Paus. 1, 27, 8) datait de l'époque classique. Cf. encore Paus. 1, 8, 4 et 1, 27, 10, ainsi que Brommer, 1982, p. 147 s.

[31] Brommer, 1982, pp. 88 ss, 83 ss, 104 ss, 112 s., 120 s., 94 ss et 99 ss. La forme assumée par les Amazonomachies de la céramique (*LIMC Amazones* 232-244) a probablement subi l'influence de la peinture monumentale : cf. Boardman, 1982, p. 21 ss, ainsi que P. Devambez, « Amazones », *LIMC* I. 1, Zürich - München (Artemis) 1981, pp. 586-653, qui attribue à la première Guerre Médique l'impulsion décisive pour la diffusion nouvelle connue par la représentation de cette séquence (p. 640 ss).

Selon Ampolo & Manfredini, 1988, p. 250 s., la localisation en Attique du rapt d'Hélène remonte en tout cas au Vᵉ siècle.

[32] Ce processus est bien décrit par Taylor, 1981, pp. 111 ss et 126 ss ; voir déjà Ch. P. Kardara, « On Theseus and the Tyrannicides », *Am. Journ. Arch.* 55, 1951, pp. 293-300, ainsi que Bérard, 1983, p. 48 ss.

[33] Isocr. *Hel.* 18 ss ; l'assistance offerte à Pirithoos dans la tentative de rapt de Coré et le séjour aux Enfers, mentionnés en 20 et 39, ne sont dans cette perspective que les résultats du contrat qui liait Thésée à son ami. Eur. *Suppl.* 352 ss ; passage commenté *supra* chap. IV § 1.6.3 avec n. 91 et *infra* § 3.2.2.

[34] Isocr. *Panath.* 127 ss et 138 ss. L'*Epitaphios*, 60, 28, attribué à Démosthène fait aussi de Thésée le promoteur de l'*isēgoría* athénienne : sur ce concept, cf. Loraux, 1981b, pp. 178 et 206 ss. Voir encore Xen. *Mem.* 3, 5, 10. Ce régime de méritocratie placé sous le « leadership » d'un souverain éclairé n'est en somme pas très éloigné de celui dont Thucydide (2, 37, 1) vante les mérites par l'intermédiaire de l'épitaphios placé dans la bouche de Périclès : le rôle de « leader » assumé par ce dernier y est tout simplement sous-entendu.

Ce régime se rapproche également de la « constitution mixte » prônée par Aristot. *Pol.* 4, 1294b 1 ss : cf. J. de Romilly, « Le classement des constitutions d'Hérodote à Aristote », *Rev. Et. Gr.* 72, 1959, pp. 81-99.

[35] Ps. Dem. 59, 74 ; Ps. Aristot. *Ath. Pol.* 41, 2 ; cf. aussi le fr. 3 Chambers qui est cité par Plut. *Thes.* 25, 3 et où Thésée est dit « incliner vers la foule », ainsi que Heracl. Pont. *Epit.* 1 (p. 66, 13 s. Chambers) qui attribue à Thésée l'établissement de l'égalité entre les Athéniens. E. Ruschenbusch, « PATRIOS POLITEIA », *Historia* 7, 1958, pp. 398-424, a tenté de caractériser le type de constitution dont la légende, dans ses différentes versions, crédite le héros royal ; il voit ainsi dans les textes cités ici le reflet d'une conception de la démocratie mesurée dont les orateurs attribuaient volontiers l'initiative à Thésée, et ceci à la suite de la publication en 343 de l'*Atthis* d'Androtion (cf. aussi Bertelli & Gianotti, 1987, p. 41 s.). Mais les régimes successivement assignés à Thésée par ces textes sont trop contradictoires pour qu'il soit possible d'y voir la trace précise d'une réalité politique ou politologique : cf. Rhodes, 1981, pp. 74 ss et 485, ainsi que Davie, 1982, p. 29.

Dans une perspective historiciste, J. Sardaky, « Die Theseus-Sage und die sogenannte theseische Verfassung », *Acta Antiq. Acad. Scient. Hung.* 17, 1969, pp. 1-10, pense que le régime politique attribué à Thésée, de nature aristocratique, pourrait correspondre à celui connu réellement à Athènes sous le règne des Eupatrides au VIIe siècle ! Voir encore dans un sens analogue W. den Boer, « Theseus. The growth of a myth in history », *Greece and Rome* 16, 1969, pp. 1-13, ainsi que Bertelli & Gianotti, 1987, p. 39.

[36] Theophr. *Char.* 26, 6 et fr. 131 Wimmer ; à propos de Thésée fondateur de la démocratie, voir ensuite Cic. *Leg.* 2, 2, 5, Val. Max. 5, 3, 3 et Paus. 1, 22, 3. Mais Diod. Sic. 4, 61, 8 mentionne une simple reprise du pouvoir royal à propos de la succession d'Egée. On ajoutera que deux auteurs de comédie nouvelle au moins ont écrit des drames intitulés *Thésée* : Anaxandridès, frr. 19-20 Kock, et Diphilos, frr. 48-49 Kassel-Austin.

[37] Cleidem. *FGrHist.* 323 F 17 et 18 : cf. Jacoby, 1954, I, p. 57 ss ; pour Androtion, cf. Bertelli & Gianotti, 1987, p. 40 ; Demon *FGrHist.* 327 F 5 et 6 ; Philoch. *FGrHist.* 17-19, 108-112 ainsi que 94 : cf. Jacoby, 1954, I, pp. 239 ss et 305, et Frost, 1984, p. 68 ss. Sur l'historicisation de la légende à laquelle procèdent ces différents Atthidographes, voir Jacoby, 1949, pp. 75 ss et 137 s.

Les versions de l'histoire d'Athènes élaborées par ces historiographes sont reprises à Alexandrie au IIIe siècle par un historien élève de Callimaque, Istros, qui offre dans ses quatorze livres d'*Attica* une compilation des *Atthides* à sa disposition : Jacoby, 1954, I, p. 618 ss. Même s'il n'est explicitement cité qu'une fois (*Thes.* 34, 3), Istros a certainement été largement utilisé par Plutarque : voir les *FGrHist.* 334 F7, 8 et 10 (où Istros établit le catalogue des femmes aimées par Thésée : cf. *supra* chap. IV § 1.3.1) avec les réflexions que Frost, 1984, p. 67 ss, et Ampolo & Manfredini, 1988, p. XLVI s., consacrent aux sources de la *Vie de Thésée*. L'image politique qu'en tire Plutarque a été mentionnée *supra* chap. IV § 3.3.1.

[38] Cf. *supra* n. 34. En revanche la chronique du *Marbre de Paros, FGrHist.* 239 A 20, attribue à Thésée synécisme et constitution démocratique.

[39] Paus. 1, 3, 3 ; sur l'implantation de la Stoa de Zeus et sur Euphranor, cf. Beschi & Musti, 1982, p. 269 s. Pour les autres monuments cités, cf. Brommer, 1982, pp. 60, 71 s. et 148 ; voir également Herter, 1973, col. 1234 s., et Schefold & Jung, 1988, p. 255 ss.

[40] Sur ce développement, cf. Brommer, 1982, pp. 42 ss et 46 ss ; cf. aussi p. 57 s.

[41] Tout en mettant en relation la séquence délienne de la légende de Thésée avec la première purification de l'île opérée par Pisitrate en 525 (Thuc. 3, 104, 1 s.), Herter, 1939, pp. 260 s. et 283 ss, voit dans les fils du tyran les véritables promoteurs de la légende ; voir encore Friis Johansen, 1945, p. 59 ss, W. R. Connor, « Theseus in Classical Athens » in Ward, 1970, pp. 143-174, et Bertelli & Gianotti, 1987, p. 49. En revanche K. Schefold, « Kleisthenes », *Mus. Helv.* 3, 1946, pp. 59-93 (pp. 65 ss et 89 s.), imagine la convergence à Athènes, sous l'impulsion de Clisthène, d'une version épico-ionienne et d'une version dorienne de la légende de Thésée ; voir aussi Jacoby, 1949, p. 394 n. 23, ainsi que Sour-

vinou-Inwood, 1979, p. 51, qui voit par antithèse dans Médée une première incarnation de l'opposition pisistratide à Clisthène. Levêque & Vidal-Naquet, 1964, p. 119 s., se demandent quant à eux si une assimilation volontaire de Clisthène avec Thésée ne pourrait pas expliquer l'absence de ce dernier au nombre des héros éponymes des dix tribus : cf. *infra* § 3.3.2. La thèse clisthénienne est également défendue par J. Boardman, « Herakles, Peisistratos and Sons », *Rev. Arch.* 1972, pp. 57-72, et « Herakles, Delphi and Kleisthenes of Sikyon », *Rev. Arch.* 1978, pp. 227-234, qui attribue par contraste à Pisistrate et à ses fils la promotion presque contemporaine d'Héraclès. Sur ces différentes hypothèses, on verra encore Bérard, 1983, p. 48 s., Tyrrell, 1984, p. 3 ss, et Ampolo & Manfredini, 1988, p. xxix s. ; prudence bienvenue chez Shapiro, 1989, p. 143 ss ; cf. aussi Kearns, 1989, p. 117 ss.

En 1978, p. 161 ss, Schefold préférait par contre faire remonter la création du cycle aux Alcméonides. C'est aussi la thèse défendue récemment par Neils, 1987, p. 148 ss, et par W. Schindler, *Mythos und Wirklichkeit in der Antike*, Leipzig (Edition Leipzig) 1987, pp. 61 ss et 66 ; voir encore E. Thomas, *Mythos und Geschichte. Untersuchungen zum historischen Gehalt griechischer Mythendarstellungen*, Köln (Diss.) 1976, p. 37 ss, et Davie, 1982, p. 26 s. Une mise en cause de ces tentatives d'identification d'un héros avec une figure politique précise est maintenant perceptible : cf. par exemple R. M. Cook, « Pots and Pisistratean Propaganda », *Journ. Hell. Stud.* 107, 1987, pp. 167-169.

[42] Plut. *Thes.* 36, 1 ss et *Cim.* 8, 3 ss. Pour la datation de cette expédition évoquée déjà par Thuc. 1, 98, 2, cf. *supra* chap. III n. 32 où sont données les autres sources mentionnant l'événement. On ajoutera que les sch. Ael. Aristid. 241, 9 (III, p. 688, 24 ss Dindorf ; cf. aussi les sch. Aristoph. *Plut.* 627, p. 359a, 24 ss Dübner), en donnant comme prétexte à la consultation de l'oracle l'envoi d'une famine, inscrivent l'événement dans un contexte apollinien tout en le rattachant probablement aux circonstances de la mort de Thésée. Voir aussi Paus. 3, 3, 7 qui compare le rapatriement des ossements du héros à Athènes à celui des os d'Oreste à Sparte (cf. Hdt. 1, 67 s.).

Sur les moyens symboliques auxquels recourt Pisistrate pour reprendre le pouvoir à Athènes, cf. Hdt. 1, 60 et Ps. Aristot. *Ath. Pol.* 14, 4, avec le commentaire de M. Delcourt, *Œdipe ou la légende du conquérant*, Paris (Belles-Lettres) ²1981, p. 177 ss, et celui de W. R. Connor, « Tribes, festivals and processions ; civic ceremonial and political manipulation in archaic Greece », *Journ. Hell. Stud.* 107, 1987, pp. 40-50.

[43] Podlecki, 1971, p. 142 s., cf aussi 1975, p. 13 ss, et Davie, 1982, p. 26 s. ; Bacch. 18, 46 ss et 17, 97 ss, interprétés par Barron, 1980, p. 1 ss : cf. *supra* chap. V n. 144. Voir également, en rapport avec les Oschophories, Delcourt, 1958, p. 13 s. Pour la promotion de la légende, avant Cimon, par le génos de Philaïdes, cf. Vidal-Naquet, 1983, p. 401 ss, Bertelli & Gianotti, 1987, pp. 49 s. et 52, Ampolo & Manfredini, 1988, p. xxiv s., ainsi que *infra* n. 98. A partir d'une attribution aux Alcméonides, en relation avec Delphes, du développement iconographique de la légende d'Héraclès, c'est encore à Cimon et aux Philaïdes que la promotion de Thésée est référée par D. Williams, « Heracles, Peisistratos and the Alcmeonids » in F. Lissarrague et F. Thélamon, *Image et céramique grecques*, Rouen (Université) 1983, pp. 131-140.

[44] A propos de l'influence éventuelle des réformes d'Ephialte, cf. *supra* n. 35. Selon Bertelli & Gianotti, 1987, p. 46 ss, le système démocratique présenté par Thésée dans les *Suppliantes* euripidéennes (en plus des vers cités *supra* chap. IV n. 91, voir encore vv. 195 ss et 726 ss) serait modelé sur le régime défendu par Périclès (mais on lira les objections élevées par Loraux, 1981b, p. 66, à ce sujet), alors que V. di Benedetto, *Euripide : teatro e società*, Torino (Einaudi) 1971, p. 179 ss, voit dans le Thésée euripidéen une figuration du grand homme d'Etat. De telles analogies avaient déjà été formulées par R. Goossens, *Euripide et Athènes*, Bruxelles (Académie Royale) 1962, p. 433 ss.

Pour une mise en relation de Thésée avec la figure de Thémistocle, voir surtout Podlecki, 1975, p. 17 ss, qui aimerait attacher cet homme politique à l'institution des Oschophories, la célébration des Théséia restant dès lors la chasse gardée de Cimon. Mais

Loraux, 1981b, p. 217 s., a tenté de montrer que le régime vanté par Thésée dans les *Suppliantes* l'était surtout par opposition au régime oligarchique thébain de 424.

[45] Sch. ad Hermog. VII, p. 6, 2 s. Walz ; Plut. *Thes*. 32, 1. Cette thèse est développée par Cantarelli, 1974, p. 480 ss ; cf. aussi Radermacher, 1943, p. 323 s., Lévêque & Vidal-Naquet, 1964, p. 120 s., et Ampolo & Manfredini, 1988, p. 253.

[46] Les contestations dont les réformes de Clisthène sont l'objet du point de vue de leur datation sont résumées par Lévêque & Vidal-Naquet, 1964, p. 43 ss, et par Chambers, 1981, pp. 243 s., 249 et 262 ss.

[47] Hdt. 9, 27, 4. A propos du rôle que la légende fait jouer à Thésée dans les Guerres Médiques, voir en dernier lieu Davie, 1982, p. 26 s. ; la même année, P. du Bois, *Centaurs and Amazons. Women and the Pre-History of the Great Chain of Being*, Ann Arbor (Univ. of Michigan Press) 1982, p. 49 ss, a montré que des frises du Trésor des Athéniens aux métopes du Parthénon, l'intégration de l'Amazonomachie et de la Centauromachie à la mythologie athénienne tendait à symboliser la victoire de la cité isonomique sur l'empire perse. Tyrrell, 1984, p. 49 ss, relève les traits qui, dans les représentations iconographiques du ve siècle, tendent à assimiler les Amazones aux guerriers perses.

[48] C'est la thèse défendue par Sourvinou-Inwood, 1979, p. 49 ss ; elle assigne à l'*Egée* de Sophocle l'impulsion propagandiste à la diffusion de cette version du récit légendaire. Mais on verra les références aux comptes rendus critiques suscités par cette thèse et cités par Ampolo & Manfredini, 1988, p. 213. La légende généalogique hellène s'était elle-même livrée, par jeux étymologisants interposés, à ce rapprochement : cf. *supra* chap. IV n. 22.

[49] Cf. Ruschenbusch, *art. cit.* n. 35, p. 415 ss.

[50] A l'exception peut-être d'une influence sur l'une des versions de l'expédition lancée par les Dioscures contre l'Attique à la suite du rapt d'Hélène : cf. *supra* chap. IV n. 184.

[51] Ce problème n'a en général pas retenu l'attention des nombreux savants qui se sont penchés sur la réorganisation clisthénienne du territoire de l'Attique ; cf. cependant Lévêque & Vidal-Naquet, 1964, p. 13 ss.

[52] C'est en tout cas l'hypothèse formulée par Legon, 1981, p. 69 s., et par Figueira, 1985, p. 277 s., en se fondant sur Strab. 8, 6, 22 ; il est vrai qu'à la fin du ve siècle, Crommyon appartient à Corinthe : Thuc. 4, 45, 1. Pour le contrôle passager exercé par Athènes sur le territoire de Mégare, cf. Legon, 1981, p. 174 ss.

[53] Sur Dioclès, voir notamment Aristoph. *Ach*. 774 avec sch. *ad loc*. (I. 1B, p. 102, 19 ss Koster), Theocr. 12, 27 ss avec sch. *ad loc*. (p. 256, 5 ss Wendel). Selon Plut. *Thes*. 10, 4, Dioclès aurait été chassé par Thésée lui-même ; ainsi le biographe attribue au héros la prise d'Eleusis ; autres sources chez Richardson, 1974, p. 196 s. Pour la datation de l'*Hymne à Déméter*, cf. Richardson, 1974, p. 7 ss ; pour le récit de Solon sur Tellos, cf. Hdt. 1, 30, 5 avec le commentaire de Figueira, 1985, p. 278 ss. Chronologiquement, cette intégration au vi^e siècle du territoire d'Eleusis dans celui de l'Attique est évidemment en contradiction flagrante avec la guerre légendaire menée par Erechthée contre Eumolpe ; voir à ce propos chap. IV § 2.1.1 avec n. 97. Nilsson, 1951, p. 55 ss, a montré que le parcours de Thésée comme le mythe de la répartition de l'Attique entre les fils de Pandion (cf. *supra* chap. IV § 2.1.1) portent le reflet des conflits territoriaux qui ont opposé Athènes à ses voisins au vi^e siècle.

[54] Après d'autres, Legon, 1981, p. 122 ss, Figueira, 1985, p. 280 ss, et Stahl, 1987, p. 204 ss, ont tenté de reconstruire le déroulement « historique » de la conquête de Salamine par les Athéniens à partir des différentes légendes dont on a parlé au chap. V § 3.2.2 (avec n. 107). La réduction de Salamine à l'état de clérouchie d'Athènes peut être déduite de l'anecdote racontée par les sch. Pind. *Nem*. 2, 19 (III, p. 36, 11 ss. Drachmann) et d'une allusion fragmentaire dans *IG* II^2, 30 fr. *b*, 4 ss ; dans le fameux décret de Salamine, qui date probablement de la fin du vi^e siècle (*IG* I^2, 1), le terme *klerókhos* est l'objet d'une restitution : cf. R. Meiggs and D. Lewis, *A Selection of Greek Historical Inscriptions to the End of the Fifth Century B.C.*, Oxford (Clarendon) 1971, p. 25 ss, ainsi que le commentaire de Nilsson, 1951, p. 31 s. avec l'*art. cit.* chap. III n. 15, p. 733 ss, et celui de

M. Moggi, « Alcuni episodî della colonizzazione ateniese (Salamina-Potidea-Samo) » in *Studî sui i rapporti interstatali nel mondo antico*, Pisa (Scuola Normale Superiore) 1981, pp. 1-55.

[55] Le récit de ces expéditions est fait par Hdt. 5, 63 ss et 70 ss ; sur la question de la date de l'alliance entre Spartiates et Mégariens, voir Legon, 1981, p. 141 ss, et Figueira, 1985, p. 298 ss.

[56] Pour l'histoire des relations entre Mégare et Athènes au v⁰ siècle, cf. Legon, 1981, p. 157 ss ; à propos du décret sur Mégare en particulier, cf. Aristoph. *Ach.* 515 ss, *Pac.* 609 ss et Thuc. 1, 139, 1. Ce n'est donc qu'entre 460 et 446 que Crommyon aurait pu se trouver sur la frontière de l'Attique ; il est difficile d'en tirer argument pour l'interprétation éphébique du récit par Bacchylide des exploits théséens telle que la propose Merkelbach, 1973, p. 59 s. : cf. *supra* chap. ıv n. 1. Par contre Herter, 1939, p. 269 s., a bien vu que le mythe portait la trace des visées politiques athéniennes du vı⁰ siècle. Pour la double image que la tradition offre de Sciron, voir *supra* chap. v § 3.2.1.

[57] Les questions afférentes à ce long conflit ont été traitées dernièrement par A. J. Podlecki, « Athens and Aegina », *Historia* 25, 1976, pp. 394-413, et par Th. J. Figueira, « The Chronology of the Conflict between Athens and Aegina in Herodotus Bk. 6 », *Quad. Urb. Cult. Class.* 57, 1988, pp. 49-89 ; Stahl, 1987, p. 205 ss, a souligné l'aspect essentiel de la conquête de Salamine quant aux prétentions athéniennes à assumer le contrôle du Golfe de Saronique. C'est à l'occasion de ce conflit qu'Epidaure intervient en 459/8 dans l'histoire d'Athènes, provoquant peut-être l'insertion tardive du combat contre Périphétès dans le cycle des travaux (cf. *supra* § 1.2.). Dans le même ordre d'idée, J. Fink, « Der politische Gehalt in der Darstellung von Theseus' Abenteuer mit Skiron », *Welt als Geschichte* 20, 1960, pp. 10-15, a voulu voir dans la tortue de Sciron une allusion à Egine, les monnaies de l'île portant la représentation de cet animal : cf. Ampolo & Manfredini, 1988, p. 208.

[58] Bacch. 17, 33 ss et 57 ss ; 18, 16 ss ; pour la datation des étapes adjointes au parcours de Thésée, cf. *supra* § 1.2.

[59] Eur. *Hipp.* 1423 ss qui mentionne également le culte athénien rendu au héros (v. 30 ss). La célébration de ce culte ne semble pas remonter au-delà du v⁰ siècle ; Hippolyte y était associé à Aphrodite et à Asclépios : Paus. 1, 22, 1 et *IG* I², 324, 69 ainsi que 310, 280 (inscriptions datant de 423/2 et 429/8 respectivement). Cette collaboration culturelle se reproduit non seulement à Trézène, mais aussi à Epidaure : références chez Barrett, 1964, p. 3 ss. Si le culte dont Hippolyte était l'objet à Trézène semble plus ancien que celui que lui rendaient les Athéniens, l'origine trézénienne volontiers attribuée à la légende d'Hippolyte est aussi peu probable que celle que l'on assigne au mythe de Thésée.

[60] Les références aux textes et aux images mentionnés ici sont données *supra* chap. ıı §§ 3. et 4.

[61] Si Hésiode, fr. 145, 9 Merkelbach-West, mentionne déjà Androgée, son meurtre par les Athéniens n'apparaît pas dans nos sources avant Philochore, *FGrHist.* 328 F 17 a et b ; les autres sources littéraires, plus tardives, sont citées *supra* chap. ıı n. 17 ; les sources iconographiques sont en revanche inconsistantes : cf. *LIMC Androgeos.* Le fr. 146 Merkelbach-West d'Hésiode est irrémédiablement corrompu et ce n'est que par l'intervention tardive de l'Atthidographe Mélésagoras, *FGrHist.* 330 F 2, qu'Eurygyés l'Athénien est identifié avec Androgée.

[62] Ce chapitre essentiel de l'histoire d'Athènes est reconstitué par R. Meiggs, *The Athenian Empire*, Oxford (Clarendon Press) 1972, p. 42 ss, et par E. Will, *Le monde grec et l'Orient* I. *Le v⁰ siècle (520-403)*, Paris (PUF) ²1980, pp. 111 ss et 130 ss ; bibliographie chez Tausend, 1989, p. 229.

[63] Plat. *Leg.* 706a ss ; voir le commentaire de Vidal-Naquet, 1983, pp. 142 ss et 398.

[64] Cleidem *FGrHist.* 323 F 17 ; voir *supra* chap. ıı § 5.3. avec n. 62 et chap. ıv § 2.4.2.

[65] Pour la figure de Minos, cf. *supra* chap. ıv §§ 1.6.2. et 3. ; sur l'intervention d'Athéna, *ibid.* § 2.4.5.

[66] A propos des Théséia de Délos, cf. *supra* chap. III § 2.3.3. Sur l'influence pisistratide à Délos, voir les références données *supra* chap. V n. 148 ; pour les relations de Délos et de Naxos, cf. *supra* chap. IV § 2.5.1.

[67] Les différents noms donnés aux compagnons de Thésée sur le cratère de Clitias ont été lus en comparaison avec la liste correspondante fournie par les sch. *ad* Verg. *Aen.* 6, 21 (II. 1, p. 9, 20 ss Thilo). On a dit *supra* chap. V § 4.1.2 avec n. 124 l'enjeu généalogique dont Eriboïa est l'objet dans le conflit opposant Mégare à Athènes pour la possession de Salamine. Pour les autres dénominations, voir Herter, 1973, col. 1101 s., et surtout Kron, 1976, p. 190 s., ainsi que Brommer, 1982b, p. 81 s.

[68] Sur l'étape de Naxos dans ses différentes versions, voir *supra* chap. II § 6. et IV § 1.3.4. ; sur celle de Délos, chap. II § 7. et IV § 1.3.6. L'histoire classique de Délos repose essentiellement sur le témoignage de Hdt. 1, 64 et Thuc. 3, 104 : cf. Bruneau & Ducat, 1983, p. 19 ss, et *supra* chap. V n. 148 ; Friis Johansen, 1945, p. 47 ss, fait remonter l'insertion délienne de la danse de la grue à l'époque de Pisistrate. Pour la mise en relation de l'étape de Naxos avec le même tyran, voir en dernier lieu Podlecki, 1975, p. 10 s.

[69] Rapt d'Antiope : Pherec. *FGrHist.* 3 F 151 ; autres sources citées *supra* chap. IV n. 174 ; les premiers traitements de la scène dans la céramique sont traités par Boardman, 1982, p. 8 s., Brommer, 1982, p. 112 s., et Kaufmann-Samaras, *art. cit.* chap. IV n. 174, p. 858 ss ; on verra en particulier la représentation datant de 520 environ signalée par J. Neils, « The Loves of Theseus : An Early Cup by Oltos », *Am. Journ. Archaeol.* 85, 1981, pp. 177-179. Le problème de la datation du décor sculpté du Trésor des Athéniens est évoqué *supra* n. 15.

Amazonomachie d'Attique : Aesch. *Eum.* 685 ss (tragédie représentée en 458), puis Hdt. 9, 27, 4 qui situe son évocation à l'occasion de la bataille de Platées en 479 ; pour la céramique, voir Brommer, 1982, p. 120 s. Pour les représentations au Théséion et dans le Portique Pœcile (*LIMC Amazones* 230 et 231), cf. *supra* nn. 24 et 26 ; la figuration de cette Amazonomachie sur les métopes du Trésor des Athéniens (*LIMC Amazones* 245, cf. 95 et 95a ainsi que *Antiope* II 20) est sujette à discussion : Boardman, 1982, p. 9 ss, et Brommer, 1982, p. 121 s. ; voir encore Tyrrell, 1984, p. 5 ss, et *supra* n. 31.

[70] Sur les sources iconographiques et littéraires de la double Centauromachie, cf. *supra* n. 13. La version spécifiquement athénienne de la descente aux Enfers de Thésée ne nous est pas connue avant le *Pirithoos* attribué à Critias (cf. *supra* n. 22) ; cf. aussi Eur. *Heracl.* 619, 1170 et 1222 et, au IVe siècle, Isocr. *Hel.* 20, avec le commentaire de Herter, 1973, col. 1177 ss. Pour l'iconographie, voir Brommer, 1982, p. 99 ss.

[71] Paus. 5, 19, 2 ; Isocr. *Hel.* 18 ; voir aussi, dans un contexte athénien, Hdt. 9, 73, 2.

[72] Les conquêtes successives de Scyros, Lemnos et Imbros ainsi que la réinstallation coloniale à Sigée et dans la Chersonèse marquent bien la visée athénienne de contrôler l'accès au Pont-Euxin : cf. A. J. Graham, *Colony and Mother City in Ancient Greece*, Manchester (Univ. Press) 1964, pp. 32 ss et 166 ss, ainsi que Stahl, 1987, p. 211 ss.

[73] Interprétée en tant que sceptre, la lance de bronze joue un rôle essentiel dans le processus d'héroïsation, cf. Bérard, 1983, p. 47. La recherche des ossements du héros dont on fonde le culte est un procédé courant dans l'Antiquité : cf. J. von Ungern-Sternberg, « Das Grab des Theseus und andere Gräber » in W. Schuller (ed.), *Antike in der Moderne*, Konstanz (Universitätsverlag) 1986, pp. 231-329. L'oracle à l'origine de la découverte est évidemment considéré comme inauthentique par J. Fontenrose, *The Delphic Oracle. Its Responses and Operations*, Berkeley - London (Univ. California Press) 1978, pp. 73 s. et 322, qui en indique les sources tardives.

[74] Thuc. 1, 98, 2 inscrit la conquête de Scyros dans la série des entreprises par lesquelles Athènes s'est assurée l'hégémonie sur la Grèce (autres sources citées *supra* chap. III n. 32 avec des indications sur la date de l'expédition) ; c'est dans les récits de Plutarque que Cimon agit comme un personnage de légende : *Cim.* 8, 3 ss et *Thes.* 36, 1 ss ; à propos de l'attitude des Dolopes face aux Perses, voir Hdt. 7, 132, 1 et 185, 2. Cf. encore Podlecki, 1975, p. 13 ss. Rappelons que Cimon s'est également montré un

habile manipulateur dans la reformulation de la généalogie de sa propre famille : cf. *infra* n. 98.

[75] Cette lacune narrative a été commentée *supra* chap. IV § 3.4.5. Maintenant largement reconnu, le processus d'héroïsation archaïque des figures légendaires que les Grecs situaient à l'époque de la Guerre de Troie se poursuit à l'époque classique, également à partir de vestiges architecturaux « mycéniens » ; voir à ce propos en particulier les réflexions de C. Bérard, « Récupérer la mort du prince : héroïsation et formation de la cité », in G. Gnoli et J.-P. Vernant (edd.), *La mort, les morts dans les sociétés anciennes*, Cambridge - Paris (Univ. Press – Maison des Sciences de l'Homme) 1982, pp. 89-105, et de A. J. M. Whitley, « Early states and hero cults : a re-appraisal », *Journ. Hell. Stud.* 108, 1988, pp. 173-182.

[76] La revendication d'une origine divine marque par exemple le duel opposant Sarpédon à Tlépolème ou celui affrontant Achille à Astéropée : Hom. *Il.* 5, 268 ss et 21, 184 ss : cf. Nagy, 1979, p. 151 ss. L'héroïsation de la figure de Thésée dans le *Dithyrambe* 17 de Bacchylide est analysée avec finesse par Segal, 1979, p. 27 ss ; pour un processus analogue dans le *Dithyrambe* 18, voir O. Vox, « Prima del trionfo : I ditirambi 17 e 18 di Bacchilide », *Ant. Class.* 53, 1984, pp. 200-209. Par ailleurs, A. Brelich, « Theseus e i suoi avversari », *Stud. Mat. Stor. Rel.* 27, 1956, pp. 136-141, s'est plu à relever quelques-uns des caractères négatifs qui insèrent la figure de Thésée dans une biographie typiquement héroïque. D'autres aspects de l'héroïsation athénienne de Thésée ont été relevés *supra* chap. II § 4.1. et chap. IV § 3.3.5 ; cf. aussi *supra* n. 32 au sujet de l'héroïsation de Thésée dans l'iconographie. On remarquera à ce propos que chez Diod. Sic. 4, 62, 4, le rapatriement des os du héros et l'institution de son culte sont insérés dans le récit de la légende et qu'ils deviennent ainsi parties intégrantes du mythe du héros !

[77] La démarche interprétative résumée ici est celle proposée par Jeanmaire, 1939, p. 227 ss ; cette interprétation, qui combine sans cesse éléments légendaires et actes rituels, a été reprise notamment par Delcourt, 1958, p. 12 ss, par Brelich, 1969, pp. 444 ss et 470 ss (qui propose prudemment de n'attribuer à la légende qu'une « thématique initiatique »), par Borgeaud, 1974, pp. 5 et 20 ss (qui voir dans le Labyrinthe – lieu d'impasse du pouvoir royal – l'espace imaginaire d'une double initiation, celle de Thésée et celle de ses compagnons), par M. Woronoff, « Structures parallèles de l'initiation des jeunes gens en Afrique noire et dans la tradition grecque » in *Afrique noire et monde méditerranéen dans l'Antiquité*, Dakar - Abidjan (Université) 1978, pp. 237-254, par Segal, 1979, p. 31 ss (à propos de la plongée dans la mer qui a elle-même fait l'objet de nombreuses interprétations initiatiques résumées, par comparaison avec l'immersion d'Aristée, par M. Bettini, *Antropologia e cultura romana. Parentela, tempo, immagini dell'anima*, Roma (NIS) 1986, p. 244 ss), par J. Bremmer, « Analyse van de mythe : theorie en praktijk », *Lampas* 17, 1984, pp. 126-141 (p. 138 s.), par F. Graf, *Griechische Mythologie*, München - Zürich (Artemis) 1985, p. 54 ss (avec une mise en garde à l'égard de la tentation, induite par une telle interprétation ritualiste, de faire dériver génétiquement le mythe du rite ; cf. *infra* n. 78), et par Moreau, 1988, p. 14 ss (double épreuve initiatique par catabase) ; voir encore, tout récemment, Ampolo & Manfredini, 1988, p. XXVII, et Ch. Sourvinou-Inwood, « "Myth" and History : on Herodotus III. 48 and 50-53 », *Opusc. Athen.* 17, 1988, pp. 167-182. Sabbatucci, 1979, p. 283 ss, critique cette interprétation initiatique du récit, mais pour insérer l'épisode de Crète dans l'histoire d'un modèle d'accession à la royauté.

[78] En plus des auteurs cités n. 77, cette signification initiatique des rites attachés à la geste crétoise a été proposée notamment par P. Faure, *Fonctions des cavernes crétoises*, Paris (De Boccard), 1964, p. 170 ss, par le soussigné en 1977, I, p. 228 ss (en insistant sur l'aspect intégrateur des Oschophories, parallèlement aux Aphrodisia de Délos), par Graf, 1979, p. 16 ss, par K. Crotty, *Song and Action. The Victory Odes of Pindar*, Baltimore - London (Johns Hopkins Univ. Press) 1982, p. 115 ss, par Vidal-Naquet, 1983, p. 164 ss (attentif aux aspects initiatiques qui rattachent les Oschophories à l'institution de l'éphébie), et par H. S. Versnel, « Gelijke monniken, gelijke kappen : Myth and Ritual,

oud en nieuw », *Lampas* 17, 1984, pp. 194-246 (p. 216 s.). Ces interprétations ont en général été fortement influencées par le regroupement, opéré par Jeanmaire, 1939, p. 359 ss, des Oschophories et des Pyanopsies dans une même séquence cultuelle placée sous le chapeau trompeur de « rites du 7 Pyanopsion ».

Dans l'interprétation qu'elle donne de la jeunesse de Thésée comme transition de l'« Eniautos-daimon », esprit de la végétation, à une figure de héros historique, Harrison, 1927, p. 324, est déjà sensible à certains des aspects jugés initiatiques dans les Oschophories ; cf. aussi, dans le même sens, Rutgers van der Loeff, 1915, p. 414.

[79] Remarquons à ce propos que, comme le relève Vernant, 1974, p. 37 ss, la *parthénos* est volontiers masculinisée tandis que, de manière homologue, l'adolescent est féminisé. Mais l'assignation pendant la période de la puberté d'une activité guerrière à l'adolescente reste secondaire par rapport à sa position de proie (sexuelle) face à un adolescent prédateur-chasseur ; ces deux rôles sont d'ailleurs en cette période ambivalente, interchangeables !

Sur l'aspect éphébique conféré à la figure de Thésée pendant l'expédition de Crète, cf. *supra* chap. IV § 1.1.2.

[80] Voir à ce propos Calame, 1986, p. 169 ss.

[81] Les remarques comparatives énoncées par L. Gernet, « Fosterage et légende » in *Droit et société dans la Grèce ancienne*, Paris (Sirey) 1955, pp. 19-28, quant à l'éducation de Thésée auprès de son grand-père maternel vont également dans le sens de cette interprétation.

[82] Le rapprochement entre Pyanopsies et Apatouries évoqué ici a été proposé *supra* chap. V § 1.5.4 avec n. 68. Ampolo & Manfredini, 1988, p. 201 s., rappellent à ce sujet que le rite de l'offrande de la chevelure à l'adolescence est inscrit dans la légende même de Thésée, mais il est déplacé à Delphes : Plut. *Thes.* 5, 1.

[83] Le problème de la datation de l'introduction du service de l'éphébie est traité par Pélékidis, 1962, p. 71 ss., ainsi que par Vidal-Naquet, 1983, pp. 146 ss et 195 s. ; cf. aussi Rhodes, 1981, p. 494 s. Jeanmaire, 1939, p. 244 s., suggère même que ce service aurait pu être introduit, à partir d'une « courétie archaïque », parallèlement au rapatriement des ossements de Thésée en 475 (mais, à p. 307, il déplace cette introduction à l'époque de la Guerre du Péloponnèse : voir à ce sujet les remarques critiques de Pélékidis, 1962, pp. 14 ss et 65 ss).

Sur les formes scolaires assumées par l'éducation « ancienne » dans l'Athènes classique, voir le témoignage d'Aristoph. *Nub.* 961 ss, avec le commentaire de H.-I. Marrou, *Histoire de l'éducation dans l'Antiquité* I. *Le monde grec*, Paris (Seuil) [7]1981, p. 69 ss, à compléter avec les remarques de Pélékidis, 1962, p. 273 s.

[84] Cette image est notamment sensible dans l'idéalisation athénienne, dès la fin du Ve siècle, du comportement des citoyens-soldats à la bataille de Marathon : cf. Loraux, 1981b, p. 157 ss.

[85] Amphore à figures rouges, München 2309 (J. 410) (*ARV*[2] 27, 4), cf. Brommer, 1979, p. 509 s., et 1982, p. 95. Par ailleurs la version athénienne de la légende qui, remontant à Hellanic. *FGrHist.* 4 F 168 = 323a F 18 et 19, attribue à un Thésée quinquagénaire l'enlèvement d'une Hélène de sept ans est l'effet du travail de coordination des chronologies locales entrepris par cet historien : cf. Ampolo & Manfredini, 1988, p. 251.

[86] Soph. *OC* 1145 s. et 1592 ss ; Critias 43 F 7, 15 ss Snell (cf. *supra* n. 22 sur la question que pose l'attribution de ces frr.). Autres sources sur ce serment chez Ampolo & Manfredini, 1988, p. 248 s.

[87] Eur. *Suppl.* 349 ss et 429 ss, *HF* 1322 ss et 1414 ss, *Hipp.* 1409 ss ; à propos du contraste entretenu par la légende entre cet idéal athénien du souverain démocratique et l'image tyrannique offerte par Minos, cf. *supra* chap. IV § 1.6.3 avec n. 91 ; le problème des quatre sanctuaires consacrés à Thésée est évoqué *supra* chap. III n. 32.

[88] Thuc. 2, 65, 8 ss (cf. aussi 1, 139, 4) et 2, 15. Loraux, 1981b, p. 188 ss, s'est employée à montrer que les valeurs défendues dans l'*épitáphios* de Périclès réécrit par Thucydide

sont d'inspiration aristocratique ! Les tentatives de mise en relation directe de Thésée avec
Périclès ou Thémistocle ont déjà été énumérées *supra* n. 44. Les historiens contemporains
eux-mêmes sont loin de s'accorder sur la réalité de la démocratie athénienne classique :
voir à ce sujet la mise au point de J. Bleicken, *Die athenische Demokratie*, Paderborn -
Zürich (Schöningh) 1985, pp. 327 ss et 369 ss (sur les conceptions antiques : pp. 255 ss et
385 ss).

[89] Soph. *OC* 668 ss ; les *epitáphioi* tracent une histoire d'Athènes qui tend à effacer le
rôle joué par les figures héroïques individuelles : Loraux, 1981b, pp. 42 ss et 133 ss (sur
Thésée, voir p. 65 s.).

[90] Les entreprises des Pisistratides dans le domaine de la culture ont fait l'objet des analyses récentes de F. Kolb, « Die Bau-, Religions- und Kulturpolitik der Peisistratiden »,
Jb. Deutsch. Arch. Inst. 92, 1977, pp. 99-138, et Shapiro, 1989, p. 5 ss.

[91] Loraux, 1981a, p. 35 ss, a éclairé les pratiques de légitimation de la qualité d'Athénien qui s'appuyent sur ces représentations légendaires de la naissance de la terre et de
l'autochtonie ; cf. aussi 1981b, p. 150 s. Voir à ce propos les compléments essentiels
apportés par V. J. Rosivach, « Autochtony and the Athenians », *Class. Quart.* 81, 1987,
pp. 294-306.

[92] Ces « circonstances atténuantes » n'empêchent pas Thésée, dans l'*Œdipe à Colone*
de Sophocle (v. 560 ss), de présenter son éducation à Trézène comme une période passée à
l'étranger.

[93] Sur l'ensemble de fresques dans lequel s'insérait cette représentation de Marathon,
cf. *supra* § 1.3.2. avec n. 26.

[94] A propos de l'origine et des fonctions du génos de Phytalides, voir *supra* chap. II
§ 8.3.4 et V n. 16. L'hypothèse de l'intervention de Cimon a été émise par Jacoby, 1954, I,
p. 207 ss.

[95] Pour les circonstances d'exécution des *Dithyrambes* 18 et 17 de Bacchylide, voir
supra nn. 16 et 20. A. Shapiro, « Theseus, Athens, and Troizen », *Arch. Anz.* 1982,
pp. 291-297, fait remarquer avec pertinence que les représentations du rapt d'Aïthra par
Poséidon, corollaire narratif du plongeon marin, apparaissent à peu près à la même
époque que le *Dithyrambe* bacchylidéen. Il n'y a donc pas de dichotomie idéologique entre
terre et mer au début du Ve siècle comme tendent à le faire croire les analyses de
E. Montanari, *Il mito dell'autoctonia. Linee di una dinamica mitico-politica ateniese*,
Roma (Bulzoni) ²1981, p. 49 ss. Dans cette mesure, il est difficile de mettre en relation le
développement athénien de légende de Thésée avec la seule promotion ionicisante de la
Ligue de Délos, comme le propose Tausend, 1989, p. 227 ss. A. F. Laurens, « Autour de
Thésée. Images de légitimité, légitimité des images » in *Les grandes figures religieuses.
Fonctionnement pratique et symbolique dans l'Antiquité* (*Annales Litt. Univ. Besançon*
329), Paris (Belles-Lettres) 1986, pp. 379-409, a proposé de rapprocher la scène de la
réception marine de Thésée par Amphitrite sur le cratère en calice de Bologne, cité *supra*
chap. II n. 46, des figurations de la présentation d'Erichthonios après sa naissance
autochtone.

[96] C'est là la thèse défendue notamment par Kron, 1976, pp. 224 et 244.

[97] Hippothoon : Dem. 60, 31 et Paus. 1, 5, 2 ainsi que 39, 3, cf. Kron, 1976, p. 177 ss.
Oïneus : Dem. 60, 30 et Paus. 1, 5, 2, cf. Kron, 1976, pp. 188 ss et 245 (sur Pandion II et
son destin : *ibid.*, p. 105 ss, à la suite d'Apoll. 3, 15, 5). La substitution de trois héros éponymes sur la base de Marathon (citée *supra* § 1.3.2) a retenu l'attention de Vidal-Naquet,
1983, p. 381 ss ; voir également Kearns, 1989, p. 81 ss.

[98] Dans cette manipulation de la généalogie, Cimon a probablement bénéficié de l'aide
de Phérécyde, *FGrHist.* 3 F 2 et 60 ; cf. aussi Hellanic. *FGrHist.* 4 F 22 et *supra* chap. V
§ 4.1.2 sur le rôle joué par Philaïos dans la légende du passage de Salamine sous le contrôle
politique d'Athènes. A ce propos G. Huxley, « The Date of Pherecydes of Athens », *Gr.
Rom. Byz. Stud.* 14, 1973, pp. 137-143, a repris les arguments développés par Jacoby, *art.
cit.* n. 21, pour situer cette manipulation entre 481 et 460 ; sur le caractère écrit de cette

reformulation généalogique, voir R. Thomas, *Oral Tradition and Written Records in Classical Athens*, Cambridge (Univ. Press) 1989, p. 169 ss. Selon Barron, 1980, p. 2 s., la réécriture généalogique qui fait de Thésée le père d'Ajax serait aussi un trait d'appropriation de la légende par le génos des Philaïdes et par Cimon ; dans le même sens, voir Ch. Sourvinou-Inwood, « A Series of Erotic Pursuits », *Journ. Hell. Stud.* 107, 1987, pp. 131-153 (p. 137). Par ailleurs, Nilsson, 1951, pp. 29 et 63, fait remarquer que la correspondance morphologique entre le nom de Philaïos et le dème de Philaïdaï dont Pisistrate était originaire (Plat. *Hippar.* 224b) n'est pas l'objet d'un hasard : cf. déjà Plut. *Sol.* 10, 3, avec Ampolo & Manfredini, 1988, p. xxv.

[99] Pour la date de la base de Marathon, voir Vidal-Naquet, 1983, p. 383, dont j'hésite à suivre les conclusions quand il associe la promotion delphique de Thésée à l'idéologie hoplitique qu'il suppose promue par Cimon et les Philaïdes (p. 401 ss) ; Kron, 1976, p. 226 s., se contente avec raison de mettre en relation l'édification du mémorial avec la politique générale conduite par Cimon.

[100] Les convergences politiques qui conduisent à l'organisation de la Ligue de Délos et à la poursuite de la politique d'expansion maritime prônée par les tenants de plusieurs familles sont bien décrites par Will, *op. cit.* n. 62, p. 130 ss ; cette politique se poursuit en tout cas jusqu'à la Paix de Callias en 449/8. Ce n'est que chez Hérodote et surtout chez Aristophane que Marathon devient le symbole des valeurs hoplitiques et donc aristocratiques : cf. *supra* n. 84. D'autre part Ch. Delvoye, « Art et politique à Athènes à l'époque de Cimon » in *Le monde grec. Hommages à Claire Préaux*, Bruxelles (Université) 1975, pp. 801-807, a dressé un catalogue parlant des différentes interventions culturelles et propagandistes de Cimon ; elles vont toutes dans le sens de la politique expansionniste d'Athènes. Sur le chiasme cimonien, cf. Plut. *Cim.* 13, 3 et 5, 1 ss.

[101] La liste des épisodes de la légende de Thésée utilisée pour expliquer l'institution d'actes rituels et cultuels a été dressée par Herter, 1973, col. 1220 ss, et commentée par le même auteur, 1939, p. 304 ss. On relèvera que ces cultes sont pratiquement tous en relation avec des interventions d'ordre territorial : en premier lieu la fête de Synoïkia célébrant l'opération du synécisme (Thuc. 2, 15, 2, Plut. *Thes.* 24, 3 ; Herter, 1973, col. 1213 ss), mais aussi la fondation des Jeux Isthmiques (cf. *supra* chap. IV § 2.1.1), l'institution du culte rendu à Zeus Hécaléios à l'occasion de la campagne contre le taureau de Marathon (Call. fr. 264 et *Dieg.* XI, 6 s. Pfeiffer, Philoch. *FGrHist.* 328 F 109 ; Jacoby, 1954, I, p. 436 s. et II, p. 340 s., ainsi que Herter, 1973, col. 1090) et plus tardivement sans doute la fête des Boédromia attachée à la victoire du héros contre les Amazones (Plut. *Thes.* 27, 3 ; Deubner, 1932, p. 202). A propos de l'intervention de Thésée dans la réforme des Panathénées, cf. *infra* n. 106 ; pour la Pythaïs, cf. chap. V § 1.5.2.

[102] La proto-histoire du génos des Salaminiens a été reconstituée, selon plusieurs scenarii, par Ferguson, 1938, p. 12 ss ; pour l'intégration du culte de la tribu Aïantis dans l'Eurysakéion d'Athènes, cf. Kron, 1976, p. 172 ss. Les fonctions cultuelles du clan ont été rappelées *supra* chap. V § 4.1.2. Pour l'histoire de l'île de Salamine, devenue probablement clérouchie d'Athènes, cf. *supra* § 3.1.1 avec n. 54.

[103] Cf. *supra* chap. V n. 121.

[104] Ces associations cultuelles ont été décrites *supra* chap. V § 3.2.

[105] Ce problème historique a été mentionné *supra* chap. III § 1.4.1 et chap. V § 1.4.1.

[106] On remarquera pourtant que d'après une tradition tardive, mais qui remonte peut-être à l'atthidographie (cf. Istr. *FGrHist*, 334 F 4), Thésée aurait soit réformé les Panathénées fondées par Erichthonios, soit étendu la célébration du festival à toute l'Attique, en relation avec l'opération du synécisme : sch. Plat. *Parm.* 127a (p. 48 Greene), Phot. *Lex. s. v. Panathénaia* (II, p. 49 Naber), *Sud. s. eodem v.* (*P* 151 Adler) mais aussi Plut. *Thes.* 24, 3 et Paus. 8, 2, 1 qui indique que nommer à l'origine *Athénaia*, le festival aurait pris avec la fondation d'une seule cité la dénomination de Panathénées : cf. N. Robertson, « The Origin of the Panathenaea », *Rhein. Mus.* 128, 1986, pp. 231-295, et Ampolo & Manfredini, 1988, pp. xxx et 237.

[107] Jusqu'ici on a surtout été sensible à l'homologie établie par les Grecs entre processus de l'agriculture et union matrimoniale : cf. Detienne, 1972, p. 215 ss, et Vernant, 1974, p. 146 ss. Pour Chirassi Colombo, 1979, p. 51 ss, l'homologie que les rites du mois Pyanopsion établissent entre agriculture et maturation des jeunes concourt à l'intégration des catégories du masculin et du féminin ainsi qu'à celles de l'adolescent et de l'adulte. Il est vrai que le processus de la croissance végétale fonde en Grèce une série de désignations métaphoriques de l'adolescent : cf. Detienne, 1989, p. 80 avec n. 55.

[108] Il est à remarquer que mythe et rite maintiennent si bien leur figure sémantique propre au-delà de leur mise en relation (cf. Calame, 1986, p. 174 ss) que dans l'épisode expliquant l'institution du tribut, la punition infligée abandonne très vite la figure végétale de la stérilité pour assumer celle, humaine, du tribut (cf. *infra* chap. II § 2.2.).

Dans l'interprétation initiatique des Oschophories qu'elle reprend à Jeanmaire, 1939, p. 359 ss, Delcourt, 1958, p. 15 ss, reporte sur le rite lui-même le jeu métaphorique entre croissance végétale et croissance humaine, ceci grâce au double sens qu'elle accorde à *óskhē/oskhế*, ' cep ' et ' scrotum ' (cf. *supra* chap. V § 2.1.1).

[109] Euripide, frr. 381 et 382 Nauck², est pour nous l'initiateur de ces honneurs singuliers rendus à Thésée ; il est suivi par Agathon, 39 F 4 Snell, puis par Théodectès de Phasélis, 72 F 6 Snell ; ces frr. sont cités par Ath. 10, 454b ss.

[110] Arist. *Poet.* 8, 1451a 19 ss.

BIBLIOGRAPHIE

J.-M. Adam, *Le texte narratif. Précis d'analyse textuelle,* Paris (Nathan) 1985.

J.-M. Adam, M.-J. Borel, C. Calame, M. Kilani, *Le discours anthropologique. Description, narration, savoir,* Paris (Méridiens-Klincksieck) 1990.

A. Aloni, *L'aedo e i tiranni. Ricerche sull'Inno omerico ad Apollo,* Roma (Ateneo) 1989.

M.-C. Amouretti, *Le pain et l'huile dans la Grèce antique (Annales Littéraires de l'Univ. de Besançon 328),* Paris (Belles Lettres) 1986.

C. Ampolo e M. Manfredini, *Plutarco. Le Vite di Teseo e di Romolo,* Milano (Mondadori) 1988.

W. S. Barrett, *Euripides. Hippolytos,* Oxford (Clarendon Press) 1964.

J. P. Barron, « New Light on Old Walls : The Murals of the Theseion », *Journ. Hell. Stud.* 92, 1972, pp. 20-45.

 — « Bakchylides, Theseus and a Wooly Cloak », *Bull. Inst. Class. Stud.* 27, 1980, pp. 1-8.

G. Bateson, « Social Structure of the Iatmül People of the Sepik River », *Oceania* 2, 1932, pp. 245-291 et 401-453.

 — *La cérémonie du Naven. Les problèmes posés par la description sous trois rapports d'une tribu de Nouvelle-Guinée,* Paris (Minuit) 1971 (éd. or. : Stanford, Univ. Press, ²1958).

E. Benveniste, *Le vocabulaire des institutions indo-européennes,* I : *Economie, parenté, société,* II : *Pouvoir, droit, religion,* Paris (Minuit) 1969.

C. Bérard, « L'héroïsation et la formation de la cité : un conflit idéologique » in *Architecture et Société. De l'archaïsme grec à la fin de la république romaine,* Paris - Roma (CNRS-Ecole Française) 1983, pp. 45-59.

C. Bérard, Ch. Bron, A. Pomari (edd.), *Images et société en Grèce ancienne. L'iconographie comme méthode d'analyse,* Lausanne (IAHA) 1987.

M. L. Bernhard et W. A. Daszewski, « Ariadne », *LIMC* III. 1, Zürich - München (Artemis) 1986, pp. 1050-1070.

L. Bertelli e G. F. Gianotti, « Teseo tra mito e storia politica : un'Atene immaginaria », *Aufidus* 1, 1987, pp. 35-58.

L. Beschi e D. Musti, *Pausania. Guida della Grecia* I. *L'Attica,* Milano (Mondadori) 1982.

J. Boardman, « Herakles, Theseus and Amazons » in D. C. Kurtz and B. A. Sparkes (edd.), *The Eye of Greece (Studies for M. Robertson),* Cambridge (Univ. Press) 1982, pp. 1-28.

J. S. Boersma, *Athenian Building Policy from 561/0 to 405/4 B. C.,* Groningen (Wolters-Noordhoff) 1970.

Ph. Borgeaud, « The Open Entrance to the Closed Palace of the King : the Greek Labyrinth in Context », *History of Religions* 14, 1974, pp. 1-27.

P. Bourdieu, *Le sens pratique,* Paris (Minuit) 1970.

A. Brelich, *Gli eroi greci. Un problema storico-religioso,* Roma (Ateneo) 1958.

− Paides e Parthenoi, Roma (Ateneo) 1969.

J. Bremmer, « Scapegoat Rituals in Ancient Greece », *Harv. Stud. Class. Philol.* 87, 1983, pp. 299-320.

− (ed.), *Interpretations of Greek Mythology,* London - Sydney (Croom Helm) 1987.

L. Brisson, *Platon, les mots et les mythes,* Paris (Maspero) 1982.

F. Brommer, « Theseus-Deutungen », *Arch. Anz.* 94, 1979, pp. 487-511.

− *Theseus. Die Taten des griechischen Helden in der antiken Kunst und Literatur,* Darmstadt (Wissenschaftliche Buchgesellschaft) 1982.

− « Theseus-Deutungen II », *Arch. Anz.* 1982, pp. 69-88.

P. Brûlé, *La fille d'Athènes. La religion des filles à Athènes à l'époque classique. Mythes, cultes et société (Annales Littéraires de l'Univ. de Besançon 363),* Paris (Belles Lettres) 1987.

A. Ch. Brumfield, *The Attic Festivals of Demeter and their Relation to the Agricultural Year,* New York (Arno Press) 1981.

Ph. Bruneau, *Recherches sur les cultes de Délos à l'époque hellénistique et à l'époque impériale,* Paris (De Boccard) 1970.

Ph. Bruneau et J. Ducat, *Guide de Délos*, Paris (De Boccard) ³1983.

W. Burkert, *Homo Necans. Interpretationen altgriechischer Opferriten und Mythen,* Berlin - New York (de Gruyter) 1972.

− *Griechische Religion der archaischen und klassischen Epoche,* Stuttgart - Berlin (Kohlhammer) 1977.

− *Structure and History in Greek Mythology and Ritual,* Berkeley - Los Angeles - London (Univ. of California Press) 1981.

A. P. Burnett, *The Art of Bacchylides,* Cambridge Mass. - London (Harvard Univ. Press) 1985.

C. Calame, *Les chœurs de jeunes filles en Grèce archaïque,* I : *Morphologie, fonction sociale et religieuse,* II : *Alcman,* Roma (Ateneo) 1977.

− *Alcman. Introduction, texte critique, témoignages, traduction et commentaire,* Roma (Ateneo) 1983.

− *Le récit en Grèce ancienne. Enonciations et représentations de poètes,* Paris (Méridiens-Klincksieck) 1986.

− (éd.), *Métamorphoses du mythe en Grèce antique,* Genève (Labor & Fides) 1988.

− « Narrating the Foundation of a City : The Symbolic Birth of Cyrene » in L. Edmunds (ed.), *Approches to Greek Myth,* Baltimore - London (Johns Hopkins Univ. Press) 1990, pp. 277-341.

F. Cantarelli, « Il personaggio di Menesteo nel mito et nelle ideologie politiche greche », *Rendic. Ist. Lombardo (Class. Lett. Scienze Mor. Stor.)* 108, 1974, pp. 459-505.

J. Casabona, *Recherches sur le vocabulaire des sacrifices en grec, des origines à la fin de l'époque classique,* Paris (thèse) 1966.

P. Chantraine, *Dictionnaire étymologique de la langue grecque. Histoire des mots,* Paris (Klincksieck) 1968.

I. Chirassi Colombo, *Elementi di culture precereali nei miti e nei riti greci,* Roma (Ateneo) 1968.

– « *Paides* e *Gynaikes* : note per una tassonomia del comportamento rituale nella cultura attica », *Quad. Urb. Cult. Class.* 30, 1979, pp. 25-58.

M. Daraki, *Dionysos,* Paris (Arthaud) 1985.

J. N. Davie, « Theseus the King in Fifth-Century Athens », *Greece and Rome* 29, 1982, pp. 25-34.

M. Delcourt, *Hermaphrodite. Mythes et rites de la Bisexualité dans l'Antiquité classique,* Paris (PUF) 1958.

X. De Schutter, « Le culte d'Apollon Patrôos à Athènes », *Ant. Class.* 56, 1987, pp. 103-129.

M. Detienne, *Les Jardins d'Adonis. La mythologie des aromates en Grèce ancienne,* Paris (Gallimard)[1] 1972, [2]1989.

– *Dionysos mis à mort,* Paris (Gallimard) 1977.

– *L'invention de la mythologie,* Paris (Gallimard) 1981.

– *Dionysos à ciel ouvert,* Paris (Hachette) 1986.

– *L'écriture d'Orphée,* Paris (Gallimard) 1989.

M. Detienne et J.-P. Vernant, *Les ruses de l'intelligence. La mètis des Grecs,* Paris (Flammarion) 1974.

– *La cuisine du sacrifice en pays grec,* Paris (Gallimard) 1979.

L. Deubner, *Attische Feste,* Berlin (Keller) 1932.

E. R. Dodds, *Les Grecs et l'irrationnel,* Paris (Aubier) 1965 (éd. or. : Berkeley, Univ. of California Press, 1959).

S. Dow and R. F. Healey, *A Sacred Calendar of Eleusis* (*Harv. Theol. Stud.* 21), Cambridge Mass. - London (Harvard Univ. Press) 1965.

J. Duchemin, « Le thème du héros au labyrinthe dans la vie de Thésée », *Kôkalos* 16, 1970, pp. 30-52.

O. Ducrot et T. Todorov, *Dictionnaire encyclopédique des sciences du langage,* Paris (Seuil) 1972.

Ch. Dugas et R. Flacelière, *Thésée, images et récits,* Paris (de Boccard) 1958.

H. van Effenterre, *La Crète et le monde grec de Platon à Polybe,* Paris (De Boccard) 1948.

W. S. Ferguson, « The Salaminioi of Heptaphylai and Sounion », *Hesperia* 7, 1938, pp. 1-74.

Th. J. Figueira, « Chronological Table. Archaic Megara, 800-500 B.C. » in Th. J. Figueira and G. Nagy (edd.), *Theognis of Megara. Poetry and the polis,* Baltimore - London (The Johns Hopkins Univ. Press) 1985, pp. 261-303.

J. Fontenrose, *The Ritual Theory of Myth* (*Folklore Studies* 18), Berkeley - Los Angeles (Univ. of California Press) 1966.

A. Forge, « Learning to See in New Guinea » in Ph. Mayer (ed.), *Socialization : The Approach from Social Anthropology,* London (Tavistock Publications) 1970, pp. 269-291.

K. Friis Johansen, *Thésée et la danse à Délos. Etude herméneutique,* København (Munksgaard) 1945.

F. Frontisi-Ducroux, *Dédale. Mythologie de l'artisan en Grèce ancienne,* Paris (Maspero) 1975.

F.J. Frost, « Plutarchus and Theseus », *Class. Bull.* 60, 1984. pp. 65-73.

H. Gallet de Santerre, *Délos primitive et archaïque,* Paris (de Boccard) 1958.

A. Gell, *Metamorphosis of the Cassowaries. Umeda Society, Language and Ritual,* London (Athlone Press) 1975.

B. Gentili, *Poesia e pubblico nella Grecia antica da Omero al V secolo,* Roma - Bari (Laterza) 1984.

M. Godelier, *La production des Grands Hommes. Pouvoir et domination masculine chez les Baruya de Nouvelle-Guinée,* Paris (Fayard) 1982.

F. Graf, « Apollon Delphinios », *Mus. Helv.* 36, 1979, pp. 1-22.

A. Green, « Thésée et Œdipe. Une interprétation psychanalytique de la Théséide » in *Psychanalyse et culture grecque,* Paris (Belles Lettres) 1980, pp. 109-158.

A. J. Greimas et J. Courtés, *Sémiotique. Dictionnaire raisonné de la théorie du langage,* Paris (Hachette) 1979.

– (édd.), *Sémiotique. Dictionnaire raisonné de la théorie du langage. Tome 2,* Paris (Hachette) 1986.

J. E. Harrison, *Themis. A Study of the Social Origins of Greek Religion,* Cambridge (Univ. Press) [2]1927.

J. Heeg, « Skiras » in W. H. Roscher (ed.), *Ausführl. Lexikon der Gr. u. Röm. Mythol.* IV, Leipzig (Teubner) 1909, coll. 993-1003.

H. Herter, « Theseus der Ioner », *Rhein. Mus.* 85, 1936, pp. 177-191 et 193-239.

– « Theseus der Athener », *Rhein. Mus.* 88, 1939, pp. 244-286 et 289-326.

– « Theseus », *Realenc. Alt.-Wiss. Suppl.* XIII, München (Druckenmüller) 1973, coll. 1045-1238.

H. I. Hogbin, *The Island of Menstruating Men. Religion in Wogeo, New Guinea,* London - Toronto (Chandler) 1970.

G. L. Huxley, *Greek Epic Poetry. From Eumelos to Panyassis,* London (Faber & Faber) 1969.

J. Huxley (ed.), *Le comportement rituel chez l'homme et l'animal,* Paris (Gallimard) 1971 (éd. or. : *Philos. Trans. Royal Soc. London,* Ser. B, 251. 772, 1966).

G. Ieranó, « Il ditirambo XVII di Bacchilide e le feste apollinee di Delo », *Quad. Stor.* 30, 1989, pp. 157-183.

M. Izard et P. Smith (edd.), *La fonction symbolique. Essais d'anthropologie,* Paris (Gallimard) 1979.

F. Jacoby, *Atthis. The Local Chronicles of Ancient Athens,* Oxford (Clarendon Press) 1949.

– *Die Fragmente der Griechischen Historiker* IIIb *(Suppl.),* Leiden (Brill) 1954.

H. Jeanmaire, *Couroi et Courètes. Essai sur l'éducation spartiate et sur les rites d'adolescence dans l'antiquité hellénique,* Lille (Bibliothèque univ.) 1939.

– *Dionysos. Histoire du culte de Bacchus,* Paris (Payot) 1951.

W. Judeich, *Topographie von Athen,* München (Beck) ²1931.

E. Kadletz, « The Race and Procession of the Athenian *Oschophoroi* », *Greek Rom. Byz. Stud.* 21, 1980, pp. 363-371.

E. Kearns, *The Heroes of Attica (Bull. Inst. Class. Stud. Suppl.* 57), London (Inst. Class. Stud.) 1989.

M. Kilani, *Introduction à l'anthropologie,* Lausanne (Payot) 1989.

G. S. Kirk, *Myth. Its Meaning and Function in Ancient and Other Cultures,* Cambridge - Berkeley - Los Angeles (Univ. Press) 1970.

C. Kluckhohn, « Myths and Rituals : A General Theory », *Harv. Theol. Rev.* 35, 1942, pp. 45-79 ; repr. in J. B. Vickery (ed.), *Myth and Literature. Contemporary Theroy and Practice*, Lincoln (Univ. of Nebraska Press) 1969, pp. 33-44.

T. Kock, « Skiras (2) », *Realenc. Alt-Wiss.* IIIA. 1, Stuttgart (Metzler) 1927, coll. 534-535.

U. Kron, *Die zehn attischen Phylenheroen. Geschichte, Mythos, Kult und Darstellungen (Mitt. Deutsch. Arch. Inst. Ath. Abt., Beiheft* 5), Berlin (Mann) 1976.

J. S. La Fontaine (ed.), *The Interpretation of Ritual. Essays in Honour of A. I. Richards,* London (Tavistock Publications) 1972.

E. Leach, *Culture and communication : the logic by which symbols are connected. An introduction to the use of structuralist analysis in social anthropology,* Cambridge (Univ. Press) 1976.

R. P. Legon, *Megara. The Political History of a Greek City-State to 336 B. C.,* Ithaca - London (Cornell Univ. Press) 1981.

M. Le Guern, *Sémantique de la métaphore et de la métonymie,* Paris (Larousse) 1973.

P. Lévêque et P. Vidal-Naquet, *Clisthène l'Athénien. Essai sur la représentation de l'espace et du temps dans la pensée politique grecque de la fin du VI* siècle *à la mort de Platon*, Paris (Belles-Lettres) 1964.

C. Lévi-Strauss, *Anthropologie structurale,* Paris (Plon) 1958.

– *Mythlogiques* IV. *L'homme nu,* Paris (Plon) 1971.

– *Anthropologie structurale deux*, Paris (Plon) 1973.

G. Lewis, *Day of Shining Red. An Essay of Understanding Ritual,* Cambridge (Univ. Press) 1980.

N. Loraux, *Les enfants d'Athéna. Idées athéniennes sur la citoyenneté et la division des sexes*, Paris (Maspero) 1981.

– *L'invention d'Athènes. Histoire de l'oraison funèbre dans la « cité classique »*, Paris - La Haye - New York (Mouton-EHESS) 1981.

J. Lyons, *Semantics,* 2 voll., Cambridge (Univ. Press) 1977.

B. Malinowski, « Le mythe dans la psychologie primitive » in *Trois essais sur la vie sociale des primitifs,* Paris (Payot) ²1975 (éd. or. : London, Kegan Paul, 1926).

R. Merkelbach, « Der Theseus des Bakchylides (Gedicht für ein attisches Ephebenfest) », *Zeitschr. Papyr. Epigr.* 12, 1973, pp. 56-62.

J. D. Mikalson, *The Sacred and Civil Calendar of the Athenian Year,* Princeton (Univ. Press) 1975.

W. H. Mineur, *Callimachus, Hymn to Delos. Introduction and Commentary (Mnemosyne Suppl.* 83), Leiden (Brill) 1984.

J. Molino, « Anthropologie et métaphore », *Langages* 54, 1979, pp. 103-125.

A. Mommsen, *Feste der Stadt Athen im Altertum, geordnet nach attischem Kalender,* Leipzig (Teubner) 1898.

A. Moreau, « Le labyrinthe et la grue », *Ho Lukhnos. Connaissance hellénique* 37, 1988, pp. 7-16, et 38, 1989, pp. 24-33.

J. Murr, *Die Pflanzenwelt in der griechischen Mythologie,* Innsbruck (Wagner) 1890.

D. Musti e M. Torelli, *Pausania. Guida della Grecia* II. *La Corinzia e l'Argolide,* Milano (Mondadori) 1986.

G. Nagy, *The Best of the Achaeans. Concepts of the Hero in Archaic Greek Poetry,* Baltimore - London (Johns Hopkins Univ. Press) 1979.

J. Neils, *The Youthful Deeds of Theseus,* Roma (Bretschneider) 1987.

M. P. Nilsson, *Griechische Feste von religiöser Bedeutung mit Ausschluss der attischen,* Leipzig (Teubner) 1906.

– *Cults, Myths, Oracles and Politics in Ancient Greece,* Lund (Gleerup) 1951.

– *Geschichte der griechischen Religion,* 2 voll., München (Beck) ²1954 et ²1961.

W. F. Otto, *Dionysos. Le mythe et le culte,* Paris (Mercure de France) 1969 (éd. or. : Frankfurt a/M., Klostermann, ²1960).

H. W. Parke, *Festivals of the Athenians,* London (Thames & Hudson) 1977.

R. Parker, *Miasma. Pollution and Purification in Early Greek Religion,* Oxford (Clarendon Press) 1983.

– « Festivals of the Attic Demes », *Boreas* 15, 1987, pp. 137-147.

Ch. Pélékidis, *Histoire de l'éphébie attique des origines à 31 avant Jésus-Christ,* Paris (De Boccard) 1962.

L. Piccirilli, *MEGARIKA. Testimonianze e frammenti,* Pisa (Marlin) 1975.

A. W. Pickard-Cambridge, *Dithyramb, Tragedy and Comedy,* Oxford (Univ. Press) ²1962.

A. J. Podlecki, « Cimon, Skyros and "Theseus" Bones », *Journ. Hell. Stud.* 91, 1971, pp. 141-143.

– « Theseus and Themistocles », *Riv. Stor. Antich.* 5, 1975, pp. 1-24.

F. Poland, « Minos », *Realenc. Alt.-Wiss.* XV. 2, Stuttgart (Metzler) 1932, coll. 1890-1927.

– « Minotauros (1) », *Realenc. Alti-Wiss.* XV. 2, Stuttgart (Metzler) 1932, coll. 1927-1934.

F. de Polignac, *La naissance de la cité grecque,* Paris (La Découverte) 1984.

F. Prinz, *Gründungsmythen und Sagenchronologie,* München (Beck) 1979.

G. A. Privitera, *Dioniso in Omero e nella poesia greca arcaica,* Roma (Ateneo) 1970.

L. Radermacher, *Mythos und Sage bei den Griechen,* München - Wien (Brünn) ²1943.

Th. Reik, *Le rituel. Psychanalyse des rites religieux,* Paris (Denoël) 1974 (éd. or. : Leipzig - Wien - Zürich, Intern. Psychoanal. Verlag, 1928).

P. J. Rhodes, *A Commentary on the Aristotelian* Athenaion Politeia, Oxford (Clarendon Press) 1981.

N. J. Richardson, *The Homeric Hymn to Demeter,* Oxford (Clarendon Press) 1974.

W. Richter, *Die Landwirtschaft im homerischen Zeitalter* (*Archaeologia Homerica* II H), Göttingen (Vandenhoeck & Ruprecht) 1968.

P. Ricœur, *Temps et récit. Tome I,* Paris (Seuil) 1983.

I. Rossi (ed.), *The Logic of Culture. Advances in Structural Theory and Methods,* South Hadley Mass. (Bergin) 1982.

J. Rudhardt, *Notions fondamentales de la pensée religieuse et actes constitutifs du culte dans la Grèce classique,* Genève (Droz) 1958.

A. Rutgers van der Loeff, « De Oschophoriis », *Mnemosyne* 43, 1915, pp. 404-415.

I. C. Rutherford and J. A. D. Irvine, « The Race of the Athenian Oschophoria and an Oschophoricon by Pindar », *Zeitschr. Pap. Epigr.* 72, 1988, pp. 43-51.

D. Sabbatucci, *Il mito, il rito, la storia,* Roma (Bulzoni) 1978.

P. Santarcangeli, *Le Livre des labyrinthes. Histoire d'un mythe et d'un symbole,* Paris (Gallimard) 1974 (éd. or. : Firenze, Vallecchi, 1967).

K. Schefold, *Frühgriechische Sagenbilder,* München (Hirmer) 1964.

– *Götter- und Heldensagen der Griechen in der spätarchaischen Kunst,* München (Hirmer) 1978.

K. Schefold und F. Jung, *Die Urkönige Perseus, Bellerophon, Herakles und Theseus in der klassischen und hellenistischen Kunst,* München (Hirmer) 1988.

M. Schuster, « Zum Verständnis religiöser Phänomene der Naturvölker », *Verhandl. Naturforsch. Gesell. Basel* 80, 1970, pp. 226-236.

Th. A. Sebeok (ed.), *Myth : A Symposium* (*Journ. of Amer. Folklore* 68. 270), Philadelphia (American Folklore Society) 1955.

Ch. Segal, « The Myth of Bacchylides 17 : Heroic Quest and Heroic Identity », *Eranos* 77, 1979, pp. 23-37.

H. A. Shapiro, *Art and Cult under the Tyrants in Athens,* Mainz (von Zabern) 1989.

E. Simon, *Festivals of Attica. An Archaeological Commentary,* Madison (Univ. of Wisconsin Press) 1983.

G. Sissa et M. Detienne, *La vie quotidienne des dieux grecs,* Paris (Hachette) 1989.

F. Sokolowski, *Lois sacrées des cités grecques. Supplément,* Paris (De Boccard) 1962.

– *Lois sacrées des cités grecques,* Paris (De Boccard) 1968.

Ch. Sourvinou-Inwood, *Theseus as son and stepson : a tentative illustration of the Greek mythological mentality* (*Bull. Inst. Class. Stud. Suppl.* 40), London (Inst. Class. Stud.) 1979.

D. Sperber, *Le symbolisme en général,* Paris (Hermann) 1974.

– « La pensée symbolique est-elle irrationnelle ? » in Izard & Smith, 1979, pp. 17-42.

M. Stahl, *Aristokraten und Tyrannen im archaischen Athen. Untersuchungen zur Ueberlieferung, zur Sozialstruktur und zur Entstehung des Staates,* Stuttgart (Steiner) 1987.

M. Stanek, *Geschichten der Kopfjäger. Mythos und Kultur der Iatmul auf Papua-Neuguinea,* Köln (Diederichs) 1982.

P. Stengel, *Die griechischen Kultusaltertümer,* München (Beck) ³1920.

A. and M. Strathern, *Self-Decoration in Mount Hagen,* London (Duckworth) 1971.

K. Tausend, « Theseus und der Delisch-attische Bund », *Rhein. Mus.* 132, 1989, pp. 225-235.

M. W. Taylor, *The Tyrant Slayers. The Heroic Image in Fifth Century B.C. Athenian Art and Politics,* New York (Arno Press) 1981.

T. Todorov, *Symbolisme et interprétation,* Paris (Seuil) 1979.

– (éd.), *Théorie de la littérature. Textes des formalistes russes,* Paris (Seuil) 1965.

J. Travlos, *Bildlexikon zur Topographie des antiken Athen,* Tübingen (Wasmuth) 1971.

A. Tresp, *Die Fragmente der griechischen Kultschriftsteller,* Giessen (Töpelmann) 1914.

V. W. Turner, *The Ritual Process. Structure and Anti-Structure,* London (Routledge & Kegan Paul) 1969.

– « Syntaxe du symbolisme d'une religion africaine » in Huxley, 1971, pp. 76-88.

– *Les tambours d'affliction. Analyse du rituel chez les Ndembu de Zambie,* Paris (Gallimard) 1972 (éd. or. : Oxford, Univ. Press, 1968).

– « Symbols in African Ritual », *Science* 179, 1972, pp. 1100-1105.

W. B. Tyrrell, *Amazons. A Study in Athenian Mythmaking,* Baltimore - London (The Johns Hopkins Univ. Press) 1984.

H. Verbruggen, *Le Zeus crétois,* Paris (Belles-Lettres) 1981.

J.-P. Vernant, *Mythe et société en Grèce ancienne,* Paris (Maspero) 1974.

J.-P. Vernant et P. Vidal-Naquet, *Mythe et tragédie en Grèce ancienne,* Paris (Maspero) 1972.

P. Veyne, *Les Grecs ont-ils cru à leurs mythes ? Essai sur l'imagination constituante,* Paris (Seuil) 1983.

P. Vidal-Naquet, *Le chasseur noir. Formes de pensée et formes de société dans le monde grec,* Paris (La Découverte) ²1983.

A. G. Ward (*et al.*), *The Quest for Theseus,* London (Pall Mall Press) 1970.

M. L. West, *Hesiod. Theogony,* Oxford (Clarendon Press) 1966.

D. Whitehead, *The Demes of Attica 508/7 - ca. 250 B.C. A Polical and Social Study,* Princeton (Univ. Press) 1986.

R. F. Willetts, *Cretan Cults and Festivals,* London (Routledge & Kegan Paul) 1962.

TABLE DES MATIÈRES

Chapitre III : LES CULTES « FONDÉS » PAR THÉSÉE

Chapitre IV : FIGURES MYTHIQUES D'UN HÉROS NATIONAL

Chapitre VI : L'HÉROÏSATION SYMBOLIQUE DANS L'HISTOIRE

Achevé d'imprimer sur les presses
de l'imprimerie Darantiere à Dijon-Quetigny
en novembre 1990

Dépôt légal : 4e trimestre 1990
N° d'impression : 614